N'OUVRE PAS LES YEUX

Né en 1942, John Verdon, après avoir fait carrière dans les plus grandes firmes publicitaires de New York, a pris sa retraite à la campagne pour se consacrer à l'écriture. Son premier thriller, *658*, a été un best-seller international.

Paru dans Le Livre de Poche :

658

JOHN VERDON

N'ouvre pas les yeux

ROMAN TRADUIT DE L'ANGLAIS (ÉTATS-UNIS)
PAR PHILIPPE BONNET ET SABINE BOULONGNE

BERNARD GRASSET

Titre original :

SHUT YOUR EYES TIGHT
Publié par Crown Publishers, à New York, en 2011.

ISBN : 978-2-253-16497-5 – 1re publication LGF

Pour Naomi

Prologue

La solution parfaite

Il se planta devant le miroir et sourit à son reflet avec satisfaction. À cet instant, il n'aurait pas pu être plus content de lui, de sa vie, de son intelligence – non, c'était plus que de la simple intelligence, plutôt une profonde compréhension de tout. C'est ce qui correspondait le mieux à son état mental. Oui, c'était tout à fait ça – une compréhension absolue allant bien au-delà des limites habituelles de la sagesse humaine. La justesse de l'expression, qu'il inscrivit en lettres d'or dans son cerveau, l'exalta. Il pouvait sentir – au sens littéral – la puissance de sa vision de l'humanité et, vu de l'extérieur, le cours des événements en était la preuve.

Tout d'abord, et pour dire les choses simplement, on ne l'avait pas attrapé. Vingt-quatre heures s'étaient écoulées à la minute près et, en l'espace de cette révolution quasi complète de la Terre, il se savait de plus en plus en sécurité. Mais c'était prévu ; il avait veillé à effacer toutes les pistes, à ce qu'aucune logique ne puisse conduire jusqu'à lui. Et personne n'était venu. Personne ne l'avait découvert. Il avait donc raison de conclure que l'élimination de cette sale garce prétentieuse était un succès à tout point de vue.

Son plan s'était déroulé à la perfection – en douceur et de façon définitive – oui, définitive, un excellent terme en l'occurrence. Tout s'était passé comme prévu, sans faux pas ni surprises... excepté ce bruit. Du cartilage ? Sûrement. Quoi d'autre ?

Qu'un détail aussi mineur puisse laisser une impression sensorielle durable n'avait pas de sens. Mais peut-être que la force, la pérennité de cette impression résultaient de sa sensibilité hors du commun. L'acuité a son prix.

Certainement, ce petit craquement deviendrait un jour aussi ténu dans sa mémoire que l'image de tout ce sang, qui commençait déjà à pâlir. Il était important de mettre les choses en perspective, de se souvenir que tout passe. Que chaque ondulation à la surface d'un étang finit par s'estomper.

PREMIÈRE PARTIE

Le jardinier mexicain

CHAPITRE 1

Vie champêtre

En ce matin de septembre, il régnait un silence sidéral, comme dans un sous-marin glissant entre deux eaux, ses moteurs éteints pour échapper aux systèmes d'écoute de l'ennemi. Le paysage semblait retenu, immobile, sous l'emprise d'un calme immense, le calme avant la tempête, un calme aussi profond et imprévisible que l'océan.

Il avait fait un été étrangement doux, la semi-sécheresse absorbant lentement la vie du gazon et des arbres. À présent, les feuilles viraient du vert au brun clair et commençaient déjà à tomber des érables et des hêtres, n'offrant guère la promesse d'un automne haut en couleur.

Dave Gurney se tenait devant les portes-fenêtres de sa cuisine rustique, contemplant le jardin et la pelouse tondue entre la grande maison et le pré envahi par la végétation qui descendait en pente douce vers l'étang et la vieille grange rouge. Il se sentait vaguement mal à l'aise, irrésolu, son attention allant du carré d'asparagus à l'extrémité du jardin au petit bulldozer jaune à côté de la grange. Il grommelait en avalant à petites gorgées son café du matin, qui refroidissait dans l'air sec.

Mettre des engrais ou pas : telle était la question asparagus. Ou du moins la première question. Dans le cas où la réponse se révélait être oui, cela soulevait une seconde question : en vrac ou en sac ? L'engrais, avait-il lu sur les divers sites Web que lui avait indiqués Madeleine, était la clé du succès avec les asparagus ; quant à savoir s'il devait compléter la dose qu'il avait utilisée au printemps dernier par un nouvel apport, ce n'était pas très clair.

Il vivait depuis deux ans dans les Catskill. Il avait essayé, non sans mal, de s'impliquer dans ces problèmes de maison et de jardin auxquels Madeleine s'était attaquée avec un enthousiasme immédiat ; mais des remords, tels des termites inquiétants, le rongeaient. Non pas ceux de l'acheteur de cette maison, avec ses vingt-cinq hectares de terrain pittoresques qui constituaient un bon investissement, mais ceux de l'inspecteur du NYPD ayant décidé de changer de vie et de prendre sa retraite à l'âge de cinquante-six ans, troquant sa plaque de policier pour celle de gentilhomme campagnard attaché aux travaux du jardin.

Certains événements de mauvais augure semblaient d'ailleurs aller dans ce sens. Depuis qu'ils s'étaient installés dans leur paradis pastoral, en dehors d'un tic intermittent de la paupière gauche, il s'était remis à fumer de façon sporadique après quinze ans d'abstinence, à son grand dam et à celui de Madeleine. Mais le gros point noir était qu'il avait accepté, l'automne précédent, au bout d'un an de soi-disant retraite, de se plonger dans l'horrible affaire du meurtre de Mark Mellery.

C'est à peine s'il avait réchappé à cet épisode ; sans compter qu'il avait en plus mis Madeleine en danger et, dans cet instant de lucidité que procure souvent la proximité de la mort, il avait décidé de se consacrer aux seuls plaisirs de leur nouvelle vie. Ce qui semble évident, lumineux, perd de son éclat si on ne s'y cramponne pas jour après jour. Un instant de grâce n'est qu'un instant de grâce. Si on ne le retient pas, la vision se transforme de façon étrange, une pâle image rétinienne se dissipant peu à peu, un rêve, puis une note dissonante dans le fond sonore du quotidien.

Comprendre ce phénomène, découvrit Gurney, n'est pas synonyme de miracle – la meilleure attitude qu'il ait trouvée et qui le mettait en porte-à-faux avec sa femme était la tiédeur. Il se demandait si l'on pouvait réellement changer ou, plutôt, si lui pouvait réellement changer. Dans ses moments sombres, son manque de souplesse, tant dans sa manière d'être que dans sa façon de penser, le décourageait.

Le cas du bulldozer était un bon exemple. Il avait acheté un petit modèle d'occasion, six mois plus tôt, expliquant à Madeleine que cette machine était pratique, adaptée à leur propriété de vingt hectares de bois et de prés, et de quatre cents mètres de chemin de terre. Lui la considérait comme un moyen d'effectuer les réparations et aménagements extérieurs nécessaires – une chose bonne et utile. Elle, d'emblée, ne la vit pas comme un gage de son implication dans leur nouvelle existence, mais comme le symbole, bruyant et empestant le gazole, de son mécontentement – de son insatisfaction par rapport à leur environnement, de son regret d'avoir quitté la ville pour la montagne, de sa manie de tout contrôler en conférant à un nouveau monde inacceptable la tournure de son propre esprit. Objection qu'elle n'avait exprimée qu'une seule fois, et encore brièvement : « Pourquoi ne peux-tu pas prendre tout ce qui nous entoure comme un cadeau, un magnifique cadeau, et arrêter d'essayer de l'arranger ? »

Alors qu'il se tenait devant les portes vitrées, se souvenant avec embarras de son commentaire, du ton légèrement exaspéré avec lequel il lui avait répondu, une voix bien réelle se fit entendre tout à coup, venant de quelque part derrière lui.

— Est-ce qu'il y a une chance que tu t'occupes des freins de mon vélo avant demain ?

— J'ai dit que je le ferais.

Il but une nouvelle gorgée de café et fit la grimace. Il était froid. Il jeta un coup d'œil à la vieille horloge à balancier au-dessus du buffet en pin. Il lui restait près d'une heure avant de devoir partir pour donner une de ses conférences occasionnelles à l'école de police d'Albany.

— Tu devrais venir avec moi un de ces jours, dit-elle, comme si cette idée lui avait traversé l'esprit à l'instant.

— Certainement, fit-il – réponse qu'il ne manquait jamais de lui adresser lorsqu'elle suggérait qu'il l'accompagne dans une de ses randonnées à vélo à travers les champs et les forêts vallonnés qui composent la plus grande partie de l'ouest des Catskill.

Il se tourna vers elle. Elle se tenait sur le seuil du coin repas, vêtue d'un caleçon usé, d'un sweat-shirt flottant et d'une casquette de base-ball tachée de peinture. Soudain, il ne put s'empêcher de sourire.

— Qu'est-ce qu'il y a ? demanda-t-elle en inclinant la tête sur le côté.

— Rien.

Parfois sa présence exerçait sur lui un charme immédiat au point de le vider de toute pensée emberlificotée ou négative. Telle était cette créature rare : une très jolie femme peu soucieuse de son apparence. S'approchant, elle se plaça à côté de lui, regardant dehors.

— Le cerf est allé manger les graines des oiseaux, remarqua-t-elle, plus amusée que contrariée.

À l'autre bout de la pelouse, les trois mangeoires pour les pinsons suspendues à un crochet étaient tout de travers. En les regardant, il se rendit compte qu'il partageait, dans une certaine mesure tout au moins, la bienveillance de Madeleine pour le cerf, en dépit des menus dégâts qu'il provoquait – ce qui paraissait bizarre, dans la mesure où ses sentiments étaient entièrement différents des siens concernant les déprédations des écureuils qui, à cet instant même, dévoraient les graines que le cerf n'était pas parvenu à extraire du fond des mangeoires. Nerveux, rapides, brusques dans leurs mouvements, ils faisaient l'effet d'être en proie à une faim dévorante et obsessionnelle, un désir cupide d'engloutir chaque miette de nourriture disponible.

Son sourire s'évaporant, Gurney les observa avec cette pointe d'agacement qui était devenue, suspectait-il dans ses moments d'objectivité, sa réaction automatique à beaucoup trop de choses – agacement qui résultait des failles de son mariage et les mettait en évidence. Madeleine aurait qualifié les écureuils de fascinants, malins, ingénieux, impressionnants par leur énergie et leur ténacité. Elle semblait les aimer, tout comme elle aimait presque tout dans la vie. Lui, en revanche, avait envie de leur tirer dessus.

Enfin, pas exactement leur tirer dessus, pas vraiment les tuer ni les blesser, mais peut-être les atteindre avec un pistolet à air comprimé de manière à les obliger à déguerpir des mangeoires et à fuir dans les bois où était leur place. Tuer, cette solution n'avait rien pour le séduire. Au cours de ses années au NYPD, durant toute sa carrière d'inspecteur de la Criminelle, en vingt-cinq ans passés à côtoyer des individus violents dans une ville violente, il n'avait jamais sorti son arme, l'avait à peine effleurée en dehors des champs de tir, et il n'avait pas l'intention de commencer maintenant. Peu importe ce qui l'avait séduit dans le métier de policier, au point de lui consacrer la plus grande partie de sa vie, ce n'était sûrement pas l'attrait des armes à feu ni la solution simpliste qu'elles offrent.

Il eut soudain conscience que Madeleine l'observait avec ce regard intrigué et évaluateur, devinant probablement à la crispation de sa mâchoire ce qu'il pensait à propos des écureuils. En réponse à cette clairvoyance manifeste, il eut envie de dire quelque chose qui justifierait son hostilité envers les rats à queue duveteuse, mais la sonnerie du téléphone retentit – en fait, la sonnerie de deux téléphones se fit entendre simultanément : celle du téléphone fixe dans le bureau et celle de son portable sur le buffet de la cuisine. Madeleine se dirigea vers le bureau. Gurney prit le portable.

CHAPITRE 2

La mariée égorgée

Jack Hardwick était un type cynique, acerbe, désagréable, aux yeux larmoyants, qui buvait beaucoup trop et pour qui tout dans la vie était matière à des plaisanteries acides. Il avait quelques admirateurs enthousiastes mais n'inspirait pas facilement confiance. Gurney était persuadé que, si l'on retirait à Hardwick toutes ses motivations douteuses, il ne lui en resterait plus du tout.

Mais Gurney le considérait aussi comme l'un des policiers les plus intelligents et les plus perspicaces avec lesquels il lui ait été donné de travailler. Aussi, lorsqu'il entendit l'inimitable voix râpeuse, éprouva-t-il des sentiments mitigés.

— Davey Boy !

Gurney grimaça. Il n'était pas du genre « Davey Boy » et ne le serait jamais, raison pour laquelle, supposa-t-il, Hardwick avait justement choisi ce sobriquet.

— Que puis-je pour toi, Jack ?

Le braiment hilare à l'autre bout du fil était aussi agaçant et incongru que de coutume.

— Quand on travaillait sur l'affaire Mellery, tu te vantais de te lever avec les poules. Je me suis dit que j'allais t'appeler pour voir si c'était vrai.

Il y avait toujours un préambule badin à subir avant que Hardwick en vienne au fait.

— Qu'est-ce que tu veux, Jack ?

— Tu as vraiment des poules vivantes dans ta ferme, cavalant, gloussant et chiant partout, ou « se lever avec les poules » est juste une expression de péquenauds ?

— Qu'est-ce que tu veux, Jack ?

— Pourquoi diable est-ce que je voudrais quelque chose ? Est-ce qu'un vieux pote ne peut pas en appeler un autre en souvenir du bon vieux temps ?

— Laisse tomber le « vieux pote » et autres sornettes, Jack, et dis-moi pourquoi tu appelles.

À nouveau le rire chevalin.

— Quelle froideur, Gurney, quelle froideur !

— Écoute, je n'ai pas encore pris ma seconde tasse de café. Alors, si tu ne me dis pas de quoi il s'agit dans les cinq secondes qui suivent, je raccroche. Cinq… quatre… trois… deux… un…

— Une mariée débutante s'est fait dessouder à ses noces. J'ai pensé que ça pourrait t'intéresser.

— Pourquoi est-ce que ça m'intéresserait ?

— Merde, comment est-ce qu'un as de la Criminelle pourrait ne pas être intéressé ? J'ai dit qu'elle s'était fait dessouder ? J'aurais dû dire qu'on l'avait taillée en pièces. L'arme du meurtre était une machette.

— L'as est à la retraite.

Il y eut un nouveau braiment sonore prolongé.

— Sans rire, Jack. Je suis réellement à la retraite.

— Comme quand tu t'es précipité pour résoudre l'affaire Mellery ?

— Un détour momentané.

— C'est vrai ?

— Écoute, Jack…

Gurney perdait patience.

— D'accord. Tu es à la retraite. J'ai pigé. Donne-moi seulement deux minutes pour t'expliquer les circonstances.

— Jack, pour l'amour du ciel…

— Deux malheureuses minutes. Deux. Tu es tellement occupé à astiquer tes balles de golf de retraité que tu ne peux même pas consacrer deux minutes à ton vieux coéquipier ?

L'image déclencha le minuscule tic à la paupière de Gurney.

— Nous n'avons jamais été coéquipiers.

— Comment peux-tu dire une chose pareille ?

— Nous avons travaillé ensemble sur deux affaires. Nous n'étions pas coéquipiers.

Pour être tout à fait honnête, Gurney aurait dû admettre que Hardwick et lui avaient effectivement, au moins sur un point, une relation exceptionnelle. Dix ans plus tôt, alors qu'ils travaillaient, dans des juridictions distantes de cent cinquante kilomètres, sur différents aspects de la même affaire de meurtre, ils avaient découvert les deux moitiés distinctes du corps dépecé de la victime. Ce genre de hasard dans la chasse aux criminels pouvait forger un lien étroit bien que bizarre.

Hardwick baissa la voix, adoptant le registre sincère-pathétique.

— Est-ce que j'ai deux minutes ou pas ?

Gurney céda.

— Vas-y.

Hardwick revint aussitôt à son style oratoire habituel d'aboyeur de carnaval souffrant d'un cancer de la gorge.

— Tu es manifestement très pris, alors je n'irai pas par quatre chemins. Je vais te faire une immense faveur. (Il marqua un temps d'arrêt.) Tu es toujours là ?

— Accélère.

— Sale ingrat ! Très bien, voilà ce que j'ai pour toi. Un meurtre sensationnel commis il y a quatre mois. Une gosse de riches trop gâtée épouse un célèbre ténor de la psychiatrie. Une heure plus tard, à la réception donnée dans la somptueuse propriété de celui-ci, son jardinier fou la décapite avec une machette et réussit à jouer les filles de l'air.

Gurney avait vaguement le souvenir d'avoir vu à l'époque les gros titres de deux tabloïdes relatant l'affaire : « Le bonheur dans un bain de sang » et « Une jeune mariée égorgée ». Il attendit que Hardwick continue. Au lieu de ça, ce dernier se mit à tousser de façon si répugnante que Gurney dut écarter le téléphone de son oreille.

— Tu es toujours là ?

— Ouais.

— Aussi silencieux qu'un cadavre. Tu devrais faire de petits bips toutes les dix secondes, qu'on sache que tu es toujours en vie.

— Jack, pourquoi m'as-tu appelé, bon sang ?

— Je t'offre l'affaire de ta vie.

— Je ne suis plus flic. Tu ne comprends pas ?

— Peut-être que tu deviens sourdingue avec l'âge. Combien as-tu, cinquante-six ou soixante-six ? Voici l'essentiel de l'histoire. La fille d'un des plus riches neurochirurgiens du monde épouse un crack de la psychiatrie, qui est passé chez Oprah, tu piges ! Une heure plus tard, au milieu de deux cents invités, elle se rend dans le pavillon du jardinier. Elle a bu quelques verres, veut que le jardinier se joigne au toast porté aux mariés. Comme elle ne revient pas, son nouvel époux envoie quelqu'un la chercher, mais la porte du pavillon est fermée à double tour, et elle ne répond pas. Puis le mari, le célèbre Dr Scott Ashton, va frapper à la porte en l'appelant. Muni d'une clé, il ouvre et la découvre là, dans sa robe de mariée, la tête coupée – la fenêtre arrière du pavillon ouverte, pas de jardinier en vue. Rapidement, tous les flics du comté sont sur les lieux. Au cas où tu n'aurais pas encore compris, ce sont des gens très importants. L'affaire finit par nous tomber dessus à la BC, et sur moi en particulier. Démarrage simple : dénicher lc jardinier. Puis ça se met à se compliquer. Il ne s'agissait pas d'un jardinier ordinaire. Le fameux Dr Ashton l'avait pris comme qui dirait sous son aile. Hector Flores – le jardinier en question – était un ouvrier mexicain sans papiers. Ashton l'engage, ne tarde pas à se rendre compte que le zèbre est intelligent, très intelligent, si bien qu'il lui fait passer des tests, le pousse, l'éduque. En l'espace de deux ou trois ans, Hector devient le protégé du toubib plus que son ramasseur de feuilles. Presque un membre de la famille. Il semble qu'avec son nouveau statut, il ait même eu une aventure avec l'épouse d'un des voisins d'Ashton. Un personnage intéressant, le Señor Flores. Après le meurtre, il disparaît de la surface de la terre, avec le corps. La dernière tracc concrète de Hector : la machette ensanglantée qu'il a laissée à cent cinquante mètres dans les bois.

— Et ça nous mène où ?

— Nulle part.

— Que veux-tu dire ?

— Mon brillant capitaine avait une certaine idée de l'affaire... Tu te souviens probablement de Rod Rodriguez ?

Il frémit rien qu'à cette évocation. Un an plus tôt – six mois avant le meurtre décrit par Hardwick –, Gurney avait joué un rôle semi-officiel dans une enquête menée par une unité de la Brigade d'investigation criminelle de la police de l'État que commandait l'intransigeant et ambitieux Rodriguez.

— D'après lui, il fallait embarquer aux fins d'interrogatoire tous les Mexicains à trente kilomètres à la ronde et les menacer du pire jusqu'à ce que l'un d'entre eux nous conduise à Hector Flores, et, si ça ne marchait pas, on étendrait le rayon à quatre-vingts kilomètres. Il tenait à mettre le paquet là-dessus... cent pour cent des ressources.

— Tu n'étais pas d'accord avec ça ?

— D'autres pistes méritaient d'être explorées. Le Hector pouvait très bien ne pas être ce qu'il paraissait. Tout ce remue-ménage faisait une drôle d'impression.

— Eh bien, que s'est-il passé ?

— J'ai dit à Rodriguez qu'il pédalait dans la semoule.

— Vraiment ?

Gurney sourit pour la première fois.

— Oui, vraiment. Ce qui fait que j'ai été dessaisi de l'affaire. Elle a été confiée à Blatt.

— Blatt !

Le nom avait le goût d'une bouchée de nourriture avariée. Gurney se souvenait de l'enquêteur Arlo Blatt comme du seul policier de la BC à être plus irritant que Rodriguez. Blatt incarnait une attitude que le professeur favori de Gurney à l'université décrivait jadis comme « l'ignorance armée et prête au combat ».

Hardwick poursuivit :

— Blatt a donc fait ce que lui disait Rodriguez, sans arriver à rien. Quatre mois se sont écoulés, et nous sommes encore moins avancés. Tu te demandes, j'en suis sûr, ce que tout ça a à voir avec le policier le plus décoré de l'histoire du NYPD ?

— La question m'a en effet traversé l'esprit, mais pas en ces termes.

— La mère de la mariée n'est pas satisfaite. Elle soupçonne que l'enquête a été bâclée. Elle n'a aucune confiance en Rodriguez, trouve que Blatt est un crétin. En revanche, elle pense que tu es un génie.

— Elle pense quoi ?

— Elle est venue me voir la semaine dernière – quatre mois jour pour jour après le meurtre – en se demandant si je pouvais reprendre l'affaire, ou, dans le cas contraire, si je pouvais y travailler sans que personne le sache. Je lui ai répondu quc ça nc me paraissait pas très réaliste, que j'avais les mains liées, que je n'étais pas au mieux avec la brigade… mais que je connaissais personnellement l'un des inspecteurs les plus éminents du NYPD, depuis peu à la retraite, toujours plein d'entrain et d'énergie, et qui ne serait que trop heureux de lui fournir une alternative à l'approche Rodriguez-Blatt. Cerise sur le gâteau, il se trouve que je possédais une copie de ce petit article ô combien louangeur que le *New York Magazine* a publié sur toi lorsque tu as résolu l'affaire du père Noël satanique. Comment t'avait-on surnommé déjà… Superflic ? Elle a été impressionnée.

Gurney fit la moue. Plusieurs réponses possibles se bousculèrent dans sa tête, s'annulant l'une l'autre.

Hardwick sembla encouragé par son silence.

— Elle aimerait beaucoup te rencontrer. Ah, je ne te l'ai pas dit ? Elle est splendide, une petite quarantaine, mais elle en paraît trente. Et elle a fait clairement comprendre que l'argent n'entrait pas en ligne de compte. Ton prix sera le sien. Sérieusement… deux cents dollars de l'heure ne serait pas un problème. Je sais que l'argent ne te motive pas, trop vulgaire.

— En parlant de motivations, qu'est-ce que tu y gagnes ?

L'effort de Hardwick pour jouer l'innocence était franchement comique.

— Faire en sorte que justice soit rendue ? Aider une famille qui a vécu un enfer ? Perdre un enfant doit être ce qu'il y a de pire au monde, non ?

Gurney se figea. Évoquer la perte d'un enfant le bouleversait toujours. Cela faisait plus de quinze ans que Danny, à peine âgé de quatre ans à l'époque, avait traversé la rue alors que Gurney regardait ailleurs ; mais le chagrin, avait-il découvert, n'était pas un sentiment que l'on éprouvait une fois et dont on se « remettait » ensuite (comme le prétendait l'expression populaire stupide). En vérité, il vous arrivait par vagues successives – des vagues séparées par des périodes de torpeur, des périodes d'oubli, des périodes de vie normale.

— Tu es toujours là ?

Hardwick continua :

— Je veux faire mon possible pour ces gens. De plus…

— De plus, l'interrompit Gurney, parlant rapidement, se forçant à mettre de côté l'émotion qui l'envahissait, si je m'impliquais, ce que je n'ai nullement l'intention de faire, ça ficherait Rodriguez en rogne, n'est-ce pas ? Et si je réussissais à mettre la main sur quelque chose de nouveau, de significatif, ça donnerait de lui et de Blatt une image franchement mauvaise, pas vrai ? Ce ne serait pas une de tes excellentes raisons ?

Hardwick se racla à nouveau la gorge.

— C'est une façon de voir. Le fait est qu'on a ici une mère affligée qui trouve que l'enquête de police n'avance pas – ce que je peux comprendre, dans la mesure où l'incompétent Arlo Blatt et son équipe ont tiré de leur lit tous les Mexicains du comté sans même récolter un pet de taco. Elle veut à tout prix un vrai détective. Je dépose donc cet œuf d'or sur tes genoux.

— C'est super, Jack. Mais les enquêtes privées, ce n'est pas mon rayon.

— Pour l'amour du ciel, Davey, au moins parle-lui. C'est tout ce que je te demande. Juste de lui parler. Elle est seule, vulnérable, belle, avec de bons gros biftons à dépenser. Et tout au fond, mon vieux Davey, tout au fond il y a quelque chose de sauvage chez cette bonne femme. Je te le garantis. Je te le jure.

— Jack, la dernière chose dont j'ai besoin pour le moment…

— Ouais, ouais, ouais, tu es marié, tu adores ta femme, et patati et patata. OK. Très bien. Et peut-être que ça ne t'intéresse pas d'avoir l'occasion de donner une fois pour toutes à Rod Rodriguez l'air du connard intégral qu'il est en réalité. D'accord. Mais il s'agit d'une affaire complexe. (Il prononça le mot sur un ton lourd de sens, le fit sonner comme si c'était le plus précieux de tous les attributs.) À plusieurs niveaux, Davey. Un putain d'oignon.

— Et alors ?

— Tu es un éplucheur d'oignon inné. Le meilleur qu'il y ait jamais eu.

CHAPITRE 3

Orbites elliptiques

Lorsque Gurney finit par apercevoir Madeleine à la porte du bureau, il n'aurait su dire depuis combien de temps elle se tenait là, ni depuis combien de temps lui-même était à la fenêtre donnant sur le pré qui grimpait vers la crête boisée derrière la maison. Même sous la torture, il aurait été bien incapable de décrire l'aspect actuel du pré, les verges d'or éclatantes, l'herbe brunâtre et les asters bleus qu'il semblait regarder fixement ; mais il aurait pu répéter presque mot pour mot le récit que lui avait fait Hardwick au téléphone.

— Alors ? dit Madeleine.

— Alors, répéta-t-il comme s'il n'avait pas saisi la question.

Elle sourit avec impatience.

— C'était Jack Hardwick.

Il s'apprêtait à lui demander si elle se souvenait de Jack Hardwick, le chef enquêteur de l'affaire Mellery, quand il vit à l'expression de ses yeux qu'il n'avait pas besoin de le faire. C'était l'expression qu'elle avait chaque fois qu'émergeait un nom associé à cette terrible série de meurtres.

Elle le dévisagea, attendant, impassible.

— Il voulait un conseil.

Elle attendit la suite.

— Il souhaiterait que je parle à la mère d'une fille qui a été assassinée. Le jour de son mariage.

Il était sur le point d'expliquer de quelle façon, de donner des détails précis, mais il comprit que ce serait une erreur.

Madeleine eut un hochement de tête presque imperceptible.

— Ça va ? interrogea-t-il.

— Je me demandais combien de temps cela prendrait.

— Combien de temps ?…

— Avant que tu trouves un nouveau… cas… qui réclame ton attention.

— Tout ce que je vais faire, c'est lui parler.

— Bien. Et au terme d'un gentil petit entretien, tu en concluras que cette femme qui a été tuée le jour de ses noces n'a rien de spécialement intéressant, tu te mettras à bâiller et tu tourneras les talons. C'est comme ça que tu vois les choses ?

Sa voix se tendit instinctivement.

— Je n'en sais pas encore assez. Je ne sais pas.

Elle le gratifia de son sourire sceptique breveté.

— Il faut que j'y aille. (Puis, comme il semblait s'étonner, elle ajouta :) La clinique, tu te souviens ? À ce soir.

Et elle s'éclipsa.

D'abord, il fixa des yeux la porte vide. Puis il décida qu'il devait la rattraper, commença à le faire, alla jusqu'au milieu de la cuisine, s'arrêta en se demandant ce qu'il lui dirait, songea qu'il lui fallait la rattraper malgré tout et sortit par la porte du jardin. Mais le temps qu'il fasse le tour pour gagner le devant de la maison, la voiture de Madeleine se trouvait déjà à mi-chemin du petit sentier cahoteux qui coupait le bas du pré. Il se demanda si elle l'avait vu dans le rétroviseur, si cela faisait une différence qu'il soit sorti pour la rejoindre.

Ces derniers mois, il s'était imaginé que les choses allaient à peu près bien. La vive émotion provoquée par le cauchemar Mellery avait fait place à une paix fragile. Ils avaient glissé sans à-coups, petit à petit, le plus souvent à leur insu, dans des types de comportements affectueux ou du moins tolérants, qui ressemblaient à des orbites elliptiques séparées. Tandis qu'il donnait de temps à autre ses conférences à l'école de police, Madeleine avait accepté une place à mi-temps dans la clinique psychiatrique de la région, où elle faisait les admissions et les évaluations. Avec ses diplômes et son expérience d'assistante sociale, elle était surqualifiée pour le poste, mais cela semblait avoir procuré à leur couple un certain équilibre, un allégement de la pression créée par leurs attentes irréalistes à chacun. Ou n'était-ce qu'une douce illusion ?

Les douces illusions. Le remède universel.

Debout sur les touffes d'herbe flétries, il regarda la voiture disparaître derrière la grange sur la petite route menant au village. Il avait froid aux pieds. Il baissa les yeux et s'aperçut qu'il était en chaussettes, lesquelles absorbaient maintenant la rosée matinale. Comme il pivotait pour rentrer dans la maison, un mouvement près de la grange attira son attention.

Ayant émergé des bois, un coyote solitaire traversait en bondissant la clairière entre la grange et l'étang.

À mi-chemin, l'animal s'arrêta tout à coup, tournant la tête vers Gurney qu'il observa pendant de longues secondes. C'était un regard intelligent, pensa Gurney. Un regard de pur calcul, sans émotion.

CHAPITRE 4

L'art de la tromperie

— Quel est l'objectif commun à toute mission d'infiltration ?

La question de Gurney fut accueillie par diverses expressions d'intérêt et de perplexité sur les trente-neuf visages présents dans la salle de classe. La plupart des instructeurs commençaient leurs conférences en déclinant leur nom et les points forts de leur curriculum vitae puis en donnant les grandes lignes des sujets qu'ils allaient traiter, etc., etc. – un aperçu général auquel personne ne prêtait attention. Gurney préférait aller à l'essentiel, surtout pour un groupe de séminaire, composé de policiers expérimentés. Et ils savaient qui il était de toute façon. Il jouissait d'une réputation bien établie dans les cercles des représentants de la loi. Sur le plan professionnel, cette réputation était aussi bonne qu'on peut l'espérer en ce bas monde, et depuis son départ à la retraite du NYPD deux ans plus tôt, elle n'avait fait que s'améliorer – si l'on considère que susciter davantage de respect, d'admiration, d'envie et de ressentiment peut être qualifié d'« amélioration ». Pour sa part, il aurait préféré ne pas avoir de réputation du tout, pas d'image qu'il lui faille justifier.

— Réfléchissez, dit-il avec une tranquille fermeté, en établissant autant que possible un contact visuel avec eux. Quelle est la chose à laquelle vous devez parvenir dans toute entreprise d'infiltration ? Il s'agit d'une question importante. Je souhaiterais avoir une réponse de chacun d'entre vous.

Une main se leva au premier rang. Le visage, perché sur un corps imposant de joueur de ligne offensif, était jeune et déconcerté.

— Est-ce que l'objectif ne serait pas différent dans chaque cas ?

— La *situation* serait différente, dit Gurney avec un signe de tête aimable. Les protagonistes aussi. Les risques et les avantages également. Le personnage que vous incarnez, votre couverture, pourrait être très différent. La nature du renseignement ou de la preuve à obtenir varierait d'un cas à l'autre. Il y a assurément des tas de différences. Mais... (il marqua un temps d'arrêt, s'efforçant de les regarder à nouveau dans les yeux avant de continuer avec une insistance plus marquée) il existe un objectif commun à toute mission. C'est votre objectif principal de policier infiltré. La possibilité d'atteindre toute autre visée d'une opération tient à votre succès dans la réalisation de cet objectif principal. Votre vie en dépend. Dites-moi ce que c'est, d'après vous.

Pendant près d'une demi-minute, il régna un silence absolu, le seul mouvement étant l'apparition de froncements de sourcils songeurs. Dans l'attente des réponses dont il savait qu'elles finiraient par venir, Gurney parcourut des yeux le décor qui l'entourait : les murs en béton avec leur peinture beige mate, le sol recouvert de carreaux de vinyle dont le motif brun et ocre ne se distinguait plus des éraflures qui le recouvraient ; les rangées de longues tables en formica mouchetées de gris, devenues miteuses avec l'âge et faisant fonction de bureau pour deux, les chaises en plastique orange foncé avec des pieds en tube chromé, trop petits pour leurs occupants grands et musclés, leur éclat étrangement déprimant. Sanctuaire de la laideur architecturale du milieu des années soixante-dix, la pièce constituait une évocation lugubre de son dernier commissariat de quartier.

— Réunir des informations fiables, hasarda un visage interrogateur au second rang.

— Hypothèse raisonnable, répondit Gurney d'un ton encourageant. Quelqu'un a une autre idée ?

Une demi-douzaine de suggestions suivirent rapidement, provenant dans l'ensemble de l'avant de la salle, la plupart sur le thème des informations fiables.

— D'autres idées ? demanda Gurney.

— Le but est de mettre les méchants hors d'état de nuire, lança, dans un grommellement las, quelqu'un au dernier rang.

— Prévenir le crime, dit un autre.

— Connaître la vérité, toute la vérité, les faits, les noms, découvrir ce qui se mijote, qui fait quoi à qui, quel est le plan, qui est le mec au sommet de la chaîne alimentaire, pister l'argent, ce genre de merde. En fait, on veut savoir tout ce qu'il y a à savoir. C'est aussi simple que ça.

Le type sombre et maigre qui avait débité cette litanie, les bras croisés sur la poitrine, était assis juste en face de Gurney. Son petit sourire suffisant donnait à penser qu'il n'y avait plus rien à dire sur le sujet. Le carton devant lui sur la longue table portait le nom : « Insp. Falcone ».

— D'autres idées ? demanda Gurney platement en scrutant les coins de la pièce.

Le type maigre semblait écœuré.

Après une longue pause, une des trois femmes dans l'assistance parla d'une voix basse mais assurée, à l'accent hispanique.

— Établir et maintenir la confiance.

— Comment ?

La question fusa de plusieurs directions à la fois.

— Établir et maintenir la confiance, répéta-t-elle, un peu plus fort.

— Intéressant, dit Gurney. En quoi est-ce l'objectif le plus important ?

Elle eut un petit haussement d'épaules comme si la réponse allait de soi.

— Parce que, si vous n'avez pas leur confiance, vous n'avez rien.

Gurney sourit.

— *Si vous n'avez pas leur confiance, vous n'avez rien*. Très bien. Quelqu'un n'est pas d'accord ?

Personne n'émit d'objection.

— Bien sûr que nous voulons la vérité, reprit Gurney. Toute la vérité, avec l'ensemble des éléments à charge, comme l'a déclaré l'inspecteur Falcone ici présent.

L'homme le regarda froidement.

Gurney continua :

— Mais comme l'a dit cet autre policier : sans la confiance, qu'avons-nous ? Rien. Peut-être pire que rien. La confiance passe donc en premier… toujours.

Mettez la confiance d'abord et vous avez une bonne chance de dénicher la vérité. Mettez la vérité en premier et vous avez une bonne chance de recevoir une balle dans la nuque.

Ce qui suscita quelques hochements de tête, et un certain intérêt.

— Cela nous amène à la seconde grande question pour aujourd'hui. *Comment faites-vous ?* Comment faites-vous pour établir le degré de confiance qui vous permettra non seulement de rester en vie, mais aussi de rendre votre travail d'infiltration fructueux ?

Gurney sentit qu'il s'enthousiasmait peu à peu pour son sujet. À mesure qu'augmentait son énergie, elle gagnait peu à peu son auditoire.

— Rappelez-vous : dans ce jeu, vous avez affaire à des individus méfiants par nature. Certains sont très impulsifs. Ils n'hésiteront pas à vous abattre sur place, et ils en seront fiers. Ils aiment avoir l'air méchants. Ils aiment avoir l'air malins, rapides, décidés. Comment faites-vous pour convaincre des types de cette espèce de vous accorder leur confiance ? Comment survivez-vous assez longtemps pour que l'opération en vaille la peine ?

Cette fois, les réponses arrivèrent plus rapidement.

— En agissant et en se comportant comme eux.

— En agissant exactement comme celui qu'on est censé être.

— En étant cohérent. En se cramponnant à son identité de couverture.

— En croyant à cette identité. En croyant qu'on est vraiment ce qu'on prétend être.

— En restant calme, toujours calme, pas de sueurs froides. Ne montrer aucune peur.

— Avoir du cran.

— Des couilles d'acier.

— Pense ce que tu veux, mon pote. Je suis qui je suis. Je suis invincible. Intouchable. Alors n'essaie pas de jouer au con avec moi.

— Ouais, faire croire qu'on est Al Pacino, lâcha Falcone, cherchant à faire rire sans succès, un raté dans l'élan du groupe.

Gurney l'ignora, lança à la femme hispanique un regard interrogateur.

Celle-ci hésita.

— Vous devez faire preuve d'une certaine passion.

Ce qui provoqua quelques ricanements dédaigneux dans la salle et un sourire concupiscent de Falcone.

— Grandissez un peu, bande d'abrutis, répliqua-t-elle posément. Ce que je veux dire, c'est qu'il faut leur laisser voir quelque chose de réel en soi-même. Quelque chose qu'ils puissent percevoir, dont ils soient persuadés en leur for intérieur que c'est vrai.

Gurney fut galvanisé – comme chaque fois qu'il reconnaissait un étudiant vedette dans une de ses classes. Expérience qui le confortait dans sa décision de participer en tant que professeur invité à ces séminaires.

— *Cela ne peut pas être que du baratin*, reprit-il d'une voix suffisamment forte pour que tout le monde puisse entendre. Tout à fait exact. *Une émotion authentique... une passion crédible... est essentielle pour tromper efficacement.* Votre personnage sous couverture doit s'appuyer sur une partie psychologique réelle de vous-même. Sinon, ce n'est que de l'esbroufe, de l'imitation, du faux, du boniment. Or le boniment superficiel marche rarement et signifie la mort du policier infiltré.

Il fit un rapide tour des trente-neuf visages et constata qu'il avait l'attention positive d'au moins trente-cinq d'entre eux.

— Tout tourne donc autour de la confiance. De la crédibilité. Plus votre cible aura confiance en vous, plus il vous sera facile de lui échapper. Et une grande part de sa confiance en vous dépend de votre capacité à instiller une émotion vraie dans votre rôle, à utiliser un trait de caractère authentique pour donner vie à votre personnalité d'emprunt – colère, rage, cupidité, luxure – en fonction des nécessités du moment.

Il se détourna, apparemment pour insérer une vieille vidéocassette dans un lecteur sous un grand écran posé contre le mur et vérifier que tout était branché. Lorsqu'il pivota, son expression – en fait, toute son attitude corporelle, la manière dont il bougeait, l'impression qu'il donnait d'un homme luttant pour réprimer une crise de rage – envoya une onde de choc dans la salle de classe.

— Pour faire avaler à un cinglé de salopard votre numéro, vous avez intérêt à dénicher un endroit débectant en vous-même et à lui parler depuis cet endroit-là, histoire de lui faire clairement comprendre qu'au fond de vous, il y a un salopard encore plus cinglé qui pourrait bien un jour lui arracher les tripes, les mastiquer et les lui recracher en pleine gueule. Mais que, pour l'instant, pour l'instant seulement, vous tenez attaché ce chien enragé que vous avez dans le ventre. Encore que tout juste.

Il fit un brusque pas en avant vers le premier rang et nota avec satisfaction que tout le monde – même Falcone – recula aussitôt, sur la défensive.

— Très bien, dit-il avec un sourire rassurant en reprenant son air habituel, c'était un petit échantillon du côté émotionnel. Une passion crédible. Vous avez eu pour la plupart une réaction instinctive à cette colère, cet accès de folie. Vous avez d'abord cru que c'était pour de vrai, que ce Gurney avait pété les plombs, d'accord ?

Il y eut quelques rires nerveux tandis que chacun dans la salle essayait de se détendre.

— Et alors, qu'est-ce que vous sous-entendez ? demanda Falcone avec irritation. Qu'il y a une part de démence en vous ?

— Je laisserai cette question ouverte pour le moment.

Il y eut d'autres rires, plus amicaux.

— Mais le fait est qu'il y a plus de saloperies, de saloperies glauques, à l'intérieur de chacun de nous – nous tous – que nous ne le supposons. Ne les gaspillez pas. Trouvez-les et servez-vous-en. Dans les missions clandestines, les aberrations qui sont en vous et que vous refusez de voir en temps normal peuvent devenir votre plus gros atout. Le trésor caché qui vous sauve la vie.

Il aurait pu leur donner des exemples personnels – des situations dans lesquelles il avait utilisé une case sombre de la mosaïque de son enfance et l'avait grossie jusqu'à la transformer en un tableau cauchemardesque ayant abusé des adversaires pourtant perspicaces. En fait, l'un des exemples les plus probants datait d'il y a moins d'un an, à la fin de l'affaire Mellery. Mais il n'allait pas s'embarquer là-dedans. Exposer des problèmes non résolus dans sa vie, il n'en avait pas envie, pas maintenant, pas dans un séminaire. De plus, ce n'était pas nécessaire. Il avait le sentiment que ses étudiants étaient déjà avec lui. Leur esprit était plus ouvert. Ils avaient cessé de discuter. Ils réfléchissaient, s'interrogeaient, se montraient réceptifs.

— Bon, c'était la partie émotionnelle. Maintenant, j'aimerais que nous passions au stade suivant : celui où votre cerveau et vos émotions s'unissent pour faire de vous le meilleur agent infiltré, pas seulement un idiot affublé d'une casquette et d'un pantalon baggy pour ressembler à un accro au crack.

Quelques sourires, haussements d'épaules, peut-être un froncement de sourcils défensif ici et là.

— À présent, je voudrais que vous vous posiez une question saugrenue. Que vous vous demandiez pourquoi vous croyez ce que vous croyez. *Pourquoi croit-on quelque chose ?*

Avant qu'ils aient eu le temps de se laisser égarer ou décourager par les profondeurs abstraites de ce sujet de méditation, il appuya sur le bouton « Play » du magnétoscope. Au moment où apparaissait la première image, il déclara :

— Pendant que vous regardez la vidéo, gardez cette question dans un coin de votre esprit : *Pourquoi croit-on quelque chose ?*

CHAPITRE 5

L'Illusion Eurêka

Ils sont assis à une petite table métallique dans une pièce nue, on ne peut plus banale : un jeune homme d'une vingtaine d'années, le visage empreint de bravade et de nervosité, les poings serrés posés sur les genoux ; juste en face de lui, un homme plus âgé, au moins la cinquantaine, ses yeux las et son front plissé reflétant d'obscurs abîmes de tristesse et d'expérience ; un troisième homme, sans doute la quarantaine, cheveux bruns, musclé, assis un peu plus loin de la table, son regard glacial fixé sur le jeune homme anxieux.

Manifestement, un interrogatoire est en cours.

Le magnétophone est vétuste, l'image et le son de mauvaise qualité, mais ce qui se passe ne fait guère de doute et on voit que la séquence provient d'un vieux film.

Le jeune homme dans la scène souhaite vivement travailler pour l'Irgoun, organisation radicale luttant pour la création d'une patrie juive en Palestine à la fin de la Seconde Guerre mondiale. Il se targue d'être un spécialiste des explosifs, combattant chevronné, qui a appris à se servir de la dynamite en se battant contre les nazis dans le ghetto de Varsovie. Il prétend qu'après avoir tué un grand nombre de nazis, il a été capturé et emprisonné dans le camp de concentration d'Auschwitz, où il a été affecté à des tâches de nettoyage ordinaires.

L'homme le plus âgé lui pose plusieurs questions précises concernant son histoire, le camp, ses fonctions. La version des événements donnée par le jeune homme commence à se lézarder quand l'interrogateur révèle qu'il n'y avait pas de dynamite disponible dans le ghetto de Varsovie. Alors que son récit héroïque se désagrège, il reconnaît que ses connaissances sur la dynamite lui viennent de la vraie besogne qu'il accomplissait au camp, à savoir creuser des fosses suffisamment grandes pour contenir les milliers de corps de ses camarades tués chaque jour dans les chambres à gaz. En outre, son interrogateur l'oblige à avouer, de façon encore plus humiliante, que son autre travail dans le camp consistait à retirer l'or dentaire de la bouche des cadavres. Pour finir, fondant en larmes de rage et de honte, il admet que ses bourreaux l'ont violé à plusieurs reprises.

La vérité brute est mise au jour – de même que son désir de se racheter à tout prix. La scène se conclut sur son incorporation dans l'Irgoun.

Gurney éteignit le magnétoscope.

— Eh bien, dit-il en se tournant vers les trente-neuf visages. De quoi s'agit-il ?

— Si tous les interrogatoires étaient aussi simples ! remarqua Falcone avec dédain.

— Et aussi expéditifs, ajouta quelqu'un au premier rang.

Gurney hocha la tête.

— Dans les films, les choses ont toujours l'air plus simples et plus rapides que dans la vie réelle. Mais il se passe dans cette scène quelque chose d'intéressant. Lorsque vous y repenserez dans une semaine ou dans un mois, de quoi vous souviendrez-vous ?

— Le gosse se faisant violer, répondit un type à la large carrure assis à côté de Falcone.

Des murmures d'assentiment parcoururent la pièce, encourageant d'autres participants à parler.

— Son effondrement pendant l'interrogatoire.

— Ouais, tout le petit numéro de macho qui vole en éclats.

— C'est drôle, fit l'unique femme noire. Il commence par raconter des mensonges sur lui-même pour obtenir ce qu'il veut, mais il finit par l'avoir – être accepté dans l'Irgoun – en disant la vérité. Au fait, qu'est-ce que c'est que ça, l'Irgoun ?

Ce qui provoqua les plus grands rires de la journée.

— D'accord, dit Gurney. Arrêtons-nous sur ce point et examinons-le plus attentivement. Ce jeune homme naïf veut entrer dans l'Irgoun. Il débite tout un tas de mensonges pour donner une bonne opinion de lui. Le vieux type finaud le perce à jour, lui met le nez dans ses bobards et lui arrache la vérité. Or il se trouve que le caractère épouvantable de cette vérité fait de lui un candidat idéal sur le plan psychologique pour les fanatiques de l'Irgoun. De sorte qu'ils le prennent avec eux. Est-ce un résumé fidèle de ce que nous venons de voir ?

Il y eut divers grognements d'approbation, certains plus prudents que d'autres.

La vedette hispanique de Gurney avait l'air troublée, ce qui le fit sourire, sourire qui l'incita à s'exprimer.

— Je ne dis pas que ce n'est pas ce que j'ai vu. Il s'agit d'un film, je sais, et dans un film, ce que l'on dit est probablement vrai. Mais si c'était la réalité, une véritable vidéo d'interrogatoire, ça pourrait très bien ne pas l'être.

— Qu'est-ce que c'est censé signifier, bordel ? chuchota quelqu'un, mais pas à voix assez basse.

— Je vais vous le dire ce que c'est censé signifier, bordel, répliqua-t-elle, électrisée par ce défi. Ça signifie qu'il n'y a pas la moindre preuve que le vieux a vraiment eu la vérité. Le jeune s'effondre, pleurniche, raconte qu'il s'est fait enculer, si vous me passez l'expression. « Bouh hou, bouh hou, je ne suis pas un grand héros en fin de compte, juste une misérable petite poule mouillée qui taillait des pipes aux nazis. » Alors comment savons-nous que cette histoire n'est pas un bobard de plus ? Peut-être que la poule mouillée est plus futée qu'elle en a l'air.

Bon Dieu, pensa Gurney, *elle a encore mis dans le mille*. Il décida de s'engouffrer dans le silence spéculatif qui suivit ce commentaire impressionnant.

— Ce qui nous ramène à la question de départ : *pourquoi croyons-nous ce que nous croyons ?* Comme vient de le souligner avec perspicacité cette policière, l'interrogateur dans la scène peut fort bien ne pas avoir obtenu la vérité. La question est donc la suivante : qu'est-ce qui lui fait penser le contraire ?

Cette question suscita un certain nombre de réactions.

— Quelquefois, on sait les choses d'instinct...

— L'effondrement du gosse lui a peut-être paru nickel. Peut-être qu'il fallait être là, comprendre son attitude.

— Dans la réalité, l'interrogateur en saurait davantage qu'il en étale sur la table. Il est possible que la confession du gosse cadrait avec d'autres éléments, qu'elle les confirmait.

Plusieurs policiers proposèrent des variations sur ces thèmes. D'autres se taisaient, mais écoutaient attentivement. D'autres, comme Falcone, donnaient l'impression que la question leur flanquait la migraine.

Quand le flot de réponses sembla tari, Gurney enchaîna avec une seconde question.

— Pensez-vous qu'un interrogateur coriace puisse se laisser abuser de temps à autre en prenant ses désirs pour des réalités ?

Un type à l'extrémité du deuxième rang, avec un cou comme une bouche d'incendie émergeant d'un tee-shirt noir, des avant-bras à la Popeye couverts de tatouages, un crâne rasé et des yeux minuscules – comme si les muscles de ses joues les contraignaient à se fermer –, leva la main. Les doigts repliés formaient presque un poing. La voix était lente, posée, pensive.

— Vous demandez s'il arrive qu'on croie ce qu'on veut croire ?

— Oui, en quelque sorte, répondit Gurney. Qu'en pensez-vous ?

Les yeux plissés s'ouvrirent légèrement.

— Je pense que c'est… exact. Que c'est dans la nature humaine. (Il s'éclaircit la voix.) Je parlerai pour moi. J'ai commis des erreurs pour cette raison. Pas parce que je veux tellement croire des choses positives sur les autres. Voilà déjà un bon moment que je fais ce boulot et je n'ai pas beaucoup d'illusions sur les motivations des gens, sur ce qui les pousse à agir de telle ou telle façon. (Une image fugitive lui inspira une moue de dégoût.) J'ai vu ma part de merdes horribles. Un tas de collègues dans cette pièce ont vu les mêmes. Mais ce que je veux dire, c'est que, par moments, je me fais une idée d'un truc sans même me douter à quel point j'ai envie qu'elle soit juste. Par exemple, *je sais* ce qui s'est passé, ou *je sais* exactement ce que pense cette ordure. *Je sais* pourquoi il a fait ce qu'il a fait. Sauf que, par moments – pas souvent, mais de temps à autre, c'est sûr –, je sais que dalle, simplement je crois le savoir. En fait, j'en suis même persuadé. C'est comme un risque professionnel.

Il se tut, donnant l'impression qu'il réfléchissait aux sombres implications de ce qu'il venait de dire.

Une fois encore et pour la énième dans sa vie, Gurney dut se rappeler que ses premières impressions n'étaient pas particulièrement fiables.

— Merci, inspecteur Beltzer, fit-il au malabar après avoir jeté un coup d'œil au carton posé devant lui. C'était excellent.

Il examina le visage des autres participants sans relever de signes de désaccord. Même Falcone semblait subjugué.

Il prit une minute pour extirper un bonbon à la menthe d'une petite boîte et le glisser dans sa bouche. Surtout, il essayait de gagner du temps afin de laisser les remarques de Beltzer faire leur chemin avant de continuer.

— Dans la scène que nous avons vue, reprit-il avec un regain d'énergie, l'interrogateur aimerait peut-être croire à la validité de l'effondrement du jeune homme pour un certain nombre de raisons. Citez-en une.

Il désigna au hasard un policier qui n'avait pas encore pris la parole.

L'homme battit des paupières, l'air gêné. Gurney attendit.

— Je suppose… je suppose qu'il est content à l'idée d'avoir démoli la version du gosse… vous savez, d'avoir réussi l'interrogatoire.

— Absolument, dit Gurney.

Il croisa le regard d'un autre inspecteur, lui aussi resté jusque-là silencieux.

— Citez-en une autre.

Le visage typiquement irlandais sous des cheveux roux coupés en brosse esquissa un sourire.

— Il s'est peut-être dit que ça lui rapporterait quelques bons points. Il travaillait forcément sous les ordres de quelqu'un. Il se voyait entrant dans le bureau de son chef. « Regardez à quoi je suis parvenu. » Ça lui vaudrait des éloges. Éventuellement un coup de pouce pour une promotion.

— Sûr, j'imagine très bien, fit Gurney. Quelqu'un peut-il citer une autre raison pour laquelle il avait envie de croire à l'histoire du gosse ?

— Le pouvoir, répondit la jeune Hispanique d'un ton dédaigneux.

— Mais encore ?

— Ça lui plaît d'avoir arraché la vérité au sujet, de l'avoir forcé à avouer des choses pénibles, à lâcher ce qu'il essayait de cacher, à révéler sa honte, de l'avoir fait ramper, même pleurer. (On aurait dit qu'elle flairait des détritus.) Il prend son pied, se fait l'effet d'être superman, un détective génial, tout-puissant. Une sorte de dieu.

— Un grand bénéfice psychologique, suggéra Gurney, pourrait donc fausser la vision de quelqu'un.

— Oh, oui, approuva-t-elle. Complètement.

Gurney vit une main se lever au fond de la salle, un homme au teint mat et aux cheveux ondulés qui ne s'était pas encore manifesté.

— Excusez-moi, monsieur, mais je suis perdu. Il y a un séminaire sur les techniques d'interrogatoire dans ce bâtiment et un autre sur l'infiltration. Deux séminaires différents, non ? Je me suis inscrit pour l'infiltration. Est-ce que je suis dans la bonne salle ? Parce que tout ce que j'entends porte sur l'interrogatoire.

— Vous êtes au bon endroit, répondit Gurney. Nous sommes ici pour parler d'infiltration, mais il existe un lien entre ces deux activités. Si vous comprenez comment un interrogateur peut se fourvoyer à cause de ce qu'il a envie de croire, rien ne vous empêche d'utiliser le même principe pour faire en sorte que la cible de votre opération d'infiltration vous croie. Il s'agit simplement de manœuvrer de manière à ce que la cible en question « découvre » sur vous les faits dont vous souhaitez le convaincre. De lui donner un motif puissant de gober vos boniments. De l'amener à vouloir vous croire – de même que le type dans le film veut croire aux aveux. Les faits qu'une personne pense avoir découverts revêtent une énorme crédibilité. Si votre cible croit savoir des choses sur vous que vous ne voulez pas qu'elle sache, ces choses lui sembleront doublement plausibles. Si elle pense avoir percé votre couche de surface, ce qu'elle détecte dans la couche plus profonde sera à ses yeux la vérité vraie. Ce que j'appelle l'Illusion Eurêka. C'est ce mécanisme mental qui confère une totale crédibilité à ce que vous pensez avoir mis au point tout seul.

— L'illusion quoi ?

La question jaillit de toutes parts.

— L'Illusion Eurêka. C'est un mot grec que l'on peut traduire approximativement par *J'ai trouvé* ou, dans le contexte où je l'emploie, *J'ai découvert la vérité*. L'important, c'est que… (Gurney ralentit pour donner plus de poids à son affirmation suivante.) *Les histoires que racontent les gens sur eux-mêmes semblent pouvoir être fausses. Mais ce que vous découvrez sur eux par vous-mêmes paraît être vrai.* Ce que je veux dire, c'est ceci : laissez votre cible penser qu'elle a découvert quelque chose sur vous. Elle aura ainsi le sentiment de vraiment vous connaître. C'est là que vous aurez établi la Confiance. La Confiance avec un C majuscule, la Confiance qui fait que tout est possible. Nous allons passer le restant de la journée à voir comment y parvenir – comment s'y prendre pour que la chose que vous voulez que votre cible croie sur vous soit celle-là même qu'il pense avoir trouvée tout seul. Mais pour l'instant, faisons une pause.

En prononçant ces derniers mots, Gurney songea qu'il avait grandi à une époque où « une pause » signifiait automatiquement une pause cigarette. Désormais, pour presque tout le monde, cela voulait dire une pause téléphone portable ou SMS. D'ailleurs, la plupart des policiers se levaient et se dirigeaient vers la porte en cherchant leur BlackBerry.

Gurney inspira à fond, étendit les bras au-dessus de sa tête et étira sa colonne vertébrale d'un côté à l'autre. Son morceau introductif lui avait créé plus de tension musculaire qu'il ne s'en était rendu compte.

La policière hispanique attendit que la marée de téléphoneurs portables fût passée, puis elle s'approcha de Gurney alors qu'il sortait la vidéocassette de l'appareil. Sa chevelure, abondante, formait une masse de boucles frisées encadrant son visage. Sa silhouette rondelette était moulée dans un jean noir et un pull gris au décolleté plongeant. Ses lèvres luisaient de baume hydratant.

— Je voulais juste vous remercier, dit-elle avec un froncement de sourcils d'étudiante studieuse. C'était vraiment bien.

— La cassette, vous voulez dire ?

— Non, vous, je veux dire. Enfin – elle rougit de façon incongrue sous son attitude sérieuse – toute votre présentation, votre explication des raisons pour lesquelles on croit les choses, pourquoi on en croit certaines plus que d'autres, et tout ça. Comme cette histoire d'Illusion Eurêka, ça m'a donné à réfléchir. La présentation était excellente.

— Votre contribution y est pour beaucoup.

Elle sourit.

— Je suppose que nous sommes simplement sur la même longueur d'onde.

CHAPITRE 6

Chez soi

Alors que Gurney parvenait au terme des deux heures de trajet de l'école de police d'Albany à sa ferme de Walnut Crossing, le crépuscule gagnait à pas furtifs les vallées venteuses de l'ouest des Catskill.

Comme il quittait la grand-route pour s'engager dans le chemin de terre de trois kilomètres montant vers sa propriété perchée sur une colline, la sensation d'énergie que lui avaient procurée les deux grands gobelets de café noir qu'il avait bus pendant la pause de l'après-midi avait à présent largement entamé sa phase d'inversion. Le jour pâlissant suscitait une image biscornue qu'il supposa être le fruit du reflux de la caféine : l'été quittant la scène tel un acteur vieillissant, tandis que l'automne, sous les traits d'un entrepreneur des pompes funèbres, attendait en coulisses.

Bon sang, j'ai le cerveau qui se ramollit.

Comme de coutume, il gara la voiture sur la parcelle pelée, couverte de mauvaises herbes, en haut du pré, parallèlement à la maison, face à un banc de nuages rose et violet foncé dans le coucher de soleil, au-delà de la crête lointaine.

Il entra par la porte latérale, ôta ses chaussures dans la pièce servant à la fois de buanderie et de cellier et gagna la cuisine. Agenouillée devant l'évier, Madeleine ramassait avec une pelle les débris d'un verre à vin cassé. Il la regarda un instant avant de parler.

— Qu'est-ce qui s'est passé ?

— À ton avis ?

Il laissa s'écouler quelques secondes supplémentaires.

— Comment ça va à la clinique ?

— Bien, je pense.

Elle se redressa, sourit vaillamment, passa dans le cellier et vida bruyamment la pelle dans l'énorme conteneur à ordures en plastique. Il marcha jusqu'aux portes-fenêtres et se mit à contempler le paysage monochrome, le gros tas de rondins près de la remise attendant d'être fendus et empilés, la pelouse qui avait besoin de sa dernière tonte de la saison, les asparagus prêts à être coupés pour l'hiver – coupés puis brûlés pour éviter les risques d'invasion de criocères.

Madeleine revint dans la cuisine, alluma les lampes encastrées dans le plafond au-dessus du buffet, remit la pelle sous l'évier. L'éclairage accru dans la pièce eut pour effet d'assombrir davantage le monde extérieur, transformant les portes vitrées en réflecteurs.

— J'ai laissé du saumon sur la cuisinière, dit-elle. Et du riz.

— Merci.

Il l'observa dans le vitrage. Elle semblait regarder fixement la vaisselle dans l'évier. Il se souvint vaguement qu'elle avait parlé de sortir, et il décida de risquer une supposition.

— Soirée club de lecture ?

Elle sourit. Il se demanda si c'était parce qu'il avait vu juste ou parce qu'il s'était trompé.

— Comment était-ce à l'école de police ? demanda-t-elle.

— Pas mal. Participants divers… tous les archétypes. Il y a toujours le groupe des prudents – ceux qui attendent de voir, qui préfèrent la boucler autant que faire se peut. Les utilitaristes, ceux qui désirent savoir précisément comment se servir de chaque donnée qui leur est fournie. Les minimalistes, qui veulent en savoir le moins possible, s'impliquer le moins possible, en faire le moins possible. Les cyniques, qui veulent prouver que toute idée qu'ils n'ont pas eue en premier n'est que de la foutaise. Et, bien sûr, les « positifs » – sans doute le qualificatif qui leur convient le mieux –, qui cherchent à en apprendre un maximum, voir les choses plus clairement, devenir de meilleurs flics. (Il se sentait d'humeur loquace, avait envie de poursuivre, mais elle examinait à nouveau la vaisselle.) Alors… oui, conclut-il. C'était une journée correcte. Les « positifs » l'ont rendue… intéressante.

— Hommes ou femmes ?

— Quoi ?

Elle sortit la spatule de l'eau en fronçant les sourcils comme si elle remarquait pour la première fois à quel point elle était émoussée et éraflée.

— Les positifs… étaient-ce des hommes ou des femmes ?

C'était curieux comme il pouvait culpabiliser sans raison.

— Des hommes *et* des femmes.

Elle leva la spatule vers la lumière, fronça le nez d'un air désapprobateur et la jeta dans la poubelle sous l'évier.

— Écoute, dit-il. Au sujet de ce matin. Cette histoire avec Jack Hardwick. Je pense que nous devrions en rediscuter.

— Tu vas rencontrer la mère de la victime. De quoi veux-tu discuter ?

— Il y a de bonnes raisons de la rencontrer, s'obstina-t-il. Comme il y en a peut-être aussi de ne pas le faire.

— Une façon très intelligente d'envisager la question. (Elle semblait passablement amusée. Voire un brin ironique.) Mais maintenant je n'ai pas le temps. Je ne tiens pas à être en retard. Pour mon club de lecture.

Il perçut une subtile insistance sur cette dernière expression – juste ce qu'il faut, peut-être, pour lui faire comprendre qu'elle savait qu'il avait deviné. Une femme remarquable, pensa-t-il. Et, en dépit de son anxiété et de sa fatigue, il ne put s'empêcher de sourire.

CHAPITRE 7

Val Perry

Comme de coutume, Madeleine fut la première levée le lendemain matin.

Gurney s'éveilla aux sifflements et gargouillements de la machine à café – et avec la pensée angoissante qu'il avait oublié de réparer les freins de sa bicyclette.

Venait s'ajouter à cette mauvaise conscience un sentiment de malaise concernant son rendez-vous avec Val Perry un peu plus tard dans la matinée. Bien qu'il eût prévenu Jack Hardwick que cette entrevue ne l'engageait à rien, qu'elle était essentiellement un geste de courtoisie et de compassion envers quelqu'un ayant subi une perte effroyable, une nuée de doutes l'assaillit. Les repoussant du mieux qu'il put, il se doucha, s'habilla et traversa à grands pas la cuisine pour se rendre au cellier en marmonnant au passage un bonjour à Madeleine, assise à sa place habituelle à la table de petit déjeuner, un toast dans une main et un livre ouvert devant elle. Après avoir enfilé sa veste en toile pendue à un crochet, il sortit par la porte latérale et se dirigea vers le hangar du tracteur abritant leurs vélos et leurs kayaks. Le soleil n'avait pas encore fait son apparition, et la matinée était étonnamment glaciale pour un début septembre.

Prenant la bicyclette de Madeleine derrière le tracteur, il l'amena dans la lumière à l'entrée du hangar. Le cadre en aluminium était aussi gelé que les deux petites clés qu'il sélectionna dans le jeu fixé au mur.

Poussant des jurons, se cognant à deux reprises les phalanges contre les arêtes vives de la fourche avant, la seconde fois jusqu'au sang, il ajusta les câbles qui commandaient la position des garnitures de frein. Laisser l'espace adéquat – de manière à ce que la roue tourne librement quand le frein était désengagé tout en permettant une pression efficace contre la jante quand il était mis – nécessita quatre tentatives avant de parvenir à un réglage correct. Finalement, avec plus de soulagement que de satisfaction, il déclara la besogne terminée, rangea les clés et repartit vers la maison, une main engourdie et l'autre douloureuse.

En passant devant la remise à bois et le tas de rondins, il se demanda pour la énième fois s'il devait louer un fendeur de bûches ou en acheter un. Il y avait des désavantages dans un cas comme dans l'autre. Le soleil n'était pas encore levé, mais les écureuils avaient déjà lancé leur offensive matinale contre les mangeoires aux oiseaux, encore une question sans réponse satisfaisante. Et, bien sûr, il y avait le problème de l'engrais pour les asparagus.

Il pénétra dans la cuisine et fit couler de l'eau chaude sur ses mains.

Tandis que la sensation cuisante s'estompait, il annonça :

— Tes freins sont réparés.

— Merci, répondit gaiement Madeleine sans lever les yeux de son livre.

Une demi-heure plus tard – faisant l'effet d'un coucher de soleil psychédélique dans son pantalon molletonné couleur lavande, son coupe-vent rose, ses gants rouges et son chapeau en laine orange enfoncé sur les oreilles –, elle gagna le hangar, enfourcha son vélo et descendit lentement le chemin cahoteux traversant le pré, avant de disparaître le long de la route derrière la grange.

Gurney consacra l'heure suivante à repasser les faits relatifs au crime tels que Hardwick les lui avait relatés. Chaque fois qu'il reprenait le scénario, il était de plus en plus troublé par sa théâtralité, son outrance presque lyrique.

À neuf heures exactement, l'heure prévue pour son rendez-vous avec Val Perry, il alla à la fenêtre au cas où il la verrait arriver.

Quand on parle du loup ! Lequel, en l'occurrence, se trouvait au volant d'une Porsche turbo vert compétition – un modèle qui, pensa Gurney, devait valoir dans les 160 000 dollars. Le véhicule étincelant passa devant la grange, puis l'étang, avant de grimper lentement le pâturage à flanc de coteau jusqu'à la petite aire de stationnement à côté de la maison, son puissant moteur ronronnant doucement. Avec une curiosité circonspecte et plus d'excitation qu'il voulait bien l'admettre, Gurney sortit pour accueillir sa visiteuse.

La femme qui émergea de la voiture était grande, avec une silhouette mince et cambrée. Elle portait un chemisier crème et un pantalon noir satinés. Ses cheveux noirs, qui lui arrivaient aux épaules, formaient une frange droite sur son front, à la façon d'Uma

Thurman dans *Pulp Fiction*. Elle était, comme l'avait promis Hardwick, « splendide ». Mais il y avait autre chose – une tension en elle non moins frappante que son allure.

Elle jeta au décor qui l'entourait quelques regards incisifs qui semblaient tout enregistrer sans révéler quoi que ce soit. *Une habitude de prudence profondément enracinée*, songea Gurney.

Puis elle marcha vers lui avec une ébauche de grimace – *ou était-ce la position ordinaire de sa bouche ?*

— Monsieur Gurney, Val Perry. Je vous remercie de bien vouloir m'accorder un peu de votre temps, dit-elle en tendant la main. Ou dois-je vous appeler inspecteur Gurney ?

— J'ai abandonné ce titre en prenant ma retraite. Appelez-moi Dave.

Ils se serrèrent la main. L'intensité de son regard et la force de sa poigne le surprirent.

— Voulez-vous entrer ?

Elle hésita, parcourut du regard le jardin et la petite terrasse de pierres bleues.

— Peut-on s'asseoir ici ?

La question l'étonna. Même si le soleil était maintenant bien au-dessus de la crête dans un ciel sans nuages et si la rosée sur l'herbe avait pratiquement disparu, il faisait encore frais.

— Trouble affectif saisonnier, expliqua-t-elle avec un sourire éloquent. Savez-vous ce que c'est ?

— Oui. (Il lui retourna son sourire.) Je pense être moi-même un cas léger.

— Pour ma part, c'est plus qu'un cas léger. À partir de cette période de l'année, il me faut autant de lumière que possible, du jour de préférence. Ou bien j'ai envie de me flanquer en l'air, vraiment. Alors, si ça ne vous dérange pas, Dave, nous pourrions peut-être nous installer ici ?

Ce n'était pas réellement une question.

La partie détective de son cerveau, dominante et profondément ancrée, non affectée par l'aspect formel de la retraite, s'interrogea sur cette histoire de trouble saisonnier, se demanda s'il n'existait pas une autre raison. *Un besoin excentrique de contrôle, d'obliger les autres à se plier à ses caprices ? Un désir, pour un motif ou pour un autre, de le déstabiliser ? Une claustrophobie maladive ? Une tentative pour réduire les risques d'être enregistrée ? Et si être enregistrée était un souci, avait-il un fondement pratique ou paranoïaque ?*

Il la conduisit à la terrasse séparant les portes-fenêtres du massif d'asparagus. Puis il indiqua une paire de chaises pliantes de chaque côté d'une petite table basse que Madeleine avait achetée dans une vente aux enchères.

— Est-ce que ça ira ?

— Très bien, répondit-elle en tirant une chaise et en s'asseyant sans prendre la peine d'essuyer le siège.

Se moque d'abîmer son pantalon manifestement coûteux. De même pour le sac à main en cuir écru qu'elle a jeté sur la table encore humide.

Elle observa son visage avec intérêt.

— Quelles informations l'enquêteur Hardwick vous a-t-il fournies ?

Tranchant de la voix, dureté des yeux en amande.

— Il m'a donné les principaux faits entourant les événements qui ont précédé et suivi le… le meurtre de votre fille. Madame Perry, si je puis vous interrompre un instant. Je tiens à vous dire, avant que nous continuions, que je suis absolument désolé de la perte que vous avez subie.

D'abord, elle n'eut aucune réaction. Puis elle hocha la tête, mais le mouvement fut si léger que cela aurait pu être un simple tremblement.

— Merci, dit-elle de façon abrupte. Je vous en sais gré.

Ce qui n'était visiblement pas le cas.

— Mais la perte que j'ai subie n'est pas la question. La question, c'est Hector Flores.

Elle prononça le nom les lèvres serrées, comme si elle mordait avec défi une dent abîmée.

— Qu'est-ce que Jack Hardwick vous a dit sur lui ?

— Qu'il existait des indices clairs et convaincants de sa culpabilité… Que c'était un personnage étrange, controversé… Que son origine est encore indéterminée et son mobile incertain. Localisation actuelle inconnue.

— Localisation actuelle inconnue !

Elle répéta la formule avec une sorte de férocité, se penchant vers lui au-dessus de la petite table, les paumes à plat sur la surface métallique mouillée. Son alliance se limitait à un simple anneau de platine, mais sa bague de fiançailles était surmontée du plus gros diamant qu'il eût jamais vu.

— Vous avez parfaitement résumé la chose, poursuivit-elle, les yeux aussi scintillants que la pierre. Ce n'est pas admissible. Pas supportable. Je vous engage pour y mettre fin.

Il poussa un léger soupir.

— Je crois que nous allons un peu vite en besogne.

— Que voulez-vous dire ?

Elle pressait ses mains sur la table avec une telle force que ses articulations étaient devenues blanches.

Il répondit d'un ton presque endormi, une réaction inversée qui lui était coutumière face à un étalage d'émotions.

— Je ne sais pas encore si cela a un sens que j'intervienne dans une situation qui fait l'objet d'une enquête menée par la police.

Les lèvres de son interlocutrice se contractèrent en un sourire disgracieux.

— Combien voulez-vous ?

Il secoua lentement la tête.

— Vous ne m'avez pas entendu ?

— Que voulez-vous ? Dites-le.

— Je ne sais pas, madame. Il y a un tas de choses que je ne sais pas.

Elle ôta ses mains de la table et les posa sur ses genoux, entrelaçant les doigts comme s'il s'agissait d'une technique de contrôle de soi.

— Je dirai les choses simplement. Trouvez Hector Flores. Arrêtez-le ou tuez-le. Quoi que vous fassiez, je vous donnerai ce que vous voulez. *Ce que vous voulez.*

Gurney s'adossa, laissant son regard dériver vers les asparagus. Tout au bout, une mangeoire rouge destinée aux colibris était suspendue à une houlette de berger. Il perçut un vrombissement d'ailes tandis que deux des oiseaux minuscules fondaient brutalement l'un sur l'autre – chacun revendiquant un droit exclusif sur l'eau sucrée, du moins à ce qu'il semblait. D'un autre côté, il se pouvait que ce soit un curieux vestige d'une danse nuptiale printanière, et ce qui ressemblait à un instinct meurtrier était peut-être tout autre.

Il fit un effort pour se concentrer sur les yeux de Val Perry, essayant de discerner la réalité derrière la beauté – le contenu véritable de ce récipient parfait. Il y avait de la rage en elle, aucun doute. Du désespoir. Un passé difficile – il l'aurait parié. Du regret. De la solitude, encore qu'elle n'aurait probablement pas admis la vulnérabilité qu'impliquait ce mot. De l'intelligence. De l'impulsivité et de l'obstination – le désir impulsif de s'emparer de quelque chose sans réfléchir, le refus obstiné de s'en départir. Et quelque chose de plus sombre. Une haine de sa propre vie ?

Assez, se dit-il. Il est trop facile de confondre spéculation et perspicacité. Trop facile de s'enticher d'une hypothèse et de la suivre jusqu'au bord du gouffre.

— Parlez-moi de votre fille.

Un changement se produisit dans son expression, comme si elle-même écartait un certain enchaînement d'idées.

— Jillian était quelqu'un de difficile.

Cette annonce avait le ton théâtral de la phrase d'ouverture d'une histoire qu'on lit à voix haute. Il suspecta ce qui allait suivre d'avoir déjà été dit de nombreuses fois.

— Plus que difficile, continua-t-elle. Jillian dépendait des médicaments pour demeurer simplement *difficile* et pas totalement impossible. Elle était désaxée, narcissique, de mœurs légères, intrigante, brutale. Toxicomane : oxy, roxy, ecstasy, crack. Une menteuse de première classe. Très précoce et à l'affût des faiblesses des autres. D'une violence imprévisible. Avec une passion malsaine pour les hommes malsains. Et tout en bénéficiant de la meilleure thérapie que l'argent puisse procurer.

Curieusement échauffée par cette litanie, elle donnait davantage l'impression d'un sadique tailladant un inconnu avec un rasoir que d'une mère décrivant les troubles psychiques de son enfant.

— Hardwick vous a-t-il parlé de ce que je suis en train de vous dire sur Jillian ? demanda-t-elle.

— Je ne me souviens pas de ces détails précis.

— Que vous a-t-il dit au juste ?

— Il a indiqué qu'elle venait d'une famille possédant beaucoup d'argent.

Elle émit un grincement sonore – il s'étonna qu'un tel bruit puisse sortir d'une bouche aussi délicate. Il fut encore plus surpris en se rendant compte que c'était un éclat de rire.

— Oh, oui ! s'exclama-t-elle, son rire âpre résonnant encore dans sa voix. Nous sommes assurément une famille possédant beaucoup d'argent. On peut même dire que nous croulons sous le fric. (Elle prononça cette expression vulgaire avec un plaisir dédaigneux.) Cela vous choque que je ne me comporte pas comme devrait le faire une mère en deuil ?

Le spectre effrayant de la perte qu'il avait lui-même subie freina sa réponse, le privant de l'usage de la parole. Il finit par déclarer :

— J'ai déjà vu des réactions à la mort plus étranges que la vôtre, madame. J'ignore comment nous… comment quelqu'un dans votre situation… est censé se comporter.

Elle sembla réfléchir un instant à cette idée.

— Vous dites avoir vu des réactions à la mort plus étranges, mais avez-vous déjà vu une mort plus étrange ? Plus étrange que celle de Jillian ?

Il ne répondit pas. La question sentait le cabotinage. Plus Gurney regardait dans ces yeux ardents et plus il avait du mal à assembler ce qu'il voyait en une seule personnalité. Avait-elle toujours été aussi fragmentée ou y avait-il quelque chose dans le meurtre de sa fille qui l'avait fait éclater en ces morceaux incompatibles ?

— Dites-m'en davantage sur Jillian.

— Comme quoi ?

— Mis à part les caractéristiques personnelles que vous avez mentionnées, savez-vous quoi que ce soit sur la vie de votre fille qui aurait pu donner à ce Flores un motif de la tuer ?

— Vous me demandez pourquoi Hector Flores a fait ce qu'il a fait ? Je n'en ai pas la moindre idée. Pas plus que la police. Ils ont passé ces quatre derniers mois à osciller entre deux théories tout aussi stupides. L'une, c'est que Hector était homosexuel, secrètement amoureux de Scott Ashton, plein de ressentiment vis-à-vis de Jillian du fait de sa relation avec ce dernier et qu'il l'a tuée par jalousie. La possibilité de l'occire dans sa robe de mariée aurait été irrésistible au regard de son goût de tapette pour le mélodrame. Une jolie petite histoire. Leur autre théorie contredit la première. Un mécanicien naval et sa femme habitaient à côté de chez Scott. Le mécanicien était fréquemment absent. La femme s'est volatilisée en même temps que Hector. Les petits génies de la police en ont donc conclu qu'ils avaient une liaison, que Jillian l'avait découvert et qu'elle menaçait de le révéler pour se venger de Hector avec qui elle avait elle-même une liaison, si bien que, de fil en aiguille…

— … et il lui aurait coupé la tête à la réception de mariage pour la faire taire ? l'interrompit Gurney, incrédule.

En s'entendant, il regretta immédiatement la brutalité de ce commentaire et fut sur le point de s'excuser.

Mais Val Perry ne réagit pas.

— Je vous l'ai dit, ce sont des crétins. D'après eux, Hector Flores était soit un homosexuel dissimulé se consumant d'amour pour son employeur, soit un Latino machiste couchant avec toutes les femmes qu'il croisait sur son chemin et usant de sa machette contre quiconque le contrariait. Ils tireront peut-être à pile ou face pour savoir lequel de ces deux contes de fées choisir.

— Aviez-vous personnellement des contacts avec Flores ?

— Aucun. Je n'ai jamais eu le plaisir de le rencontrer. Par malheur, je garde de lui une image bien vivace. Il vit là, dans mon esprit, sans autre adresse. Pour reprendre votre expression, « localisation actuelle inconnue ». Et j'ai le sentiment qu'il continuera d'y vivre jusqu'à sa capture ou sa mort. Avec votre aide, je serais heureuse de résoudre ce problème.

— Madame Perry, vous avez utilisé à plusieurs reprises le mot « mort », aussi je tiens à préciser une chose, afin qu'il n'y ait pas de malentendu. Je ne suis pas un tueur à gages. Si cela fait partie de la mission, explicite ou implicite, il vaut mieux vous adresser ailleurs… dès maintenant.

Elle scruta son visage.

— La mission consiste à trouver Hector Flores… et à le traduire en justice. Voilà. C'est ça, la mission.

— Alors, je dois vous demander… commença-t-il, avant de s'arrêter net, un mouvement brun grisâtre ayant attiré son attention dans le pré.

Un coyote – probablement celui qu'il avait déjà aperçu la veille – traversait le champ. Il suivit sa progression jusqu'à ce qu'il ait disparu dans le taillis d'érables.

— Qu'est-ce que c'est ? interrogea-t-elle, tournant sa chaise.

— Sans doute un chien errant. Désolé pour l'interruption. Ce que j'aimerais savoir, c'est : pourquoi moi ? Si vos ressources sont aussi illimitées que vous le dites, vous pourriez engager une petite armée. Ou louer les services de gens, disons, beaucoup moins scrupuleux quant à l'envoi du fugitif devant un tribunal. Alors pourquoi moi ?

— Jack Hardwick vous a recommandé. Il a dit que vous étiez excellent. Le meilleur. Il a affirmé que si quelqu'un était capable de tirer ça au clair – d'élucider le problème, d'y mettre un point final –, c'était vous.

— Et vous l'avez cru ?

— Je n'aurais pas dû ?

— Pourquoi l'avez-vous fait ?

Elle réfléchit un instant, comme si la réponse était d'une importance cruciale.

— Il était le premier officier de police sur l'affaire. Le chef enquêteur. Je l'ai trouvé impoli, grossier, cynique, ne ratant jamais une occasion de se montrer blessant. Épouvantable. Mais presque toujours dans le vrai. Cela peut vous paraître absurde, mais je comprends les gens épouvantables comme Jack Hardwick. Je leur fais même confiance. Et nous voici, inspecteur Gurney.

Il se mit à fixer du regard les asparagus, calculant, sans savoir pourquoi, la direction dans laquelle ils penchaient en masse. Vraisemblablement à cent quatre-vingts degrés par rapport aux vents dominants sur la montagne, à l'abri des tempêtes. Val Perry semblait s'accommoder de son silence. Il pouvait entendre le bourdonnement modulé des ailes des colibris dans leur combat rituel – si c'en était un. Cela durait parfois une heure ou plus. On voyait mal en quoi une telle confrontation ou séduction prolongée représentait une dépense d'énergie efficace.

— Vous avez déclaré il y a quelques minutes que Jillian éprouvait un intérêt malsain pour les hommes malsains ? Rangez-vous Scott Ashton dans cette catégorie ?

— Bien sûr que non, fort heureusement. Scott était la meilleure chose qui soit jamais arrivée à Jillian.

— Approuviez-vous leur décision de se marier ?

— Approuver ? Comme c'est charmant !

— Je vais le dire autrement. Étiez-vous contente ?

Sa bouche sourit, mais ses yeux le considérèrent froidement.

— Jillian présentait certains… déficits importants, si l'on peut appeler ça ainsi. Des déficits nécessitant l'intervention d'un professionnel dans un avenir prévisible. Être mariée à un psychiatre, l'un des meilleurs, pouvait certainement constituer un avantage. Je sais que cela a l'air quelque peu… inélégant. De l'exploitation, peut-être ? Mais Jillian était unique à bien des égards. Et avait besoin d'aide.

Gurney leva un sourcil interrogateur.

Elle poussa un soupir.

— Êtes-vous au courant que le Dr Ashton est le directeur de l'école secondaire spécialisée où allait Jillian ?

— Est-ce que ça ne créait pas un conflit de…

— Non, le coupa-t-elle, donnant l'impression qu'elle était habituée à argumenter sur ce point. Il est psychiatre, mais, quand elle était inscrite à l'école, il n'a jamais été le sien. De sorte qu'il n'y avait aucun problème moral, pas de relation docteur-patient. Bien sûr, les gens se sont mis à bavarder. Des ragots, de purs ragots. « Lui est médecin et elle une patiente », et bla-bla-bla. Mais la réalité éthique, juridique, s'apparentait davantage à celle d'une ancienne étudiante épousant le président de sa fac. Elle a quitté l'établissement à dix-sept ans. Scott et elle n'ont commencé à se fréquenter qu'un an et demi après. Fin de l'histoire. Bien sûr, les commérages n'ont pas cessé pour autant.

Ses yeux lançaient des éclairs de défi.

— C'était un peu comme faire du patinage au bord d'un précipice, remarqua Gurney, autant pour lui-même que pour Val Perry.

Elle éclata à nouveau de son rire incongru.

— Si Jillian avait pensé qu'ils faisaient du patin au bord d'un précipice, cela aurait été pour elle l'aspect de loin le plus attirant. Le bord du précipice, c'est toujours là qu'elle avait envie d'être.

Intéressant, pensa Gurney. Intéressant aussi le scintillement dans le regard de Val Perry. Jillian n'était peut-être pas la seule à aimer vivre dangereusement.

— Et le Dr Ashton ? demanda-t-il avec douceur.

— Scott se moque du qu'en-dira-t-on.

C'était manifestement un trait de caractère qu'elle admirait.

— Ainsi, quand Jillian avait dix-huit, peut-être dix-neuf ans, il l'a demandée en mariage ?

— Dix-neuf. C'est elle qui lui en a parlé, et il a accepté.

En même temps qu'il méditait là-dessus, il vit qu'elle se détendait.

— Il a donc accepté sa demande. Qu'avez-vous ressenti ?

D'abord, il crut qu'elle n'avait pas entendu. Puis, d'une petite voix rauque, détournant les yeux, elle répondit :

— Du soulagement.

Elle regardait les asparagus de Gurney comme pour y déceler une explication appropriée à ses rapides sautes d'humeur. Une légère brise s'était mise à souffler pendant qu'ils discutaient, et le haut des tiges s'agitait mollement.

Il attendit sans rien dire.

Elle battit des paupières, les muscles de ses mâchoires se contractant puis se relâchant. Lorsqu'elle parla, ce fut avec un effort manifeste, en forçant les mots à sortir comme s'ils l'oppressaient à la façon d'un mauvais rêve.

— J'étais soulagée de ne plus avoir cette responsabilité.

Elle ouvrit la bouche, sur le point d'en dire davantage, puis la referma avec juste un léger hochement de tête. Un geste de désapprobation, pensa Gurney. De désapprobation envers elle-même. Était-ce la source de son désir de voir Hector Flores mort ? De régler sa dette de culpabilité vis-à-vis de sa fille ?

Holà. Doucement. Reste près des faits.

— Je n'avais pas l'intention de…

Elle n'acheva pas sa phrase, laissant dans le vague ce qu'elle ne voulait pas exprimer.

— Que pensez-vous de Scott Ashton ? demanda Gurney d'un ton vif, aussi éloigné que possible de l'humeur sombre et complexe de son interlocutrice.

Elle répondit instantanément comme si la question était une écoutille de secours.

— Scott Ashton est brillant, ambitieux, résolu…

Elle marqua un temps d'arrêt.

— Et ?

— … d'une froideur de marbre.

— Pourquoi, à votre avis, voulait-il épouser une…

— … une femme aussi folle que Jillian ? (Elle haussa les épaules.) Peut-être parce qu'elle était d'une beauté à couper le souffle.

Il hocha la tête, peu convaincu.

— Je sais, cela paraît terriblement banal, mais Jillian était spéciale, vraiment *spéciale*. (Elle avait donné au mot une connotation presque salace.) Saviez-vous qu'elle avait un QI de 168 ?

— Remarquable.

— Oui. C'est le score le plus important jamais enregistré par les services de dépistage. Ils l'ont testée trois fois, pour être sûrs.

— Alors, en plus, c'était un génie ?

— Oh, oui, un génie, admit-elle, sa voix retrouvant un fragile entrain. Et, naturellement, une nymphomane. Ai-je oublié de le mentionner ?

Elle le dévisagea en quête d'une réaction.

Il regarda au loin, vers le faîte des arbres au-delà de la grange.

— Et tout ce que vous voulez que je fasse, c'est chercher Hector Flores.

— Pas le chercher. Le trouver.

Gurney avait une prédilection pour les énigmes, mais celle-ci commençait à ressembler davantage à un cauchemar. De plus, jamais Madeleine ne…

Bon sang, pense à elle, et…

Chose étonnante, elle apparut soudain, dans son éclatante tenue orange et rouge, remontant lentement le pré, poussant sa bicyclette sur le chemin plein d'ornières.

Val Perry pivota avec anxiété sur sa chaise, suivant son regard.

— Vous attendez quelqu'un ?

— Ma femme.

Ils ne dirent rien de plus jusqu'à ce que Madeleine ait atteint la lisière de la terrasse en se rendant au hangar. Les deux femmes échangèrent des regards polis. Gurney fit les présentations, se bornant à expliquer – pour maintenir un semblant de confidentialité – que Val était « une amie d'un ami » qui avait fait un saut afin d'avoir l'avis d'un spécialiste.

— C'est tellement *tranquille* ici, déclara Val Perry, comme si elle s'entraînait à prononcer un mot étranger. Vous devez *adorer*.

— En effet, fit Madeleine.

Elle adressa à la visiteuse un bref sourire puis se dirigea vers le hangar en poussant sa bicyclette.

— Eh bien, reprit Val Perry avec gêne, une fois que Madeleine eut disparu derrière les rhododendrons au fond du jardin, que puis-je vous dire d'autre ?

— Étiez-vous inquiète du fait de la différence d'âge, dix-neuf ans d'un côté et trente-huit de l'autre ?

— Non, répondit-elle d'un ton brusque, confirmant le soupçon de Gurney qu'elle l'était bel et bien.

— Que pense votre mari de votre intention d'engager un détective privé ?

— Il est d'accord.

— Ce qui signifie, exactement ?

— Qu'il approuve mon initiative.

Gurney attendit.

— Vous me demandez combien il est prêt à payer ? La colère déformait son visage, qui en perdait une partie de sa beauté.

Gurney secoua la tête.

— Ce n'est pas ça.

Elle sembla ne pas l'entendre.

— Je vous ai déjà dit que l'argent n'était pas un problème. Que nous croulions… *croulions*, monsieur Gurney, sous le fric… et je dépenserai tout ce qu'il faudra pour arriver à ce que je veux !

Des taches rouges étaient apparues sur sa peau vanille, les mots jaillissant avec mépris.

— Mon mari est le neurochirurgien le mieux payé de cette satanée planète. Il gagne plus de quarante millions par an. Nous vivons dans une baraque de douze millions de dollars. Vous voyez ce machin ridicule à mon doigt ? (Elle lança un regard furieux à sa bague comme si c'était une tumeur maligne.) Cette grosse merde brillante vaut à elle seule deux millions de dollars. Alors, s'il vous plaît, ne vous préoccupez pas de l'argent !

Gurney était appuyé contre le dossier de sa chaise, les doigts joints sous son menton. Madeleine était revenue et se tenait discrètement au bord de la terrasse. Elle s'approcha de la table.

— Est-ce que ça va ? demanda-t-elle, comme si l'explosion à laquelle elle venait d'assister n'avait pas plus d'importance qu'une crise d'éternuements.

— Désolée, fit Val Perry d'un ton vague.

— Vous désirez un peu d'eau ?

— Non, ça va très bien, je me sens parfaitement… je me sens… non, en fait, oui, un peu d'eau ne serait pas de refus. Merci.

Madeleine sourit, hocha aimablement la tête et retourna dans la maison en passant par les portes-fenêtres.

— Ce que je voulais dire, reprit Val Perry en triturant son chemisier, et que j'ai un peu… exagéré, c'est simplement que l'argent ne pose pas de problème. C'est le résultat qui compte et peu importe les moyens financiers… nous avons ce qu'il faut. Voilà tout ce que je voulais dire.

Elle pinça les lèvres comme pour prévenir tout nouvel éclat.

Madeleine revint avec le verre d'eau et le posa sur la table. Val Perry le prit, en but la moitié puis le reposa avec précaution.

— Merci.

— Eh bien, dit Madeleine avec une lueur malicieuse dans les yeux en regagnant la maison, si vous avez besoin d'autre chose, n'hésitez pas.

Il aurait été difficile de ne pas y voir une allusion aux récents braillements de leur visiteuse.

Val Perry se tenait droit et immobile. Elle semblait reprendre contenance par un acte de volonté. Au bout d'une minute, elle inspira profondément.

— Je ne sais pas très bien quoi dire d'autre. Peut-être n'y a-t-il rien à ajouter, à part solliciter votre aide. (Elle avala sa salive.) Est-ce que vous allez m'aider ?

Intéressant. Elle aurait pu dire : « Est-ce que vous allez vous occuper de l'affaire ? » Avait-elle envisagé de présenter la chose ainsi avant de se rendre compte que c'était une meilleure façon, une façon qu'il était plus difficile de repousser ?

Quoi qu'il en soit, il savait qu'il aurait été insensé de lui répondre par l'affirmative.

— Je suis désolé. Je ne pense pas que ce soit possible.

Elle n'eut aucune réaction et resta là, cramponnée au bord de la table à le regarder dans les yeux.

— Pourquoi ? demanda-t-elle d'une voix minuscule.

Il réfléchit à une réponse.

Pourquoi ? En premier lieu, madame Perry, vous ressemblez un peu trop à la description de votre fille. Ma collision inévitable avec les services d'investigation officiels pourrait avoir des répercussions catastrophiques. Et la réaction éventuelle de Madeleine à mon immersion dans une nouvelle affaire de meurtre risquerait de créer des problèmes conjugaux.

— Mon implication pourrait compromettre les efforts actuellement déployés par la police, ce qui nuirait à chacune des parties concernées.

— Je vois.

Il ne décela dans son expression aucune compréhension ni acceptation réelle de sa décision. Il la regarda, attendant la suite.

— Je comprends votre hésitation. J'éprouverais la même à votre place. Tout ce que je vous demande, c'est de garder l'esprit ouvert jusqu'à ce que vous ayez vu la vidéo.

— La vidéo ?

— Jack Hardwick ne vous en a pas parlé ?

— Non.

— Eh bien, tout est là… l'événement au complet.

— Vous voulez dire que vous avez une vidéo de la réception le jour où le meurtre a eu lieu ?

— Oui, c'est exactement ce que je veux dire. Elle a été enregistrée de bout en bout. Chaque minute. Tout est sur un petit DVD.

CHAPITRE 8

Le film du meurtre

La spacieuse cuisine de la ferme des Gurney contenait deux tables pour les repas : une longue table à tréteaux en cerisier, servant principalement lorsqu'ils avaient des invités et que Madeleine décorait avec des bougies et des fleurs du jardin, et une table dite « de petit déjeuner », avec un plateau rond en pin et un socle couleur crème, où ils prenaient la plupart de leurs repas, seuls ou ensemble. Cette table plus petite était posée devant les portes-fenêtres orientées au sud. Par beau temps, elle recevait le soleil du début de matinée jusqu'en fin d'après-midi, ce qui en faisait un de leurs endroits favoris pour lire.

À quatorze heures trente, ils étaient assis à leurs places habituelles quand Madeleine leva soudain les yeux de son livre, une biographie de John Adams. Adams était son président préféré – en grande partie, semblait-il, parce que son remède à la plupart des problèmes physiques et psychologiques consistait en de longues promenades curatives dans les bois. Elle fronça les sourcils, attentive.

— J'entends une voiture.

Gurney tendit l'oreille, mais il s'écoula néanmoins dix bonnes secondes avant qu'il l'entende également.

— C'est Jack Hardwick. Apparemment, il existe un enregistrement vidéo intégral de la fête où la fille Perry a été tuée. Il a dit qu'il me l'apporterait. Pour que j'y jette un coup d'œil.

Elle ferma son livre, laissant son regard dériver à mi-distance de l'autre côté des portes vitrées.

— Est-ce qu'il t'est venu à l'idée que ta future cliente potentielle n'était pas… vraiment saine d'esprit ?

— Tout ce que je vais faire, c'est voir cette vidéo. Je n'ai rien promis à personne. Du reste, tu peux la regarder avec moi si tu veux.

Le bref sourire de Madeleine sembla décliner l'invitation.

— J'irai même encore plus loin : à mon avis, c'est une redoutable psychopathe, qui correspond à au moins une demi-douzaine de critères de diagnostic du DSM-IV. Et ce qu'elle t'a raconté ? Je parierais que ce n'est pas toute la vérité, loin s'en faut.

Elle s'était mise à gratter machinalement la cuticule de son pouce avec un de ses ongles – une nouvelle manie dont Gurney s'inquiétait et qui constituait pour lui un signal d'alarme.

Si anodins et éphémères qu'ils soient, ces moments l'ébranlaient, coupaient court à ses fantasmes sur la résistance infinie de Madeleine, le privaient temporairement de ce point de repère rassurant, de cette veilleuse qui tenait à distance ténèbres et chimères. De façon absurde, ce petit geste nerveux avait le don de réveiller le sentiment de malaise et de désarroi qu'il éprouvait tout gosse quand sa mère se mettait à fumer.

Qu'elle tirait nerveusement sur sa cigarette, aspirant les bouffées de fumée dans ses poumons.

Contrôle-toi, Gurney. Ne fais pas l'enfant, pour l'amour du ciel.

— Mais je suis sûre que tu sais déjà tout ça, n'est-ce pas ?

Il la dévisagea un instant, s'efforçant de retrouver le fil de la conversation.

Elle secoua la tête en feignant le désespoir.

— Je serai dans ma pièce à couture pendant un moment, après quoi il faut que je file faire des courses à Oneonta. Nous manquons de presque tout. Si tu veux quelque chose, ajoute-le à la liste posée sur le buffet.

Hardwick arriva dans une bourrasque et des rugissements de pot d'échappement. Il gara son vieux tas de ferraille énergivore – une GTO à moitié restaurée avec des patches de résine encore à peindre – à côté de la Subaru Outback verte de Gurney. Le vent souleva un tourbillon de feuilles jaunies autour des voitures. La première chose que fit Hardwick en sortant fut de tousser violemment, puis de se racler la gorge et de cracher par terre.

— Jamais pu supporter la puanteur des feuilles mortes. Me rappelle toujours le crottin de cheval !

— Comme c'est joliment dit, Jack, rétorqua Gurney tandis qu'ils se serraient la main. Tu as une façon si délicate de t'exprimer.

Ils se faisaient face, tels deux serre-livres mal assortis. Sa tignasse de cheveux coupés en brosse, son teint rougeaud, son nez strié de veinules et ses yeux bleu clair de husky donnaient à Hardwick l'allure d'un vieillard précoce souffrant d'une perpétuelle gueule de bois. En revanche, les cheveux poivre et sel de Gurney étaient soigneusement peignés – trop soigneusement, lui disait souvent Madeleine – et, à cinquante-six ans, il était encore mince, gardait son ventre ferme grâce à une série d'abdominaux avant sa douche matinale et en paraissait à peine quarante.

Alors que Gurney le faisait entrer, Hardwick se fendit d'un grand sourire.

— Elle a touché le point sensible, hein ?

— Je ne suis pas sûr de bien comprendre, Jack.

— Qu'est-ce qui a retenu ton attention ? L'amour de la vérité et de la justice ? L'idée de flanquer à Rodriguez un coup de pied dans les couilles ? Ou le fantastique postérieur de la dame ?

— Difficile à dire, Jack.

Il s'entendit prononcer le prénom avec une intensité particulière comme s'il s'agissait d'un direct du droit.

— Pour l'instant, je suis surtout intrigué par cette vidéo.

— Vraiment ? Pas encore totalement dégoûté de la retraite ? Avide de remonter en selle ? De voler au secours de la créature incendiaire ?

— Juste de visionner la vidéo. Tu l'as apportée ?

— Le film du meurtre ? Tu n'as jamais rien vu de tel, mon vieux. DVD haute définition pris sur la scène de crime avec l'assassinat en cours.

Hardwick se tenait au milieu de la grande pièce servant de cuisine, de salle à manger et de salon – avec une cuisinière professionnelle d'un côté et une cheminée en pierre de l'autre. Il parcourut l'ensemble du regard en quelques secondes.

— Merde alors, on dirait une fichue double page de *Rustica*.

— Le lecteur de DVD se trouve dans le bureau, dit Gurney en passant devant lui.

La vidéo commençait de manière saisissante par une vue aérienne de la campagne, la caméra s'inclinant peu à peu à la verticale jusqu'à ce qu'elle balaie la cime verte des arbres, un vert clair printanier, pour suivre une route étroite et un ruisseau tumultueux – rubans parallèles d'asphalte noir et d'eau scintillante reliant un chapelet de maisons bien entretenues se dressant au milieu de pelouses tentaculaires et de dépendances pittoresques.

Un domaine un peu plus grand et plus majestueux que les autres se profila, et la progression de la caméra embarquée ralentit. Lorsqu'elle se trouva juste au-dessus d'une vaste pelouse émeraude avec des bordures de jonquilles, son mouvement vers l'avant cessa entièrement, et elle descendit en douceur vers le sol.

— Eh bien ! s'exclama Gurney. Ils ont loué un hélicoptère pour tourner leur vidéo de mariage ?

— Comme tout le monde, non ? fit Hardwick d'une voix grinçante. En fait, l'hélicoptère, c'était juste pour l'intro. Après ça, la vidéo a été enregistrée par quatre caméras fixes réparties sur la pelouse de manière à couvrir l'ensemble de la propriété. Ce qui fait qu'il y a un dossier son et image complet de presque tout ce qui s'est passé dehors.

La maison en pierre beige avec sa terrasse tout autour et ses parterres de fleurs avaient l'air de sortir tout droit des Cotswold – le printemps dans la bucolique campagne anglaise.

— Où sommes-nous ? demanda Gurney tandis que Hardwick et lui s'installaient sur le canapé du bureau devant l'écran.

Hardwick feignit la surprise.

— Tu ne reconnais pas l'élégant petit hameau de Tambury ?

— Pourquoi, je devrais ?

— Tambury est un vivier de gens importants, et tu es un type important. Quiconque fait partie du gratin connaît quelqu'un habitant Tambury.

— Je suppose que je n'ai pas réussi l'examen. Est-ce que tu vas me dire où c'est ?

— À une heure d'ici, à mi-chemin d'Albany. Je te donnerai les indications.

— Je n'en aurai pas besoin… commença Gurney, avant d'ajouter avec un haussement de sourcils interrogateur : Ce ne serait pas dans le comté de Sheridan Kline par hasard…

— Le comté de Kline ? le coupa Hardwick. Et comment. Tu auras ainsi l'occasion de travailler avec tes vieux amis. Le procureur a un faible pour toi.

— Holà, marmonna Gurney.

— Il pense que tu es un vrai génie. Bien entendu, il s'est attribué tout le mérite de ton triomphe dans l'affaire Mellery, vu que ce n'est qu'un politicien, mais, au fond de lui, il sait qu'il te le doit.

Gurney secoua la tête, regardant à nouveau l'écran tout en parlant.

— Au fond de Sheridan Kline, il n'y a rien d'autre qu'un trou noir.

— Allons, allons, Davey, tu as des opinions tellement cruelles sur les enfants du bon Dieu.

Puis, sans attendre la réponse, il se tourna vers l'écran et se mit à commenter la vidéo.

— Les traiteurs, dit-il, alors qu'une équipe de jeunes hommes et jeunes femmes aux cheveux coiffés en pointe, en pantalons noirs et tuniques blanches impeccables, dressaient un bar extérieur et une demi-douzaine de tables chauffantes. Le maître de maison, continua-t-il en désignant l'écran, où un homme souriant vêtu d'un costume bleu nuit, une fleur rouge à son revers, émergeait d'une porte cintrée à l'arrière de la maison et s'avançait sur la pelouse. Fiancé, jeune marié, mari et veuf… tout ça le même jour, alors appelle-le comme tu voudras.

— Scott Ashton ?

— Lui-même.

L'homme longeait d'un pas déterminé le bord d'un parterre de fleurs en direction du côté droit de l'écran, mais, juste avant qu'il disparaisse, l'angle de prise de vue changeait, pour le montrer se dirigeant vers ce qui paraissait être une petite annexe située à la limite de la pelouse où elle jouxtait les bois, à peut-être une trentaine de mètres du bâtiment principal.

— Avec combien de caméras as-tu dit que cette séquence avait été tournée ? demanda Gurney.

— Quatre sur des pieds… plus celle à bord de l'hélicoptère.

— Qui a fait le montage ?

— Le service vidéo de la brigade.

Gurney vit Scott Ashton frapper à la porte du pavillon – le vit et l'entendit, même si le son n'était pas aussi net que l'image. Le devant de la porte et le dos d'Ashton étaient à environ quarante-cinq degrés par rapport à la caméra. Ashton frappa à nouveau, criant : « Hector ! »

Gurney entendit ensuite ce qui lui sembla être une voix à l'accent espagnol, trop faible pour qu'on puisse distinguer les mots. Il adressa un regard interrogateur à Hardwick.

— Le labo a effectué une amélioration audio. « *Esta abierta.* » Traduction : « C'est ouvert. » Confirme ce qu'Ashton se rappelle avoir entendu dire Hector.

Ashton ouvrait la porte, entrait, fermait derrière lui.

Hardwick s'empara de la télécommande et pressa la touche « Avance rapide », expliquant :

— Il reste là-dedans cinq ou six minutes, puis il ouvre la porte, on peut l'entendre dire : « Si jamais vous changez d'avis… » Après quoi il sort, referme la porte derrière lui et s'en va.

Hardwick relâcha la touche d'avance rapide au moment où Ashton émergeait de la maisonnette, l'air nettement moins content que lorsqu'il était entré.

— C'est ainsi qu'ils se parlaient entre eux ? demanda Gurney. Ashton en anglais et Flores en espagnol ?

— Je me suis posé la question, moi aussi. Ashton m'a raconté que c'était un phénomène récent, que jusqu'à il y a un mois ou deux ils se parlaient en anglais. Il pensait que c'était une forme de régression hostile, que revenir à l'espagnol, sa langue maternelle, était de la part de Hector une façon de le rejeter – tout comme la langue qu'il lui avait apprise. Ou une élucubration psychologique dans ce goût-là.

Sur l'écran, alors qu'Ashton était sur le point de sortir de l'image, une autre caméra prenait le relais, le montrant marchant vers un kiosque de jardin flanqué de colonnes grecques – le style Parthénon miniature popularisé par les paysagistes du XIXe siècle –, où quatre hommes en smoking arrangeaient leurs pupitres et leurs chaises pliantes. Ashton leur parlait brièvement, mais aucune des voix n'était audible.

— Un quatuor à cordes au lieu de notre DJ basique ? demanda Gurney.

— On est à Tambury : rien n'est basique.

Hardwick passa rapidement le reste de la conversation d'Ashton avec les musiciens, les prises de vues panoramiques du parc et de la demeure seigneuriale, l'équipe de traiteurs disposant des assiettes et des couverts en argent sur les tables couvertes de nappes blanches en lin, deux serveuses à la silhouette élancée plaçant des bouteilles et des verres, quelques gros plans de pétunias rouges et blancs tombant en cascade de vasques en pierre sculptées.

— Et cela s'est passé il y a quatre mois ?

Hardwick acquiesça.

— Pratiquement au jour près. Le premier dimanche de mai. Le moment idéal pour un mariage. Splendeur du printemps, brises parfumées, oiseaux faisant leurs nids, colombes roucoulant.

Le ton continuellement sarcastique de Hardwick tapait sur les nerfs de Gurney.

Lorsque Hardwick cessa de faire avancer le DVD pour revenir en mode « Play », la caméra était braquée sur un joli treillis tapissé de lierre servant de voie d'accès à la principale étendue de pelouse. Une file d'invités la franchissait d'un pas nonchalant. On entendait de la musique à l'arrière-plan, un air gai de style baroque.

Tandis que les couples passaient sous la tonnelle voûtée, Hardwick les identifia en se référant à une liste froissée qu'il avait sortie de sa poche de pantalon.

— Burt Luntz, le chef de la police de Tambury, et sa femme… La présidente de Dartwell College et son mari… L'agent littéraire d'Ashton et son mari… Le président de la Tambury Bristish Heritage Society et sa femme… La députée Liz Laughton et son mari… Le philanthrope Angus Boyd et son petit jeune homme, ou je ne sais quoi, appelons-le son « assistant »… Le rédacteur en chef de l'*International Journal of Clinical Psychology* et sa femme… Le lieutenant-gouverneur et sa femme… Le doyen de la…

Gurney l'interrompit.

— Ils sont tous comme ça ?

— Puant le fric, le pouvoir et les relations ? Oui. P-DG, politiciens influents, éditeurs de journaux et même un évêque.

Pendant les dix minutes qui suivirent, le flot de privilégiés ambitieux se répandit dans le jardin botanique de Scott Ashton. Aucun ne semblait déplacé dans cet environnement élitiste. Mais aucun n'avait l'air particulièrement ravi d'être là non plus.

— On arrive à la fin de la file, dit Hardwick. Ensuite on a les parents de la mariée : le Dr Withrow Perry, le neurochirurgien de renommée mondiale, et Val Perry, sa potiche d'épouse.

Le médecin paraissait la soixantaine. Il avait une bouche charnue, méprisante, un double menton de bon vivant et un regard acéré. Il se déplaçait avec une vivacité et une grâce surprenantes, comme un ancien moniteur d'escrime, pensa Gurney en se souvenant des leçons que Madeleine et lui avaient prises au cours de leur deuxième ou troisième année de mariage, quand ils cherchaient encore avec énergie des activités qu'ils aimeraient faire ensemble.

Val Perry se tenant à côté du médecin sur l'écran, semblable à une sorte de Cléopâtre dans un film fantastique, rayonnait d'une satisfaction dont était dépourvue la Val Perry qui avait rendu visite le matin à Gurney.

— Et maintenant, reprit Hardwick, le marié et sa future femme sans tête.

— Mon Dieu, murmura Gurney.

Il y avait des fois où l'absence de sentiment de Hardwick semblait dépasser le cynisme habituel des flics, au point qu'on aurait pu le qualifier de sociopathe léger. Mais ce n'était ni le moment ni le lieu pour… pour quoi ? Pour lui dire que c'était un sale malade ? Lui conseiller une psychanalyse ?

Gurney avala une goulée d'air et reporta son attention sur la vidéo : le Dr Scott Ashton et Jillian Perry Ashton marchant ensemble vers la caméra, souriants, de vagues applaudissements, quelques « Bravo ! » et un joyeux crescendo baroque se faisant entendre à l'arrière-plan.

Gurney regardait fixement la mariée avec stupéfaction.

— Qu'est-ce qu'il y a ? demanda Hardwick.

— Elle n'est pas tout à fait comme je l'imaginais.

— Et tu t'attendais à quoi ?

— Après ce que m'a raconté sa mère, je ne m'attendais pas à ce qu'elle ressemble à une photo de couverture du magazine *Mariages*.

Hardwick se mit à examiner l'image de la jeune beauté radieuse dans une robe longue de satin blanc dont le col pudique était parsemé de paillettes, ses gants blancs tenant un bouquet de roses-thé, ses cheveux dorés réunis en une volute serrée surmontée d'un diadème scintillant, ses yeux en amande soulignés par une touche d'eye-liner, sa bouche parfaite avivée par du rouge à lèvres assorti au rose des fleurs.

Il eut un haussement d'épaules.

— Est-ce qu'elles ne veulent pas toutes ressembler à ça ?

Gurney fronça les sourcils, troublé par le conformisme de l'apparence de Jillian.

— C'est dans leurs fichus gènes, ajouta Hardwick.

— Oui, peut-être, répondit Gurney sans conviction.

Hardwick avança encore, sautant quelques scènes : les mariés se déplaçant à travers la foule ; les membres du quatuor à cordes attaquant un morceau avec entrain ; l'équipe de traiteurs se glissant entre les groupes buvant et mastiquant.

— On va aller à l'essentiel, directement à la séquence où tout se passe.

— Tu veux dire, le meurtre proprement dit ?

— Plus quelques trucs intéressants juste avant et juste après.

Au bout de quelques secondes, un plan moyen remplit l'écran, montrant trois personnes en train de discuter. Certains mots étaient plus audibles que d'autres, en partie noyés dans le brouhaha des conversations, en partie submergés par l'exubérance de Vivaldi.

Hardwick tira une seconde feuille de papier pliée de sa poche, l'ouvrit et la tendit à Gurney, qui reconnut la présentation familière : la transcription tapuscrite d'une conversation enregistrée.

— Regarde la vidéo et écoute la bande sonore, dit Hardwick. Je te dirai quand tu pourras commencer à suivre sur la transcription, au cas où tu n'arriverais pas à entendre l'audio. Les trois interlocuteurs sont le chef

Luntz et sa femme Carol, tous les deux face à toi, et Ashton, qui te tourne le dos.

Les Luntz arboraient de grands verres surmontés de rondelles de citron. Quelques canapés tanguaient sur la paume de la main libre du chef de la police. Ashton, pour sa part, tenait sa boisson devant lui, hors du champ de la caméra. Les bribes de dialogue audibles semblaient d'une totale banalité et provenaient entièrement de Mme Luntz.

— Oui, oui… journée pour ça… une chance que la météo qui était très… fleurs… l'époque de l'année qui rend la vie dans les Catskill si agréable… musique, très différente, parfaite pour la circonstance… moustique… pas un seul… impossible à cause de l'altitude, Dieu merci, parce que les moustiques à Long Island… tiques, pas du tout de tiques, grâce au ciel… attrapé la maladie de Lyme, absolument horrible… erreur de diagnostic… nausées, migraines… complètement désespérée, à tel point qu'elle voulait mettre fin à ses jours, la douleur…

Alors que Gurney lançait un regard en biais à Hardwick, un sourcil levé, l'air de lui demander à quoi rimait tout cela, il entendit pour la première fois la grosse voix du chef de la police. « Carol, ce n'est pas le moment de parler de tiques. Aujourd'hui est un jour heureux… n'est-ce pas, docteur ? »

Hardwick pointa un index vers la ligne du haut de la page imprimée posée sur les genoux de Gurney. Ce dernier apprécia cet utile complément au tohu-bohu de la bande sonore.

> Scott Ashton : Très heureux, effectivement, commissaire.

Carol Luntz : Je voulais simplement dire que tout est vraiment parfait – pas d'insectes, pas de pluie, pas de problème d'aucune sorte. Et quelle réception délicieuse, la musique, tous ces hommes séduisants…

Commissaire Luntz : Comment ça va avec votre Mexicain prodige ?

Scott Ashton : J'aimerais bien le savoir, commissaire. Parfois…

Carol Luntz : J'ai entendu parler de… étranges… je ne sais pas, je n'aime pas répéter les…

Scott Ashton : Hector connaît actuellement quelques difficultés psychologiques. Son comportement a changé ces derniers temps. J'imagine que ça n'est pas passé inaperçu. S'il y a quoi que ce soit dont vous ayez été témoins, qui ait attiré votre attention, cela m'intéresserait beaucoup.

Carol Luntz : Ma foi, je n'ai jamais été témoin de rien, pas directement. J'ai seulement… des racontars, mais j'essaie de ne pas prêter attention aux racontars.

Scott Ashton : Oh ! Oh, juste une seconde. Excusez-moi un instant. Il semble que Jillian me fasse signe.

Hardwick mit sur « Pause ».

— Tu vois ? dit-il. À l'extrême gauche de l'image ?

Figée en mode pause, Jillian, regardant en direction d'Ashton, levait la montre en or fixée à son poignet gauche qu'elle indiquait du doigt. Hardwick pressa la touche « Play », et la scène se poursuivit. Tandis qu'Ashton se frayait un chemin entre les invités dispersés sur la pelouse, les Luntz continuaient leur conversation sans lui, laquelle était suffisamment claire pour que Gurney se contente d'un coup d'œil de temps en temps à la transcription.

Commissaire Luntz : Tu comptes lui parler de cette histoire avec Kiki Muller ?
Carol Luntz : Tu ne crois pas qu'il a le droit de savoir ?
Commissaire Luntz : Tu ne sais même pas comment cette rumeur a commencé.
Carol Luntz : Je pense que c'est plus qu'une simple rumeur.
Commissaire Luntz : Ouais, ouais, tu penses. Tu n'en sais rien du tout. Tu penses.
Carol Luntz : Si quelqu'un vivant sous ton toit, mangeant à ta table, baisait en cachette la femme de ton voisin, tu n'aurais pas envie de le savoir ?
Commissaire Luntz : Tout ce que je dis, c'est que tu n'en sais rien.
Carol Luntz : De quoi ai-je besoin, de photos ?
Commissaire Luntz : Des photos aideraient sûrement.
Carol Luntz : Burt, tu peux être ridicule autant que tu voudras, mais si un cinglé de Mexicain vivait sous ton toit et baisait la femme de Charley Maxon, qu'est-ce que tu ferais ? Attendre d'avoir des photos ?
Commissaire Luntz : Bon Dieu, Carol…
Carol Luntz : Burt, c'est un blasphème. Je te l'ai déjà dit, Burt, ne parle pas de cette façon.
Commissaire Luntz : Compris. Pas de blasphème. Écoute… ce qui est important c'est que tu as entendu dire quelque chose par quelqu'un qui a entendu dire quelque chose par quelqu'un…
Carol Luntz : D'accord, Burt, mais tu n'as pas besoin d'être sarcastique !

Ils se turent. Au bout d'une minute, le chef de la police essaya de fourrer dans sa bouche un des canapés posés sur sa main et finit par y parvenir en se servant de la base de son verre en guise de pelle. Sa femme fit la moue, détourna les yeux, vida son verre et se mit à taper du pied au rythme émanant du mini-Parthénon. Avec une expression festive frisant l'hystérie, elle se mit à jeter des regards furtifs à la foule comme en quête d'une célébrité promise. Lorsqu'un des serveurs se présenta avec un plateau de boissons diverses, elle troqua son verre vide contre un plein. À présent, le chef de la police l'observait, les lèvres comprimées en une ligne dure.

> Commissaire Luntz : Tu pourrais peut-être mettre la pédale douce.
> Carol Luntz : Je te demande pardon ?
> Commissaire Luntz : Tu as très bien entendu.
> Carol Luntz : Quelqu'un devrait lui dire la vérité.
> Commissaire Luntz : Quelle vérité ?
> Carol Luntz : La vérité sur le faux jeton de Mexicain de Scott.
> Commissaire Luntz : La vérité ? Ou juste un sale petit cancan enjolivé par une de tes amies stupides : des balivernes pures et simples, diffamatoires et passibles de poursuites !

Tandis que les esprits des Luntz s'échauffaient, Ashton et Jillian étaient visibles à gauche au fond de la scène, l'éloignement de la caméra mettant leur conversation hors de portée. Pour finir, Jillian pivota pour se diriger vers le pavillon, adossé aux bois voisins de l'autre côté de la pelouse, et Ashton revint vers les Luntz avec un froncement de sourcils inquiet.

Lorsque Carol Luntz vit Ashton s'approcher, elle vida sa margarita en quelques rapides gorgées. Son mari réagit en lâchant un mot inaudible entre ses dents serrées. (Gurney consulta la transcription audio, mais elle ne proposait aucune interprétation.)

Changeant d'expression à l'instant où Ashton les rejoignait, le chef de la police demanda :

— Eh bien, Scott, tout se passe bien ? Tout va pour le mieux ?

— J'espère, répondit Ashton. Je veux dire, j'aurais préféré que Jillian…

Il secoua la tête, sa voix s'estompant.

— Oh, mon Dieu, s'exclama Carol Luntz avec une curiosité mal dissimulée, il n'y a pas de problème, n'est-ce pas ?

Ashton secoua à nouveau la tête.

— Jillian tient à ce que Hector se joigne à nous pour le toast. Il nous a déjà répondu qu'il ne voulait pas, et… euh, c'est à cause de ça.

Il sourit avec gêne, regardant fixement l'herbe.

— Qu'est-ce qui l'ennuie, d'ailleurs ? demanda Carol en se penchant vers Ashton.

Hardwick appuya sur « Pause », figeant Carol Luntz dans une attitude de conspirateur. Il se tourna vers Gurney avec l'excitation d'un homme brûlant de partager une révélation.

— Cette bonne femme fait partie de ces garces qui se délectent du malheur des autres, tiennent à en savourer chaque miette en même temps qu'elles font semblant de déborder de compassion. Et qui versent des larmes de crocodile sur vos souffrances tout en souhaitant que vous creviez pour pouvoir chialer encore plus fort et montrer au reste du monde à quel point ça leur brise le cœur.

Gurney perçut une certaine vérité dans ce jugement, même si l'outrance de Hardwick lui semblait évidente.

— Qu'est-ce qui vient ensuite ? demanda-t-il en se tournant avec impatience vers l'écran.

— Du calme. Ce n'est pas tout.

Hardwick appuya sur « Play ».

Ashton était en train de dire :

— Tout ça est assez bête, je ne veux pas vous importuner.

— Mais qu'est-ce qu'il y a qui *ne va pas* chez cet homme, s'obstina Carol, conférant à ces derniers mots l'accent d'une plainte.

Ashton haussa les épaules, l'air trop épuisé pour garder la chose secrète.

— Hector a un comportement négatif vis-à-vis de Jillian. Jillian, pour sa part, est bien décidée à régler le problème, si confus soit-il, ayant surgi entre eux. Si bien qu'elle a insisté pour que je l'invite à notre réception, ce que j'ai tenté de faire à deux reprises... il y a une semaine et à nouveau ce matin. Chaque fois, il a refusé. Voilà un instant, Jillian m'a appelé pour me faire savoir qu'elle avait l'intention de le tirer de son logis, là-bas, pour qu'il vienne au toast. À mon avis, c'est une perte de temps, et c'est ce que je lui ai dit.

— Pourquoi voudrait-elle s'embêter avec... avec... *lui* ?

Elle trébucha à la fin de la phrase, comme si elle cherchait une épithète désagréable et n'arrivait pas à en trouver.

— Bonne question, Carol, mais à laquelle il m'est impossible de répondre.

Son commentaire fut suivi d'une coupe avant d'enchaîner avec les prises de vues d'une autre caméra, une caméra positionnée de manière à couvrir toute une portion de la propriété, incluant le pavillon, la roseraie et la moitié de la maison principale. Jillian, la mariée de livre d'images, frappait à la porte du pavillon.

Une fois encore, Hardwick arrêta la vidéo, transformant les trois silhouettes en une mosaïque sur l'écran.

— Bon, dit-il. Nous y sommes. Ça commence maintenant. Les quatorze minutes cruciales. Les quatorze minutes durant lesquelles Hector Flores tue Jillian Perry Ashton. Les quatorze minutes durant lesquelles il lui coupe la tête avec une machette, sort par la fenêtre de derrière et s'enfuit sans laisser de traces. Ces quatorze minutes démarrent au moment où elle pénètre à l'intérieur et ferme la porte.

Hardwick relâcha la touche « Pause », et l'action reprit. Jillian ouvrit la porte du pavillon et entra avant de refermer derrière elle.

— Et voilà, dit Hardwick en indiquant, à l'écran, la dernière image d'elle vivante.

La caméra s'attarda sur le pavillon tandis que Gurney imaginait le meurtre sur le point de se produire derrière les fenêtres aux rideaux à fleurs.

— Quand tu dis que Flores est sorti par la fenêtre de derrière et s'est enfui sans laisser de traces, c'est au sens propre ?

— Eh bien, fit Hardwick en marquant une pause théâtrale, la réponse est… oui et non.

Gurney poussa un soupir et attendit.

— Le fait est que la disparition de Flores a quelque chose de familier. (Nouvelle pause, accentuée par un sourire entendu.) Il y avait une piste allant de la fenêtre arrière du pavillon jusque dans les bois.

— Où veux-tu en venir, Jack ?

— Cette piste menant dans les bois ? Elle s'arrêtait net à cent cinquante mètres de la maison.

— Qu'est-ce que tu veux dire ?
— Ça ne te rappelle pas quelque chose ?
Gurney le dévisagea avec incrédulité.
— Tu penses à l'affaire Mellery ?
— Tu connais beaucoup d'affaires où les pistes s'arrêtent au beau milieu des bois sans aucune raison ?
— Alors comme ça, tu prétends… quoi ?
— Rien de précis. Je me demande simplement si tu n'es pas passé à côté d'un détail en bouclant cette histoire démente.
— Quel genre de détail ?
— La possibilité d'un complice ?
— *Un complice ?* Tu es devenu dingue ? Tu le sais aussi bien que moi, il n'y avait rien dans l'affaire Mellery qui suggère qu'il y ait eu plus d'un meurtrier.
— Tu as l'air plutôt chatouilleux sur le sujet ?
— *Chatouilleux ?* Ce qui me rend chatouilleux, ce sont les hypothèses qui constituent un gaspillage de temps parce qu'elles ne reposent que sur ton sens de l'humour tordu.
— Alors, tout ça n'est qu'une coïncidence ?
Hardwick avait ce ton dédaigneux qui donnait à Gurney la même sensation que des crissements d'ongles sur un tableau noir.
— *Tout ça quoi*, Jack ?
— Les similitudes entre les modes opératoires.
— Tu ferais mieux de me dire illico presto de quoi tu parles.
La bouche de Hardwick s'étira en biais – peut-être un sourire, peut-être une grimace.
— Regarde le film. Encore quelques minutes.
Quelques minutes s'écoulèrent. Rien de significatif ne se passait sur l'écran. Plusieurs invités se promenaient le

long des parterres de fleurs bordant le pavillon, et une des femmes du groupe, celle que Hardwick avait identifiée un peu plus tôt comme étant la femme du lieutenant-gouverneur, semblait diriger une sorte de visite botanique, parlant avec animation tout en indiquant diverses fleurs. Son escouade sortait peu à peu du champ, comme attachée par des fils invisibles à son guide. La caméra demeurait braquée sur le pavillon. Les fenêtres garnies de rideaux ne laissaient rien voir.

Juste au moment où Gurney se demandait à quoi servait cette prise de vues, la séquence changea, montrant à présent Scott Ashton et les Luntz au premier plan avec le pavillon derrière eux.

— C'est l'heure du toast, disait Ashton

Tous trois regardaient en direction du pavillon. Ashton jeta un coup d'œil à sa montre, leva la main en un geste d'injonction et appela une des serveuses. Elle accourut avec un sourire obligeant.

— Oui, monsieur ?

Il pointa un doigt vers le pavillon.

— Faites savoir à ma femme qu'il est quatre heures passées.

— Elle se trouve dans cette jolie petite maison, là-bas, près des arbres ?

— Oui. Dites-lui, s'il vous plaît, que c'est l'heure du toast.

Comme elle se précipitait, Ashton se tourna vers les Luntz.

— Jillian a tendance à perdre la notion du temps, surtout quand elle essaie de convaincre quelqu'un de faire ce qu'elle désire.

La vidéo suivit la jeune serveuse alors qu'elle traversait la pelouse, arrivait au pavillon et frappait à la porte. Après quelques secondes, elle frappa à nouveau, puis essaya la poignée, sans résultat. Elle lança un regard vers Ashton à l'autre bout de la pelouse, tournant ses paumes en un signe de perplexité. En réponse, Ashton mima des coups plus violents à la porte. Elle fronça les sourcils, mais fit ce qu'on lui demandait. (Cette fois, le bruit fut suffisamment fort pour s'enregistrer sur la bande-son de la caméra, qui, estima Gurney, devait être placée à une quinzaine de mètres du pavillon.) En l'absence de réponse, elle fit à nouveau un geste des mains et secoua la tête.

Ashton marmonna quelque chose, plus pour lui-même que pour les Luntz apparemment, puis se dirigea à grands pas vers le pavillon. Il alla droit à la porte, frappa bruyamment, puis donna un coup sec et pesa brutalement sur la poignée en criant :

— Jilli ! Jilli, la porte est fermée ! Jillian !

Il resta planté devant la porte, la mine renfrognée, son attitude exprimant l'étonnement et la frustration, puis il pivota et marcha d'un pas vif vers la porte de derrière de la maison principale.

Perché sur le bras du canapé de Gurney, Hardwick expliqua :

— Il est allé chercher la clé. Il nous a expliqué qu'il gardait un double à l'office.

Peu après, la vidéo montrait Ashton sortant de la maison principale pour se diriger vers le pavillon. Il frappa sans conviction, n'obtint visiblement aucune réponse, inséra la clé et ouvrit la porte. Depuis l'angle de la caméra filmant la scène, à environ quarante-cinq degrés par rapport au pavillon, l'intérieur du bâtiment était très peu visible et seulement le dos d'Ashton, mais son corps se raidit soudain. Après une brève hésitation, il entra. Quelques instants plus tard, un bruit affreux se fit entendre, un hurlement de surprise et d'angoisse – les mots « AU SECOURS » lancés avec désespoir une, deux, trois fois, puis, au bout d'un moment, Scott Ashton ressortit en titubant, les jambes flageolantes, avant de s'effondrer sur le côté dans un parterre de fleurs, criant « AU SECOURS » de manière si bestiale et répétée que ça ne ressemblait même plus à des sons articulés.

CHAPITRE 9

Vision depuis la porte

Les caméras fixes de la vidéo de mariage, placées à leurs quatre points d'observation clés sur la pelouse, continuèrent à fonctionner pendant encore douze minutes après la chute d'Ashton, donnant un enregistrement complet du chaos qui s'ensuivit – à partir de quoi elles furent éteintes et confisquées par Luntz, le chef de la police, pour leur servir de témoignage.

Ces douze minutes d'agitation se trouvaient incluses dans le DVD que Gurney regardait avec Hardwick : douze minutes d'ordres et de questions hurlés à tue-tête, de cris d'horreur, d'invités courant vers Ashton, pénétrant dans le pavillon, sortant à reculons, une femme tombant, une autre trébuchant et dégringolant sur elle, des participants relevant Ashton du parterre de fleurs pour le conduire vers la porte de derrière de la maison principale, de Luntz bloquant la porte du pavillon et manipulant avec frénésie son téléphone portable, de personnes allant et venant, l'air affolées, des quatre musiciens entrant dans le champ, un violoniste avec son instrument encore à la main, un autre avec seulement son archet, de trois flics de Tambury en uniforme se précipitant vers

Luntz montant la garde à l'entrée, du président de la British Heritage Society vomissant dans l'herbe.

À la fin de l'enregistrement, Gurney se laissa aller lentement en arrière sur le canapé et se tourna vers Hardwick.

— Bon Dieu !

— Alors, qu'en penses-tu ?

— Je pense que j'aimerais bien en savoir un peu plus.

— Par exemple ?

— Quand la Brigade criminelle est-elle arrivée sur les lieux, et qu'est-ce que vous avez trouvé dans le pavillon ?

— Les policiers de l'État ont débarqué trois minutes après que Luntz eut arrêté les caméras, soit une quinzaine de minutes après la découverte du corps par Ashton. Pendant que Luntz faisait venir ses propres hommes, des invités appelaient le 911 – appel qui fut transmis à la police de l'État et aux services du shérif. Dès qu'ils eurent jeté un coup d'œil dans le pavillon, les agents avertirent la Brigade criminelle ; on me passa la communication, et j'étais sur place vingt-cinq minutes plus tard. Si bien qu'en un rien de temps, le cirque habituel battait son plein.

— Et ?

— Et l'opinion dominante était qu'il valait mieux refiler le bébé à la BC – autrement dit moi-même. Il en fut ainsi pendant près d'une semaine, jusqu'à ce que j'informe notre cher capitaine que son approche de l'affaire – l'approche qu'il voulait absolument que j'adopte – présentait quelques failles purement logiques.

Gurney sourit.

— Tu lui as dit que c'était un fichu crétin ?

— Quelque chose dans ce goût-là.

— Et il a confié l'affaire à Arlo Blatt ?

— Tout juste, et cela fait maintenant pas loin de quatre mois qu'elle patine en soulevant une tempête de sable sans avoir avancé d'un pouce. D'où le désir de la ravissante mère de la jolie mariée d'explorer d'autres solutions.

Une exploration susceptible de remplacer la tempête de sable créée par des roues qui patinent par une tornade de protestations en matière de compétence, songea Gurney.

Fais marche arrière maintenant, avant qu'il soit trop tard, murmura la petite voix de la sagesse.

Puis une autre voix déclara avec une confiance insouciante : *Tu devrais au moins tâcher d'apprendre ce qu'ils ont découvert dans le pavillon. En savoir davantage n'est jamais une mauvaise chose*.

— Tu es donc arrivé sur les lieux, et quelqu'un t'a montré le corps ? demanda Gurney.

— Ouais, on m'a emmené sur les lieux. J'avais conscience de la façon dont ces enfoirés m'observaient en me conduisant jusqu'à la porte. Je me rappelle m'être dit : ils s'attendent à une réaction maousse, ce qui signifie qu'il y a un truc affreux là-dedans.

Il marqua un temps d'arrêt et eut un nouveau tic à la bouche. Ses lèvres dévoilèrent ses dents pendant une ou deux secondes, puis il continua :

— Et pour ça, on peut dire que j'avais raison. Raison à cent pour cent.

Il semblait réellement perturbé.

— Le corps était visible depuis la porte ? demanda Gurney.

— Oh, oui, visible et bien visible.

CHAPITRE 10

La seule façon dont ça aurait pu se faire

Hardwick se leva avec effort du canapé et se frotta énergiquement le visage avec les deux mains comme un homme essayant de se réveiller complètement après une nuit de rêves éprouvants.

— Tu n'aurais pas une bouteille de bière froide dans la maison ?

— Pas pour le moment, répondit Gurney.

— Pas pour le moment ? Merde, qu'est-ce que ça veut dire ? Pas pour le moment, mais peut-être que dans une minute ou deux une Heineken glacée pourrait se matérialiser devant moi ?

Gurney nota que le sentiment de vulnérabilité éprouvé par l'inspecteur au souvenir de ce qu'il avait vu quatre mois plus tôt avait maintenant disparu – de nouveau enfoui sous la surface.

— Ainsi, continua-t-il, on voyait le corps depuis la porte ?

Hardwick marcha jusqu'à la fenêtre du bureau, qui donnait sur le pré à l'arrière. Le ciel au nord était gris foncé. Tout en parlant, il regardait vers la grande crête menant à la vieille carrière de pierre bleue.

— Le corps était assis sur une chaise devant une petite table carrée, à environ deux mètres de la porte d'entrée. (Il grimaça comme quelqu'un ayant flairé l'odeur d'une mouffette.) Je dis bien, le *corps* était assis à la table. Sauf que la tête n'était pas dessus. Elle était sur la table dans une mare de sang. Posée sur la table, face au corps, portant encore le diadème que tu as vu dans la vidéo.

Il s'interrompit, comme pour s'assurer du bon ordre des détails.

— Le pavillon se composait de trois pièces – la pièce de devant et, derrière, une petite cuisine et une petite chambre à coucher –, plus une minuscule salle de bains et un dressing. Du plancher, pas de tapis, rien sur les murs. À part tout ce sang sur et autour du cadavre, il y en avait quelques gouttes au fond de la pièce, près de la porte de la chambre, et d'autres gouttes à proximité de la fenêtre de celle-ci, laquelle fenêtre était grande ouverte.

— Et il s'est échappé par là ?

— Aucun doute là-dessus. Empreinte de pied partielle sur le sol de l'autre côté.

Hardwick se détourna de la fenêtre du bureau et gratifia Gurney d'un de ses petits airs narquois insupportables.

— C'est là que ça devient intéressant.

— Les faits, Jack, et rien que les faits, épargne-moi les commentaires fumeux.

— Luntz avait appelé les services du shérif parce qu'ils disposaient de l'équipe canine la plus proche, laquelle est arrivée à la propriété d'Ashton environ cinq minutes après moi. Le clébard flaire une paire de bottes appartenant à Flores et file comme une flèche à travers les bois comme si la piste était brûlante. Puis il s'arrête brusquement à cent cinquante mètres du pavillon – renifle, renifle, renifle, tout en décrivant un cercle assez étroit, avant de s'immobiliser et de se mettre à aboyer juste au-dessus de l'arme : une machette tranchante comme un rasoir. Mais voici le problème : après avoir déniché la machette, il n'a pu relever aucune piste s'en éloignant. Le maître-chien l'a baladé tout autour dans un périmètre restreint, puis un périmètre plus large – ce pendant une demi-heure –, sans succès. La seule piste qu'a pu détecter le chien allait de la fenêtre derrière le pavillon à la machette, et nulle part ailleurs.

— Cette machette était posée là sur le sol ? demanda Gurney.

— Il y avait des feuilles et un peu de terre recouvrant la lame, comme si on avait vaguement essayé de la camoufler.

Gurney réfléchit un instant.

— On est sûr qu'il s'agit bien de l'arme du crime ?

Hardwick sembla étonné de la question.

— À cent pour cent. Le sang de la victime était encore dessus. Adéquation parfaite de l'ADN. Et il y a aussi le rapport du médecin légiste. (Hardwick prit un ton machinal comme s'il répétait ces mots pour la centième fois.) Décès causé par le sectionnement des deux artères carotides et de la colonne vertébrale entre les vertèbres C-1 et C-2 à la suite d'un coup asséné avec une grande force, à l'aide d'une lame lourde et aiguisée. Les dommages occasionnés aux tissus du cou et aux vertèbres sont compatibles avec la machette découverte dans la zone boisée adjacente à la scène de crime. Par conséquent, conclut-il en reprenant son ton normal, zéro doute. L'ADN est l'ADN.

Gurney hocha lentement la tête, assimilant ce qu'il venait d'entendre.

Hardwick poursuivit, ajoutant une touche de provocation bien dans sa manière :

— La seule question sans réponse, c'est pourquoi la piste s'arrêtait là, un peu comme dans l'affaire Mellery, une piste qui…

— Une seconde, Jack. Il y a une grande différence entre les empreintes de pas visibles que nous avons trouvées chez Mellery et une piste olfactive indétectable.

— Le fait est qu'elles s'arrêtaient toutes les deux au milieu de nulle part sans la moindre raison.

— Non, Jack, rétorqua Gurney d'un ton brusque, sans dissimuler son exaspération, le fait est qu'il y avait une très bonne raison à ces empreintes de pas – de même qu'il y en a une très bonne, mais totalement différente, à ton problème d'odeur.

— Ah, Davey Boy, c'est ce qui m'a toujours impressionné chez toi : ton omniscience.

— Tu sais, j'ai toujours cru que tu étais plus intelligent que tu le prétendais. Maintenant, je n'en suis plus aussi sûr.

Le petit sourire de Hardwick traduisait une certaine satisfaction devant l'irritation de Gurney. Il changea de ton, tout d'innocence et de sincère curiosité.

— Eh bien, que s'est-il passé, d'après toi ? Comment la piste de Flores pouvait-elle finir comme ça ?

Gurney haussa les épaules.

— Il a changé de chaussures ? Enveloppé ses pieds dans des sacs en plastique ?

— Et pourquoi diable aurait-il fait ça ?

— Peut-être pour empêcher un chien de le suivre. Qu'on ne puisse pas savoir où il allait ensuite, où il comptait se cacher.

— Comme la maison de Kiki Muller ?

— J'ai entendu ce nom dans la vidéo. Ce n'est pas la femme avec…

— … avec qui Flores baisait prétendument. Exact. Elle habitait juste à côté de chez Ashton. Épouse de Carl Muller, un mécanicien naval qui naviguait au loin la moitié du temps. Kiki n'a pas été revue après la disparition de Flores, ce qui n'est sans doute pas une coïncidence.

Gurney se laissa aller sur le canapé, retournant la chose dans sa tête.

— Je peux comprendre que Flores ait pris des précautions pour éviter qu'on le piste jusqu'à la maison d'un voisin ou tout autre l'endroit où il se rendait en réalité, mais pourquoi ne pas le faire avant de quitter le pavillon ? Pourquoi dans les bois ? Pourquoi après être parti et avoir caché la machette et pas avant ?

— Peut-être qu'il voulait se tirer de la bicoque le plus vite possible ?

— Peut-être. Ou peut-être qu'il tenait à ce qu'on découvre la machette ?

— Dans ce cas, pourquoi l'enterrer ?

— L'enterrer à moitié. Tu n'as pas dit que seule la lame était recouverte de terre ?

Hardwick sourit.

— Question intéressante. Mérite certainement d'être approfondie.

— Autre chose, dit Gurney. Quelqu'un a-t-il vérifié où se trouvaient les Muller au moment du meurtre ?

— Nous savons que Carl était employé comme chef mécanicien sur un bateau de pêche environ quatre-vingts kilomètres au large de Montauk toute cette semaine-là. Mais nous n'avons pu trouver personne ayant vu Kiki le jour du meurtre, ni même la veille.

— Cela signifie quelque chose pour toi ?

— Absolument rien. Secteur hautement privé – du moins au bout du chemin d'Ashton –, taille des propriétés cinq hectares minimum, lascars extrêmement discrets, pas du genre à s'attarder dans leur arrière-cour pour discuter le bout de gras, doit être considéré comme grossier de dire bonjour sans invitation.

— Sait-on si quelqu'un l'a vue après le départ de son mari pour Montauk ?

— Personne, apparemment, mais…

Hardwick haussa les épaules, répétant que ne pas être vu par ses voisins à Tambury était la règle plutôt que l'exception.

— Et les invités… est-ce qu'on a pu établir l'endroit où ils se trouvaient durant les « quatorze minutes cruciales » dont tu as parlé ?

— Ouais. Le lendemain du meurtre, j'ai visionné moi-même la vidéo, afin de vérifier leurs mouvements minute par minute pendant que la victime était dans le pavillon – avec notre encourageant capitaine affirmant que je gaspillais du temps qui serait mieux employé à fouiller les bois pour retrouver Hector Flores. Qui sait, peut-être que cette couille molle avait raison pour une fois. Naturellement, si j'avais ignoré la vidéo et qu'il se soit révélé ensuite que… enfin, tu connais ce petit *enfoiré*. (Il cracha l'insulte entre ses dents.) Pourquoi me regardes-tu de cette façon ?

— De quelle façon ?

— Comme si j'étais maboule.

— Mais tu *es* maboule, répliqua Gurney avec légèreté.

Il songeait également que, en l'espace de dix mois depuis qu'ils avaient été mêlés à l'affaire Mellery, de méprisante, l'attitude de Hardwick vis-à-vis du capitaine Rod Rodriguez était devenue pour une raison ou une autre carrément venimeuse.

— Peut-être bien, dit Hardwick, plus pour lui-même que pour Gurney. Ça semble être le consensus général.

Se tournant, il regarda à nouveau par la fenêtre du bureau. Il faisait plus sombre à présent ; le nord de la crête paraissait presque noir contre le ciel couleur ardoise.

Gurney s'interrogea : Hardwick cherchait-il à engager une conversation personnelle, contrairement à son habitude ? Avait-il un problème dont il était en fait désireux de parler ?

Si la porte des confidences s'était entrouverte, elle ne fut pas longue à se refermer. Hardwick pivota sur ses talons, la lueur sardonique de retour dans ses yeux.

— Il existe une incertitude au sujet des quatorze minutes. Pourraient bien ne pas être exactement quatorze. J'aimerais avoir ton opinion omnisciente.

S'écartant de la fenêtre, il s'assit sur le bras du canapé le plus éloigné de Gurney et se mit à parler à la table basse comme si c'était une voie de communication entre eux.

— Aucun doute quant au démarrage du compte à rebours. Lorsque Jillian a pénétré dans le pavillon, elle était en vie. Dix-neuf minutes plus tard, quand Ashton a ouvert la porte, elle était assise à la table, en deux morceaux. (Il fronça le nez et ajouta :) Chaque morceau dans sa propre mare de sang.

— Dix-neuf ? Pas quatorze ?

— Quatorze nous ramène au moment où l'employée de la restauration frappe à la porte sans obtenir de réponse. On pourrait raisonnablement en déduire que la victime n'a pas répondu parce qu'elle était déjà morte.

— Mais pas nécessairement ?

— Pas nécessairement, parce qu'à ce stade, il est possible qu'elle ait obéi aux injonctions de Flores, qu'il lui ait ordonné, machette à la main, de la boucler.

Gurney réfléchit, essayant de se représenter la scène.

— Tu as une préférence ? demanda Hardwick.

— Une préférence ?

— Tu penses qu'elle a eu droit à la coupe de printemps avant ou après le démarrage des quatorze minutes ?

La coupe de printemps ? Gurney poussa un soupir, connaissant le numéro par cœur : Hardwick jouant les provocateurs, son auditoire faisant la grimace. Il en serait probablement toujours ainsi, le bouffon aux plaisanteries de mauvais goût – un style renforcé par le cynisme de rigueur dans le monde des représentants de la loi, s'aggravant avec l'âge, amplifié par les problèmes de carrière et ses mauvaises relations avec son chef.

— Eh bien ? insista Hardwick. Lequel des deux ?

— Presque certainement avant le premier coup frappé à la porte. Probablement un petit peu avant. Sans doute une ou deux minutes après qu'elle est entrée dans le pavillon.

— Pourquoi ?

— Plus vite il passerait à l'action et plus il aurait de temps pour s'enfuir avant que le corps soit découvert. De temps pour se débarrasser de la machette, pour faire en sorte que les chiens ne puissent pas suivre sa trace plus loin, pour gagner l'endroit où il comptait aller, avant que le quartier pullule de flics.

Hardwick avait l'air sceptique, mais pas plus que d'habitude – c'était devenu une expression naturelle chez lui.

— Tu penses que tout a été mené selon un plan précis, entièrement prémédité ?

— Je le croirais volontiers. Ce n'est pas ainsi que tu vois les choses ?

— Cela pose des problèmes dans un cas comme dans l'autre.

— Par exemple ?

Hardwick secoua la tête.

— Tout d'abord, donne-moi tes arguments en faveur de la préméditation.

— La position de la tête.

La bouche de Hardwick se tordit.

— Qu'est-ce qu'elle a ?

— La façon dont tu l'as décrite… face au corps, le diadème en place. On dirait un arrangement délibéré revêtant une signification pour le tueur, ou destiné à en avoir une pour quelqu'un d'autre. Pas une impulsion du moment.

Hardwick sembla avoir un léger reflux acide.

— Le problème avec la préméditation, c'est que se rendre dans le pavillon était l'idée de la victime. Comment Flores aurait-il su qu'elle ferait ça ?

— Qu'est-ce qui te dit qu'elle n'en avait pas discuté avec lui auparavant ?

— Elle a déclaré à Ashton qu'elle voulait simplement demander à Flores qu'il se joigne au toast.

Gurney sourit, laissa Hardwick réfléchir à ce qu'il était en train de dire.

Ce dernier se racla la gorge avec gêne.

— Tu penses que c'était de la foutaise ? Qu'elle avait une autre raison d'aller dans le pavillon ? Que Flores avait combiné un truc avec elle un peu plus tôt et qu'elle a menti à Ashton à propos de cette histoire de toast ? De grandes suppositions, basées sur rien.

— Si le meurtre était prémédité, il a dû se passer quelque chose dans ce genre-là.

— Mais s'il ne l'était pas ?

— Absurde, Jack. Il ne s'agissait pas d'une impulsion soudaine, mais d'un message. J'ignore qui était le destinataire, ou ce que cela voulait dire, mais c'était certainement un message.

Hardwick fit une nouvelle moue du type remontée acide, mais ne protesta pas.

— En parlant de messages, nous en avons trouvé un assez étrange sur le téléphone portable de la victime : un SMS envoyé une heure avant sa mort. Disant : « Pour toutes les raisons que j'ai écrites. » D'après l'opérateur, le message provenait du téléphone de Flores, mais il était signé « Edward Vallory ». Ce nom te dit quelque chose ?

— Rien du tout.

L'obscurité s'était faite dans la pièce, et c'est à peine s'ils pouvaient se voir à chaque bout du canapé. Gurney alluma la lampe de table à côté de lui.

Hardwick se frotta à nouveau le visage, vigoureusement, avec la paume des deux mains.

— Avant que j'oublie, je dois mentionner une petite bizarrerie que j'ai relevée sur la scène de crime et à laquelle le rapport du légiste m'a fait repenser. Peut-être que c'est sans importance, mais… le sang sur le corps lui-même, le torse, était entièrement de l'autre côté.

— L'autre côté ?

— Ouais, le côté opposé à l'endroit où se serait tenu Flores en brandissant la machette.

— Et donc ?

— Eh bien, tu sais… comment on absorbe en quelque sorte ce qu'on voit sur une scène de crime ? À partir de quoi on se met à imaginer ce que quelqu'un a fait qui expliquerait la manière dont se présentent les choses ?

Gurney eut un haussement d'épaules.

— Sûr. C'est automatique. On fait tous ça.

— Eh bien, je me rends compte que le sang des carotides a coulé uniquement de l'autre côté du corps, en dépit du fait que le torse était bien droit, comme soutenu par les bras de la chaise, et je me demande *pourquoi*. Je veux dire, il y a une artère de chaque côté, alors comment se fait-il que le sang ne soit allé que dans une direction ?

— Et qu'est-ce que tu t'es imaginé ?

Hardwick montra les dents en une brève expression de dégoût.

— Je me suis représenté Flores la saisissant par les cheveux d'une main et lui tranchant la gorge en abattant la machette de toutes ses forces – ce qui est grosso modo ce qui a dû se produire d'après le légiste.

— Et ?

— Et ensuite… ensuite, il maintient, selon un angle oblique, la tête coupée sur le cou palpitant. En d'autres termes, il se sert de la tête pour détourner le sang. Pour l'empêcher de se répandre sur lui.

Gurney se mit à acquiescer lentement.

— Le comble de la psychopathie.

Hardwick se fendit d'une petite grimace d'approbation.

— Non que lui couper la tête ait laissé planer beaucoup de doute sur l'état mental de l'assassin. Mais… il y a quelque chose… d'un peu inquiétant dans la *faisabilité* du geste. M'est avis qu'il faut avoir de l'eau glacée dans les veines…

Gurney continua à acquiescer. Il voyait parfaitement où Hardwick voulait en venir.

Les deux hommes demeurèrent pensifs de longues secondes.

— Il y a une petite bizarrerie qui me tracasse, moi aussi, dit Gurney. Rien de macabre, juste un peu embarrassant.

— Quoi ?

— La liste des invités à la réception de mariage.

— Tu veux dire le *Who's Who* du nord de l'État de New York.

— Lorsque tu étais sur la scène de crime, te rappelles-tu avoir vu quelqu'un de moins de trente-cinq ans ? Parce que, en regardant cette vidéo tout à l'heure, moi pas.

Hardwick plissa les yeux, se renfrogna, donna l'impression de feuilleter des dossiers dans sa tête.

— Probablement pas. Et alors ?

— Assurément personne dans la vingtaine.

— À part le personnel de la restauration, personne dans la vingtaine, c'est certain. Et alors ?

— Je me demandais juste pourquoi la mariée n'avait pas d'amis à son mariage.

CHAPITRE 11

La preuve sur la table

Lorsqu'il s'en alla à la tombée de la nuit, après avoir refusé une tiède invitation à rester dîner, Hardwick confia à Gurney son double du DVD, de même qu'une copie du dossier de l'affaire contenant les rapports rédigés les premiers jours, quand il dirigeait encore l'enquête, ainsi que ceux des mois suivants, alors qu'Arlo Blatt se trouvait aux commandes. Gurney n'aurait pas pu demander mieux, ce qui ne manqua pas de le troubler. Hardwick prenait un grand risque en dupliquant les pièces d'un dossier de police, en les faisant sortir du siège central et en les remettant à un individu nullement habilité à les avoir en sa possession.

Pourquoi faisait-il ça ?

L'explication simple – que tout progrès substantiel que pourrait accomplir Gurney mettrait dans l'embarras un officier supérieur de la BC pour qui Hardwick n'avait aucun respect – ne justifiait pas entièrement le niveau de risque auquel ce dernier s'exposait. Peut-être la réponse pleine et entière résidait-elle dans les matériaux mêmes du dossier. Gurney les avait étalés sur la grande table, sous le lustre – ce qui, alors que la lumière venant des fenêtres diminuait, serait l'endroit le mieux éclairé de la maison.

Il avait divisé les épais comptes rendus et autres documents en piles selon le type d'information qu'ils contenaient. À l'intérieur de chaque pile, il classa de son mieux les différentes pièces par ordre alphabétique.

Au total, cela faisait un ensemble de données impressionnant : rapports d'incident, notes de terrain, états des progrès de l'enquête, soixante-deux résumés et transcriptions d'entretiens (d'une à quatorze pages chacun), relevés de téléphones portables et de lignes fixes, photos de la scène de crime prises par les membres de la BC, photos supplémentaires extraites de la vidéo de mariage, formulaire VICAP de description de crime comprenant trente-six pages, formulaire de compte rendu d'objet volé, formulaire de base de données de numéros de série, portrait-robot de Hector Flores, rapport d'autopsie, formulaires de collecte d'indices, rapports de laboratoire, analyses ADN d'échantillons de sang, rapport de l'équipe cynophile, liste des invités au mariage indiquant leurs coordonnées et la nature de leurs relations avec la victime et/ou Scott Ashton, croquis et photos aériennes de la propriété d'Ashton, croquis intérieurs du pavillon avec mesures de la pièce de devant, fiches de données biographiques et, bien sûr, le DVD que Gurney avait visionné.

Un fois qu'il eut tout mis dans un ordre exploitable, il était près de sept heures. Cela l'étonna tout d'abord qu'il fût si tard. Le temps accélérait toujours quand son esprit était totalement investi, et il ne l'était apparemment, songea-t-il, légèrement penaud, que lorsqu'il se trouvait confronté à une énigme. Madeleine lui avait dit une fois que sa vie se réduisait à une recherche obsessionnelle : éclaircir les mystères de la mort d'autrui. Rien de plus, rien de moins.

Il tendit la main vers la chemise la plus proche de lui sur la table. C'était la série de rapports rédigés par les techniciens de scène de crime. La feuille du dessus décrivait l'environnement immédiat du pavillon. La feuille suivante présentait l'inventaire visuel initial de l'intérieur. Il était saisissant de brièveté. Le pavillon ne contenait aucun des objets habituels qu'un laboratoire de police criminelle soumettait d'ordinaire à des analyses pour y détecter des traces. Pas de mobilier mis à part la table sur laquelle avait été trouvée la tête de la victime, un fauteuil étroit dont les bras en bois maintenaient le corps et une chaise identique en face de celle-ci. Ni fauteuil, ni canapé, ni lit, ni couverture ou carpette. De façon non moins étrange, il n'y avait pas de vêtements dans le placard, pas de vêtements ou de chaussures d'aucune sorte dans tout le pavillon – à une seule exception : une paire de bottes en caoutchouc léger, de celles que l'on met habituellement par-dessus des chaussures normales. Ces bottes avaient été retrouvées dans la chambre, près de la fenêtre par laquelle le meurtrier avait à l'évidence pris la fuite. Nul doute qu'il s'agissait des bottes que le chien avait reniflées avant de suivre la piste.

Pivotant sur son siège, il scruta le pré, le regard brillant d'excitation. Les particularités et complications de l'affaire – ce que Sherlock Holmes aurait appelé « ses traits uniques » – se multipliaient, engendrant à la manière d'un courant électrique ce champ magnétique qui provoquait chez Gurney une attirance pour des problèmes qui auraient inspiré une répulsion instinctive à la plupart des individus.

Ses pensées furent interrompues par le grincement sonore de la porte latérale qui s'ouvrait – grincement qu'il avait l'intention depuis déjà un an d'éliminer au moyen d'une goutte d'huile.

— Madeleine ?

— Oui.

Elle pénétra dans la cuisine avec trois gros sacs en plastique du supermarché à chaque main, les souleva pour les poser sur le buffet puis repartit.

— Je peux t'aider ?

Il n'y eut pas de réponse, juste le bruit de la porte s'ouvrant et se refermant. Une minute plus tard, le bruit se répéta, suivi par son retour dans la cuisine avec un second chargement de sacs, qu'elle mit également sur le buffet. C'est alors seulement qu'elle retira l'étrange bonnet péruvien rose, vert et mauve avec les rabats se balançant qui semblait toujours ajouter une note burlesque à son humeur sous-jacente.

Il eut conscience du tic passager à sa paupière gauche, une saccade du nerf si prononcée qu'il avait fallu plusieurs trajets jusqu'au miroir au cours de ces derniers mois pour le convaincre que cela ne se voyait pas. Il faillit lui demander où elle était allée, à part le supermarché, mais il lui semblait qu'elle avait parlé du reste de ses projets un peu plus tôt, et son incapacité à s'en souvenir ne serait pas une bonne chose. Madeleine assimilait ce genre d'oubli, de même qu'entendre de travers, à un manque d'intérêt. Peut-être avait-elle raison. Durant les vingt-cinq ans qu'il avait passés au NYPD, jamais il n'avait manqué de se rendre à l'interrogatoire d'un témoin ou à une comparution devant les tribunaux, omis les propos d'un suspect ou l'impression qu'il dégageait, négligé la plus petite chose ayant de l'importance pour son travail.

Y avait-il jamais eu quoi que ce soit d'aussi important que son travail ? Ou qui puisse lui être comparé ? Parents ? Épouses ? Enfants ?

À la mort de sa mère, il n'avait presque rien ressenti. Non, c'était pire que ça. Plus froid et plus égocentrique. Il avait éprouvé du soulagement, l'impression d'un fardeau en moins, d'une simplification de sa vie. Lorsque sa première femme l'avait quitté, une complication s'était encore envolée. Un autre obstacle aplani, la fin de la pression d'avoir à répondre aux besoins d'une personne difficile. La liberté.

Madeleine alla au réfrigérateur, se mit à en sortir des récipients en verre contenant de la nourriture datant de la veille et de l'avant-veille. Elle les aligna sur le plan de travail près du four à micro-ondes, cinq en tout, retira les couvercles. Il l'observait depuis l'autre côté du bloc de l'évier.

— Tu as déjà mangé ? demanda-t-elle.

— Non, j'attendais que tu rentres, répondit-il, pas tout à fait sincère.

Un sourcil levé, elle considéra les papiers étalés sur la table.

— Un tas de trucs apportés par Jack Hardwick, dit-il avec un peu trop de nonchalance. Il m'a demandé de les examiner. (Il imagina son regard calme sondant ses pensées.) Des trucs provenant du dossier de l'affaire Jillian Perry. (Il marqua un temps d'arrêt.) Je ne sais pas très bien ce que je suis censé en faire, ou pourquoi on pense que mes observations pourraient être utiles dans les circonstances présentes, mais… j'y jetterai un coup d'œil et je lui donnerai mon sentiment.

— Et à elle ?

— À elle ?

— Val Perry. Tu lui donneras ton sentiment à elle aussi ?

La voix de Madeleine avait pris un ton léger, désinvolte, qui révélait plus qu'il dissimulait son inquiétude.

Gurney regarda fixement dans le compotier sur le plan de travail en granit, les mains appuyées sur la surface froide. Dérangées par sa présence, quelques mouches s'envolèrent d'un régime de bananes, décrivirent des zigzags au-dessus du compotier, puis se posèrent à nouveau sur les fruits, devenant invisibles contre la peau tachetée.

Il s'efforça de parler doucement, mais ne réussit qu'à avoir l'air condescendant.

— Je pense que ton inquiétude provient davantage de ce que tu supposes que de ce qui se passe réellement.

— Tu veux dire le fait que je suppose que tu as déjà décidé de te lancer dans cette galère ?

— Maddie, combien de fois faut-il que je te le répète ? Je n'ai pris aucun engagement avec qui que ce soit pour faire quoi que ce soit. Absolument rien décidé pour ce qui est de m'impliquer d'une façon quelconque au-delà de la lecture du dossier.

Elle lui lança un regard qu'il ne comprit pas très bien, un regard qui le transperça – un regard entendu, tendre et étrangement triste.

Elle commença à remettre les couvercles sur les récipients en verre. Il l'observa sans mot dire jusqu'à ce qu'elle replace les récipients dans le réfrigérateur.

— Tu ne vas pas manger quelque chose ? demanda-t-il.

— Je n'ai pas vraiment faim pour l'instant. Je vais plutôt prendre une douche. Si ça me réveille, je mangerai ensuite. Si ça m'endort, j'irai me coucher tôt.

En passant devant la table et son monceau de paperasse, elle ajouta :

— Demain, avant que nos invités arrivent, tu rangeras tout ça à un endroit où on ne sera pas obligés de le voir, d'accord ?

Elle quitta la pièce et, trente secondes plus tard, il entendit la porte de la salle de bains se fermer.

Des invités ? Demain ? Bon sang !

Une vague réminiscence, quelque chose que Madeleine lui avait dit à propos de quelqu'un venant dîner – l'ombre d'un souvenir, conservé dans un bac de stockage inaccessible, un bac destiné aux choses de peu d'importance.

Qu'est-ce qui te prend ? Il n'y a donc pas de place dans ta tête pour la vie ordinaire ? Pour une vie modeste, partagée de façon bonne et simple, avec les gens ordinaires ? Ou peut-être qu'il n'y a jamais eu de place pour ça. Peut-être que tu as toujours été comme tu es maintenant. Que la vie ici sur ce sommet de montagne isolé – coupée des exigences du travail, sans excuses commodes pour ne jamais être présent dans l'existence des êtres que tu prétends aimer – rend la vérité plus difficile à cacher. Se peut-il que la vérité pure et simple soit que tu te fiches des autres en réalité ?

Il fit le tour de l'îlot central et alluma la cafetière. Comme Madeleine, il n'avait plus assez d'appétit pour dîner. Mais un café n'était pas une mauvaise idée. La nuit allait être longue.

CHAPITRE 12

Faits étranges

Il semblait logique de commencer par le commencement en examinant le portrait-robot de Hector Flores.

Gurney éprouvait des sentiments mitigés à l'égard des portraits composites réalisés par ordinateur. Bâtis à partir des données des témoignages oculaires, ils reflétaient la force et la faiblesse de ce genre de témoignage.

Dans le cas de Hector Flores, toutefois, il y avait une bonne raison de croire à la ressemblance. Les indications avaient été fournies par un homme doté des capacités d'observation d'un psychiatre et qui affirmait avoir été quotidiennement en contact avec le sujet pendant près de trois ans. Un rendu informatique avec des renseignements de cette qualité pouvait égaler une bonne photographie.

L'image était celle d'un individu probablement dans la trentaine, à la beauté conventionnelle. Le visage présentait une ossature régulière, sans trait saillant. La peau était relativement dépourvue de rides, les yeux sombres et impassibles. Les cheveux noirs, assez bien coiffés, séparés par une raie nonchalante. La seule marque distinctive que Gurney put discerner, singulièrement choquante au milieu de cette apparence par ailleurs quelconque : le lobe de l'oreille droite manquait.

Était joint au portrait l'inventaire des caractères physiques de l'homme. (Là encore, Gurney supposa qu'ils avaient été fournis principalement par Ashton, et qu'il y avait donc de grandes chances pour qu'ils soient fiables.) Hector Flores était donné comme mesurant un mètre soixante-quinze ; poids soixante-cinq-soixante-dix kilos ; race/nationalité hispanique ; yeux marron foncé ; cheveux noirs, raides ; teint hâlé, frais ; dents irrégulières, avec une incisive supérieure gauche en or. À la rubrique « Cicatrices et autres marques d'identification » figuraient deux entrées : le lobe manquant et d'importantes cicatrices au genou droit.

Gurney regarda à nouveau l'image, y chercha une lueur de folie, un aperçu de la mentalité du tueur glacial qui avait décapité une femme, utilisé la tête pour éloigner de lui le jet de sang qui s'en échappait, puis placé cette même tête sur la table, face au corps. Dans les yeux de certains assassins – Charlie Manson, par exemple – se voyait une intensité démoniaque, impérieuse et non dissimulée ; mais la plupart de ceux que Gurney avait envoyés devant les tribunaux au cours de sa carrière d'inspecteur de la Criminelle étaient poussés par une folie beaucoup moins flagrante. Le visage terne, inexpressif de Hector Flores – sur lequel Gurney ne pouvait déceler aucune trace de la violence atroce du crime lui-même – le rangeait dans cette catégorie.

On avait agrafé au descriptif une page tapuscrite intitulée « Déclaration supplémentaire faite par le Dr Scott Ashton le 11 mai 2009 ». Elle était signée par Ashton et contresignée par Hardwick, en tant que chef enquêteur. Son contenu était bref, au regard de la période et des événements qu'il couvrait.

J'ai fait la connaissance de Hector Flores à la fin du mois d'avril 2006, lorsqu'il est venu chez moi chercher du travail comme ouvrier journalier. À dater de ce jour, j'ai commencé à lui confier des besognes dans le parc : tonte, ratissage, fertilisation, etc. Au début, il ne parlait pratiquement pas l'anglais, mais il a vite appris, m'impressionnant par son énergie et son intelligence. Au cours des semaines suivantes, voyant que c'était un menuisier habile, j'en vins à me reposer sur lui pour une large gamme de travaux d'entretien et de réparation, intérieurs et extérieurs. À la mi-juillet, il travaillait dans et autour de la maison sept jours par semaine – ajoutant le ménage courant à ses autres tâches. Il devenait petit à petit l'employé domestique parfait, faisant preuve de beaucoup d'initiative et de bon sens. À la fin août, il demanda si, à la place d'une partie de l'argent que je lui donnais, il ne pouvait pas occuper, les jours où il était là, le petit pavillon non meublé situé derrière la maison. Non sans hésitation, j'acceptai, et peu après il commença à l'habiter, environ quatre jours par semaine. Il s'acheta une petite table et deux chaises dans une boutique d'articles d'occasion, et par la suite un ordinateur bon marché. Il ne désirait rien de plus, disait-il. Il dormait dans un sac de couchage, affirmant que c'était ce qu'il y avait de plus confortable pour lui. Au fil du temps, il se mit à étudier diverses possibilités de formation sur Internet. Dans l'intervalle, son goût du travail ne faisait apparemment que croître, et il ne tarda pas à se transformer en une sorte d'assistant personnel. À la fin de l'année, je lui confiai des sommes d'argent modiques, avec lesquelles il faisait de temps en temps des achats à l'épicerie et autres courses avec une grande efficacité. Son anglais était devenu impeccable sur le plan grammatical, même s'il parlait toujours avec un fort accent, et il avait des manières tout à fait aimables. Il répondait fréquemment au téléphone, prenait des messages pertinents, me fournissait même des indications subtiles sur le ton et l'humeur de certains correspondants. (Avec le recul, cela paraît bizarre – que j'aie compté ainsi sur un homme qui, peu de temps avant, cherchait à se faire engager pour étaler du paillis –, mais cet arrangement a bien marché, sans le moindre problème pour autant que je sache, pendant près de deux ans.) Les choses commencèrent à changer à l'automne 2008, lorsque Jillian Perry entra dans ma vie. Flores devint bientôt sombre et renfermé, inventant sans cesse des prétextes pour être loin de la maison quand Jillian s'y trouvait. Ces changements s'aggravèrent de manière inquiétante au début 2009, lorsque nous annonçâmes nos projets de mariage. Il disparut plusieurs jours durant. À son retour, il prétendit avoir découvert des choses terribles sur Jillian et que je l'épouserais au péril de ma vie, mais il refusa de donner des détails. À l'en croire, il ne pouvait en dire davantage sans révéler la source de ses informations, ce qui lui était impossible. Il me supplia de reconsidérer ma décision de me marier avec elle. Lorsqu'il devint clair que je n'allais rien reconsidérer sans savoir exactement de quoi il parlait, et que je ne tolérerais pas d'accusations sans preuves, il sembla accepter la situation, même s'il continuait à éviter Jillian. Rétrospectivement, bien sûr, je me dis que j'aurais dû le chasser devant ces signes d'instabilité, mais, avec la suffisance de ma profession, je pensais être à même de découvrir la nature du problème et de le résoudre. Je me voyais menant une grande expérience en matière d'éducation, sans jamais reconnaître que j'avais affaire à une personnalité dangereuse et complexe et que tout pouvait déraper. Je dois aussi admettre qu'il m'avait secondé et facilité la vie à tant d'égards que j'étais réticent à le laisser partir. Je ne saurais trop souligner combien son intelligence, ses progrès rapides et l'éventail de ses talents m'avaient impressionné – toutes choses qui semblent à présent trompeuses à la lumière de ce qui s'est passé. Ma dernière rencontre avec Hector Flores eut lieu le matin des noces. Jillian, qui avait parfaitement conscience que celui-ci la méprisait, était obsédée par le désir de l'amener à accepter la réalité de notre mariage, et elle réussit à me persuader de faire une ultime tentative pour le convaincre d'assister à la cérémonie. Je me rendis au pavillon ce matin-là, et le trouvai assis à la table comme un bloc de pierre. Je me contentai de renouveler l'invitation, qu'il repoussa. Il était habillé tout en noir : tee-shirt noir, jean noir, ceinture noire, chaussures noires. Peut-être que cela aurait dû avoir une signification pour moi. C'est la dernière fois que je l'ai vu.

À ce stade de la transcription, Hardwick avait inséré une note manuscrite en marge : « La déclaration écrite de Scott Ashton figurant ci-dessus a été complétée, après communication et relecture, par les questions et réponses suivantes. »

J. H. – Si je comprends bien, vous ne saviez que très peu de choses, sinon rien, sur les antécédents de cet homme ?
S. A. – C'est exact.
J. H. – Il ne vous a fourni pratiquement aucune information sur lui-même ?
S. A. – En effet.
J. H. – Et pourtant, vous avez fini par lui faire suffisamment confiance pour le laisser vivre sur votre

propriété, avoir accès à votre maison et répondre au téléphone.

S. A. – Je sais que cela semble stupide, mais je considérais son refus de parler de son passé comme une forme d'honnêteté. Je veux dire, s'il avait voulu cacher quelque chose, il aurait été plus convaincant de bâtir un passé fictif. Mais il ne l'a pas fait. A contrario, cela m'a impressionné. Alors, oui, je lui faisais confiance, même s'il refusait de parler de son passé.

Gurney lut une seconde fois l'ensemble de la déclaration, lentement, puis une troisième. Il trouva ce récit aussi étonnant par ce qu'il laissait dans l'ombre que par ce qu'il mentionnait. Parmi les vides : une singulière absence de colère. Et l'absence non moins frappante de cette horreur viscérale qui, la veille de l'enregistrement de la déposition, avait incité son auteur à ressortir du pavillon, quelques secondes après y être entré, en chancelant et en poussant des cris.

Ce changement était-il dû aux médicaments ? Un psychiatre devait avoir facilement accès aux sédatifs appropriés. Ou y avait-il autre chose ? Impossible à dire à partir des seuls mots sur le papier. Il serait intéressant de rencontrer l'homme, de le regarder dans les yeux, d'entendre sa voix.

Au moins, le passage de la déposition relative au fait que le pavillon était non meublé et à l'insistance de Flores pour le garder dans cet état éclaircissait-il en partie le mystère de la nudité du logement dans la description de la scène de crime – en partie, mais pas totalement. Cela n'expliquait pas pourquoi il n'y avait pas de vêtements, ni de chaussures, ni d'articles de toilette. Cela n'expliquait pas non plus ce qu'était devenu l'ordinateur. Ni pourquoi, s'il avait enlevé tous ses effets personnels, Flores avait choisi de laisser derrière lui une paire de bottes.

Gurney parcourut du regard les piles de documents disposées devant lui. Il se rappela avoir vu un peu plus tôt deux rapports d'incident, pas seulement celui auquel il s'attendait, concernant le meurtre, et s'être demandé pourquoi. Il étendit la main vers la table, sortit le second rapport de sous le premier.

Il provenait de la police de Tambury, à la suite d'un appel reçu à seize heures quinze, le 17 mai 2009 – une semaine exactement après le meurtre. Le plaignant se trouvait être le Dr Scott Ashton, 42 Badger Lane, Tambury, État de New York. Le procès-verbal avait été établi par le sergent Keith Garbelly. On indiquait qu'un exemplaire avait été envoyé à la Brigade criminelle de la Direction régionale de la police d'État, à l'attention du chef enquêteur J. Hardwick. Gurney en conclut qu'il s'agissait d'une copie de la copie qu'il était en train de lire.

> *Le plaignant se tenait à la table de la terrasse sur le côté sud de la résidence, face à la pelouse principale, une tasse de thé posée devant lui. Son habitude par beau temps. Il a soudain entendu un coup de feu et vu simultanément sa tasse voler en éclats. S'est précipité dans la maison par la porte de derrière (terrasse), a téléphoné à la police de Tambury. Lorsque je suis arrivé sur les lieux (suivi par des renforts), le plaignant paraissait tendu, anxieux. Interrogatoire préliminaire mené dans le salon. Le plaignant ne pouvait pas déterminer avec précision l'origine du coup de feu, supposait qu'il s'agissait d'un « tir à longue distance, provenant de cette direction générale » (a indiqué par la fenêtre arrière le flanc de*

colline boisé situé à au moins trois cents mètres de là). Il ne possédait aucune information supplémentaire sur l'événement, si ce n'est qu'il était « peut-être lié au meurtre de ma femme ». Prétendait n'avoir aucune connaissance effective quant à la nature de ce lien. Pensait que Hector Flores voulait peut-être le tuer, lui aussi, mais ne pouvait avancer aucune raison ni mobile.

La copie des recherches effectuées, attachée au rapport d'incident initial, émanait de la BC, précisant qu'on lui avait rapidement transmis le dossier, du fait qu'elle avait la responsabilité principale de l'affaire. La feuille comportait trois courtes rubriques et une plus longue, toutes portant les initiales « JH ».

Fouilles de la propriété d'Ashton, des bois, des collines : négatives. Interrogatoires dans le secteur : négatifs.

La reconstitution de la tasse montre un point d'impact juste au milieu, orienté du haut vers le bas et de gauche à droite. Ce qui donne à penser que la tasse et non Ashton était la cible du tireur.

Fragments de balle retrouvés dans le périmètre de la terrasse trop petits pour une analyse balistique probante. Hypothèse la plus vraisemblable : fusil de forte puissance, calibre petit à moyen, muni d'une lunette perfectionnée, aux mains d'un tireur aguerri.

Évaluation de l'arme et conclusion à propos de la tasse comme cible communiquées à Scott Ashton pour savoir s'il ne connaîtrait pas quelqu'un possédant ce genre d'équipement et d'adresse au tir. Le sujet a paru troublé. Devant mon insistance, il a cité deux personnes ayant un fusil et une lunette semblables : lui et le père de Jillian, le Dr Withrow Perry. Perry, a-t-il déclaré, aimait faire des voyages de chasse exotiques.

Ashton a prétendu avoir acheté son propre fusil (un Weatherby .257 haut de gamme) sur la suggestion de Perry. Lorsque je lui ai demandé de me le montrer, il s'est rendu compte qu'il ne se trouvait plus à l'intérieur de la valise en bois qu'il gardait enfermée dans le placard de son bureau. Il ne se rappelait pas quand il avait vu l'arme pour la dernière fois, peut-être deux ou trois mois auparavant, supposait-il. Interrogé pour savoir si Hector Flores était au courant de son existence et de son emplacement, il a répondu que celui-ci l'accompagnait à Kingston le jour où il l'avait achetée, et qu'il avait fabriqué la valise en chêne dans laquelle elle était rangée.

Gurney retourna le formulaire, cherchant une feuille supplémentaire, parcourut la pile dont il provenait, mais ne put rien trouver sur l'interrogatoire auquel on avait dû soumettre Withrow Perry ultérieurement. Ou peut-être ne l'avait-on pas fait. Peut-être était-ce tombé dans les oubliettes engloutissant parfois les questions cruciales lors de la passation d'une affaire d'un chef enquêteur à un autre – en l'occurrence du turbulent Hardwick au maladroit Blatt. Cela n'avait rien d'impensable.

L'heure était venue d'une seconde tasse de café.

CHAPITRE 13

De plus en plus bizarre et tortueux

Cela aurait pu être quantité de choses : le nouvel afflux de caféine ; une nervosité bien normale due au fait d'être resté assis sur la même chaise pendant trop longtemps ; la perspective accablante d'avoir à naviguer en solitaire au beau milieu de la nuit à travers ce paysage de documents en désordre ; la question, laissée apparemment en suspens, de l'endroit où se trouvaient Withrow Perry et son fusil l'après-midi du 17 mai. Ce furent peut-être toutes ces forces réunies qui le poussèrent à prendre son téléphone portable pour appeler Jack Hardwick. Toutes ces forces, plus une idée qui lui était venue à propos de la tasse de thé fracassée.

On répondit au bout de cinq sonneries, alors même que Gurney réfléchissait au message qu'il allait laisser.

— Ouais ?

— Quelle charmante salutation, Jack.

— Si j'avais su que c'était toi, je n'aurais pas fait autant d'efforts. Qu'est-ce qui se passe ?

— Ce n'est pas un petit dossier que tu m'as remis.

— Tu as une question ?

— Je suis en train d'examiner des centaines de feuilles. Je me demandais si tu ne pouvais pas m'indiquer une direction précise.

Hardwick éclata d'un de ces rires rauques évoquant davantage un outil de sablage qu'une émotion humaine.

— Merde, Gurney, Holmes n'est pas censé demander à Watson de lui indiquer la bonne direction.

— En d'autres termes, reprit Gurney, se rappelant combien il était difficile d'obtenir de Hardwick une réponse simple : y a-t-il des documents, dans cette montagne de conneries, qui pourraient, d'après toi, m'intéresser plus spécialement ?

— Comme des photos de bonnes femmes à poil ?

Ces petits jeux pouvaient durer une éternité. Gurney décida de modifier les règles, de changer de sujet, de le prendre au dépourvu.

— Jillian Perry a été décapitée à seize heures treize, annonça-t-il. À trente secondes près.

Il y eut un bref silence.

— Et comment as-tu…

Gurney se représenta le cerveau de Hardwick carambolant à travers le lieu du crime – autour du pavillon, des bois, de la pelouse –, essayant de dénicher l'indice à côté duquel il était passé. Après avoir donné libre cours à ce qu'il imaginait être l'étonnement et la frustration de son interlocuteur, il murmura :

— La réponse se trouve dans le marc de café.

Puis il coupa la communication.

Hardwick rappela au bout de dix minutes, plus vite que Gurney s'y attendait. Vérité étonnante au sujet de Hardwick : tapi au milieu de cette personnalité exaspérante se trouvait un esprit extrêmement aiguisé. Il aurait sans doute pu aller loin, se disait souvent Gurney, et devenir le plus heureux des hommes, s'il n'avait pas traîné le fardeau de ses propres comportements. Naturellement, c'était une remarque qui pouvait s'appliquer à un tas de gens, et à lui-même en particulier.

Gurney ne prit pas la peine de dire bonjour.

— Tu es d'accord avec moi, Jack ?

— Ce n'est pas une chose certaine.

— Rien ne l'est. Mais tu saisis la logique, n'est-ce pas ?

— Sûr, répondit Hardwick en s'arrangeant pour laisser entendre qu'il la comprenait sans en être pour autant impressionné. La police de Tambury a reçu l'appel d'Ashton concernant la tasse de thé à seize heures quinze. Et Ashton a déclaré qu'il s'était précipité dans la maison dès qu'il s'était rendu compte de ce qui se passait. Si l'on essaie de calculer le temps qu'il lui a fallu pour aller de la table de la terrasse au téléphone le plus proche à l'intérieur, éventuellement de jeter quelques coups d'œil par la fenêtre pour savoir s'il y avait des signes du tireur, puis de composer le numéro de la police locale plutôt que de faire simplement le 911, en laissant passer deux ou trois sonneries avant qu'on réponde – tout cela situerait le coup de feu proprement dit autour de seize heures treize. Mais il s'agit uniquement du coup de feu. Pour le relier comme tu le fais au moment exact du meurtre la semaine précédente, il te faut accomplir trois pas de géant. Un, le type qui a tiré sur la tasse est également celui qui a assassiné la mariée. Deux, il connaissait l'instant précis où il l'a tuée. Trois, il voulait envoyer un message en pulvérisant la tasse à la même minute de la même heure du même jour de la semaine. C'est bien ce que tu es en train de dire ?

— À peu près.

— Ce n'est pas impossible. (La voix de Hardwick trahissait cette expression sceptique qui avait gravé des lignes indélébiles sur son visage.) Mais ça donne quoi ? Quelle différence, que ce soit le cas ou non ?

— Je n'en sais rien encore. Mais il y a quelque chose dans cet effet d'écho…

— Une tête coupée et une tasse réduite en miettes au milieu d'une table, à une semaine d'intervalle ?

— Quelque chose comme ça, dit Gurney, soudain dubitatif. (Hardwick avait l'art de prendre un ton qui donnait aux idées des autres l'air absurde.) Mais pour en revenir au tombereau de paperasse que tu m'as refilé, y a-t-il un bout par lequel tu aimerais que je commence ?

— Commence n'importe où, champion. Tu ne seras pas déçu. Il n'y a pas une seule page là-dedans qui ne contienne un truc à la mords-moi-le-nœud. Jamais vu une affaire aussi bizarre et aussi tordue. Ni une bande de zèbres aussi bizarres et aussi tordus. Mon opinion viscérale ? Quoi qu'il se soit passé, ce n'est pas ce que ça paraît être.

— Une dernière question, Jack. Comment se fait-il qu'il n'y ait pas de compte rendu d'un entretien avec Withrow Perry suite à l'incident de la tasse ?

Après un moment de silence, Hardwick émit un braiment éraillé qui méritait à peine le nom de rire.

— Futé, Davey, très futé. Tu as mis le doigt dessus. Il n'y a pas eu d'entretien officiel parce que j'ai été officiellement dessaisi de l'affaire le jour même où nous avons découvert que le bon docteur se trouvait avoir en sa possession l'arme parfaite pour dégommer une tasse de thé avec une balle à trois cents mètres. J'appellerais le fait de ne pas avoir creusé cette piste une inadvertance sacrément stupide de la part du nouveau chef enquêteur, pas toi ?

— Je suppose que tu n'as pas pris le temps de lui rafraîchir la mémoire ?

— Je n'étais pas autorisé à m'immiscer de près ou de loin dans le déroulement de l'enquête. J'avais reçu une mise en garde de notre vénéré capitaine en personne.

— Et on t'a déchargé de l'affaire parce que…

— Je te l'ai déjà dit. J'ai parlé de manière indue à mon supérieur. Je l'ai informé des limites de son approche. Il est également possible que j'aie fait allusion aux limites de son intelligence et à son inaptitude au commandement en général.

Dix longues secondes s'écoulèrent pendant lesquelles chacun garda le silence.

— On dirait que tu le hais, Jack.

— Le haïr ? Nan. Je ne le hais pas. Je ne hais personne. J'adore tout ce foutu monde pourri.

CHAPITRE 14

Configuration du terrain

Ayant fait de la place pour poser son ordinateur portable entre deux piles de documents sur la longue table, Gurney se rendit sur le site Google Earth et entra l'adresse d'Ashton à Tambury. Il centra l'image sur le pavillon et le bois derrière, l'agrandit à la résolution maximale disponible. À l'aide de l'échelle attachée à l'image et des informations de direction et de distance par rapport à l'arrière du pavillon figurant dans le dossier de l'affaire, il put réduire le lieu de la découverte de l'arme du crime à une zone assez petite dans le fourré situé à une trentaine de mètres de Badger Lane.

Ainsi, après avoir quitté le pavillon par la fenêtre de derrière, Flores avait marché ou couru jusque-là, recouvert en partie de terre et de feuilles la lame de la machette encore ensanglantée, et puis… quoi ? Avait-il réussi à atteindre la route sans laisser la moindre odeur qu'auraient pu suivre les chiens ? À descendre la colline jusqu'à la maison de Kiki Muller ? Ou était-elle déjà là, sur la route, dans sa voiture – attendant de l'aider à s'échapper, attendant de s'enfuir avec lui pour une nouvelle vie qu'ils avaient planifiée ensemble ?

Ou bien Flores avait-il simplement rebroussé chemin ? Est-ce pour cela que la piste olfactive n'allait pas plus loin que la machette ? Était-il concevable qu'il se soit caché dans le pavillon ou aux alentours – et cela de manière si efficace que la nuée de policiers, d'enquêteurs et de techniciens de scène de crime n'était pas parvenue à le découvrir ? Cela semblait peu probable.

Comme Gurney levait les yeux de l'écran de son ordinateur, il eut un choc en voyant Madeleine assise au bout de la table, en train de l'observer – un choc tellement brutal qu'il fit un bond sur sa chaise.

— Grand Dieu ! Ça fait combien de temps que tu es là ?

Elle haussa les épaules, sans prendre la peine de répondre.

— Quelle heure est-il ? demanda-t-il, aussitôt conscient de l'ineptie de la question.

La pendule sur le buffet se trouvait dans son champ de vision, pas dans celui de Madeleine. L'heure, 22 h 55, était également affichée sur l'écran de son ordinateur.

— Qu'est-ce que tu fais ? dit-elle.

Cela ressemblait moins à une question qu'à un défi.

Il hésita.

— J'essayais de donner un sens à ces... informations.

— Hmm.

On aurait dit un rire monosyllabique dénué d'humour.

Il s'efforça, non sans mal, de la regarder à son tour droit dans les yeux.

— Qu'est-ce que tu penses ?

Elle sourit et fronça les sourcils presque en même temps.

— Je pense que la vie est courte, finit-elle par dire, comme quelqu'un confronté à une triste vérité.

— Et donc ?… enchaîna-t-il, tentant de passer outre son étrange humeur.

Elle parut soupeser le ton, les mots qu'il venait d'employer.

Juste au moment où il se disait qu'elle ne répondrait pas, elle déclara :

— Et donc, le temps presse.

Elle inclina la tête sur le côté – ou peut-être était-ce une contraction involontaire – et le considéra curieusement.

« Le temps pour quoi ? » fut-il tenté d'ajouter, désireux de transformer cet échange débridé en une discussion plus raisonnable, mais quelque chose dans ses yeux l'arrêta. À la place, il demanda :

— Tu as envie d'en parler ?

Elle secoua la tête.

— La vie est courte. Voilà tout. C'est un facteur à prendre en compte.

CHAPITRE 15

Noir et blanc

À plusieurs reprises pendant l'heure qui suivit la visite de Madeleine à la cuisine, Gurney fut sur le point de se rendre dans la chambre pour essayer de comprendre le sens de sa remarque. Chaque fois, cependant, son attention revenait d'instinct aux rapports d'interrogatoire devant lui.

De temps à autre, durant de brèves périodes, Madeleine semblait sombrer dans la morosité. Comme si le centre de sa vision se déplaçait soudain vers une zone stérile du paysage et en faisait un paradigme du paysage tout entier. Mais le changement avait toujours été temporaire ; sa vision s'élargissait à nouveau, sa gaieté et son pragmatisme revenaient. C'est ainsi que cela s'était passé jusque-là, nul doute qu'il en irait de même cette fois-ci. Mais, pour l'instant, son attitude le déconcertait, au point qu'il se sentait une boule d'angoisse dans le ventre – impression à laquelle il avait envie d'échapper. Il alla au portemanteau qui se trouvait dans le cellier, enfila une veste légère et sortit dans la nuit sans étoiles.

Quelque part au-dessus de l'épaisse couverture nuageuse, un quartier de lune rendait l'obscurité rien moins que totale. Dès qu'il put distinguer les limites du sentier dans le fouillis de mauvaises herbes, il descendit le pré en pente douce jusqu'au banc usé par les intempéries faisant face à l'étang. Il s'assit, observant et écoutant, et ses yeux distinguèrent peu à peu des formes vagues, des contours d'objets, peut-être des parties d'arbres, mais rien d'assez précis pour être identifiable avec certitude. Puis, de l'autre côté de l'étang, à peut-être vingt degrés de sa ligne de visée, il perçut un léger mouvement. Lorsqu'il regarda droit dans cette direction, les formes sombres, au mieux indistinctes – de gros buissons de ronces, des branches pendantes, des typhas poussant en touffes enchevêtrées au bord de l'eau et ce qu'il pouvait y avoir d'autre – se mélangèrent en une masse informe. Mais lorsqu'il regarda ailleurs, à la périphérie de là où il pensait que s'était produit le mouvement, il le revit : sûrement un animal, à peu près de la taille d'un petit cervidé ou d'un grand chien. Il jeta un nouveau coup d'œil, mais il disparut encore une fois.

Il comprenait le phénomène de sensibilité rétinienne en cause. C'est ce qui faisait qu'on pouvait voir une étoile terne en la regardant non pas directement, mais sur le côté. Et l'animal, si c'est bien ce qu'il avait vu, s'il avait vu quoi que ce soit, était sûrement inoffensif. Même s'il s'agissait d'un jeune ours, les ours dans les Catskill ne présentaient un danger pour personne – encore moins pour quelqu'un assis tranquillement à une centaine de mètres. Et pourtant, à un niveau primal de perception, ce mouvement dans l'obscurité n'en avait pas moins quelque chose de sinistre.

La nuit était sans vent, sans un bruit, d'un calme presque absolu ; mais l'effet sur Gurney était loin d'être apaisant. Il se dit que cette déficience résidait plus vraisemblablement dans son esprit que dans l'atmosphère environnante, provenait davantage des tensions dans son couple que des ombres dans les bois.

Les tensions dans son couple. Certes, celui-ci n'était pas parfait. Par deux fois, ils avaient frisé la rupture. Seize ans plus tôt, lorsque son fils de quatre ans avait été tué dans un accident dont il se tenait pour responsable, Gurney était devenu une sorte de désert de glace affectif presque insupportable. Et voilà dix mois, son immersion obsessionnelle dans l'affaire Mellery avait bien failli mettre un terme pas seulement à son mariage, mais à sa vie elle-même.

Cependant, il se plaisait à penser que la difficulté entre Madeleine et lui était simple, ou du moins qu'il savait de quoi il retournait. Pour commencer, ils occupaient des cases radicalement différentes dans la typologie des personnalités établie par Myers-Briggs. Son moyen de compréhension instinctif à lui était essentiellement l'intellect, celui de Madeleine le sentiment. Assembler les pièces d'un puzzle le passionnait, elle préférait les pièces elles-mêmes. La solitude le stimulait, alors que les obligations sociales l'épuisaient, et pour elle c'était le contraire. Pour lui, l'observation n'était qu'un outil permettant un jugement plus clair ; pour elle, le jugement n'était qu'un outil permettant une observation plus claire.

Au regard des tests psychologiques traditionnels, ils avaient très peu en commun. Pourtant, un courant passait souvent avec une surprenante allégresse dans leurs perceptions réciproques des gens et des événements ; un sens mutuel de l'ironie ; une vision semblable de ce qui était émouvant, drôle, précieux, honnête ou malhonnête. Un sentiment partagé que l'autre était unique et plus important que quiconque. Courant que Gurney, dans ses périodes d'optimisme béat, pensait être l'essence de l'amour.

C'était donc ça – la contradiction qui caractérisait leur relation. Ils étaient sérieusement, agressivement, parfois tristement, différents dans leurs inclinations naturelles, et pourtant liés par des moments forts d'idées et d'affection communes. Le problème, c'est que… depuis leur installation à Walnut Crossing, ces moments étaient devenus rares. Cela faisait longtemps qu'ils ne s'étaient pas serrés dans les bras, réellement, comme si chacun tenait l'objet le plus précieux au monde.

Perdu dans ces pensées, il s'était laissé dériver en lui-même, loin de ce qui l'entourait. Le glapissement des coyotes le ramena à la réalité. Il était difficile de localiser avec précision les cris aigus, ou d'évaluer le nombre d'animaux. Il supposa qu'il s'agissait d'un groupe de trois, quatre ou peut-être cinq animaux, quelque part derrière la crête, à environ un kilomètre et demi de l'étang. Les glapissements cessèrent tout à coup, rendant le silence encore plus profond. Gurney remonta de quelques centimètres la fermeture Éclair de sa veste.

Son esprit ne tarda pas à remplir le vide sensoriel de nouvelles réflexions sur son couple. Mais il avait bien conscience que les généralisations, même s'il s'y adonnait volontiers, ne contribuaient guère à régler les problèmes pratiques. Et le problème pratique dans l'immédiat était la nécessité de prendre une décision, décision sur laquelle Madeleine et lui étaient manifestement en désaccord : accepter ou pas l'affaire Perry.

Il connaissait fort bien l'opinion de Madeleine à ce sujet, non seulement d'après ses dernières remarques, mais d'après la sourde inquiétude qu'elle avait manifestée chaque fois qu'il avait été mêlé de près ou de loin à une activité policière depuis deux ans qu'il était à la retraite. Il savait qu'elle verrait le cas Perry comme une question en noir et blanc. S'il acceptait l'affaire, cela montrerait que son obsession pour la résolution des meurtres, même durant sa retraite, était incurable, ce qui ne manquerait pas d'assombrir leur avenir ensemble. Au contraire, son refus serait le signe d'un changement, le premier pas vers sa métamorphose de bourreau de travail en amoureux de la nature, adepte de l'observation des oiseaux et des parties de kayak. Mais, objecta-t-il en imagination comme si elle était présente, les options noir et blanc étaient irréalistes et conduisaient à de mauvaises décisions parce que, par définition, elles excluaient tellement de possibilités. En l'occurrence, la solution la plus défendable résidait sûrement dans une voie moyenne entre le noir et le blanc.

Suivant ce principe général, il se mit à réfléchir à ce qui pourrait passer pour un compromis idéal. Il accepterait l'affaire, mais avec une stricte limitation dans le temps – disons, une semaine. Deux semaines au maximum. Dans cette période limitée, il éplucherait les témoignages, compléterait les détails inexpliqués, réinterrogerait éventuellement quelques personnes clés, suivrait les faits, dénicherait ce qu'il pouvait, présenterait ses conclusions et ses recommandations, et…

Au même moment, les glapissements des coyotes recommencèrent aussi subitement qu'ils avaient cessé, paraissant plus proches à présent, peut-être à mi-chemin de la pente boisée descendant vers la ferme. Des sons irréguliers, stridents, fébriles. Gurney ne savait pas s'ils se rapprochaient vraiment ou s'ils étaient seulement plus forts. Ensuite, plus rien. Pas le moindre bruit. Un silence pénétrant. Dix secondes s'écoulèrent lentement. Puis, un par un, ils se mirent à hurler. Gurney en eut la chair de poule. Une fois encore, il crut voir du coin de l'œil le mouvement dans le noir.

Le claquement d'une portière de voiture retentit. Puis des phares traversèrent le pré, les faisceaux décrivant des ondulations erratiques sur les broussailles, la voiture roulant trop vite pour la surface inégale. Elle fit une embardée avant de s'arrêter au terme d'un bref dérapage à environ trois mètres du banc.

De la fenêtre ouverte du conducteur s'échappa la voix de Madeleine, inhabituellement forte, sinon affolée : « David ! » Puis à nouveau, à tue-tête, alors même qu'il se levait du banc, se dirigeant vers la voiture dans les reflets des phares : « David ! »

Ce n'est que lorsqu'il fut dans la voiture et qu'elle ferma sa vitre qu'il se rendit compte que l'horrible chœur de hurlements s'était arrêté. Elle pressa le bouton commandant la fermeture des portes et posa ses mains sur le volant. Les yeux de Gurney s'étaient suffisamment habitués à l'obscurité à présent pour qu'il puisse percevoir – du moins en partie et en partie imaginer – la rigidité de ses bras et de ses doigts serrés, la tension de sa peau sur ses phalanges.

— Tu… tu ne les as pas entendus approcher ? demanda-t-elle d'une voix haletante.

— Je les ai entendus. J'ai supposé qu'ils pourchassaient quelque chose… un lapin ou je ne sais quoi.

Il faillit ajouter que les coyotes n'étaient pas un danger pour les êtres humains.

— Un lapin ? répliqua-t-elle d'une voix rauque, incrédule.

Certes, il n'avait rien distingué de précis, toutefois le visage de Madeleine semblait frémir d'une émotion à peine contenue. Finalement, elle prit une longue inspiration mal assurée, puis une autre, ouvrit les mains sur le volant, plia les doigts.

— Qu'est-ce que tu faisais là ? s'enquit-elle.

— Je ne sais pas. Je… réfléchissais. Je me demandais quoi faire.

Après une nouvelle inspiration, plus calme, elle actionna la clé de contact, oubliant que le moteur continuait à tourner, ce qui provoqua un grincement aigu de protestation de la part du démarreur et une exclamation irritée venant de sa propre gorge.

Elle fit un demi-tour devant la grange et retraversa le pré jusqu'à la maison. Elle gara la voiture un peu plus près de la petite porte qu'à l'accoutumée.

— À quel sujet ? interrogea-t-elle alors qu'il s'apprêtait à sortir.

— Pardon ?

Il avait entendu la question, mais préférait différer la réponse.

Elle sembla l'avoir compris, tourna à moitié la tête vers lui et attendit.

— J'essayais de trouver une façon… raisonnable d'aborder les choses.

— Raisonnable.

Dans sa bouche, on aurait dit que le mot avait perdu toute signification.

— Nous pourrions peut-être en parler à l'intérieur, proposa-t-il, ouvrant sa portière, désireux de s'échapper, ne serait-ce qu'une minute.

Alors qu'il s'apprêtait à descendre, son pied heurta un objet comme une barre ou un bâton sur le plancher de la voiture. Il baissa les yeux et vit dans le lavis jaunâtre de l'éclairage du plafonnier le lourd manche en bois de la hache qu'il rangeait normalement dans le coffre à bois près de la petite porte.

— Qu'est-ce que c'est ?

— Une hache.

— Je veux dire, qu'est-ce qu'elle fait dans la voiture ?

— C'est la première chose que j'ai vue.

— Tu sais, les coyotes ne sont pas vraiment…

— Qu'en sais-tu ? l'interrompit-elle d'un ton furieux. Qu'en sais-tu ?

Elle s'écarta vivement comme s'il avait essayé de lui prendre le bras. Puis elle s'extirpa de la voiture, claqua la portière et s'engouffra dans la maison.

CHAPITRE 16

Un sentiment d'ordre et de nécessité

Aux premières heures du matin, l'épaisse couche de nuages avait été chassée par une masse d'air automnal froid et sec. À l'aube, le ciel était d'un bleu pâle et, à neuf heures, d'un azur vif. La journée promettait d'être belle, aussi radieuse et rassurante que la nuit précédente avait été sombre et inquiétante.

Gurney s'assit à la table de petit déjeuner dans un rectangle de lumière oblique, regardant à travers les portes-fenêtres les asparagus vert-jaune qui se balançaient dans la brise. Comme il portait sa tasse de café chaud à ses lèvres, le monde semblait un endroit aux contours précis, aux problèmes définissables et aux réponses appropriées – un monde dans lequel le délai de deux semaines qu'il prévoyait pour l'affaire Perry paraissait parfaitement sensé.

Le fait que Madeleine, une heure plus tôt, ait accueilli cette idée avec un air on ne peut moins satisfait n'avait rien de surprenant. Il ne s'était pas attendu à ce qu'elle saute de joie. Un état d'esprit noir et blanc rejette par nature les compromis. Mais la réalité était de son côté, et elle finirait par reconnaître la justesse de son point de vue. Il en était persuadé.

En attendant, il n'allait pas se laisser paralyser par ses doutes.

Lorsque Madeleine sortit dans le jardin pour cueillir les derniers haricots de la saison, il alla jusqu'au buffet et prit un bloc-notes dans le tiroir du milieu pour dresser une liste de priorités.

Appeler Val Perry, discuter engagement deux semaines.
Fixer tarif horaire. Autres honoraires et frais. Suivi courrier électronique.
Informer Hardwick.
Interroger Scott Ashton – demander à VP pour accélérer.
Antécédents d'Ashton, fréquentations, amis, ennemis.
Antécédents de Jillian, fréquentations, amis, ennemis.

Gurney songea que se mettre d'accord avec Val Perry quant aux termes de leur arrangement primait l'allongement de la liste de choses à faire. Posant son stylo, il attrapa son téléphone portable. Il fut mis directement en relation avec la messagerie vocale de celle-ci. Il laissa son numéro et un bref message relatif aux « étapes suivantes possibles ».

Elle rappela moins de deux minutes plus tard. Il y avait une gaieté juvénile dans sa voix, à laquelle se mêlait cette espèce de familiarité qui résulte parfois de la disparition d'un poids pesant.

— Dave ! Cela m'a fait plaisir de vous entendre à l'instant sur mon répondeur ! J'avais peur que vous ne vouliez plus rien avoir affaire avec moi après la façon dont je me suis comportée hier. Je suis désolée. J'espère que je ne vous ai pas effrayé. N'est-ce pas ?

— Ne vous tracassez pas pour ça. Je voulais simplement prendre contact avec vous pour vous dire ce que je serais prêt à faire.

— Je vois.

Sous l'effet de l'appréhension, sa gaieté avait baissé d'un cran.

— Je ne suis toujours pas sûr de pouvoir être utile.

— Je suis convaincue que vous pourriez être *très* utile.

— Je vous remercie pour votre confiance, mais le fait est que…

— Excusez-moi, juste une minute, l'interrompit-elle avant de se mettre à parler loin de l'appareil. Pouvez-vous attendre un instant ? Je suis au téléphone. Quoi ? Oh, merde ! D'accord. Je jetterai un coup d'œil. Où est-ce ? Montrez-moi. C'est ça ? Très bien ! Oui, c'est très bien. Oui ! (Puis elle revint en ligne, s'adressant à Gurney.) Mon Dieu ! Vous prenez quelqu'un pour effectuer des travaux, et ça devient un boulot à plein temps pour vous aussi. Les gens ne se rendent pas compte que si vous les engagez, c'est pour que ce soit *eux* qui le fassent ? (Elle poussa un soupir exaspéré.) Excusez-moi. Je ne devrais pas vous ennuyer avec ça. Je viens de refaire faire la cuisine, avec du carrelage fabriqué sur mesure en Provence, et les problèmes n'en finissent pas entre le poseur et l'architecte d'intérieur, mais ce n'est pas pour ça que vous appelez. Je suis désolée, vraiment. Attendez. Je vais fermer la porte. Peut-être qu'ils savent ce que c'est qu'une porte fermée. Bon, vous étiez en train de parler de ce que vous étiez prêt à faire. Continuez, je vous en prie.

— Deux semaines, dit-il. Je m'en occuperai pendant deux semaines. Je me pencherai sur l'affaire, ferai tout mon possible, avancerai autant que je peux durant ce laps de temps.

— Pourquoi deux semaines seulement ?

Elle avait la voix tendue comme si elle s'appliquait à pratiquer la vertu exotique de la patience.

Pourquoi, en effet ? Jusqu'à ce qu'elle pose cette question évidente, il n'avait pas eu conscience de la difficulté de donner une réponse sènsée. La vraie réponse avait plus à voir avec son désir d'atténuer la réaction de Madeleine à son implication dans l'affaire qu'avec l'affaire elle-même.

— Parce que… en deux semaines, j'aurai ou bien accompli des progrès significatifs ou bien… fait la preuve que je ne suis pas la personne adéquate pour le poste.

— Je vois.

— Je vous ferai un rapport journalier et vous adresserai une facture hebdomadaire au tarif de cent dollars de l'heure, plus les frais.

— Parfait.

— Je vous demanderai votre feu vert en cas de dépense importante : voyage en avion, tout ce que…

Elle l'interrompit.

— De quoi avez-vous besoin pour commencer ? Une provision ? Vous voulez que je signe quelque chose ?

— Je préparerai un contrat et vous l'enverrai par courrier électronique. Imprimez-le, signez-le, scannez-le puis retournez-le-moi de la même façon. Comme je n'ai pas de licence de détective privé, vous m'emploierez comme consultant pour passer les éléments en revue et évaluer l'état de l'enquête. Pas besoin d'avance. Je vous adresserai une facture d'ici une semaine.

— Très bien. Quoi d'autre ?

— Une question… farfelue peut-être, mais elle me trotte dans la tête depuis que j'ai regardé la vidéo.

— Laquelle ?

Il y avait une pointe d'inquiétude dans sa voix.

— Pourquoi n'y avait-il pas d'amis de Jillian au mariage ?

Elle émit un petit rire aigu.

— Il n'y avait pas d'amis de Jillian au mariage parce que Jillian n'avait pas d'amis.

— Pas du tout ?

— Je vous ai décrit ma fille hier. Cela vous étonne qu'elle n'ait pas eu d'amis ? Comprenez-moi bien. Ma fille, Jillian Perry, était une sociopathe. *Une sociopathe.*

Elle répéta le terme comme si elle donnait un cours de langue à un étudiant.

— La notion d'amitié n'avait pas sa place dans son cerveau.

Gurney hésita avant de continuer.

— Madame Perry, il y a un certain nombre de choses…

— Val.

— D'accord. Val, il y a un certain nombre de choses que j'ai du mal à comprendre. Je me demande…

Elle le coupa à nouveau.

— Vous vous demandez pourquoi je suis aussi déterminée à… à faire traduire en justicc… l'assassin de ma fille alors que je ne pouvais manifestement pas la supporter ?

— En quelque sorte.

— Deux réponses. Parce que je suis comme ça. Et que ce ne sont pas vos oignons, bon Dieu ! (Elle marqua un temps d'arrêt.) Et peut-être y a-t-il une troisième réponse. J'ai été une mère nulle, *vraiment* nulle, quand Jillian était enfant. Et maintenant… peu importe. Revenons-en au fait que ce ne sont pas vos oignons.

CHAPITRE 17

À l'ombre de la garce

Au cours des quatre derniers mois, c'est à peine s'il avait pensé à l'autre – celle juste avant cette garce de Perry, celle de peu d'importance en comparaison, l'obscure, celle que personne n'avait encore découverte, celle dont la célébrité était encore à venir – celle dont l'élimination était, en partie, une affaire de commodité. Certains diraient entièrement une affaire de commodité, mais ils auraient tort. Elle avait bien mérité sa fin, pour toutes les raisons qui condamnent son espèce :

la souillure d'Ève,
cœur pourri,
cœur en rut,
cœur de pute,
pute de cœur,
sueur sur la lèvre supérieure,
grognements porcins,
halètements hideux,
lèvres s'écartant,
lèvres lascives,
lèvres dévorantes,

langue humide,
serpent ondulant,
jambes enveloppantes,
peau glissante,
fluides immondes,
bave d'escargot.
Nettoyés par la mort,
dissipés par la mort,
membres moites séchés par la mort,
purification par dessiccation,
aussi secs que la poussière.
Aussi inoffensifs qu'une momie.
Vaya con Dios !

Il sourit. Il devait se souvenir de penser à elle plus souvent – de garder sa mort vivante.

CHAPITRE 18

Les voisins d'Ashton

À dix heures, Gurney avait envoyé par courrier électronique à Val Perry un récapitulatif de leur accord et appelé les trois numéros qu'elle lui avait donnés pour Scott Ashton : son numéro de domicile, celui de son portable et celui de la Mapleshade Residential Academy, dans une tentative visant à organiser une rencontre. Il avait laissé des messages vocaux sur les deux premiers et un message de vive voix à une assistante qui s'était seulement identifiée comme Mlle Liston.

À dix heures trente, Ashton le rappela et lui déclara qu'il avait eu ses trois messages, plus un de Val Perry expliquant le rôle de Gurney.

— Elle a dit que vous voudriez me parler.

La voix d'Ashton lui était connue par la vidéo, mais elle était plus chaude et plus douce au téléphone, d'une cordialité impersonnelle, comme celle d'une publicité pour un produit de luxe – tout à fait appropriée à un psychiatre haut de gamme, pensa Gurney.

— C'est exact, monsieur, dit-il. Dès que vous le pourrez.

— Aujourd'hui ?

— Aujourd'hui serait l'idéal.

— L'académie à midi, ou chez moi à deux heures. À votre guise.

Gurney choisit cette dernière possibilité. S'il partait immédiatement pour Tambury, il lui resterait assez de temps pour se balader un peu, se faire une idée des parages, la route d'Ashton en particulier, parler peut-être à un ou deux voisins. Il alla à la table, prit la liste des personnes interrogées par la BC que Hardwick lui avait fournie et cocha au crayon chaque nom comportant une adresse dans Badger Lane. Dans la même pile, il prit le dossier marqué « Résumés d'interrogatoires » et se dirigea vers sa voiture.

Le village de Tambury devait son isolement et sa tranquillité au fait qu'il s'était développé à l'intersection de deux routes datant du XIXe siècle, que les nouvelles voies avaient contournées, circonstance s'accompagnant en général d'un déclin économique. Toutefois, la situation de Tambury, dans une haute vallée ouverte, à la lisière nord des montagnes, avec des vues de carte postale dans toutes les directions, l'avait sauvé. L'alliance de paix insolite et de grande beauté en faisait un lieu attrayant pour les riches retraités et les propriétaires de résidences secondaires.

Mais toute la population ne répondait pas à cette description. L'ancienne ferme laitière de Calvin Harden, sorte de capharnaüm envahi par la végétation, se trouvait au coin de Higgles Road et de Badger Lane. Il était tout juste midi lorsque la voix limpide de bibliothécaire du GPS de Gurney le guida pour cette étape finale de son trajet d'une heure et demie depuis Walnut Crossing. Il s'arrêta sur l'accotement de Higgles Road et contempla la propriété en piteux état, dont le trait le plus frappant était un tas de fumier de trois mètres de haut, recouvert de mauvaises herbes monstrueuses, à côté d'une grange penchant fortement vers lui. Derrière la grange, au milieu d'un champ de broussailles montant à hauteur de la taille, s'étendait une rangée quelque peu anarchique de voitures rouillées, ponctuée par la carcasse d'un bus scolaire jaune et sans roues.

Gurney ouvrit son dossier de résumés d'interrogatoires et fit passer le document concerné sur le dessus.

Calvin Harden. Âge 39 ans. Divorcé. Travailleur indépendant, petits boulots (réparations intérieures, tonte du gazon, enlèvement de la neige, découpe de cerfs en saison, taxidermie). Travaux d'entretien général pour Scott Ashton jusqu'à l'arrivée de Hector Flores, qui a repris ses fonctions. Prétend avoir eu un « contrat non écrit » avec Ashton que celui-ci aurait rompu. Affirme également (sans preuves matérielles à l'appui) que Flores était un étranger en situation irrégulière, homosexuel, séropositif et accro au crack. Qualifie Flores de « sale Latino », Ashton de « fieffé menteur », Jillian Perry de « salope de petite morveuse » et Kiki Muller de « putain baiseuse de Latinos ». Ignore tout de l'homicide, des événements qui lui sont liés, de l'endroit où se trouve le suspect. Prétend qu'il travaillait seul dans sa grange l'après-midi où le meurtre a eu lieu.

Sujet peu crédible. Instable. Mention de nombreuses arrestations sur une période de vingt ans pour chèques sans provision, violence domestique, ivresse et trouble de l'ordre public, harcèlement, menaces et voies de fait. (Voir casier judiciaire en annexe.)

Gurney referma le dossier, le posa sur le siège du passager. Apparemment, la vie de Calvin Harden avait été une audition prolongée pour le rôle du pauvre petit Blanc.

Il sortit de la voiture, la verrouilla et traversa la rue déserte en direction d'une bande de terre défoncée faisant office d'allée dans la propriété. Elle se divisait en deux branches vaguement délimitées, séparées par un triangle d'herbe rabougrie : l'une partant vers le tas de fumier et la grange à droite, l'autre vers une vieille ferme délabrée d'un étage à gauche, laquelle n'avait pas dû voir un coup de pinceau depuis si longtemps que les taches de peinture sur le bois pourrissant étaient devenues d'une couleur indéfinissable. Le porche reposait sur des poteaux carrés plus récents que la maison, mais qui étaient loin d'être neufs. L'un d'entre eux s'ornait d'un panneau en contreplaqué annonçant : « DÉCOUPE DE CERFS » en lettres rouges, baveuses, peintes à la main.

À l'intérieur de la maison retentit une explosion d'aboiements furieux provenant d'au moins deux gros chiens braillards. Gurney attendit de voir si le vacarme amènerait quelqu'un à la porte.

Il vit sortir un homme de la grange, ou de quelque part derrière le tas de fumier : un type maigre, au teint hâlé et au crâne rasé, tenant ce qui paraissait être soit un tournevis très fin, soit un pic à glace.

— Vous avez perdu quelque chose ?

Il arborait un petit sourire satisfait comme s'il s'agissait d'une plaisanterie hautement spirituelle.

— Vous me demandez si j'ai perdu quelque chose ? répondit Gurney.

— Vous dites que vous êtes perdu ?

Le jeu, quel qu'il fût, semblait amuser le type.

Gurney eut envie de lui envoyer son poing dans la figure, histoire de lui inspirer des doutes sur la nature du jeu en question.

— Je connais un certain nombre de gens qui ont des chiens, dit-il. Si c'est la bonne race, vous pouvez vous faire un tas de fric. Dans le cas contraire, vous n'avez pas de pot.

— Fermez-la !

Il fallut une ou deux secondes à Gurney – et le brusque arrêt des aboiements dans la maison – pour comprendre après qui le maigrichon avait crié.

La situation avait le potentiel suffisant pour devenir dangereuse. Gurney savait qu'il avait encore la possibilité de ficher le camp, mais il tenait à rester, éprouvant une folle envie de se colleter avec ce cinglé. Il se mit à étudier le sol autour de lui. Au bout d'un moment, il ramassa une petite pierre ovale de la taille d'un œuf de merle. L'ayant massée lentement entre ses paumes comme pour la chauffer, il la lança en l'air telle une pièce de monnaie et l'emprisonna dans son poing droit.

— Bordel de merde, qu'est-ce que vous fabriquez ? demanda l'homme en faisant un pas en avant.

— Chhhh, fit Gurney à voix basse.

Un doigt après l'autre, il ouvrit lentement son poing, examina la pierre de près, sourit puis la jeta par-dessus son épaule.

— Bordel de merde, qu'est-ce que vous…

— Désolé, Calvin, je ne voulais pas vous froisser. Mais c'est comme ça que je prends mes décisions et cela exige une grande concentration.

Les yeux de l'homme s'agrandirent.

— Comment vous connaissez mon nom ?

— Tout le monde vous connaît, Calvin. Ou préférez-vous qu'on vous appelle monsieur Bordel de merde ?

— Quoi ?

— Bon, va pour Calvin. Plus simple. Et plus gentil.

— Bordel de merde, qui vous êtes ? Qu'est-ce que vous voulez ?

— J'aimerais savoir où je peux trouver Hector Flores.

— Hec… quoi ?

— Je le cherche, Calvin. Et je vais le trouver. Je me disais que vous pourriez peut-être m'aider.

— Comment diable… Qui… Z'êtes pas flic, hein ?

Gurney ne dit rien, laissant seulement son visage se figer pour faire place à sa meilleure imitation d'un tueur au regard vitreux. Son expression glaciale sembla clouer Harden sur place, les yeux un peu plus écarquillés.

— Flores le Latino, c'est après lui que vous en avez ?

— Pouvez-vous m'aider, Calvin ?

— J'en sais rien. Comment ?

— Vous pourriez peut-être me dire tout ce que vous savez… sur notre ami commun.

Gurney appuya sur les trois derniers mots avec une telle ironie chargée de menace qu'il eut peur pendant un instant d'avoir poussé le bouchon un peu loin. Mais le sourire stupide de Harden dissipa ses craintes qu'on puisse en faire trop avec ce type.

— Ouais, sûr, pourquoi pas ? Qu'est-ce que vous voulez savoir, par exemple ?

— Pour commencer, d'où venait-il, avez-vous une idée ?

— De l'arrêt de bus du village, là où tous ces ouvriers latinos débarquent et font le pied de grue. Des traîne-savates, ajouta-t-il comme si c'était un terme juridique pour désigner la masturbation en public.

— Et avant ça ? D'où venait-il à l'origine ?

— D'un de ces dépotoirs mexicains d'où ils viennent tous.

— Il ne vous l'a jamais dit ?

Harden secoua la tête.

— Vous a-t-il dit quelque chose ?

— Du genre ?

— N'importe quoi. Lui avez-vous vraiment parlé ?

— Une fois. Au téléphone. Autre raison pour laquelle je savais qu'il racontait des craques. En octobre, novembre dernier, quelque chose comme ça. J'ai appelé le Dr Ashton à propos du déneigement, mais c'est le Latino qui a répondu, voulait savoir ce que je voulais. Je lui ai dit que je voulais parler au docteur, pourquoi est-ce qu'il faudrait que je lui parle à lui, bordel de merde ? M'a répondu que j'avais qu'à lui dire de quoi il s'agissait et qu'il le préviendrait. J'ai rétorqué que j'avais pas appelé pour lui parler – qu'il pouvait aller se faire foutre ! Putain, il se prenait pour qui ? Ces salopards de Mexicains, ils s'amènent ici, nous apportent leur saloperie de grippe, de lèpre et de sida, profitent de l'aide sociale, volent les emplois, ne paient pas d'impôts, que dalle, de fichues vermines. Ce sale petit enculé, si jamais je le revois, je lui colle une balle dans sa putain de cervelle. Et avant ça, je lui en tire une dans les couilles.

Au milieu de la diatribe de Harden, un des chiens dans la maison se remit à aboyer. Harden se tourna sur le côté, cracha par terre, secoua la tête et cria : « Fermez-la ! » Les aboiements cessèrent.

— Vous avez dit que c'était une autre raison pour laquelle vous saviez qu'il racontait des craques ?

— Quoi ?

— Vous avez dit que parler à Flores au téléphone était une autre raison pour laquelle vous saviez qu'il racontait des craques.

— Exact.

— Comment ça, des craques ?

— Quand cet enfoiré est arrivé ici, il ne connaissait pas un foutu mot d'anglais. Un an plus tard, il parlait comme un putain de… euh, un putain de… comme s'il savait tout.

— Bien, et vous en concluez… quoi, Calvin ?

— J'en conclus que c'était peut-être que de l'esbroufe, si vous voyez ce que je veux dire ?

— Continuez.

— Personne n'apprend l'anglais aussi vite.

— Vous pensez qu'il n'était pas réellement mexicain ?

— Je dis qu'il racontait des conneries, qu'il mijotait quelque chose.

— Mais encore ?

— Ben, c'est évident, mon vieux. Il en a sacrément dans le ciboulot, alors pourquoi est-ce qu'il se serait pointé chez le docteur en demandant à ratisser les feuilles ? Il avait une putain d'idée en tête, mon pote.

— Intéressant, Calvin. Vous avez l'esprit vif. J'aime bien votre façon de penser.

Harden hocha la tête, puis cracha à nouveau par terre comme pour souligner qu'il était d'accord avec ce compliment.

— Et il y a autre chose. (Il baissa la voix, prenant un ton de conspirateur.) Cette ordure de Latino, jamais il ne vous laissait voir sa bobine. Portait en permanence un de ces chapeaux de rodéo, le bord enfoncé sur le front, avec des lunettes de soleil. Vous savez ce que je crois ? Je crois qu'il avait peur d'être vu, toujours à se planquer dans la grande bicoque ou dans cette foutue maison de poupée. Comme la salope.

— De quelle salope s'agit-il ?

— Celle qui s'est fait zigouiller. Passait à côté de vous en bagnole, elle détournait la tête comme si vous étiez de la crotte. Un hérisson écrasé, cette stupide petite salope. Alors je me suis dit comme ça qu'ils avaient peut-être un truc sur la conscience, ouais, elle et M. Gomina. Trop foutrement coupables tous les deux pour regarder quelqu'un en face. Puis je me suis dis, hé, attends une minute, peut-être qu'il y a plus que ça. Peut-être que le Latino a peur d'être identifié. Vous y avez pensé ?

Lorsque Gurney finit par mettre un point final à l'entretien, remerciant Harden et l'assurant qu'il le tiendrait informé, il se demandait s'il avait appris quoi que ce soit et ce que cela pouvait bien valoir. Si Ashton s'était mis à employer Flores à la place de Harden pour effectuer certaines besognes sur la propriété, ce dernier devait sans doute en éprouver pas mal de rancœur ; et tout le reste, toute la bile que Harden avait nourrie, résultait probablement du coup reçu par son portefeuille et son amour-propre. Ou peut-être y avait-il autre chose. Peut-être, comme l'avait prétendu

Hardwick, toute la situation avait-elle des aspects cachés, n'était pas ce qu'elle semblait être.

Gurney regagna sa voiture sur le bas-côté de Higgles Road et rédigea trois courtes notes pour lui-même dans un petit bloc à spirale.

Flores pas celui qu'il disait être ? Pas mexicain ?

Flores craignant que Harden le reconnaisse parce qu'il l'avait rencontré par le passé ? Ou soit susceptible de l'identifier dans le futur ? Pourquoi, si Ashton était à même de l'identifier ?

Indices d'une liaison entre Flores et Jillian ? Lien antérieur entre eux ? Mobile pré-Tambury pour le meurtre ?

Il considéra avec scepticisme ses propres questions, doutant qu'aucune d'elles puisse mener à une découverte utile. Calvin Harden, en colère et paranoïaque, n'était guère une source fiable.

Il vérifia la pendule au tableau de bord : treize heures. S'il sautait le déjeuner, il aurait le temps pour un nouvel entretien avant son rendez-vous avec Ashton.

La propriété Muller était l'avant-dernière au bout de Badger Lane, la dernière étant le paradis manucuré d'Ashton.

Gurney s'arrêta juste après une boîte aux lettres portant l'adresse mentionnée sur sa liste d'interrogatoires. C'était une très grande maison blanche, de style colonial, aux moulures classiques et volets noirs, située à bonne distance de la route. Contrairement aux constructions entretenues avec un soin méticuleux qui la précédaient, elle était un peu négligée : un volet de travers, une branche cassée gisant sur la pelouse, de l'herbe broussailleuse, des feuilles tombées tapissant l'allée, une chaise de jardin renversée par le vent sur un sentier en brique près de la porte latérale.

Depuis la porte d'entrée à panneaux, Gurney pouvait distinguer un mince filet de musique s'échappant de l'intérieur. Il n'y avait pas de sonnette, juste un antique heurtoir en bronze, dont Gurney se servit plusieurs fois avec une énergie croissante jusqu'à ce que le battant finisse par s'ouvrir.

L'homme lui faisant face n'avait pas l'air dans son assiette. Gurney estima qu'il devait avoir entre quarante-cinq et soixante ans, en fonction des effets de la maladie sur son apparence. Il avait des cheveux anémiques assortis au gris-beige de son cardigan avachi.

— Bonjour, dit-il sans une pointe de chaleur ni de curiosité.

Gurney trouva quelque peu étrange cette façon de s'adresser à un inconnu se présentant à sa porte.

— Monsieur Muller ?

L'homme battit des paupières, eut l'air d'écouter une retransmission différée de la question.

— Je suis Carl Muller.

Sa voix était aussi terne, incolore, que sa peau.

— Je m'appelle Dave Gurney, monsieur. Je participe aux recherches concernant Hector Flores. Je me demandais si vous aviez une minute à m'accorder.

Cette fois-ci, la transmission différée prit davantage de temps.

— Maintenant ?

— Si c'est possible, monsieur. Ce serait très utile.

Muller hocha lentement la tête. Il se recula, esquissant un geste de la main.

Gurney s'avança dans la pénombre du hall central d'une demeure du XIXe siècle bien conservée, avec des parquets à planches larges et de nombreuses boiseries d'époque. La musique qu'il avait vaguement perçue avant d'entrer s'entendait à présent plus distinctement. Elle était étrangement hors de saison, « Adeste Fideles », et semblait provenir du sous-sol. Il y avait un autre son, une sorte de bourdonnement cadencé, s'élevant également du sous-sol. À la gauche de Gurney, une double porte s'ouvrait sur une salle à manger d'apparat avec une immense cheminée. Devant lui, le vaste hall se prolongeait jusqu'à l'arrière de la maison, où une porte vitrée donnait sur ce qui semblait être une pelouse interminable. Sur le côté du hall, un large escalier à la balustrade ornementée menait au premier étage. À sa droite, un petit salon à l'ancienne mode, meublé de canapés et de fauteuils rembourrés ainsi que de tables et de buffets anciens au-dessus desquels étaient accrochés des paysages marins dans le style de Winslow. Gurney eut l'impression que l'intérieur de la maison faisait l'objet de davantage de soin que l'extérieur. Muller souriait dans le vide, comme s'il attendait qu'on lui dise quoi faire.

— Belle maison, remarqua aimablement Gurney. Très confortable, apparemment. Peut-être pourrions-nous nous asseoir un moment pour parler ?

À nouveau la retransmission différée.

— Très bien.

Comme il ne bougeait pas, Gurney indiqua le salon d'un geste interrogateur.

— D'accord, fit Muller en clignant des yeux comme s'il venait de se réveiller. Quel est votre nom, avez-vous dit ? (Sans attendre la réponse, il se dirigea vers deux fauteuils disposés l'un en face de l'autre devant la cheminée.) Eh bien, demanda-t-il avec nonchalance lorsqu'ils furent installés tous les deux, de quoi s'agit-il ?

Le ton de la question était, comme tout le reste chez Carl Muller, quelque peu décalé. Sauf s'il présentait une tendance organique à la confusion – ce qui paraissait peu vraisemblable dans une profession aussi rigoureuse que celle de mécanicien naval –, l'explication devait résider dans une forme ou une autre de médication, ce qui était assez compréhensible au lendemain de la disparition de sa femme en compagnie d'un assassin.

Peut-être à cause de l'emplacement des tuyaux de chauffage, Gurney nota que les accents d'« Adeste Fideles » et les fluctuations du bourdonnement étaient plus perceptibles dans cette pièce que dans le hall. Il fut tenté d'y faire allusion, mais préféra rester concentré sur ce qu'il voulait vraiment savoir.

— Vous êtes policier, dit Muller – une affirmation, pas une question.

Gurney sourit.

— Je ne vous retiendrai pas longtemps, monsieur. Seulement quelques petites choses que j'ai besoin de vous demander.

— Carl.

— Pardon ?

— Carl. (Il regardait fixement la cheminée, parlant comme si les cendres, vestiges du dernier feu de bois, avaient ravivé sa mémoire.) Je m'appelle Carl.

— OK, Carl. Première question. Avant le jour où elle a disparu, Mme Muller avait-elle eu, à votre connaissance, des contacts avec Hector Flores ?

— Kiki, dit-il – autre révélation puisée dans les cendres.

Gurney répéta sa question, changeant le nom.

— Elle aurait très bien pu, n'est-ce pas ? Vu les circonstances ?

— Les circonstances étant… ?

Muller ferma puis rouvrit les yeux – un geste beaucoup trop léthargique pour être qualifié de clignement.

— Ses séances de thérapie.

— Des séances de thérapie ? Avec qui ?

Muller regarda Gurney pour la première fois depuis qu'ils avaient pénétré dans la pièce, clignant plus rapidement des yeux à présent.

— Le Dr Ashton.

— Le docteur a un cabinet chez lui ? Dans la maison voisine ?

— Oui.

— Depuis combien de temps allait-elle le voir ?

— Six mois. Un an. Moins ? Plus ? Je ne me rappelle pas.

— Quand sa dernière séance a-t-elle eu lieu ?

— Mardi. C'était toujours le mardi.

Pendant un instant, Gurney demeura perplexe.

— Vous voulez dire, le mardi précédant sa disparition ?

— C'est ça, mardi.

— Et vous pensez que Mme Muller – Kiki – aurait eu des contacts avec Flores quand elle se rendait au cabinet d'Ashton ?

Muller ne répondit pas. Son regard était retourné à la cheminée.

— Vous a-t-elle jamais parlé de lui ?

— De qui ?

— De Hector Flores ?

— Ce n'est pas le genre de personne dont nous discutions.

— Quel genre de personne était-ce ?

Muller laissa échapper un petit rire sans humour et secoua la tête.

— C'est évident, non ?

— Évident ?

— D'après son nom, répondit Muller avec un brusque et profond mépris.

Il continuait à regarder fixement la cheminée.

— Un nom espagnol ?

— Ils sont tous pareils, vous savez. Tellement prévisibles. Notre pays est en train de se faire poignarder dans le dos.

— Par les Mexicains ?

— Les Mexicains ne sont que la pointe du couteau.

— C'est le genre de personne qu'était Hector ?

— Êtes-vous déjà allé dans un de ces pays ?

— Des pays d'Amérique latine ?

— Des pays chauds.

— Pas vraiment, Carl.

— Des endroits dégoûtants, chacun d'entre eux. Mexique, Nicaragua, Colombie, Brésil, Porto Rico… tous !

— Comme Hector ?

— Dégoûtants !

Muller lança un regard furieux à la grille couverte de cendre comme si elle offrait des images insupportables de cette saleté.

Gurney resta un instant silencieux, attendant que la tempête se calme. Il vit les épaules de son interlocuteur se détendre lentement, ses mains relâcher les bras du fauteuil, ses yeux se fermer.

— Carl ?

— Oui ?

Muller rouvrit les yeux. Son expression était devenue étrangement terne.

Gurney baissa la voix.

— Avez-vous des preuves que quoi que ce soit de déplacé ait eu lieu entre votre femme et Hector Flores ? demanda Gurney à voix basse.

Muller eut l'air perplexe.

— Comment vous appelez-vous, avez-vous dit ?

— Comment je m'appelle ? Dave. Dave Gurney.

— Dave ? Quelle étonnante coïncidence. Saviez-vous que c'était mon deuxième prénom ?

— Non, Carl, je ne le savais pas.

— Carl David Muller. (Il regarda dans le vague.) Carl David, disait ma mère, monte tout de suite dans ta chambre. Carl David Muller, sois sage ou le père Noël pourrait bien perdre ta liste. Fais attention à ce que je te dis, Carl David.

Il se leva de son fauteuil, se redressa et se mit à scander les mots « Carl David Muller » d'une voix de femme, comme si le nom et la voix avaient le pouvoir d'abattre les murs pour faire place à un autre monde. Puis il sortit de la pièce.

Gurney entendit le bruit de la porte d'entrée.

Il trouva Muller la tenant entrouverte.

— C'est gentil à vous d'être passé, dit platement celui-ci. Maintenant, il faut que vous partiez. Il arrive que j'oublie. Je ne dois pas laisser des gens entrer dans la maison.

— Merci, Carl, je vous suis reconnaissant pour le temps que vous m'avez accordé.

Décontenancé par ce qui ressemblait à une forme de décompensation psychotique, Gurney fut tenté d'accéder à la requête de Muller pour éviter de lui occasionner du stress supplémentaire, puis de téléphoner de sa voiture et d'attendre l'arrivée des secours.

Il était à mi-chemin du véhicule lorsqu'il changea d'avis. Il valait peut-être mieux garder un œil sur lui. Il retourna à la porte d'entrée, espérant qu'il n'aurait pas de problème pour persuader Muller de le laisser entrer à nouveau, mais la porte n'était pas complètement fermée. Il frappa malgré tout. Il n'y eut pas de réponse. Il la poussa et jeta un coup d'œil à l'intérieur. Muller n'était pas là, mais une porte dans le couloir, auparavant close, Gurney en avait la certitude, était à présent entrebâillée. S'avançant dans le hall central, il appela aussi doucement et aimablement que possible.

— Monsieur Muller ? Carl ? C'est Dave. Vous êtes là, Carl ?

Pas de réponse. Mais une chose était sûre. Le bourdonnement – plutôt un glissement métallique, maintenant qu'il pouvait entendre le bruit plus nettement – et l'hymne de Noël « Adeste Fideles » venaient de derrière cette porte à peine ouverte. Il s'en approcha, la poussa du bout du pied. Des marches mal éclairées menaient au sous-sol.

Avec précaution, Gurney se mit à descendre. Après quelques marches, il appela à nouveau.

— Monsieur Muller ? Êtes-vous en bas ?

Un chœur de garçonnets commença à reprendre l'hymne : « Accourez, fidèles, joyeux, triomphants / Venez, venez à Bethléem. »

L'escalier était fermé des deux côtés, de sorte que seule une mince tranche du sous-sol était visible tandis qu'il descendait progressivement les marches. La partie qu'il pouvait distinguer semblait présenter la même finition de carreaux de vinyle et de panneaux en pin que des millions d'autres sous-sols américains. Pendant un court moment, sa banalité eut un effet étrangement rassurant. Ce sentiment s'évanouit lorsqu'il quitta la cage d'escalier et se tourna vers la source de lumière.

À l'autre bout de la pièce se dressait un grand arbre de Noël, sa pointe se courbant contre le plafond de quelque deux mètres soixante-dix de haut. Ses centaines de petites ampoules constituaient l'éclairage de la pièce. Il y avait des guirlandes de couleur, des glaçons en papier d'aluminium et des dizaines d'ornements traditionnels en verre, depuis de simples globes jusqu'à des anges en verre soufflé à la main – tous suspendus à des crochets argentés. Une odeur de pin flottait dans la pièce.

À côté de l'arbre, figé derrière une vaste plate-forme, de la taille de deux tables de ping-pong mises bout à bout, se tenait Carl Muller. Ses mains reposaient sur une paire de leviers de commande fixée à une boîte en métal noire. Un train miniature suivait en ronronnant le périmètre de la plate-forme, exécutait des figures en huit dans la partie centrale, grimpait et descendait des pentes douces, rugissait dans des tunnels de montagne, passait entre de minuscules fermes et villages, franchissait des cours d'eau, traversait des forêts… tournait… tournait… encore et encore.

Les yeux de Muller – taches étincelantes dans son visage mou et blafard – scintillaient de toutes les couleurs des lumières de l'arbre. On aurait dit, songea Gurney, une personne atteinte de progéria, cette étrange maladie qui provoque l'accélération du vieillissement et donne à un enfant l'air d'un vieillard.

Au bout d'un moment, il remonta. Il décida de se rendre chez Scott Ashton pour voir ce que celui-ci savait de l'état de Muller. Les trains et l'arbre laissaient raisonnablement penser qu'il s'agissait d'une situation persistante et non d'une crise aiguë nécessitant une intervention.

Sans mettre le verrou, il referma la lourde porte d'entrée derrière lui avec un bruit sourd. Alors qu'il redescendait l'allée en brique jusqu'à la petite route où était garée sa voiture, une femme âgée sortit d'une vieille Land Rover stationnée juste derrière son Outback.

Elle ouvrit la porte arrière, lança d'une voix sévère quelques mots hachés, et un grand chien émergea, un airedale.

La femme, de même que son chien imposant, avait quelque chose à la fois de patricien et de sec. Son teint était aussi frais que celui de Muller semblait maladif. Elle marcha vers Gurney du pas résolu d'un randonneur, menant l'animal au bout d'une courte laisse et tenant une canne plus comme une matraque que comme une aide. À mi-distance de l'allée, elle s'immobilisa, les pieds écartés, la canne plantée d'un côté et le chien de l'autre, bloquant le passage.

— Je suis Marian Eliot, annonça-t-elle – comme on annoncerait : « Je suis votre juge et jury. »

Le nom n'était pas inconnu à Gurney. Il figurait sur la liste des voisins d'Ashton interrogés par l'équipe de la BC.

— Qui êtes-vous ? demanda-t-elle.

— Je m'appelle Gurney. Pourquoi ?

Elle serra plus fort sa longue canne noueuse : sceptre et arme potentielle. C'était une femme accoutumée à ce qu'on lui réponde et non à ce qu'on lui pose des questions, mais se laisser bousculer par elle aurait été une erreur. Il aurait été alors impossible de gagner son respect.

Elle plissa les yeux.

— Que faites-vous ici ?

— Je serais tenté de dire que ça ne vous regarde pas si votre inquiétude pour M. Muller n'était pas aussi patente.

Il n'était pas sûr d'avoir trouvé la bonne dose de fermeté et de délicatesse, jusqu'au moment où, au terme d'un regard perçant, elle demanda :

— Est-ce qu'il va bien ?

— Tout dépend de ce que vous appelez aller bien.

Une lueur passa dans son regard, donnant à penser qu'elle avait compris l'ambiguïté de ses paroles.

— Il est au sous-sol, ajouta Gurney.

Elle fronça les sourcils, hocha la tête, sembla imaginer quelque chose.

— Avec les trains.

Sa voix impérieuse s'était adoucie.

— Oui. C'est habituel chez lui ?

Elle se mit à étudier le bout de sa canne comme s'il pouvait être une source d'informations ou de mesures à prendre. Sans manifester le moindre intérêt pour la question de Gurney.

Il décida d'aborder le sujet sous un autre angle.

— Je participe à l'enquête sur le meurtre Perry. Je me rappelle avoir lu votre nom sur la liste des personnes interrogées en mai.

Elle fit un petit bruit méprisant.

— Ce n'était pas vraiment un interrogatoire. J'ai été contactée dans un premier temps par… son nom va me revenir dans un instant… le chef enquêteur Hardspan, Hardscrabble, Hard-quelque chose… un individu un peu fruste, mais loin d'être stupide. Captivant, en un sens – une sorte de rhinocéros malin. Hélas, il a disparu de l'affaire et a été remplacé par un certain Blatt, ou Splat, ou quelque chose comme ça. Blatt-Splat était légèrement moins brutal et beaucoup moins intelligent. Nous n'avons parlé que brièvement, mais cette brièveté était une bénédiction, croyez-moi. Chaque fois que je rencontre un individu de ce genre, je ne peux pas m'empêcher de penser aux malheureux enseignants qui ont dû le supporter de septembre à juin.

Ce commentaire suscita le souvenir des mots inscrits à côté du nom Marion Eliot sur la page de couverture du dossier des interrogatoires : *professeur de philosophie, retraitée (Princeton).*

— En un sens, c'est pour ça que je suis ici. On m'a demandé d'assurer le suivi de certains interrogatoires, d'obtenir davantage de détails afin de compléter le tableau et éventuellement d'arriver à mieux comprendre ce qui s'est vraiment passé.

Elle leva les sourcils.

— *Ce qui s'est vraiment passé ?* Vous avez des doutes là-dessus ?

Gurney haussa les épaules.

— Il manque encore certaines pièces du puzzle.

— Je pensais que les seules choses qui manquaient étaient la hache du tueur mexicain et la femme de Carl.

Elle avait l'air à la fois intriguée et ennuyée que la situation ne soit peut-être pas ce qu'elle avait cru. Le regard perçant, inquisiteur, de l'airedale semblait tout enregistrer.

— Nous pourrions peut-être parler ailleurs qu'ici ? suggéra Gurney.

CHAPITRE 19

Frankenstein

L'endroit que proposa Marian Eliot pour continuer leur conversation fut chez elle. Sa maison se trouvait de l'autre côté de la route, à une centaine de mètres en bas de la colline sur laquelle se dressait celle de Carl Muller. En fait, moins que sa maison proprement dite, ce fut son allée, où elle embaucha Gurney pour l'aider à sortir les sacs de tourbe et de paillis de l'arrière de sa Land Rover.

Elle avait troqué son gourdin contre une houe et se tenait à la lisière d'une roseraie à courte distance du véhicule. Tandis que Gurney soulevait les sacs pour les mettre dans une brouette, elle l'interrogea sur son rôle précis dans l'enquête et sur sa place dans la chaîne de commandement de la police de l'État.

Son explication, selon laquelle il était un « consultant en matière de preuves », engagé par la mère de la victime indépendamment de la procédure officielle de la BC, fut accueillie avec un œil sceptique et des lèvres serrées.

— Qu'est-ce que cela signifie ?

Il décida de courir le risque et répondit carrément :

— Je vous dirai ce que cela signifie si vous pouvez le garder pour vous. En réalité, c'est une définition d'emploi qui me permet de mener une enquête sans attendre que l'État m'ait fourni une licence d'enquêteur privé. Si vous voulez vous renseigner sur mon passé au NYPD, appelez le rhinocéros malin – dont le nom, soit dit en passant, est Jack Hardwick.

— Ah ! Bonne chance avec l'État. Pensez-vous être capable de pousser cette brouette jusqu'ici ?

Gurney interpréta cela comme sa façon à elle de l'accepter, lui et la manière dont les choses se passaient. Il fit encore trois voyages de l'arrière de la Land Rover jusqu'à la roseraie. Au bout du troisième, elle l'invita à s'asseoir à côté d'elle sur un banc en fonte blanc émaillé, sous un grand pommier dont les fruits étaient encore verts et pour la plupart hors d'atteinte.

Elle pivota pour pouvoir le regarder droit dans les yeux.

— Qu'est-ce que c'est que cette histoire de pièces manquantes ?

— Nous y viendrons, mais avant j'ai besoin de vous poser quelques questions pour m'aider à m'y retrouver.

Il s'efforçait de parvenir au bon équilibre entre confiance en soi et accommodement, surveillant le langage corporel de son interlocutrice en quête de signes indiquant qu'il devait rectifier le tir.

— Première question : comment décririez-vous le Dr Ashton en quelques mots ?

— Je n'essaierai pas. Ce n'est pas le genre d'homme que l'on peut définir en quelques mots.

— Un individu complexe ?

— Très.

— Un trait de personnalité dominant ?

— Je serais bien en peine de répondre.

Gurney suspectait que la manière la plus rapide de tirer les vers du nez à Marian Eliot était de ne pas la tarabuster. Se laissant aller en arrière, il examina les formes des branches du pommier, rendues tortueuses par d'anciens élagages.

Il ne se trompait pas. Au bout d'une minute, elle se mit à parler.

— Je vais vous raconter quelque chose à propos de Scott, quelque chose qu'il a fait, mais à vous de décider ce que cela signifie, si cela correspond à un *trait de personnalité*.

Elle avait prononcé l'expression d'un air dégoûté, comme s'il s'agissait d'un concept trop simpliste pour s'appliquer à des êtres humains.

— Lorsque Scott était encore à la faculté de médecine, il a écrit le livre qui l'a rendu célèbre – enfin, célèbre dans certains cercles universitaires. Intitulé : *Le Piège de l'empathie*. Il avançait, de façon tout à fait convaincante – avec des données biologiques et psychologiques à l'appui de son hypothèse –, que l'empathie est pour l'essentiel une absence de limites, que les sentiments empathiques que les êtres humains éprouvent les uns pour les autres sont en réalité une forme de confusion. Sa théorie était que, si nous nous soucions les uns des autres, c'est parce, quelque part dans notre cerveau, nous n'arrivons pas à faire la différence entre *nous-même* et *autrui*. Il avait mené une expérience d'une élégante simplicité dans laquelle les sujets regardaient un homme éplucher une pomme. Au cours de l'épluchage, sa main semblait glisser, et il s'enfonçait le couteau dans le doigt. Les sujets étaient filmés pour une analyse ultérieure de leurs réactions à l'incident.

Presque tous tressaillirent de façon instinctive. Deux seulement sur la centaine de sujets étudiés n'eurent aucune réaction et, lorsqu'on les soumit à des tests psychologiques, ils révélèrent des caractéristiques mentales et émotionnelles communes aux sociopathes. Scott affirmait que, si nous tressaillons quand quelqu'un se coupe, c'est parce que, durant une fraction de seconde, nous ne parvenons pas à dissocier cette personne de nous-mêmes. En d'autres termes, les limites de l'être humain ordinaire sont imparfaites, de telle sorte que celles du sociopathe sont parfaites. Le sociopathe ne confond jamais lui-même et ses besoins avec ceux des autres et, par conséquent, il n'éprouve aucun sentiment lié au bien-être d'autrui.

Gurney sourit.

— Une idée qui, semble-t-il, avait de quoi susciter des réactions.

— Et il y en a eu effectivement. Bien sûr, beaucoup d'entre elles se rapportaient au choix des mots utilisés par Scott : *parfait* et *imparfait*. Son langage fut interprété par certains de ses pairs comme une glorification du sociopathe. (Les yeux de Marian Eliot brillaient d'excitation.) Mais cela faisait partie de son plan. En fin de compte, il avait réussi à attirer l'attention, et c'est ce qu'il voulait. À l'âge de vingt-trois ans, il était devenu le sujet d'actualité le plus brûlant dans le domaine.

— Ainsi, il est intelligent, et il sait de quelle manière…

— Attendez, l'interrompit-elle, l'histoire ne s'arrête pas là. Quelques mois après que son livre eut mis le feu aux poudres, un second livre parut, qui était en définitive une attaque cinglante contre la théorie de l'empathie de Scott. Le titre de cet ouvrage concurrent était *Corps et Âme*. Il était rigoureux, solidement argumenté, mais d'un ton totalement différent. Le message était que l'amour est la seule chose qui importe, et que la « porosité des limites » – comme Scott décrivait l'empathie – constituait un bond en avant évolutif et l'essence même des relations humaines. Les gens dans le domaine étaient divisés en deux camps opposés. Le débat donna lieu à des articles de journal. Des lettres enflammées.

Elle s'adossa au bras du banc, examinant son expression.

— Quelque chose me dit que ce n'est pas tout, déclara Gurney.

— Pas tout, en effet. Un an plus tard, on découvrit que Scott avait écrit les deux livres.

Elle marqua un temps d'arrêt.

— Qu'est-ce que vous pensez de ça ?

— Je me le demande. Comment est-ce que cela a été accueilli par la profession ?

— Une rage totale. Ils avaient l'impression de s'être tous fait avoir. Ce qui n'était pas faux. Mais les livres eux-mêmes étaient irréprochables. Des contributions parfaitement légitimes l'un comme l'autre.

— Et vous pensez que tout ça, c'était pour attirer l'attention sur lui ?

— Non ! répondit-elle avec brusquerie. Bien sûr que non ! Le *ton* était accrocheur ; faire croire à deux auteurs en conflit était accrocheur ; mais il y avait un but plus vaste, un message plus profond destiné à chaque lecteur : *Vous devez vous faire votre propre opinion, trouver votre propre vérité.*

— Vous diriez donc qu'Ashton est un type très intelligent ?

— Brillant, en fait. Non conformiste et imprévisible. Sachant très bien écouter et apprenant vite. Et un personnage étrange de tragédie.

Gurney avait l'impression que, bien qu'elle fût dans la fin de la soixantaine, Marian Eliot souffrait d'un béguin dévorant, qu'elle nierait toujours, pour un homme qui avait au moins trente ans de moins qu'elle.

— Vous voulez dire « tragédie » par rapport à ce qui s'est passé le jour de son mariage ?

— Cela va bien au-delà de ça. Le meurtre, bien sûr, en fait partie. Mais songez aux archétypes mythiques présents dans l'histoire du début à la fin.

Elle s'interrompit pour lui laisser le temps de prendre cet aspect en considération.

— Je ne suis pas sûr de comprendre.

— Cendrillon… Pygmalion… Frankenstein.

— Vous parlez de l'évolution des relations de Scott Ashton avec Hector Flores ?

— Précisément. (Elle le gratifia d'un sourire approbateur convenant à un bon étudiant.) Le récit commence de façon classique : l'étranger errant dans le village, affamé, cherchant du travail. Un propriétaire terrien des environs, un homme riche, loue ses services, le prend chez lui, l'essaie à différentes tâches, voit en lui un potentiel important, lui confie de plus en plus de responsabilités, lui donne accès à une autre existence. Le pauvre marmiton se voit, dans les faits, élevé comme par magie à une vie luxueuse et entièrement nouvelle. Pas l'histoire de Cendrillon dans le menu détail, mais sur le fond certainement. Toutefois, dans le schéma d'ensemble de la saga Ashton-Flores, l'histoire de Cendrillon n'est que le premier acte. Ensuite, un nouveau paradigme s'est mis à fonctionner lorsque le Dr Ashton a été séduit par l'idée de modeler son élève pour en faire quelque chose de plus grand, de lui offrir la chance d'atteindre son potentiel maximal, de sculpter la statue à la perfection – de donner vie à Hector Flores au sens le plus large du terme. Il lui a payé des livres, un ordinateur, des cours en ligne ; a passé chaque jour des heures à superviser son éducation, à le pousser à faire toujours plus de progrès. Pas le mythe de Pygmalion dans ses spécificités grecques, mais pas loin. C'était l'acte deux. L'acte trois, bien sûr, est devenu la légende de Frankenstein. Conçu pour être la meilleure des créatures humaines, Flores s'est révélé abriter les pires imperfections humaines, semant l'horreur et le chaos dans la vie du génie qui l'a créé.

Hochant lentement la tête en signe d'approbation, Gurney était tout ouïe – fasciné non seulement par le parallèle entre les contes de fées et les événements de la vie réelle, mais également par l'accent mis par Marian Eliot sur leur importance. Les yeux de celle-ci brillaient de conviction et de quelque chose ressemblant à du triomphe. Dans l'esprit de Gurney, la question était la suivante : ce triomphe était-il lié d'une façon ou d'une autre au drame, ou reflétait-il simplement la satisfaction d'une universitaire devant la profondeur de son analyse ?

Après un bref silence pendant lequel son enthousiasme parut retomber, elle demanda :

— Qu'espériez-vous apprendre de Carl ?

— Je ne sais pas. Peut-être pourquoi sa maison est beaucoup plus soignée à l'intérieur qu'à l'extérieur.

Il n'était pas totalement sérieux, mais elle répondit d'un ton pratique.

— Je passe régulièrement jeter un coup d'œil. Il n'est plus lui-même depuis que Kiki a disparu. Ce qui se comprend. Pendant que je suis là, j'en profite pour remettre les choses à ce qui semble être leur place. (Elle regarda par-dessus l'épaule de Gurney en direction de la maison de Muller, cachée derrière les arbres.) Il prend soin de lui mieux que vous pourriez le penser.

— Vous connaissez son opinion sur les Latinos ?

Elle poussa un bref soupir exaspéré.

— La position de Carl sur cette question n'est pas très différente des discours de campagne de certains personnages publics.

Gurney la regarda avec curiosité.

— Oui, je sais, il est un peu impétueux là-dessus, mais compte tenu de… eh bien, la situation avec sa femme…

Sa voix s'éteignit.

— Et l'arbre de Noël en septembre ? Et les chants de Noël ?

— Il aime bien ça. Trouve ça apaisant.

Elle se leva, saisit d'une main ferme sa houe appuyée contre le tronc du pommier et adressa un petit signe de tête à Gurney pour lui signifier que leur conversation était finie. Discuter de la folie de Carl n'était pas son sujet de prédilection.

— J'ai du travail à faire. Bonne chance avec votre enquête, monsieur Gurney.

Ou bien elle avait oublié, ou bien elle avait choisi à dessein de ne pas aller jusqu'au bout de son intérêt précédent pour les pièces manquantes du puzzle. Gurney se demanda quelle explication était la bonne.

Sentant apparemment un changement dans l'atmosphère, le grand airedale surgit soudain à son côté.

— Merci pour le temps que vous m'avez consacré. Et pour vos informations, dit Gurney. J'espère que vous me donnerez à nouveau l'occasion de vous parler.

— Nous verrons. Malgré la retraite, je mène une vie très active.

Elle se tourna avec sa houe vers la roseraie et se mit à frapper férocement la croûte de terre, comme pour discipliner une part incontrôlée d'elle-même.

CHAPITRE 20

Le manoir d'Ashton

Beaucoup de maisons dans Badger Lane, surtout vers l'extrémité de la route où se trouvait Ashton, étaient grandes et anciennes, et avaient été conservées ou restaurées à grands frais. Le résultat était une élégance désinvolte à l'égard de laquelle Gurney éprouva un ressentiment qu'il aurait refusé de considérer comme de l'envie. Même au regard des normes élevées de Badger Lane, la propriété d'Ashton était saisissante : une ferme d'un étage, dans un état impeccable, en pierre jaune pâle, entourée d'églantiers, d'immenses parterres de fleurs de forme libre, avec des bordures de plantes herbacées et des treillis couverts de lierre anglais servant de passages entre les différentes zones d'une pelouse en pente douce. Gurney se gara dans une allée pavée qui conduisait à une sorte de garage qu'un agent immobilier aurait qualifié de remise. De l'autre côté de la pelouse se dressait le kiosque de style classique où les musiciens du mariage avaient joué.

En descendant de voiture, Gurney fut aussitôt frappé par une odeur dans l'air. Tandis qu'il s'efforçait de lui donner un nom, un homme sortit de l'arrière de l'habitation principale, portant une scie à élaguer. Scott

Ashton avait un air familier mais différent, moins alerte que dans la vidéo. Il portait une tenue campagnarde à l'allure décontractée qui devait valoir une fortune : pantalon en tweed irlandais et chemise en flanelle faite sur mesure. Il nota la présence de Gurney sans plaisir ni déplaisir apparents.

— Vous êtes à l'heure, remarqua-t-il.

Sa voix était égale, douce, impersonnelle.

— Je vous remercie d'avoir accepté de me recevoir, docteur Ashton.

— Voulez-vous entrer ?

C'était une vraie question, pas une invitation.

— J'aimerais d'abord jeter un coup d'œil derrière la maison – au pavillon du jardinier. Et aussi à la table de la terrasse où vous étiez assis lorsque la balle a touché la tasse de thé.

Ashton répondit par un geste de la main indiquant à Gurney de le suivre. Comme ils passaient à travers les treillis reliant le périmètre du garage et de l'allée à côté de la maison à la pelouse principale située derrière celle-ci – treillis par lesquels les invités étaient arrivés à la réception –, Gurney ressentit une impression à la fois de déjà-vu et d'étrangeté. Le kiosque, le pavillon, l'arrière de la maison principale, la terrasse en pierre, les parterres de fleurs, les bois tout autour étaient reconnaissables, mais considérablement modifiés par le changement de saison, le vide, le silence. L'odeur particulière, de plantes exotiques, était plus prononcée à cet endroit. Gurney souleva la question.

Ashton fit un vague signe en direction des plantations bordant la terrasse.

— Camomille, anémone, mauve, bergamote, tanaisie, buis. La force relative de chaque élément varie avec la direction de la brise.

— Avez-vous un nouveau jardinier ?

Les traits d'Ashton se raidirent.

— À la place de Hector Flores ?

— J'ai cru comprendre qu'il faisait le plus gros du travail autour de la maison.

— Non, il n'a pas été remplacé.

Ashton remarqua la scie qu'il portait et esquissa un sourire sans chaleur.

— Sinon par moi.

Il se tourna vers la terrasse.

— Voilà la table que vous vouliez voir.

Il conduisit Gurney à travers une ouverture dans le muret en pierre jusqu'à une table en métal avec une paire de chaises assorties près de la porte arrière de la maison.

— Voulez-vous vous asseoir ici ?

Une fois encore, c'était une question, pas une invitation.

Gurney prit place sur la chaise qui lui procurait la meilleure vue des zones dont il se souvenait d'après la vidéo lorsqu'un léger mouvement attira son attention à l'autre bout de la terrasse. Assis là, sur un petit banc, contre le mur ensoleillé au dos de la maison, se tenait un homme âgé vêtu d'un cardigan marron. Il balançait sa main d'un côté à l'autre, donnant à la brindille qu'il tenait l'air d'un métronome. Il avait des cheveux gris clairsemés, le teint blafard et un regard hébété.

— Mon père, dit Ashton en s'installant sur la chaise en face de Gurney.

— Il est ici en visite ?

Ashton resta un instant silencieux.

— Oui, en visite.

Gurney répondit par un regard intrigué.

— Cela fait deux ans qu'il vit dans une maison médicale privée en raison d'une démence et d'une aphasie progressives.

— Il ne peut pas parler ?

— Cela fait au moins un an maintenant.

— Vous l'avez amené pour une sortie ?

Les yeux d'Ashton s'étrécirent comme s'il était sur le point de dire à Gurney que ça ne le regardait pas, puis son expression se radoucit.

— La disparition… de Jillian… a créé… une sorte de *solitude.* (Il sembla surpris par le mot et hésita.) C'est une semaine ou deux après sa mort que j'ai décidé de faire venir mon père ici pour un moment. Je me disais que d'être avec lui, de prendre soin de lui…

Il se tut à nouveau.

— Comment faites-vous pour aller à Mapleshade tous les jours ?

— Il m'accompagne. Curieusement, ce n'est pas un problème. Il va très bien, physiquement. Aucune difficulté à marcher. Aucune difficulté avec les escaliers. Aucune difficulté pour manger. Il peut s'occuper de ses… conditions d'hygiène. En plus de la question du langage, la déficience affecte principalement le sens de l'orientation. En général, il ne sait pas très bien où il se trouve, s'imagine être dans l'appartement de Park Avenue où il habitait enfant.

— Joli quartier.

Gurney jeta un regard au vieil homme sur le banc.

— Oui, plutôt. C'était un peu un génie de la finance. Hobart Ashton. Membre respecté d'une classe sociale où les noms des hommes ont l'air tout droit sortis des livres d'histoire.

C'était une vieille boutade, qui semblait éculée. Gurney sourit poliment.

Ashton se racla la gorge.

— Mais vous n'êtes pas venu ici pour parler de mon père. Et je n'ai pas beaucoup de temps. Eh bien, que puis-je pour vous ?

Gurney posa ses mains sur la table.

— Est-ce là que vous étiez assis le jour du coup de feu ?

— Oui.

— Cela ne vous rend pas nerveux d'être au même endroit ?

— Beaucoup de choses me rendent nerveux.

— On ne le dirait pas, à vous voir.

Il y eut un long silence, rompu par Gurney.

— Le tireur a atteint sa cible, d'après vous ?

— Oui.

— Qu'est-ce qui vous fait croire que ce n'est pas vous qu'il visait et qu'il a raté son coup ?

— Avez-vous vu *La Liste de Schindler* ? Il y a une scène dans laquelle Schindler tente de convaincre le commandant du camp d'épargner des Juifs qu'il abattrait en temps normal pour des infractions mineures. Schindler lui explique qu'être en mesure de les abattre, avoir pleinement le droit de le faire, et décider ensuite, à la manière d'un dieu, de leur laisser la vie sauve, serait la plus grande preuve de son pouvoir sur eux.

— Vous pensez que c'est ce qu'a fait Flores ? Prouver, en vous épargnant et en fracassant la tasse de thé, qu'il a le pouvoir de vous tuer ?

— C'est une hypothèse raisonnable.

— À supposer que le tireur soit Flores.

Ashton soutint le regard de Gurney.

— Qui d'autre avez-vous en tête ?

— Vous avez déclaré à l'origine au policier enquêteur que Withrow Perry possédait un fusil du même calibre que les fragments de balle ramassés sur cette terrasse.

— Avez-vous déjà eu l'occasion de le rencontrer ou de lui parler ?

— Pas encore.

— Une fois que vous l'aurez fait, je pense que vous trouverez l'idée du Dr Withrow Perry se glissant dans ces bois avec une lunette de tir longue distance totalement ridicule.

— Mais pas si ridicule dans le cas de Hector Flores ?

— Hector a montré qu'il était capable de tout.

— Cette scène de *La Liste de Schindler* à laquelle vous avez fait allusion ? Maintenant que j'y pense, il me semble me rappeler que le commandant ne suit pas le conseil très longtemps. Il n'en a pas la patience et retourne bien vite à ses exécutions de Juifs qui ne se comportent pas comme il veut.

Ashton ne répondit pas. Son regard dériva vers le flanc de colline boisé derrière le pavillon et s'y fixa.

La plupart des décisions de Gurney étaient conscientes et soigneusement calculées, à une exception notable : décider quand il était temps de modifier le ton d'un interrogatoire. C'était instinctif et, à cet instant, cela semblait le moment propice. Il se laissa aller sur sa chaise en fer et dit :

— Marian Eliot est une de vos ferventes admiratrices.

Les signes étaient subtils, et peut-être le fruit de son imagination, mais Gurney eut l'impression, d'après le drôle de regard que lui lança Ashton, que c'était la première fois dans leur conversation que ce dernier se sentait mal à l'aise.

— Marian est facile à charmer, déclara-t-il de sa voix mielleuse de psychiatre, pourvu que vous n'essayiez pas d'être charmant.

Gurney se dit que c'était ainsi qu'il l'avait lui-même perçue, effectivement.

— Elle pense que vous êtes un génie.

— Elle a ses engouements.

Gurney changea d'angle d'attaque.

— Qu'est-ce que Kiki Muller pensait de vous ?

— Je n'en ai pas la moindre idée.

— Vous avez été son psychiatre ?

— Très brièvement.

— Une année, ce n'est pas si bref.

— Une année ? Plutôt deux mois, à peine.

— Quand ces deux mois ont-ils pris fin ?

— Je ne peux pas vous le dire. Le devoir de confidentialité. Je n'aurais même pas dû mentionner ces deux mois.

— Son mari m'a expliqué qu'elle avait rendez-vous avec vous chaque mardi jusqu'à la semaine où elle a disparu.

Ashton n'offrit qu'un froncement de sourcils incrédule et secoua la tête.

— Permettez-moi de vous poser une question, docteur Ashton. Sans dévoiler de façon abusive quoi que ce soit de ce que Kiki Muller aurait pu vous confier pendant la période où elle vous voyait, pourriez-vous me dire pourquoi son traitement a pris fin si rapidement ?

Il réfléchit et parut gêné en répondant.

— Je l'ai arrêté.

— Pour quelle raison, si ce n'est pas trop demander ?

Il ferma les yeux quelques secondes, puis sembla prendre une décision.

— J'ai arrêté sa thérapie parce que, à mon avis, une thérapie ne l'intéressait pas. Tout ce qui l'intéressait, c'était d'être ici.

— Ici ? Sur votre propriété ?

— Elle arrivait à ses rendez-vous avec une demi-heure d'avance et s'attardait ensuite, soi-disant émerveillée par les aménagements du parc, les fleurs et le reste. Le fait est que, quel que soit l'endroit où se trouvait Hector, c'est ce qui l'intéressait. Mais elle ne voulait pas l'admettre. Ce qui rendait ses échanges avec moi malhonnêtes et inutiles. De sorte que j'ai cessé de la voir au bout de six ou sept séances. Je prends un risque en vous disant cela, mais qu'elle ait menti à propos de la durée de son traitement ne semble pas anodin. En vérité, elle a cessé d'être ma patiente au moins neuf mois avant sa disparition.

— Se peut-il qu'elle ait rencontré Hector en cachette pendant tout ce temps, en racontant à son mari qu'elle venait ici parce qu'elle avait rendez-vous avec vous ?

Ashton respira profondément.

— Je n'ose pas penser que quelque chose d'aussi éhonté se soit déroulé sous mon nez, juste là dans ce maudit pavillon. Mais cela concorderait avec le fait qu'ils se soient enfuis tous les deux ensemble… après.

— Ce Hector Flores, demanda abruptement Gurney, quel genre de personne pensez-vous qu'il était ?

Ashton grimaça.

— Vous voulez dire, comment, en tant que psychiatre, ai-je pu me tromper aussi lamentablement sur quelqu'un que j'observais tous les jours depuis trois ans ? La réponse est si simple : l'aveuglement dans la poursuite d'un objectif qui avait pris beaucoup trop d'importance pour moi.

— Quel objectif ?

— L'éducation et l'épanouissement de Hector Flores. (On aurait dit qu'il avait un goût amer dans la bouche.) Son impressionnante transformation de simple jardinier en esprit universel allait être le sujet de mon prochain livre : un exposé de l'importance de l'acquis par rapport à l'inné.

— Suivi, répliqua Gurney avec plus d'ironie qu'il n'en avait l'intention, d'un second livre sous un autre nom démolissant les arguments du premier ?

Les lèvres d'Ashton s'étirèrent en un sourire lent et froid.

— Je vois que votre conversation avec Marian a été instructive.

— Cela me fait penser que je voulais vous demander autre chose. Concernant Carl Muller. Êtes-vous au courant de son état psychologique ?

— Pas à travers des contacts professionnels.

— En tant que voisin, alors ?

— Que désirez-vous savoir ?

— Pour parler simplement, j'aimerais savoir dans quelle mesure il est vraiment cinglé.

Ashton arbora à nouveau son sourire dénué d'humour.

— Si je me base sur les rumeurs, je dirais qu'il est en plein déni de la réalité. En particulier, la réalité de l'âge adulte. La réalité sexuelle.

— Parce qu'il joue toujours aux petits trains ?

— Il y a une question clé qu'il faut toujours se poser à propos des comportements inadéquats. Y a-t-il un âge auquel ce comportement aurait été adéquat ?

— Je ne suis pas sûr de comprendre.

— Le comportement de Carl paraît adéquat chez un enfant prépubère. Ce qui laisse supposer qu'il pourrait s'agir d'une forme de régression dans laquelle un individu retourne à la dernière période heureuse et stable de sa vie. Je dirais que Carl a régressé jusqu'à une phase où les femmes et la sexualité ne faisaient pas encore partie de l'équation, où il n'avait pas encore connu l'expérience douloureuse d'une femme le trompant.

— Vous prétendez qu'il a découvert d'une manière ou d'une autre la liaison de son épouse avec Flores, et que ça l'a fait plonger ?

— C'est possible, s'il était déjà fragile. Ce serait compatible avec son attitude actuelle.

Un banc de nuages venu de nulle part était soudain apparu dans le ciel bleu, passant peu à peu devant le soleil, faisant baisser la température sur la terrasse d'au moins dix degrés. Ashton n'eut pas l'air de le remarquer. Gurney enfonça ses mains dans ses poches. Une mauvaise circulation dans ses doigts et par conséquent une sensibilité au froid : un signe supplémentaire que les gènes de son père devenaient de plus en plus dominants chez lui au fil des années.

— Est-il possible qu'une telle découverte ait été suffisante pour qu'il la tue ? Ou qu'il tue Flores ?

Ashton fronça les sourcils.

— Vous avez des raisons de croire que Kiki et Hector sont morts ?

— Aucune, à part le fait que ni l'un ni l'autre n'ont été vus au cours de ces quatre derniers mois. Mais je n'ai pas non plus de preuve qu'ils soient en vie.

Ashton consulta sa montre, une vieille Cartier légèrement brunie.

— Vous brossez là un tableau compliqué, inspecteur.

Gurney eut un haussement d'épaules.

— *Trop* compliqué ?

— Ce n'est pas à moi de le dire. Je ne suis pas un psychologue judiciaire.

— Qu'est-ce que vous êtes ?

Ashton battit des paupières, peut-être sous l'effet de la brutalité de la question.

— Je vous demande pardon ?

— Votre domaine de compétence ?…

Les comportements sexuels destructeurs, en particulier les abus sexuels.

Ce fut au tour de Gurney de battre des paupières

— Je croyais que vous étiez directeur d'une école pour enfants en difficulté.

— Oui. Mapleshade.

— Mapleshade accueille des enfants ayant été victimes d'abus sexuels ?

— Désolé, inspecteur. Vous abordez là un sujet qu'il est impossible de résumer en quelques mots sans risque de malentendu, et je n'ai pas le temps d'en discuter en détail maintenant. Peut-être un autre jour. (Il jeta à nouveau un coup d'œil à sa montre.) J'ai plusieurs rendez-vous cet après-midi et j'ai besoin de me préparer. Avez-vous des questions plus simples ?

— Deux. Se peut-il que vous vous soyez mépris sur la nationalité mexicaine de Hector Flores ?

— Mépris ?

Gurney patienta.

Manifestement agité, Ashton s'avança jusqu'au bord de sa chaise.

— Oui, j'ai très bien pu me tromper, et même me tromper sur tout ce que je croyais savoir de lui. La seconde question ?

— Est-ce que le nom Edward Vallory vous dit quelque chose ?

— Vous parlez du SMS sur le téléphone de Jillian ?

— Oui. *Pour toutes les raisons que j'ai écrites... Edward Vallory.*

— Non. Le premier policier chargé de l'affaire m'a déjà posé la question. Je lui ai répondu alors que ce n'était pas un nom que je connaissais, et cela n'a pas changé. On m'a dit que l'opérateur avait retracé le message jusqu'au téléphone portable de Hector.

— Mais vous n'avez aucune idée de la raison pour laquelle il se serait servi du nom Edward Vallory ?

— Non, aucune. Pardonnez-moi, inspecteur, mais je dois me préparer pour mes rendez-vous.

— Pourrais-je vous revoir demain ?

— Je serai toute la journée à Mapleshade – avec un emploi du temps chargé.

— À quelle heure partez-vous le matin ?

— D'ici ? Neuf heures trente.

— Alors, que diriez-vous de huit heures trente ?

L'expression d'Ashton oscilla entre la consternation et l'inquiétude.

— D'accord. Huit heures trente demain matin.

En regagnant sa voiture, Gurney se retourna pour jeter un coup d'œil à l'extrémité de la terrasse. Le soleil avait à présent disparu, mais la brindille métronomique de Hobart Ashton continuait à se balancer de gauche à droite en un lent battement monotone.

CHAPITRE 21

Un bon conseil

Tandis que Gurney redescendait Badger Lane sous les nuages s'amoncelant, les maisons à l'aspect pittoresque quand elles étaient baignées de soleil paraissaient à présent sinistres et sur leurs gardes. Il avait hâte d'atteindre le paysage ouvert de Higgles Road et les vallées champêtres s'étendant entre Tambury et Walnut Crossing.

La décision d'Ashton de mettre fin à l'entretien, l'obligeant ainsi à revenir, ne dérangeait nullement Gurney. Cela lui donnerait le temps de digérer ses premières impressions sur le personnage, ainsi que les opinions avancées par ses singuliers voisins. Pouvoir les organiser dans sa tête lui permettrait de commencer à faire des rapprochements et de rassembler les bonnes questions pour le lendemain. Il résolut de se diriger tout droit vers le Quick Mart de la Route 10, où il se commanderait un grand café et prendrait des notes.

Alors qu'il arrivait en vue du carrefour à la ferme effondrée de Calvin Harden, il se rendit compte qu'une voiture noire bloquait la route, garée juste en travers. Deux jeunes types à l'allure athlétique, avec crâne rasé, lunettes de soleil, jean noir et coupe-vent luisant, le regardaient approcher, adossés au flanc de la voiture. Comme il s'agissait d'une Ford Crown Victoria banalisée – un véhicule des forces de l'ordre aussi reconnaissable qu'un croiseur faisant mugir sa sirène –, les badges d'identification de la police de l'État fixés à leurs vêtements n'avaient rien d'une surprise.

Ils marchèrent d'un pas tranquille jusqu'à l'endroit où s'était arrêté Gurney, un de chaque côté de sa voiture.

— Permis et carte grise, lança d'un ton peu aimable celui qui se tenait devant la vitre du conducteur.

Gurney avait déjà sorti son portefeuille lorsqu'il eut un instant d'hésitation.

— Blatt ?

La bouche de l'homme eut un mouvement convulsif comme si une mouche s'était posée dessus. Il ôta lentement ses lunettes, parvenant à injecter une menace dans ce simple geste. Ses yeux étaient petits et méchants.

— D'où est-ce que je vous connais ?

— L'affaire Mellery.

Il sourit. Plus le sourire s'agrandissait et plus il devenait désagréable.

— Gurney, hein ? Le petit génie de la ville de merde. Qu'est-ce que vous fichez là ?

— Je suis en visite.

— Une visite à qui ?

— Je ne manquerai pas de vous le communiquer en temps opportun.

— Opportun ? *Opportun ?* Descendez.

Gurney obéit calmement. L'autre policier avait fait le tour jusqu'à l'arrière de la voiture.

— Maintenant, comme j'ai dit, permis et carte grise.

Gurvey ouvrit son portefeuille, tendit les deux documents à Blatt, qui les examina avec beaucoup de soin. Il retourna à la Crown Victoria, grimpa à l'intérieur et se mit à taper sur les touches de son ordinateur de bord. Le policier planté à l'arrière de la voiture de Gurney surveillait celui-ci comme s'il s'apprêtait à traverser Higgles Road dans un sprint endiablé pour disparaître dans les buissons épineux. Gurney sourit avec lassitude et tenta de lire le badge de l'homme, mais l'étui en plastique reflétait la lumière. Il renonça et déclina son identité à la place.

— Je m'appelle Dave Gurney, de la Criminelle du NYPD, à la retraite.

Le policier inclina légèrement la tête. Plusieurs minutes s'écoulèrent. Puis plusieurs autres. Gurney se cala contre la porte de la voiture, croisa les bras et ferma les yeux. Il avait peu de goût pour les retards injustifiés, et les difficultés de la journée l'avaient mis à plat. Sa patience légendaire commençait à s'épuiser. Blatt revint et lui rendit les papiers comme s'il en avait assez de les tenir.

— Qu'est-ce que vous venez faire dans le coin ?

— Vous m'avez déjà posé la question.

— Très bien, Gurney. Que les choses soient bien claires. Il y a une enquête pour meurtre en cours ici. Vous comprenez ce que je dis ? Une enquête pour meurtre. Vous feriez une grosse bêtise en nous mettant des bâtons dans les roues. Obstruction à la justice. Entrave à une investigation criminelle. Vous avez saisi le message ? Alors, je vous le demande encore une fois. Qu'est-ce que vous faites dans Badger Lane ?

— Désolé, Blatt, affaire d'ordre privé.

— Vous êtes en train de dire que vous n'êtes pas ici pour l'histoire Perry ?

— Je ne dis rien du tout.

Blatt se tourna vers le second policier, cracha par terre et pointa son pouce vers Gurney.

— C'est le type à cause de qui on a tous failli y passer à la fin de l'affaire Mellery.

Cette accusation stupide fut dangereusement près d'actionner chez Gurney un bouton dont la plupart des gens ignoraient l'existence.

Peut-être l'autre policier perçut-il des vibrations de mauvais augure, ou peut-être avait-il été lui-même en butte à l'animosité de Blatt, à moins qu'un déclic ait fini par se produire.

— Gurney ? demanda-t-il. Ce n'est pas le gars sur lequel le NYPD ne tarit pas d'éloges ?

Blatt ne répondit pas. Mais quelque chose dans la question changea suffisamment la dynamique de la situation pour empêcher une nouvelle escalade. Il considéra Gurney d'un air morne.

— Un bon conseil : fichez le camp d'ici. Fichez le camp à la minute même. Vous approchez ne serait-ce que le bout de votre nez de cette enquête et je vous garantis que vous vous retrouvez en taule pour obstruction.

Il leva la main, braqua son index entre les yeux de Gurney et abaissa son pouce.

Gurney hocha la tête.

— Je vous entends, mais… j'ai une question. Supposons que je m'aperçoive que toutes vos hypothèses à propos de ce meurtre ne sont que des conneries. À qui dois-je en parler ?

CHAPITRE 22

L'homme aux araignées

Le café sur le trajet de retour fut une erreur. La cigarette, une erreur plus grave encore.

Le breuvage de la station d'essence s'était transformé, sous l'effet du temps et de l'évaporation, en un liquide bourré de caféine à la couleur de goudron et n'ayant pas beaucoup le goût de café. Gurney le but malgré tout : un rituel rassurant. Pas aussi rassurant fut l'effet de la caféine sur ses nerfs lorsque la première ruée de stimulant céda la place à des tremblements anxieux nécessitant une cigarette. Mais cela aussi s'accompagna d'avantages et d'inconvénients : un bref sentiment de bien-être et de liberté, suivi par des pensées aussi sombres que le ciel nuageux. Quelque chose que lui avait dit un thérapeute quinze ans auparavant : *David, vous vous comportez comme deux personnes différentes. Dans votre vie professionnelle, vous avez du dynamisme, de la détermination, un objectif précis. Dans votre vie privée, vous êtes un bateau sans gouvernail.* Parfois, il avait l'impression de faire des progrès : arrêter de fumer, passer davantage de temps à l'extérieur et moins dans sa tête, se concentrer sur l'instant présent et sur Madeleine. Mais, inévitablement, la personne qu'il avait espéré être finissait par redevenir celle qu'il avait toujours été.

Sa nouvelle Outback n'avait pas de cendrier, et il se servait d'une boîte de sardines vide. Alors qu'il écrasait son mégot dedans, un nouvel exemple éclatant de défaillance dans sa vie privée lui vint soudain à l'esprit, un nouveau signe aigu d'inattention : il n'avait plus pensé au dîner.

Son coup de téléphone à Madeleine – omettant son trou de mémoire, omettant le fait qu'il n'arrivait pas à se rappeler qui venait manger, demandant seulement si elle voulait qu'il achète quelque chose en cours de route – ne l'aida pas à se sentir mieux. Il avait le sentiment qu'elle savait qu'il avait oublié, savait qu'il s'efforçait de le dissimuler. La conversation fut courte et ponctuée de longs silences. Leur dernier échange :

— Tu enlèveras tes dossiers de meurtre de la table en rentrant ?

— Oui. J'ai dit que je le ferai.

— Bien.

Pendant le reste du trajet, l'esprit agité de Gurney ne cessa de voleter autour d'une série de questions gênantes : pourquoi Arlo Blatt attendait-il au bas de Badger Lane ? Il n'y avait aucune voiture de surveillance un peu plus tôt à cet endroit. Avait-il été informé que quelqu'un posait des questions ? Mais qui s'en souciait au point d'appeler Blatt ? Pourquoi Blatt était-il si désireux de le tenir à l'écart de l'affaire ? Ce qui le fit penser à une autre question non réglée : pourquoi Hardwick était-il si désireux de le mêler à l'affaire ?

À dix-sept heures pile, sous un ciel noir, il tourna sur la route de terre et de gravier montant dans les collines jusqu'à sa ferme. À environ un kilomètre et demi, il aperçut une voiture devant lui, une Prius vert-de-gris. Tandis qu'ils grimpaient la route poussiéreuse, il devint de plus en plus évident que les personnes à bord du véhicule étaient les mystérieux invités.

La Prius ralentit prudemment sur le chemin creusé d'ornières et traversa le pré jusqu'au carré d'herbes enchevêtrées faisant office de parking à côté de la maison. Une seconde avant qu'ils en descendent, Gurney se souvint brusquement : George et Peggy Meeker. George, un professeur d'entomologie à la retraite, début de la soixantaine, l'air d'une mante religieuse dégingandée ; et Peggy, une assistante sociale pétillante, la cinquantaine, qui avait permis à Madeleine d'obtenir son emploi à temps partiel. Au moment où Gurney se gara, les Meeker retiraient du siège arrière un plat et un saladier couverts de papier alu.

— Salade et dessert ! cria Peggy. Désolés d'être en retard. George avait égaré les clés de la voiture !

Elle semblait trouver ça horripilant et amusant à la fois.

George leva la main en un geste de salutation, accompagné d'un regard aigre à l'adresse de sa femme. Gurney se contenta d'un petit sourire de bienvenue. La dynamique George et Peggy ressemblait beaucoup trop à son goût à celle qui avait existé entre ses parents.

Madeleine vint à la porte, son sourire tourné vers les Meeker.

— Salade et dessert, expliqua Peggy en tendant les récipients couverts à Madeleine, qui émit quelques murmures approbateurs avant de les précéder dans la vaste cuisine de la ferme.

— J'adore ! s'exclama Peggy, regardant autour d'elle avec des yeux écarquillés d'admiration, la même réaction qu'elle avait eue lors de ses deux précédentes visites, après quoi elle ajouta comme d'ordinaire : C'est la maison idéale pour vous deux. N'est-ce pas, George, qu'elle correspond parfaitement à leur personnalité ?

George acquiesça aimablement tout en lorgnant les dossiers sur la table, la tête inclinée pour essayer de lire la brève description du contenu figurant sur la couverture.

— Je pensais que vous étiez à la retraite, dit-il à Gurney.

— En effet. C'est juste une mission de conseil.

— Une invitation à une décapitation, glissa Madeleine.

— Quel genre de mission de conseil ? demanda Peggy avec un réel intérêt.

— On m'a demandé d'examiner les éléments de preuve dans une affaire d'homicide et de proposer au besoin d'autres directions pour l'enquête.

— Ça a l'air passionnant. C'est une affaire dont les journaux ont parlé ?

Il hésita un instant avant de répondre.

— Oui, il y a quelques mois. Les tabloïdes ont appelé ça l'affaire de la mariée égorgée.

— Non ! Eh bien, c'est incroyable ! Vous enquêtez sur cet horrible meurtre ? La jeune femme qui a été tuée dans sa robe de noces ? Qu'est-ce qui s'est exactement…

Madeleine les interrompit, le volume de sa voix un peu plus élevé que l'exigeait la proximité de ses compagnons.

— Que puis-je vous offrir à boire ?

Peggy gardait les yeux fixés sur Gurney.

Madeleine continua d'un ton gai et sonore.

— Nous avons un pinot grigio de Californie, un barolo italien et un finger lakes quelque chose avec un joli nom.

— Barolo pour moi.

— Je veux entendre tous les détails de ce meurtre, proclama Peggy, ajoutant comme de façon accessoire : N'importe quel vin m'ira très bien. Sauf le joli nom.

— Je prendrai un barolo comme George, dit Gurney.

— Pourrais-tu débarrasser la table maintenant ? demanda Madeleine.

— Certainement. (Il s'attela à la tâche, se mit à réorganiser les nombreuses piles de papiers afin de n'en former que quelques-unes.) J'aurais dû le faire ce matin avant mes rendez-vous à Tambury. J'oublie tout à présent.

Madeleine lui adressa un sourire forcé, puis alla prendre deux bouteilles dans le cellier et se mit en devoir de les déboucher.

— Eh bien ?… dit Peggy, continuant de regarder Gurney avec l'air d'attendre quelque chose.

— Quelles informations vous rappelez-vous avoir lues dans la presse ? demanda Gurney.

— Une jeune femme superbe, tuée à coups de hache par un jardinier mexicain dément, dix minutes après avoir épousé rien moins que Scott Ashton.

— Vous semblez savoir qui c'est.

— Si je sais qui c'est ? Grand Dieu, tout le monde sait qui… Enfin, je veux dire, dans le domaine des sciences sociales, tout le monde sait qui est Scott

Ashton – ou en tout cas connaît sa réputation, ses livres, ses articles de revue. C'est le thérapeute le plus fantastique en matière de sévices sexuels.

— *Fantastique ?* fit Madeleine en s'approchant avec deux verres de vin rouge.

George s'esclaffa, un son étrangement joyeux s'échappant de son corps raide comme un piquet.

Peggy fit la grimace.

— Le terme est peut-être mal choisi. J'aurais dû dire le plus célèbre. Une kyrielle de thérapies d'avant-garde. Je suis sûre que Dave peut nous en raconter beaucoup plus que ça.

Elle accepta le verre que lui proposait Madeleine, avala une petite gorgée et sourit.

— Délicieux. Merci.

— Alors comme ça, demain, c'est le grand jour ? lança Madeleine.

Peggy battit des paupières, déroutée par ce saut du coq à l'âne.

— Le grand jour, répéta George.

— Ce n'est pas tous les jours que votre fils part à Harvard, poursuivit Madeleine. Vous ne m'avez pas dit qu'il allait se spécialiser en biologie ?

— C'est du moins ce qui est prévu, répondit George, en scientifique toujours prudent.

Aucun des deux parents ne semblait très porté sur le sujet, peut-être parce que c'était le troisième de leurs fils à suivre cette voie et qu'ils avaient déjà dit tout ce qui pouvait l'être.

— Vous continuez à enseigner ?

Peggy adressait la question à Gurney.

— Vous voulez dire, à l'école de police ?

— Professeur invité, c'est ça ?

— Oui, j'y vais de temps à autre. Un séminaire spécial sur le travail d'infiltration.

— Il donne un cours de mensonge, commenta Madeleine.

Les Meeker eurent un petit rire gêné. George se mit à caresser son barolo.

— J'apprends aux bons à mentir aux méchants pour que les méchants disent aux bons ce que nous avons besoin de savoir.

— C'est une façon de présenter les choses, rétorqua Madeleine.

— Vous devez connaître des histoires formidables, s'extasia Peggy.

— George, dit Madeleine en se plaçant entre Peggy et Gurney, laissez-moi remplir votre verre. (Il le lui tendit et elle se replia en direction du bloc de l'évier.) Cela doit vous faire plaisir que vos fils marchent dans vos pas.

— Eh bien… pas exactement dans mes pas… la biologie, oui, d'une manière générale, mais jusqu'à présent aucun d'eux n'a manifesté d'intérêt pour l'entomologie, encore moins pour ma propre spécialité, l'arachnologie. Bien au contraire…

— Mais, si j'ai bonne mémoire, le coupa Peggy, vous avez un fils vous aussi ?

— David en a un, répondit Madeleine, reculant jusqu'à l'évier pour se verser un verre de pinot grigio.

— Ah ! Oui. J'ai son prénom sur le bout de la langue… quelque chose commençant par un L, ou peut-être bien un K ?

— Kyle, dit Gurney, comme si c'était un mot qu'il prononçait rarement.

— Il travaille à Wall Street, n'est-ce pas ?

— *Travaillait*. Maintenant, il est à la fac de droit.

— Victime de l'éclatement de la bulle ? demanda George.

— Plus ou moins.

— Le désastre habituel, entonna George depuis son perchoir d'intellectuel. Un château de cartes. Des millions de dollars de crédit distribués comme des sucettes à des gosses de trois ans. Nababs et grosses légumes sautant des tours de la haute finance. Ces maudits banquiers ont creusé leur propre tombe. Le malheur, c'est que notre gouvernement, dans son infinie sagesse, a décidé de ressusciter ces fichus idiots… de les ramener à la vie avec l'argent de nos impôts. Il aurait dû laisser ces P-DG qui sont la lie de l'humanité rôtir en enfer.

— Bravo, George ! fit Madeleine en levant son verre.

Peggy lança à son mari un regard glacial.

— Je suis sûr qu'il n'inclut pas votre fils dans ces scélérats.

Madeleine sourit à George.

— Vous étiez sur le point de dire quelque chose sur l'orientation de vos fils vers la biologie ?

— Oh, oui. Eh bien, non, en fait, j'étais en train de dire que l'aîné non seulement ne s'intéresse pas à l'arachnologie, mais prétend souffrir d'arachnophobie. (À son ton, on aurait pu croire qu'il s'agissait d'une allergie à la tarte aux pommes.) Et ce n'est pas tout, il…

— Pour l'amour du ciel, ne laissez pas George se lancer sur les araignées, protesta Peggy en l'interrompant pour la seconde fois. Je sais bien que ce sont les créatures les plus fascinantes de la planète, aux effets bénéfiques infinis, etc., etc. Mais, pour le moment, je préférerais entendre parler de l'affaire de meurtre de Dave plutôt que de l'araignée tisseuse du Pérou.

— Personnellement, j'aurais tendance à voter pour l'araignée tisseuse. Mais je suppose que ça peut attendre, dit Madeleine en buvant une longue gorgée de son vin. Pourquoi ne pas aller vous asseoir près de la cheminée afin d'épuiser le sujet de la décapitation pendant que je mets la dernière touche au dîner ? Cela ne prendra que quelques minutes.

— Je peux faire quelque chose ? demanda Peggy.

— Non, tout est pratiquement prêt. Merci quand même.

— Vous êtes sûre ?

— Certaine.

Après un nouveau regard interrogateur, elle battit en retraite avec les deux hommes en direction des trois fauteuils rembourrés à l'autre bout de la pièce.

— Bon, dit-elle à Gurney dès qu'ils furent installés. Racontez-nous ça.

Lorsque Madeleine les appela à table pour dîner, il n'était pas loin de six heures, et Gurney avait brossé un tableau relativement complet de l'affaire jusqu'à ce jour, y compris les rebondissements et questions en suspens. Son récit avait été dramatique sans être sanglant, évoquant de possibles aspects sexuels sans en faire l'élément principal, et aussi cohérent que le permettaient les faits. Les Meeker s'étaient montrés attentifs, écoutant avec soin sans rien dire.

À table – au milieu de la salade d'épinards, de noix et de fromage –, commentaires et questions se mirent à affluer, venant principalement de Peggy.

— Alors, si Flores était homosexuel, le mobile pour tuer la mariée serait la jalousie. Mais la méthode semble psychotique. Est-il vraisemblable qu'un des meilleurs psychiatres au monde n'ait pas remarqué que l'homme vivant sur sa propriété était un fou furieux... capable de couper la tête à quelqu'un ?

— Et si Flores était hétéro, dit Gurney, ce mobile disparaîtrait, mais nous aurions toujours la partie fou furieux et le problème d'Ashton ne s'apercevant de rien.

Peggy se pencha en avant sur sa chaise en agitant sa fourchette.

— Naturellement, qu'il soit hétéro colle avec le scénario que la femme de Muller et lui avaient une liaison, et avec leur fuite ensemble, mais il ne nous resterait plus alors que cette histoire de fou furieux pour expliquer l'assassinat de la mariée.

— De plus, ajouta Gurney, nous nous retrouverions avec Scott Ashton et Kiki Muller tous deux incapables de se rendre compte que Flores est cinglé. Et il y a encore un problème. Quelle femme s'enfuirait de son plein gré avec un homme qui vient de couper la tête à une autre femme ?

Peggy fut parcourue d'un petit frisson.

— Je ne peux pas l'imaginer.

— Ça n'a pas eu l'air de déranger les épouses d'Henri VIII, fit observer Madeleine avec un soupir d'ennui.

Il y eut un silence momentané, rompu par un des gros éclats de rire de George.

— Je présume qu'il y a une différence entre le roi d'Angleterre et un jardinier mexicain, risqua Peggy.

Madeleine ne répondit pas, remettant en place une des noix dans sa salade.

George profita de l'espace vacant pour s'immiscer dans la conversation.

— Et le type avec les trains miniatures, « Adeste Fideles », et le reste ? S'il les avait tous tués ?

Le visage de Peggy se chiffonna.

— De quoi parles-tu, George ? Tués qui ?

— C'est une possibilité, non ? Supposez que sa femme ait été une espèce de roulure et qu'elle ait couché avec le Mexicain. Et que la mariée ait été elle aussi une roulure, et qu'elle ait couché également avec le Mexicain. Peut-être que ce Muller a décidé de les zigouiller tous : bon débarras avec cette vermine, les deux roulures et leur Roméo de bas étage.

— Mon Dieu, George, tu sembles te réjouir de ce qui est arrivé aux victimes.

— Toutes les victimes ne sont pas nécessairement innocentes.

— George…

— Pourquoi a-t-il abandonné la machette dans les bois ? intervint Madeleine.

Après une pause durant laquelle chacun se tourna vers elle, Gurney demanda :

— C'est la piste qui te gêne, le fait que la piste olfactive aille jusque-là et s'arrête ?

— Ce qui me gêne, c'est que la machette ait été abandonnée dans le fourré sans aucune raison apparente. Ça ne tient pas debout.

— À vrai dire, c'est là une excellente question, admit Gurney. Examinons ça de plus près.

— En fait, non. (La voix de Madeleine était contrôlée mais plus forte.) Je regrette d'en avoir parlé. Toute cette discussion me donne des aigreurs d'estomac. Est-ce qu'on ne peut pas passer à autre chose ?

Il y eut un silence embarrassé autour de la table.

— George, parlez-nous de votre araignée préférée. Je parie que vous en avez une.

— Oh… je ne pourrais pas dire.

Il avait l'air quelque peu désorienté, ne sachant à quoi s'en tenir.

— Voyons, George.

— Vous avez entendu… on m'a interdit ce sujet.

Peggy jeta un coup d'œil nerveux à Madeleine.

— Allez-y, George. Ce n'est pas grave.

À présent, chacun regardait George. Cette attention parut lui plaire. Il était facile de l'imaginer sur le devant d'un amphithéâtre : le professeur Meeker, entomologiste distingué, puits de sagesse et d'anecdotes pertinentes.

Attention, Gurney, tout jugement sur lui pourrait fort bien s'appliquer à toi. Qu'est-ce que tu fais à cette école de police, d'ailleurs ?

George leva fièrement le menton.

— Les sauteuses, dit-il.

Les yeux de Madeleine s'agrandirent.

— Des araignées… sauter ?

— Oui.

— Est-ce qu'elles sautent vraiment ?

— Tout à fait. Elles sont capables d'exécuter des sauts de cinquante fois la longueur de leur corps. Ce qui équivaut à un individu d'un mètre quatre-vingts sautant la longueur d'un terrain de football, et le plus étonnant, c'est que leurs pattes n'ont pratiquement pas de muscles. Alors, me demanderez-vous, comment s'y prennent-elles pour réaliser des bonds aussi prodigieux ? Avec des pompes hydrauliques ! Des valves libèrent des jets de sang sous pression dans leurs pattes, qui se détendent et les projettent en l'air. Imaginez un prédateur meurtrier surgi de nulle part tombant sur sa proie sans prévenir. Aucune chance de s'échapper.

Les yeux de Meeker étincelaient. Un peu comme un père plein de fierté.

Cette pensée mit Gurney mal à l'aise.

— Et puis, naturellement, continua Meeker avec animation, il y a la veuve noire – une machine à tuer d'une réelle élégance. Un monstre mortel pour des adversaires ayant mille fois sa taille.

— Un monstre, dit Peggy, sortant tout à coup de son mutisme, ma foi, voilà qui répond à la définition de la perfection donnée par Ashton.

Madeleine lui lança un regard interrogateur.

— Je veux parler du livre tristement célèbre de Scott Ashton qui considère l'empathie – le souci du bien-être et des sentiments d'autrui – comme un défaut, une imperfection du système des limites humaines. La veuve noire, avec sa vilaine habitude de tuer et de dévorer son partenaire après la copulation, incarne probablement l'idée qu'il se fait de la perfection. La perfection du sociopathe.

— Mais, dans la mesure où il a écrit un second livre attaquant le premier, fit remarquer Gurney, il est difficile de savoir ce qu'il pense vraiment des sociopathes ou des veuves noires… ou de quoi que ce soit d'autre, d'ailleurs.

Le regard interrogateur de Madeleine à Peggy s'accentua.

— C'est le psychiatre dont vous avez dit qu'il faisait autorité dans le traitement des victimes de sévices sexuels ?

— Oui, enfin… pas exactement. Il ne soigne pas les victimes. Il soigne les abuseurs.

L'expression de Madeleine changea, comme si cette précision faisait une grande différence.

Pour Gurney, elle ne fit que s'ajouter à la liste de points sur lesquels il désirait interroger Ashton le lendemain matin. Ce qui lui remit en tête une autre question restée en suspens, question qu'il décida de poser à ses invités :

— Est-ce que le nom Edward Vallory vous dit quelque chose à l'un ou à l'autre ?

À onze heures moins le quart, juste au moment où Gurney commençait enfin à s'assoupir, son téléphone portable se mit à sonner sur la table de nuit du côté du lit où se trouvait Madeleine. Il entendit la sonnerie, entendit Madeleine répondre : « Je vais voir s'il est réveillé », puis elle lui donna une tape sur le bras et tendit l'appareil vers lui jusqu'à ce qu'il s'assoie et le prenne.

C'était la voix grave et onctueuse d'Ashton, légèrement crispée par l'angoisse.

— Désolé de vous déranger, mais c'est peut-être important. J'ai reçu un SMS il y a un petit moment. L'identificateur de l'appelant indique qu'il venait du téléphone de Hector. Je crois que c'est exactement le même message que celui que Jillian a reçu le jour de notre mariage : « Pour toutes les raisons que j'ai écrites. Edward Vallory. » J'ai appelé le bureau de la Brigade criminelle pour le leur signaler, et je voulais vous tenir au courant également. (Il marqua un temps d'arrêt, se racla la gorge avec nervosité.) Est-ce que cela signifie que Hector pourrait refaire son apparition, d'après vous ?

Gurney n'avait pas une grande vénération pour la mystique des coïncidences. En l'occurrence, cependant, la mention de ce nom par quelqu'un d'autre si peu de temps après qu'il en eut lui-même fait état lui donna un frisson désagréable.

Il lui fallut une heure pour se rendormir.

CHAPITRE 23

Effet de levier

— Juste deux semaines, dit Gurney alors qu'il apportait son café à la table de petit déjeuner.

— Hmm.

Madeleine savait très bien s'exprimer avec des petits bruits. Celui-ci signifiait qu'elle comprenait ce qu'il disait, mais qu'elle n'avait aucune envie de discuter le sujet pour l'instant. Dans la lumière du matin, elle s'appliquait à lire *Crime et châtiment* pour une prochaine réunion de son club de lecture.

— Juste deux semaines.

— C'est ce que tu as décidé ? demanda-t-elle sans lever les yeux.

— Oui et pourquoi ce serait un tel problème ?

Elle referma le livre à moitié, laissant son doigt entre les pages qu'elle lisait, pencha un peu la tête sur le côté et le regarda fixement.

— Un problème jusqu'à quel point ?

— Je ne suis pas devin. Peu importe, oublie ça, c'était une remarque stupide. Ce que je suis en train de dire, c'est que je m'occuperai de cette affaire pendant deux semaines. Quoi qu'il arrive, un point c'est tout. (Il posa sa tasse sur la table, s'assit en face d'elle.)

Écoute, ça ne semble peut-être pas très sensé de ma part et je comprends très bien ton inquiétude. Je sais ce que tu as subi l'année dernière.

— Tu crois ?

Il ferma les yeux.

— Oui. Vraiment. Et cela ne se reproduira pas.

Le fait est qu'il avait bien failli passer l'arme à gauche à la fin de la dernière enquête dont il avait accepté de s'occuper. Alors qu'il était à la retraite depuis près d'un an, il avait frôlé la mort de plus près qu'en vingt années passées comme inspecteur à la Criminelle au NYPD. Il se dit que c'était probablement ce qui avait le plus durement affecté Madeleine – le danger, bien sûr, mais surtout à un moment de leur vie où elle s'imaginait que cela n'arriverait plus.

Après un long silence, elle finit par pousser un soupir, retira le doigt dont elle se servait comme marque-page et écarta le livre.

— Tu sais, Dave, ce que je veux n'a rien de compliqué. Ou peut-être que si. J'avais pensé, quand nous avons abandonné nos carrières, que nous découvririons une vie différente ensemble.

Il eut un faible sourire.

— Ces fichus asparagus sont sacrément différents.

— Et ton bulldozer. Et mon jardin fleuri. Mais il semble que nous ayons des difficultés avec la partie « vie ensemble ».

— Nous passons plus de temps ensemble maintenant que quand nous vivions en ville, non ?

— Nous sommes plus souvent dans la même maison en même temps. Mais il est clair à présent que j'avais plus envie que toi de laisser cette vie derrière nous. C'est mon erreur d'avoir cru que nous étions sur la même longueur d'onde. Mon erreur, répéta-t-elle à voix basse, de la colère et de la tristesse dans les yeux.

Il se laissa aller en arrière et regarda le plafond.

— Un thérapeute m'a dit un jour qu'une attente n'est rien d'autre qu'un ressentiment à naître.

Il avait à peine prononcé ces mots qu'il le regretta. S'il avait été aussi maladroit dans ses missions d'infiltration qu'il l'était en parlant à sa propre épouse, il se serait fait découper en rondelles il y a dix ans.

— Un ressentiment à naître ? Amusant, répliqua Madeleine d'un ton sec. Très amusant. Et l'espoir ? Est-ce qu'il avait aussi quelque chose de spirituel et de méprisant à dire sur l'espoir ? (De la colère passa dans sa voix et dans son regard.) Et le perfectionnement ? Ou la proximité ? Qu'est-ce qu'il en dit ?

— Désolé, fit Gurney. Encore une stupide remarque de ma part. Il semble que je les accumule, ce soir. Laisse-moi recommencer à zéro. Tout ce que je voulais dire, c'est que…

Elle le coupa.

— … que tu as décidé de signer pour une période d'affectation de deux semaines, au service d'une folle, afin de traquer un assassin psychopathe ?

Elle le dévisagea, le mettant manifestement au défi de reformuler la proposition en des termes plus modérés.

— D'accord, David. Très bien. Deux semaines. Qu'est-ce que je peux dire ? Fais ce que tu veux. Et d'ailleurs, je sais que ce que tu fais nécessite une grande force, un grand courage, beaucoup d'honnêteté et un esprit exceptionnel. Je sais pertinemment que tu es un homme exceptionnel. L'oiseau rare. Je suis admirative, David. Mais tu sais quoi ? J'aimerais avoir un peu moins d'admiration pour toi et être un peu plus *avec* toi. Est-ce que c'est possible ? C'est tout ce que je veux savoir. Crois-tu que nous pourrions être un peu plus proches ?

Il eut une sorte de blanc.

Puis il murmura :

— Seigneur, Maddie, je l'espère bien.

Il se mit à pleuvoir sur le chemin de Tambury. Une pluie du type essuie-glaces intermittents, plus comme un fin crachin. Gurney s'arrêta en cours de route à Dillweed pour une seconde tasse de café – pas à une station d'essence, mais à l'épicerie de produits biologiques Abelard, où le café était fraîchement moulu et très bon.

Il s'assit avec son café dans sa voiture garée devant l'épicerie, feuilletant le dossier, cherchant la liste, fournie par l'opérateur, des dates et heures des échanges de SMS entre les téléphones portables de Jillian Perry et de Hector Flores durant les trois semaines ayant précédé le meurtre : 13 de Flores à Perry et 12 de Perry à Flores. Sur une feuille séparée, agrafée au document, figurait un rapport du laboratoire informatique de la police de l'État indiquant que tous les SMS avaient été effacés du téléphone de Jillian Perry, à l'exception du message final d'« Edward Vallory » reçu approximativement une heure avant l'intervalle de quatorze minutes au cours duquel le meurtre avait été commis. Le rapport notait également que l'opérateur conservait les dates, durées, numéros d'origine et de réception, et données de transmission cellulaire pour tous les appels, mais aucun renseignement sur le contenu. De sorte que, une fois les SMS supprimés du téléphone de Jillian, il n'y avait aucun moyen de les récupérer, à moins que Hector ait sauvegardé la série de messages sur son propre téléphone et qu'il soit possible d'avoir accès à sa mémoire dans le futur – pas de quoi être optimiste.

Il rangea son dossier, finit son café et reprit sa route en cette matinée humide et grisâtre pour son rendez-vous de huit heures et demie avec Scott Ashton.

La porte s'ouvrit avant même que Gurney ait eu le temps de frapper. Comme la veille, Ashton était habillé de façon décontractée, avec le genre de vêtements hors de prix qu'il avait dû commander dans un catalogue avec une maison en pierre des Cotswold sur la couverture.

— Venez, allons-y, dit-il avec un sourire de pure forme, nous n'avons pas beaucoup de temps.

Il lui fit traverser un vaste hall jusqu'à un salon sur la droite qui parut à Gurney avoir été meublé au siècle précédent. Les fauteuils rembourrés et les canapés étaient pour la plupart de style Queen Ann. Les tables, le manteau de la cheminée, les pieds des sièges et autres surfaces en bois présentaient une patine ancienne légèrement brillante.

Parmi les notes d'agrément que l'on pouvait s'attendre à trouver dans un manoir au chic tout anglais apparaissait une discordance saisissante. Une grande photographie de la taille d'une double page du *Sunday Times* était encadrée et fixée sur le mur au-dessus du manteau de châtaignier foncé.

Gurney comprit soudain pourquoi cette comparaison lui était venue d'emblée à l'esprit : il avait effectivement vu dans le *Sunday Times* cette luxueuse publicité de mode où les modèles se regardent ou regardent le monde en général avec une sensualité arrogante et boulimique. Toutefois, même dans sa catégorie, la photo provoquait un profond malaise. La composition consistait en deux très jeunes femmes, n'ayant sûrement pas encore atteint la vingtaine, vautrées sur ce qui semblait être le sol d'une chambre à coucher, observant mutuellement leur corps avec un mélange d'épuisement et de désir sexuel insatiable. Elles étaient nues, à l'exception de deux foulards de soie habilement disposés, probablement des produits de la maison de haute couture ayant commandé la pub.

En l'examinant de plus près, Gurney vit qu'il s'agissait d'une photo trafiquée : en fait, deux photographies du même modèle dans des poses différentes, agencées et retouchées de manière à donner l'impression qu'elles se regardaient l'une l'autre, ce qui ajoutait une dimension narcissique à la pathologie déjà amplement suffisante de la scène. C'était, en un sens, une œuvre d'art remarquable – une image de pure décadence digne d'illustrer l'*Enfer* de Dante. Gurney se tourna vers Ashton, sa curiosité se lisant clairement sur son visage.

— Jillian, dit Ashton, impassible. Ma défunte épouse.

Gurney demeura sans voix.

L'image soulevait tellement de questions qu'il ne savait pas laquelle poser en premier.

Il avait le sentiment qu'Ashton avait non seulement remarqué sa confusion, mais qu'il s'en délectait. Ce qui soulevait de nouvelles questions. Il finit par trouver quelque chose à dire, quelque chose qu'il avait totalement oublié lors de leur première rencontre.

— Je suis terriblement navré de la perte tragique que vous avez subie. Et navré aussi de ne pas vous l'avoir dit hier.

Un poids, le désespoir ou la lassitude, mais les traits de son interlocuteur s'affaissèrent.

— Merci.

— Je suis surpris que vous ayez pu rester dans cette maison… voir tous les jours ce bâtiment derrière, sachant ce qui s'est passé.

— Il sera abattu, rétorqua Ashton presque brutalement. Abattu, rasé, brûlé. Dès que la police en donnera l'autorisation. Le pavillon est encore une scène de crime. Mais un jour, il disparaîtra.

La fatigue avait disparu de son visage, remplacée par une détermination effrayante.

Ashton inspira profondément, et son intense émotion se dissipa peu à peu. Il eut un sourire amer.

— Eh bien, par où commence-t-on ?

Il désigna deux bergères recouvertes de velours bordeaux séparées par une petite table carrée. Le plateau se composait d'un échiquier en marqueterie fait à la main, mais on ne voyait aucune pièce.

Gurney décida d'attaquer, tel un éléphant dans une boutique de porcelaine, par la photo aussi sensationnelle que sordide de Jillian.

— Je ne me serais jamais douté que cette fille était la mariée que j'ai vue dans la vidéo.

— La robe blanche flottante, le maquillage discret, etc. ?

Ashton avait presque l'air amusé.

— Rien de tout cela ne semble coller avec cette image, répondit Gurney les yeux rivés sur la photo.

— Est-ce que ce serait plus logique si je vous disais que la tenue de mariage traditionnelle était une plaisanterie de Jillian ?

— Une plaisanterie ?

— Cela vous paraîtra peut-être grossier et insensible, inspecteur, mais nous n'avons pas beaucoup de temps, aussi laissez-moi vous parler rapidement de Jillian. Il y a sans doute des choses que vous a dites sa mère et d'autres que vous ignorez. Jillian était irritable, extrêmement lunatique, facilement lassée, égocentrique, intolérante, impatiente et versatile.

— Quel profil !

— Telle était sa face visible : la Jillian relativement inoffensive, gâtée et bipolaire. La face cachée était tout autre.

Ashton marqua un temps d'arrêt, fixant des yeux la photo sur le mur comme pour vérifier l'exactitude de ses propos.

Gurney attendit, se demanda où il voulait en venir.

— Jillian… reprit Ashton, parlant à présent d'une voix plus basse et plus douce. Jillian a été dans son enfance un prédateur sexuel, abuseur d'autres enfants. C'est le symptôme majeur de la principale pathologie qui l'a amenée à Mapleshade à l'âge de treize ans. Ses problèmes affectifs et comportementaux manifestes n'étaient que des vaguelettes à la surface.

Il s'humecta les lèvres du bout de la langue, puis les frotta avec son pouce et son index comme pour les sécher à nouveau. Il se tourna vers Gurney.

— À présent, voulez-vous me poser vos questions ou dois-je les poser pour vous ?

Gurney ne demandait pas mieux que de laisser Ashton continuer.

— Quelle serait ma première question, d'après vous ?

— Si une bonne douzaine ne tournoyait pas dans votre tête ? À mon avis, votre première question, que vous garderez pour vous, serait : Ashton est-il fou ? Parce que cela expliquerait bien des choses. Mais si je n'étais pas fou, votre seconde question serait alors : pourquoi diable a-t-il voulu épouser une femme avec un passé aussi perturbé ? À la première question, je n'ai pas de réponse crédible. Aucun homme ne peut être le garant de sa propre santé mentale. À la seconde question, je répondrais qu'elle est injuste, dans la mesure où Jillian possédait une qualité exceptionnelle. La brillance. Le génie au-delà du champ d'application habituel du terme. Elle avait l'esprit le plus agile, le plus rapide que j'aie jamais connu. Je suis un homme très intelligent, inspecteur. Je ne dis pas cela pour me vanter, mais parce que c'est la vérité. Vous voyez l'échiquier incrusté dans cette table ? Il n'y a aucune pièce. Je n'en utilise pas. C'est pour moi un défi intellectuel stimulant de jouer mentalement à ce jeu, rien qu'en imaginant et en me rappelant les positions des pièces. Parfois je joue contre moi-même, en visualisant le plateau tour à tour du côté des blancs et du côté des noirs, dans un sens et dans l'autre. La plupart des gens sont impressionnés par cette faculté. Mais croyez-moi quand je vous dis que l'esprit de Jillian était encore plus fantastique que le mien. Cette sorte d'intelligence chez une femme est très attirante – attirante sous l'angle de la vie commune et sur le plan érotique.

Plus Gurney l'écoutait et plus les questions se bousculaient dans sa tête.

— J'ai entendu dire que, bien souvent, les auteurs de sévices sexuels avaient été eux-mêmes victimes de sévices. Est-ce exact ?

— Oui.

— Dans le cas de Jillian également ?

— Oui.

— Qui était l'auteur de ces sévices ?

— Il ne s'agissait pas d'une seule personne.

— Qui étaient-*ils*, alors ?

— Selon un récit non confirmé, des amis de Val Perry consommateurs de crack, et les sévices en question, exercés par des auteurs multiples, auraient eu lieu à maintes reprises entre l'âge de trois et sept ans.

— Mon Dieu ! Existe-t-il des rapports d'intervention juridique, des dossiers des services sociaux ?

— Aucun de ces sévices n'a été signalé.

— Mais quand elle a fini par aller à Mapleshade, ces actes ont été dévoilés ? Et les fiches des traitements qu'on lui a prescrits, les déclarations qu'elle a faites à ses thérapeutes ?

— Il n'y en a pas. Je dois vous expliquer quelque chose à propos de Mapleshade. Tout d'abord, il s'agit d'une école, pas d'un centre médical. Une école privée pour des jeunes ayant des problèmes spécifiques. Au cours de ces dernières années, nous avons accueilli un nombre croissant d'élèves dont les problèmes tournaient autour des questions sexuelles, et en particulier les sévices.

— On m'a dit que votre traitement mettait l'accent sur les abuseurs plutôt que sur les victimes.

— Oui… encore que « traitement » ne soit pas le mot juste, dans la mesure où nous ne sommes pas, je vous le répète, un établissement médical. Et la frontière entre auteur et victime d'abus n'est pas toujours aussi claire que vous pourriez le penser. Ce que je veux dire, c'est que l'efficacité de Mapleshade tient à sa discrétion. Nous n'acceptons aucun placement par un tribunal ou des services sociaux, aucune assurance, aucune aide de l'État, ne fournissons aucun diagnostic médical ou psychiatrique, et – ceci est d'une importance vitale – nous ne gardons pas de dossiers des « patients ».

— Pourtant, l'école a apparemment la réputation d'offrir des traitements de pointe – quel que soit le nom que vous leur donnez –, sous l'égide du célèbre Dr Scott Ashton.

La voix de Gurney était devenue plus tranchante, sans que cela suscite de réaction chez Ashton.

— Une plus grande stigmatisation s'attache à ce type de troubles. Savoir que tout ici est absolument confidentiel, qu'il n'y a pas de dossiers, pas de formulaires d'assurance, pas de notes de thérapie que l'on pourrait dérober ou utiliser comme pièces à conviction, est un avantage inestimable pour notre clientèle. Du point de vue légal, nous sommes simplement une école secondaire privée, avec un personnel compétent disponible pour des discussions informelles sur un éventail de questions sensibles.

Gurney se laissa aller contre le dossier de son siège, réfléchissant à la structure inhabituelle de Mapleshade et à ses implications. Sentant peut-être le malaise de son interlocuteur, Ashton ajouta :

— Imaginez : le sentiment de sécurité que confère notre système permet à nos élèves et à leurs familles de nous dire des choses qu'ils ne songeraient jamais à divulguer si l'information allait dans un dossier. Il n'existe pas de source de culpabilité, de honte ou de peur plus profonde que les troubles que nous traitons ici.

— Pourquoi ne pas avoir révélé l'épouvantable passé de Jillian aux enquêteurs ?

— Il n'y avait pas de raison de le faire.

— Pas de raison ?

— Ma femme a été tuée par mon jardinier psychotique, qui a ensuite pris la fuite. La tâche de la police consiste à le retrouver. Qu'est-ce que j'aurais dû dire ? Ah, au fait, quand elle avait trois ans, ma femme a été violée par les copains dopés au crack de sa mère ? En quoi est-ce que cela aiderait les enquêteurs à capturer Hector Flores ?

— Quel âge avait-elle lorsqu'elle s'est mise à user de violence après en avoir été victime ?

— Cinq ans.

— *Cinq ans ?*

— Ce type de dysfonctionnement choque toujours les gens qui ne sont pas de la partie. Un tel comportement est si éloigné de ce que nous croyons être l'innocence de l'enfance. Malheureusement, les enfants de cinq ans ou même moins, responsables de sévices, ne sont pas aussi rares que vous pourriez le supposer.

Gurney regarda avec une inquiétude grandissante la photo sur le mur.

— Qui étaient ses victimes ?

— Je ne sais pas.

— Val Perry est au courant de tout cela ?

— Oui. Elle a du mal à en parler dans le détail, au cas où vous vous demanderiez pourquoi elle ne vous a rien dit. Mais c'est pour cela qu'elle s'est adressée à vous.

— Je ne vous suis pas.

Ashton respira profondément.

— Val se sent coupable. Pour simplifier une histoire complexe, à vingt ans, elle faisait partie du monde de la drogue et ressemblait fort peu à une mère. Elle s'entourait de toxicomanes encore plus désaxés qu'elle. Les abus, les agressions sexuelles et autres troubles du comportement qui en ont résulté de la part de Jillian, Val est incapable de les assumer. Elle a été déchirée par le remords – un cliché, mais exact dans son cas. Elle s'est sentie responsable de tous les problèmes de sa fille, et maintenant elle se sent responsable de sa mort. Elle est frustrée par l'enquête de la police officielle – pas de pistes, pas d'avancées, pas de conclusion. Je crois qu'elle est allée vous voir dans une ultime tentative pour faire quelque chose pour Jillian. Trop peu et trop tard certainement, mais c'est la seule chose qu'elle a pu trouver. Elle a entendu parler de vous par un des membres de la Brigade criminelle, de votre réputation d'inspecteur des homicides au NYPD, lu un article sur vous dans le *New York Magazine*, et décidé que vous représentiez sa meilleure et dernière chance de compenser le fait d'avoir été une mère atroce. C'est pitoyable, mais c'est ainsi.

— Comment savez-vous tout cela ?

— Après l'assassinat de Jillian, Val était au bord de la dépression, et elle l'est encore. Évoquer ces choses a été pour elle un moyen de tenir bon.

— Et vous ?

— Moi ?

— Comment avez-vous tenu bon ?

— Est-ce de la curiosité ou du sarcasme ?

— Votre description de l'événement le plus horrible de votre existence, et des personnes qui y ont participé, semble singulièrement détachée. Je ne sais ce qu'il faut en déduire.

— Vraiment ? C'est difficile à croire.

— Ce qui signifie ?

— J'ai l'impression, inspecteur, que vous réagiriez de la même façon à la mort d'un de vos proches.

Il considéra Gurney avec la neutralité du thérapeute classique.

— Si je suggère ce parallèle, c'est uniquement pour vous faire comprendre ma position. Vous vous demandez : « Est-ce qu'il cache l'émotion que lui a causée la mort de sa femme, ou est-ce qu'il n'y a pas d'émotion à cacher ? » Avant que je vous donne la réponse, pensez au contenu de la vidéo.

— Vous voulez dire votre réaction à ce que vous avez vu dans le pavillon ?

La voix d'Ashton se durcit, et il se mit à parler avec une rigidité qui semblait vibrer sous la force d'une fureur à peine contenue.

— Je crois que Hector a été en partie motivé par le désir de me faire souffrir. Et il y est parvenu. Ma souffrance a été enregistrée sur cette vidéo. C'est un fait auquel je ne peux rien changer. Toutefois, j'ai pris la résolution de ne plus montrer à nouveau cette souffrance. À personne. Plus jamais.

Les yeux de Gurney se posèrent sur la délicate marqueterie de l'échiquier.

— Vous n'avez aucun doute sur l'identité de l'assassin ?

Ashton cilla comme s'il avait du mal à comprendre la question.

— Pardon ?

— Que Hector Flores soit bien la personne qui a tué votre femme ne fait aucun doute pour vous ?

— Aucun. J'ai réfléchi à l'hypothèse que vous avez émise hier selon laquelle Carl Muller pourrait être impliqué, mais, franchement, cela me paraît invraisemblablc.

— Est-il possible que Hector ait été homosexuel et que le mobile du meurtre…

— C'est ridicule.

— La police a envisagé cette théorie.

— J'ai quelques connaissances en matière de sexualité. Croyez-moi. Hector n'était pas homosexuel.

Il regarda posément sa montre.

Se calant dans son fauteuil, Gurney attendit qu'Ashton établisse un contact visuel.

— Vous devez avoir une personnalité spéciale… le domaine dans lequel vous êtes.

— À savoir ?

— Cela doit être déprimant. Il paraît que les délinquants sexuels sont presque impossibles à guérir.

Ashton, comme Gurney, se cala plus profondément dans son siège, le regarda dans les yeux et joignit ses doigts sous son menton.

— Une généralisation médiatique. À moitié vraie, à moitié absurde.

— Tout de même, cela doit être un travail difficile.

— À quelle sorte de difficulté penscz-vous ?

— Le stress. L'énormité de l'enjeu. Les conséquences de l'échec.

— Comme le travail de police. Comme la vie en général.

Ashton regarda à nouveau sa montre.

— Alors, quel est le ciment ? demanda Gurney.
— Le ciment ?
— Ce qui vous unit au domaine des abus sexuels.
— C'est important pour retrouver Flores ?
— Cela se pourrait.

Ashton ferma les yeux et inclina la tête, si bien que ses mains en triangle lui donnaient l'air de prier.

— Vous avez raison en ce qui concerne l'énormité de l'enjeu. L'énergie sexuelle en général possède un pouvoir considérable, le pouvoir de focaliser l'attention de quelqu'un plus que tout le reste, de devenir la seule réalité, de fausser le jugement, d'effacer la douleur et la perception du risque. Le pouvoir de rendre toute autre considération hors de propos. Il n'existe aucune force sur la terre qui s'en rapproche par son aptitude à aveugler l'individu et à exercer une mainmise sur lui. Quand, chez une personne, cette énergie se fixe sur un objet inapproprié – plus précisément, une autre personne dont la force et l'intelligence sont moindres –, les dégâts potentiels sont véritablement infinis. Parce que, dans l'intensité de son pouvoir et de sa frénésie primitive, dans sa capacité à déformer la réalité, un comportement sexuel inapproprié peut être aussi contagieux qu'une morsure de vampire. En quête du pouvoir magique de l'abuseur, l'abusé peut devenir abuseur à son tour. Il y a des racines évolutionnistes, neurologiques et psychologiques simples à cette force irrésistible de la libido. Ses détournements dans des voies destructrices peuvent être analysés, représentés, schématisés. Mais modifier ces détournements est une affaire entièrement différente. Comprendre l'origine d'un raz de marée est une chose, inverser sa direction en est une autre.

Il ouvrit les yeux, baissa ses mains de son visage.

— C'est le défi qu'elle renferme qui vous attire ?

— C'est l'*effet de levier*.

— Vous voulez dire, la possibilité de changer les choses ?

— Oui ! (Une sorte de rhéostat intérieur augmenta la lumière dans ses yeux.) La possibilité d'intervenir dans ce qui autrement serait une chaîne éternelle de malheurs se déployant de l'abuseur à ceux ou celles qu'il a molestés, et de ceux-ci à d'autres au fil des générations futures. Ce n'est pas comme l'ablation d'une tumeur qui peut sauver une vie. Le taux de succès dans le domaine est discutable, mais un succès à lui seul peut empêcher la destruction de centaines de vies.

Gurney sourit, visiblement impressionné.

— C'est donc la mission de Mapleshade ?

Ashton sourit à son tour.

— Exactement. (Nouveau coup d'œil à sa montre.) Et maintenant, il faut vraiment que j'y aille. Vous pouvez rester si vous le souhaitez, faire le tour de la propriété, examiner le pavillon. La clé est sous la pierre noire à droite de la porte. Si vous voulez voir l'emplacement où a été découverte la machette, contournez le bâtiment jusqu'à la fenêtre du milieu, puis dirigez-vous tout droit vers les bois, où vous trouverez à une centaine de mètres un grand piquet enfoncé dans le sol. À l'origine, il y avait un ruban jaune de la police attaché au sommet, mais il ne doit plus y être. Bonne chance, inspecteur.

Il raccompagna Gurney, le laissant planté sur l'allée pavée de briques, et partit au volant d'une Jaguar sedan ancien modèle, au charme non moins britannique que l'odeur de camomille flottant dans l'air humide.

CHAPITRE 24

Une araignée patiente

Gurney éprouvait un besoin urgent de trier ces informations et de faire le point, de prendre la masse de données et de possibilités se bousculant dans sa tête pour les ordonner de façon gérable. Bien que le crachin eût enfin cessé, il n'y avait, à l'extérieur de la maison d'Ashton, aucun endroit assez sec pour pouvoir s'asseoir, de sorte qu'il se rabattit sur sa voiture. Il sortit son carnet à spirale avec ses notes sur Calvin Harden, tourna une nouvelle page, ferma les yeux et se mit à repasser dans sa tête son entretien avec le psychiatre.

Il ne lui fallut guère de temps pour se rendre compte du caractère peu probant de cette méthode. En dépit de ses efforts pour revoir les détails dans leur chronologie réelle, les rapprocher comme les pièces d'un puzzle, il achoppait sur un fait majeur : *Jillian Perry avait abusé sexuellement d'autres enfants. Il n'était pas rare que la victime de ce genre de délit, ou un membre de sa famille, cherche à se venger. Tout comme il n'était pas nouveau que cette vengeance prenne la forme d'un meurtre.*

Cette éventualité envahit son esprit et bouleversa le cadre de sa réflexion comme aucun autre élément de l'affaire ne l'avait fait jusque-là. Enfin, il existait un mobile qui tenait debout, qui ne suscitait pas un doute immédiat, qui ne posait pas plus de problèmes qu'il en réglait. En conséquence, par exemple : *la question clé concernant Hector Flores n'était peut-être pas : où avait-il disparu et comment, mais d'où venait-il et pourquoi ?* Il fallait réorienter les recherches sur ce qui avait pu se produire à Tambury qui avait amené Flores à commettre un meurtre et sur ce qui avait pu se produire dans le passé qui l'avait amené à Tambury.

Gurney était à présent trop agité pour rester inactif. Il descendit de voiture, regarda successivement la maison, le garage au toit d'ardoises, le treillis voûté donnant accès à la pelouse à l'arrière. Était-ce la première vision qu'avait eue Hector Flores de la propriété seigneuriale du psychiatre trois ans et demi plus tôt ? Ou bien la surveillait-il depuis quelque temps, observant les allées et venues d'Ashton ? Lorsqu'il avait frappé à la porte pour la première fois, quelle idée avait-il en tête ? Jillian était-elle sa cible depuis le commencement ? Ashton, directeur de l'école qu'elle fréquentait, n'était-il qu'un moyen d'arriver jusqu'à elle ? Ou poursuivait-il un objectif plus général : une agression brutale contre une ou plusieurs des délinquantes que renfermait Mapleshade ? À moins que la cible initiale ait été Ashton lui-même – l'homme qui les prenait sous son aile, le médecin venant en aide aux abuseurs. Se pouvait-il que le meurtre de Jillian ait présenté un double avantage : la mort de celle-ci et la souffrance d'Ashton ?

Dans tous les cas, les questions demeuraient les mêmes : qui était vraiment Hector Flores ? Quelle terrible faute avait conduit un tueur aussi résolu à la porte d'Ashton ? Un tueur si rusé et si clairvoyant qu'il avait réussi à se faire loger dans le pavillon, dans le jardin de sa victime finale. Une toile où il attendait. Attendait le moment propice.

Hector Flores. Une araignée patiente.

Gurney marcha jusqu'au pavillon, déverrouilla la porte.

À l'intérieur, l'endroit avait cet air vide des appartements à louer. Pas de meubles, ni d'affaires personnelles, rien qu'une légère odeur de détergent ou de désinfectant. La disposition était des plus simple : une vaste pièce multi-usage à l'avant et deux pièces plus petites à l'arrière – une chambre et une cuisine, avec une minuscule salle de bains et des WC coincés entre les deux. Il s'avança au milieu de la pièce et promena lentement son regard sur le sol, les murs, le plafond. Même si son cerveau n'était pas fait pour s'accommoder de l'idée qu'un lieu possède une aura, chaque scène de crime qu'il avait eu l'occasion de voir au fil du temps agissait sur lui d'une façon à la fois étrange et familière.

Répondre à un appel d'urgence d'agents en uniforme, débarquer sur la scène d'un crime violent, avec son étalage de sang et de cartilage, de fragments d'os et d'éclaboussures de cervelle, ne manquait jamais de provoquer chez lui des sentiments mêlés : dégoût, pitié, colère. Se rendre sur place à une date ultérieure – après l'inévitable ratissage, toute trace tangible de carnage ayant été effacée – l'affectait, mais d'une manière différente. Une pièce pleine de sang lui faisait l'effet d'une gifle. Mais décapée et désinfectée, la même pièce était comme une main glacée posée sur son cœur, lui rappelant qu'au centre de l'univers se trouve un vide infini. Un néant à la température proche du zéro absolu.

Il se racla la gorge, comme s'il comptait sur ce bruit pour le ramener de ses pensées morbides à un état d'esprit plus réaliste. Il se rendit dans la minuscule cuisine, inspecta les tiroirs et les placards vides. Puis, passant dans la chambre, il alla à la fenêtre par où l'assassin s'était enfui. Il l'ouvrit, regarda dehors puis l'escalada. Le sol n'était que d'une trentaine de centimètres plus bas que le plancher à l'intérieur. Il scruta les mornes bosquets. L'atmosphère était humide, silencieuse, les parfums du parc faisant place ici à une senteur plus boisée. Il marcha droit devant lui à grandes enjambées, comptant les pas. À cent quarante, il aperçut un ruban jaune en haut d'un piquet en plastique planté dans le sol.

Il s'en approcha. À droite, une profonde ravine délimitait son chemin. Le pavillon derrière lui était masqué par le feuillage, de même que la route dont il savait, d'après les images satellites de Google, qu'elle passait à cinquante mètres de là. Il examina le sol, la zone de terre feuillue où la machette avait été à demi dissimulée, en se demandant pourquoi l'équipe cynophile n'avait pu suivre aucune trace. Que Flores ait changé de chaussures à cet endroit ou qu'il les ait recouvertes de plastique et qu'il ait continué à travers bois jusqu'à la route, ou une autre maison des alentours (celle de Kiki Muller ?), semblait peu probable. La question qui le tracassait auparavant n'avait toujours pas de réponse : à quoi bon laisser une moitié de piste, une piste menant à l'arme ? Et si le but était qu'on découvre cette arme, pourquoi l'enterrer en partie ? Et puis il y avait le petit mystère des bottes – les seuls objets personnels abandonnés derrière lui par Flores, ces bottes dont le chien avait repéré l'odeur. Comment s'inséraient-elles dans le scénario de l'évasion de Flores ?

Dans la mesure où les bottes avaient été trouvées dans le pavillon, fallait-il en conclure que la piste jusqu'à la machette n'était qu'une portion d'un voyage aller et retour ? Se pouvait-il que Flores ait marché jusque-là depuis le logement, qu'il se soit débarrassé de la machette puis qu'il soit reparti par où il était venu – en repassant par la fenêtre ? Ce qui éclaircirait l'énigme de la piste olfactive. Mais cela soulevait une difficulté encore plus grande : cela mettait Flores de retour dans le pavillon à l'heure de la découverte du corps, sans possibilité de s'éclipser à nouveau discrètement avant l'arrivée de la police. En outre, l'hypothèse de l'aller et retour ne répondait pas à cette autre question : pourquoi Flores aurait-il laissé une piste jusqu'à la machette ? À moins que l'idée ait été en gros de donner l'impression qu'il avait quitté les lieux alors que ce n'était pas le cas… qu'il s'était enfui à travers bois, dissimulant en hâte la machette sur son chemin alors qu'il se trouvait à nouveau dans le pavillon. Mais où dans le pavillon ? Où un homme pouvait-il se cacher dans un bâtiment aussi exigu – un bâtiment passé au peigne fin pendant six heures par une équipe d'experts qui ne négligeaient rien ?

Gurney rebroussa chemin à travers les bois, enjamba la fenêtre du pavillon et réexplora les trois pièces, à la recherche de points d'accès à des espaces situés au-dessus du plafond ou sous le plancher. La pente du toit était faible, vraisemblablement une structure en treillis ayant une étendue limitée vers le milieu, là où un homme pourrait s'asseoir ou s'accroupir. Du reste, comme pour la plupart des espaces inutilisables, il n'y avait aucun point d'accès. Le sol paraissait lui aussi homogène, sans passage permettant de descendre dans une cavité en dessous. Il alla d'une pièce à l'autre, vérifiant la position des murs de chaque côté pour s'assurer qu'il n'y avait pas de vides intérieurs camouflés.

L'idée que Flores soit revenu des bois avec ses chaussures et qu'il se soit tapi sans se faire repérer dans cette construction étriquée de sept mètres sur sept s'écroula aussi vite qu'elle avait été conçue. Gurney verrouilla la porte, remit la clé sous la pierre noire et regagna sa voiture. Il farfouilla dans son dossier et dénicha le numéro du téléphone portable d'Ashton.

La douce voix de baryton sur l'enregistrement, incarnation même de la sérénité dégageant le sentiment qu'il n'y avait pas de problèmes dans la vie d'un individu dont on ne puisse en fin de compte venir à bout, l'invita à laisser un message auquel on répondrait dès que possible. Après avoir décliné son identité, Gurney expliqua qu'il avait encore quelques questions à propos de Flores.

Il consulta sa montre. Il était dix heures trente et une. C'était peut-être un bon moment pour passer un coup de fil à Val Perry, lui faire part de ses premières impressions sur l'affaire et voir si elle voulait toujours qu'il s'en occupe. Il s'apprêtait à appeler quand le téléphone sonna soudain dans sa main.

— Gurney.

Une habitude difficile à perdre, après avoir répondu ainsi pendant si longtemps au NYPD.

— Ici Scott Ashton. J'ai eu votre message.

— Je me demandais… Preniez-vous Flores avec vous dans votre voiture de temps en temps ?

— À l'occasion. Quand il y avait des courses encombrantes à faire. Pépinières, bois d'œuvre, ce genre de choses. Pourquoi ?

— Avez-vous jamais remarqué s'il essayait d'éviter d'être vu par les voisins ? S'il se cachait le visage, ou quoi que ce soit de semblable ?

— Euh… je ne sais pas. C'est difficile à dire. Il avait tendance à voûter le dos. Mettait un chapeau au bord incliné sur le devant. Des lunettes de soleil. Je suppose que cela aurait pu être un moyen de se cacher. Ou pas. Comment savoir ? Je veux dire, il m'est arrivé d'employer d'autres ouvriers journaliers quand Hector était en congé, et peut-être se comportaient-ils de la même façon, je n'y attachais pas d'importance.

— Vous est-il arrivé de l'emmener à Mapleshade ?

— À Mapleshade ? Oui, à plusieurs reprises. Il s'était porté volontaire pour installer un petit parterre de fleurs derrière mon bureau. Et quand nous avions d'autres projets, il proposait également de donner un coup de main.

— Avait-il des contacts avec les élèves ?

— Où voulez-vous en venir ?

— Je n'en ai aucune idée, répondit Gurney.

— Il se peut qu'il ait parlé à quelques-unes des filles, ou qu'elles lui aient parlé. Je n'en ai pas été témoin, mais c'est possible.

— Quand était-ce ?

— Il a proposé d'aider aux travaux à Mapleshade peu après son arrivée ici. Donc il y a environ trois ans, à un mois près.

— Et cela a continué combien de temps ?

— Qu'il vienne à l'école ? Jusqu'à… la fin. Un détail significatif m'aurait-il échappé ?

Ignorant la question, Gurney en posa une autre de son cru.

— Trois ans. À cette époque, Jillian y était encore, n'est-ce pas ?

— Oui, mais… où voulez-vous en venir ?

— J'aimerais bien le savoir, docteur. Encore une question. Jillian vous a-t-elle jamais parlé de gens dont elle avait peur ?

Après un silence suffisamment long pour persuader Gurney que la communication avait été coupée, Ashton répondit :

— Jillian n'avait peur de personne. C'est peut-être ce qui l'a tuée.

Assis dans sa voiture, Gurney se mit à contempler, par-delà le treillis couvert de lierre, l'emplacement du banquet de mariage fatidique, essayant de trouver un sens au couple de jeunes mariés. Ils avaient beau posséder l'un et l'autre une intelligence exceptionnelle, à en croire Ashton, des QI similaires n'étaient pas un motif suffisant pour se marier. Gurney repensa à Val prétendant que sa fille avait un goût malsain pour les hommes malsains. Cela incluait-il Ashton, parangon de stabilité rationnelle à l'entendre ? Probablement pas. Ashton avait-il l'âme d'un tuteur au point d'être attiré par quelqu'un d'aussi manifestement perturbé que Jullian ? Ça n'en avait pas l'air. Certes, sa spécialité professionnelle allait dans ce sens, mais il n'y avait pas trace chez l'homme lui-même de cet instinct de protection parental hyperdéveloppé qui caractérise bien souvent les personnalités tutélaires. Ou Jillian était-elle une de ces jeunes filles matérialistes qui vendent leur corps juvénile au plus offrant – en l'occurrence, Ashton ? Rien ne le laissait supposer.

Alors, quel était le facteur mystérieux qui avait donné l'impression que ce mariage était une bonne idée ? Gurney décida que ce n'était pas en restant à se tourner les pouces dans la ravissante allée d'Ashton qu'il allait le savoir.

Il sortit en marche arrière, s'arrêtant juste le temps de trouver dans sa liste de contacts le numéro de Val Perry, puis descendit lentement la petite route ombragée.

Il fut agréablement surpris qu'elle réponde à la seconde sonnerie. Sa voix avait une intonation discrètement sexy, même quand elle se bornait à dire « Allô ? ».

— C'est Dave Gurney, madame Perry. J'aimerais vous informer de ce que je fais et de l'évolution de mon enquête.

— Je vous ai dit de m'appeler Val.

— Val. Pardon. Avez-vous quelques minutes ?

— Si vous progressez, je suis prête à vous accorder tout le temps que vous désirez.

— Je ne sais pas si je progresse, mais je voudrais vous donner mon opinion. Je ne pense pas que l'arrivée de Hector Flores à Tambury il y a trois ans soit le fruit du hasard, ni que ce qu'il a fait à votre fille ait été un geste improvisé. Je parierais qu'il ne s'appelle pas Flores et je doute qu'il soit mexicain. Quelle que soit son identité, à mon avis, il avait un but et un plan. Je présume que, s'il est venu ici, c'est en rapport avec quelque chose qui appartient au passé et qui implique votre fille ou Scott Ashton.

— Quel genre de chose ?

On aurait dit qu'elle s'efforçait de rester calme.

— C'est peut-être lié au fait que vous avez envoyé Jillian à Mapleshade. À votre connaissance, Jillian aurait-elle pu donner à quelqu'un envie de la tuer ?

— Vous voulez dire, est-ce qu'elle a bousillé la vie de jeunes enfants ? Est-ce qu'elle leur a flanqué des cauchemars et des angoisses qu'ils garderont jusqu'à la fin de leurs jours ? Est-ce qu'elle les a rendus craintifs, coupables et cinglés ? Peut-être suffisamment cinglés pour faire à quelqu'un d'autre ce qu'on leur a fait ? Ou pour se foutre en l'air ? Et quelqu'un aurait-il pu éprouver le désir de la voir rôtir en enfer ? C'est bien ça ?

Il garda le silence

Lorsqu'elle reprit la parole, elle avait l'air épuisée.

— Oui, elle a commis des actes qui auraient pu donner à quelqu'un envie de la tuer. Parfois, j'aurais été capable de la tuer moi-même. Naturellement, c'est… exactement ce que j'ai fini par faire, n'est-ce pas ?

Un lieu commun sur l'indulgence vis-à-vis de soi-même traversa l'esprit de Gurney. À la place, il dit :

— Si vous tenez à vous flageller, il vous faudra choisir un autre moment. Dans l'immédiat, je travaille sur une mission que vous m'avez confiée. Je vous ai appelée pour vous communiquer mon point de vue, et il est à l'opposé de la position officielle de la police.

Cette divergence pourrait créer des problèmes. J'ai besoin de savoir jusqu'où vous êtes prête à aller.

— Suivez la piste où qu'elle mène et quoi qu'il en coûte. Je veux aller au fond des choses. En finir avec ça. Est-ce clair ?

— Une dernière question. Elle vous paraîtra peut-être de mauvais goût, mais il faut néanmoins que je la pose. Est-il concevable que Jillian ait entretenu une liaison avec Flores ?

— S'il était viril, beau et dangereux, alors, c'est plus que concevable.

L'humeur de Gurney, de même que sa vision de l'affaire, changea plusieurs fois sur le trajet de retour.

L'idée que le meurtrier de Jillian soit lié au passé chaotique de celle-ci, un passé auquel Hector Flores était peut-être associé, fournissait à Gurney une base solide et une direction prometteuse vers laquelle orienter ses recherches. La disposition rituelle du cadavre – la tête coupée posée au milieu de la table face au reste du corps – constituait une sorte de manifeste tordu allant au-delà d'un simple homicide. Il lui vint même à l'idée que la scène de crime faisait ironiquement écho à la photo érotique au-dessus de la cheminée d'Ashton, les deux clichés de Jillian fondus en un seul : Jillian regardant avidement Jillian.

Mon Dieu. Était-ce un canular ? Était-il possible que l'arrangement du corps dans le pavillon soit une subtile parodie de la pose de Jillian Perry sur la publicité de mode ? Cette pensée lui donna la nausée, réaction peu fréquente chez un homme qui avait vu, au cours de sa carrière d'inspecteur de la Criminelle, à peu près tout ce qu'un être humain est capable de faire à un autre.

Il s'arrêta sur le bas-côté, devant un magasin de matériel agricole, feuilleta les papiers empilés sur le siège voisin et trouva le numéro de portable de Hardwick. En écoutant la sonnerie, il parcourut du regard le flanc de colline derrière les bureaux, parsemé de tracteurs petits et grands, de ramasseuses-presses, de débroussailleuses, de râteaux rotatifs. C'est alors qu'il entrevit un mouvement. Un chien ? Non, un coyote. Un coyote traversant la colline, se déplaçant en ligne droite, résolument – ou presque, se dit Gurney pensivement.

Hardwick répondit à la cinquième sonnerie, juste au moment où l'appel allait être transféré sur la messagerie vocale.

— Davey Boy ? Quoi de neuf ?

Gurney fit la grimace, sa réaction habituelle à la voix râpeuse et sardonique de Hardwick. Le ton lui rappelait celui de son père. Pas le bruit de papier de verre en lui-même, mais l'ironie mordante dont il était pétri.

— J'ai une question à te poser, Jack. Quand tu m'as embarqué dans cette histoire Perry, tu en pensais quoi ?

— Je ne t'ai embarqué dans aucune histoire. Je t'ai juste offert une opportunité.

— Bon, d'accord. Alors qu'est-ce que tu pensais de cette *opportunité* ?

— Je n'ai pas eu le loisir de creuser suffisamment pour me faire une opinion solide.

— De la foutaise.

— Tout ce que je pourrais dire ne serait que pure spéculation, aussi je préfère m'abstenir.

— Je n'aime pas beaucoup les petits jeux, Jack. Pourquoi as-tu voulu m'impliquer là-dedans ? Et pendant que tu cherches une manière de ne pas répondre à celle-là, en voici une autre : pourquoi Blatt est-il de mauvais poil ? Je suis tombé sur lui hier, et il s'est montré pour le moins déplaisant.

— Aucune importance.

— Quoi ?

— Aucune importance. Écoute, nous avons eu un petit remaniement. Je t'en ai déjà parlé : une prise de bec entre Rodriguez et moi concernant la direction de l'enquête. Je suis donc en dehors, et c'est Blatt qui est dessus. Un petit connard ambitieux, incompétent, tout comme le capitaine Rod. Je l'appelle Enfoiré Junior. C'est une chance unique pour lui, l'occasion de faire ses preuves, de montrer qu'il est capable de s'occuper d'une grosse affaire. Mais en son for intérieur, il sait qu'il n'est qu'une petite merde inutile. Voilà que tu te ramènes, la vedette de la grande ville, le génie qui a résolu l'affaire du meurtre Mellery, etc. Bien sûr qu'il te déteste. Tu t'attendais à quoi, bon Dieu ? Mais c'est sans importance. Qu'est-ce qu'il y peut de toute manière ? Continue à faire ce que tu fais, Sherlock, et que Blatt ne t'empêche pas de dormir.

— C'est pour ça que tu as fait appel à moi ? Pour donner une mauvaise image d'Enfoiré Junior ?

— Pour que justice soit rendue… en épluchant les pelures d'un oignon très intéressant.

— Tu penses que c'est de ça qu'il s'agit ?

— Pas toi ?

— Possible. Qu'est-ce que tu dirais si l'on découvrait que Flores est venu à Tambury dans le dessein de tuer quelqu'un ?

— Le contraire m'étonnerait.

— Alors, redis-moi pourquoi tu t'es fait éjecter de l'affaire.

— Je t'ai déjà… commença Hardwick avec une impatience exagérée, mais Gurney l'interrompit.

— Ouais, ouais, tu as été grossier avec le capitaine Rod. Pourquoi ai-je l'impression qu'il n'y avait pas que ça ?

— Parce que c'est l'impression que tu as pour tout. Tu ne fais confiance à personne. Tu n'es pas quelqu'un de confiant, Davey. Écoute, j'ai salement envie de pisser. On se reparle plus tard.

L'homme n'aimait rien tant que les sorties fanfaronnes, pensa Gurney. Il posa le téléphone et redémarra la voiture. Une mince couche de nuages continuait à flotter au-dessus de la vallée, mais le disque blanc du soleil luisait derrière elle, et les poteaux télégraphiques commençaient à projeter des ombres pâles sur la route déserte. La batterie de tracteurs bleus à vendre, encore humides de la pluie du matin, s'était mise à miroiter sur la pente verdoyante.

Durant la dernière partie du trajet, d'étranges bribes de l'affaire absorbèrent son esprit : la remarque de Madeleine selon laquelle la localisation de la machette n'avait aucun sens ; la décision d'un homme hyperrationnel d'épouser une femme souffrant de graves troubles mentaux ; le train de Carl tournant continuellement en rond sous l'arbre de Noël ; l'interprétation de la balle traversant la tasse de thé à partir de *La Liste de Schindler* ; l'atmosphère de dérèglement sexuel paraissant baigner chaque élément.

Lorsqu'il quitta la départementale pour suivre la route de terre qui, montant de la vallée, serpentait à travers les collines, ses pensées l'avaient épuisé. Un CD dépassait du lecteur encastré dans le tableau de bord. En quête d'une diversion, il l'enfonça. La voix qui s'éleva des haut-parleurs, accompagnée par les mornes accords d'une guitare acoustique, avait l'intonation pleurnicharde de Leonard Cohen dans sa période la plus sombre. L'interprète était un folkeux d'âge mûr, au regard triste, répondant au nom improbable de Peter Piper, que Madeleine et lui étaient allés voir dans une salle de concert locale à laquelle elle s'était abonnée pour la saison. Pendant l'entracte, elle avait acheté un des CD de Piper. De toutes les chansons qu'il contenait, Gurney trouvait celle-ci, intitulée « À la fin de mon temps », de loin la plus déprimante.

Il fut une époque
Où j'avais tout le temps
Du monde. Quel bon temps
J'ai eu, quand j'avais
Tout le temps du monde.

J'ai menti à toutes mes maîtresses,
Couru après toutes les autres,
Quitté tous mes amours,
Quand j'avais tout le temps
Du monde.

Pris ce que je voulais.
Jamais réfléchi à deux fois.
Vécu le meilleur moment de ma vie
Quand j'avais tout le temps
Du monde.

Il n'y a plus personne à qui mentir
Plus personne à quitter,
À ce moment de ma vie,
À la fin de mon temps
En ce monde.

J'ai menti à toutes mes maîtresses,
Couru après toutes les autres,
Quitté tous mes amours,
Quand j'avais tout le temps
Du monde.

Quand j'avais tout le temps
Du monde.

Tandis que Piper susurrait le larmoyant refrain final, Gurney passait entre la grange et l'étang, avec la vieille ferme juste en vue au-delà du carré de verges d'or en haut du pâturage. Comme il pressait le bouton « Arrêt » du lecteur, regrettant de ne pas l'avoir fait plus tôt, son portable se mit tout à coup à sonner.

L'identificateur de l'appelant affichait : GALERIE REYNOLDS.

Nom d'une pipe ! Qu'est-ce qu'elle pouvait bien vouloir ?

— Gurney à l'appareil, dit-il sur un ton tout professionnel auquel se mêlait une pointe de soupçon.

— Dave ! C'est Sonya Reynolds. (Comme de coutume, sa voix dégageait un taux de magnétisme animal qui lui aurait valu de se faire lapider à mort dans certains pays.) J'ai une nouvelle fabuleuse pour vous, roucoula-t-elle. Et je ne veux pas dire un tout petit peu fabuleuse. Je veux dire fabuleuse au point de changer votre vie pour toujours. Il faut qu'on se voie dès que possible.

— Bonjour, Sonya.

— *Bonjour ?* Je vous appelle pour vous offrir le plus beau cadeau qu'on vous ait jamais fait, et c'est tout ce que vous trouvez à dire ?

— Ça fait plaisir de vous entendre. De quoi s'agit-il ?

Elle répondit par un rire chaudement musical, un son à la sensualité non moins troublante que tout ce qui émanait d'elle.

— Ah, je reconnais bien là mon cher Dave ! L'inspecteur au regard bleu perçant. Se méfiant de tout. Comme si j'étais… comment dites-vous, un « susp », si j'en crois la télé ? Comme si j'étais un *susp*… c'est bien ainsi que vous appelez les suspects, n'est-ce pas ? Comme si j'étais un *susp* vous débitant une histoire louche.

Elle avait un léger accent qui lui rappela ces mondes parallèles qu'il avait découverts dans les films italiens et français de ses années de fac.

— Laissons le « louche » de côté. Jusqu'ici, vous ne m'avez encore rien dit.

À nouveau ce rire, évoquant les yeux d'un vert lumineux.

— Et je ne le ferai pas avant que nous nous voyons. Demain. Il faut absolument que ce soit demain. Mais vous n'avez pas besoin de venir jusqu'à Ithaca. C'est moi qui irai jusqu'à vous. Petit déjeuner, déjeuner, dîner – le moment de la journée qui vous convient. Dites-moi seulement à quelle heure, et nous fixerons le lieu. Je vous garantis que vous ne le regretterez pas.

CHAPITRE 25

Salomé entre en dansant

Il n'avait toujours pas de nom définitif pour l'expérience. « Rêve » ne rendait pas compte de son intensité. Certes, la première fois que c'était arrivé, il était dans un processus de sommeil, ses sens coupés des exigences mesquines d'un monde écœurant, son esprit libre de voir ce qui s'offrait à lui, mais là s'arrêtait la ressemblance avec l'action de rêver telle qu'on l'entend habituellement.

« Vision » était un meilleur terme, plus vaste ; mais incapable lui aussi d'exprimer ne serait-ce qu'une fraction du choc produit.

« Guide de lumière » restituait une certaine facette, une facette importante, mais le rapprochement avec un certain feuilleton en faussait complètement le sens.

Une méditation guidée, alors ? Non. C'était trop banal et peu attrayant – tout le contraire de l'expérience elle-même.

Une fable vivante ?

Oui. On approchait. C'était, après tout, l'histoire de son salut, le nouveau modèle de son but dans la vie. L'allégorie suprême de sa croisade.

Sa source d'inspiration.

Tout ce qu'il avait à faire, c'était d'éteindre les lumières, fermer les yeux, s'immerger dans le potentiel infini des ténèbres.

Et faire venir la danseuse.

Dans l'empire de l'expérience, de la fable vivante, il savait qui il était – tellement plus clairement que lorsque ses yeux et son cœur étaient distraits par la pourriture étincelante et les femelles visqueuses de ce bas monde, par le vacarme, la séduction et la crasse.

Dans l'empire de l'expérience, dans sa clarté et sa pureté absolues, il savait exactement qui il était. Même s'il était à présent, en théorie, un fuyard, ce fait – de même que son nom sur cette terre, le nom sous lequel le connaissaient les gens ordinaires – était secondaire par rapport à son identité réelle.

Sa véritable identité était Jean-Baptiste.

Rien que d'y penser lui donnait la chair de poule.

Il était Jean-Baptiste.

Et la danseuse Salomé.

Depuis la première fois où il avait fait l'expérience, l'histoire avait été entièrement la sienne, la sienne pour vivre et la sienne pour changer. Elle n'avait pas à finir de la façon stupide dont elle finissait dans la Bible. Loin de là. C'est ce qui en faisait la beauté. Et ce qui la rendait palpitante.

DEUXIÈME PARTIE

Le bourreau de Salomé

CHAPITRE 26

La vraisemblance de l'incongruité

— Après avoir refroidi ce crétin, je m'aperçois qu'il ne porte qu'une chaussure. Je me dis, c'est quoi cette connerie ? Je regarde de plus près et je constate qu'il n'y a pas de chaussette au pied qui a la chaussure. Et que, sous la chaussure en question, figure un petit « M » penché, le logo de Marconi, soit une godasse valant à peu près dans les deux mille dollars. L'autre pied qui n'a pas de chaussure, celui-là a une chaussette. En cachemire. Je me dis, qu'est-ce que c'est que ce bazar ? Quel abruti mettrait une chaussette en cachemire et une chaussure à deux mille dollars… à un pied différent ? Eh bien, je vais vous le dire, qui : un ivrogne ayant du fric. Un fichu poivrot bourré de pognon.

C'est ainsi que Gurney inaugura sa présentation ce matin-là. Une approche visant à aller à l'essentiel. Et cela marcha. Il avait l'attention de chaque paire d'yeux dans la salle de conférences de l'école de police aux lugubres murs en béton.

— L'autre jour, nous avons parlé de l'Illusion Eurêka – la tendance qu'ont les gens à se fier à ce qu'ils ont *découvert* sur quelqu'un plutôt qu'à ce que d'autres leur ont *dit*. Nous sommes configurés de telle sorte que nous croyons que la vérité cachée est la vérité vraie. Sous couverture, vous pouvez mettre cette tendance à profit en permettant à votre cible de « découvrir » sur vous ce que vous voulez absolument qu'il croie. Ce n'est pas une technique facile, mais elle est très efficace. Aujourd'hui, nous allons examiner un autre facteur de crédibilité, une autre manière de donner un air authentique aux bobards derrière lesquels vous vous camouflez : l'imbrication de détails singuliers, incongrus, frappants.

Chacun dans la salle semblait occuper les mêmes places que deux jours plus tôt, à l'exception de la séduisante policière hispanique avec du brillant à lèvres qui était passée au premier rang, supplantant le dyspeptique inspecteur Falcone, lequel se trouvait à présent au second rang – un changement des plus agréable du point de vue de Gurney.

— L'histoire que j'ai commencé à vous raconter sur le flingage du type avec le logo de Maroni sur la semelle de sa chaussure est en fait une anecdote dont je me suis servi dans une opération d'infiltration. Les petits détails étranges sont tous là pour des raisons précises. Quelqu'un peut-il me dire lesquelles ?

Une main se leva au milieu de la salle.

— Pour vous donner l'air froid et dur.

D'autres avis fusèrent sans que des mains se lèvent.

— Pour faire croire que vous avez un petit problème avec les alcoolos.

— Que vous êtes un peu déjanté.

— Comme Joe Pesci dans *Les Affranchis*.

— À titre de diversion, suggéra une créature maigre et fade dans la rangée du fond.

— Continuez, dit Gurney.

— Pour obliger quelqu'un à fixer son attention sur un tas de trucs bizarroïdes, à se demander pourquoi le type que vous avez descendu n'avait qu'une seule chaussure, afin qu'il ne s'attarde pas sur la question principale, à savoir si vous l'avez vraiment descendu ou pas.

— Lui monter le ciboulot.

— C'est en effet l'idée, dit Gurney. Bon, il y a encore une chose…

La jolie policière aux lèvres luisantes intervint.

— Le petit « M » sur la semelle de la chaussure ?

Gurney ne put retenir un grand sourire.

— Exact. Le petit « M ». De quoi s'agit-il au juste ?

— Cela rend le meurtre plus crédible ?

Falcone, derrière elle, leva les yeux au ciel. Gurney éprouva soudain l'envie de le virer de la salle, mais il doutait fort d'avoir l'autorité suffisante et il ne tenait pas à se livrer à un combat sans issue. Il se concentra sur son élève vedette, une tâche beaucoup plus facile.

— Comment y parvient-il ?

— Par la manière dont on se le représente mentalement. La victime est allongée sur le sol, tuée d'une balle. C'est ainsi que la semelle de sa chaussure serait visible. Ce qui fait que, quand je me l'imagine, que je m'interroge sur ce petit logo, je suis déjà en train de croire que le type a été abattu. Vous voyez ce que je veux dire ? Une fois que je me figure ses pieds dans cette position, j'ai déjà dépassé la question de savoir si vous l'avez tué ou non. C'est un peu comme l'autre petit détail que vous avez rajouté – que la chaussette à l'autre pied était en cachemire. Le seul moyen de savoir si quelque chose est en cachemire, c'est de le toucher. De sorte que je me représente le tueur, intrigué par la chaussette, tâtant le pied du macchabée. À faire froid dans le dos. Type effrayant. Histoire plausible.

Le restaurant où Gurney avait accepté de retrouver Sonya Reynolds se trouvait dans un hameau aux abords de Bainbridge, à mi-chemin entre l'école de police d'Albany et la galerie d'Ithaca. Ayant terminé sa conférence à onze heures, il parvint au Canard Galopant – son choix à elle – à une heure moins le quart.

Il y avait un curieux fossé entre le nom poético-champêtre de l'endroit, avec sa silhouette de canard géant se découpant de guingois sur la pelouse de devant, et le décor quelconque, presque rudimentaire, de l'intérieur – un peu comme un malentendu dans un mauvais mariage.

Il arriva le premier, et on le conduisit à une table pour deux près d'une fenêtre donnant sur un étang, habitat possible du volatile éponyme s'il avait jamais existé. La serveuse, une adolescente gaie et potelée avec des cheveux roses en épis et un mélange indescriptible de vêtements fluo, apporta deux menus et deux verres d'eau glacée.

Gurney compta un total de neuf tables dans la petite salle à manger, dont deux seulement étaient occupées – en silence toutes les deux –, l'une par un jeune couple, les yeux rivés sur leur BlackBerry, l'autre par un homme et une femme d'âge mûr, issus de l'ère pré-électronique et plongés stoïquement dans leurs propres pensées.

Le regard de Gurney glissa vers l'étang. Il se mit à songer à Sonya tout en buvant son eau à petites gorgées. En revoyant leur relation – pas une

« relation » dans le sens sentimental du terme, juste un partenariat d'affaires avec une bonne dose de désir refoulé de sa part –, il avait l'impression d'un de ces curieux intermèdes dans sa vie. Aiguillonné par un cours d'histoire de l'art donné par Sonya, auquel Madeleine et lui avaient assisté peu après leur installation, il avait commencé à réaliser des portraits artistiques à partir de photos d'identité judiciaire de meurtriers – éclairant leur personnalité violente par de subtiles manipulations des austères clichés officiels pris au moment de leur arrestation. Le grand enthousiasme de Sonya pour le projet et la vente de huit des portraits (à deux mille dollars pièce grâce à sa galerie d'Ithaca) avaient maintenu Gurney sur la brèche pendant plusieurs mois, en dépit du malaise de Madeleine par rapport à la morbidité du sujet et à son empressement à faire plaisir à Sonya. La tension du conflit lui revint à cet instant, de même que le souvenir désagréable du quasi-désastre qui y avait mis fin.

En plus d'avoir bien failli lui coûter la vie, l'affaire de l'assassinat de Mellery l'avait placé devant ses échecs profonds comme époux et comme père. Après cette piètre expérience, il s'était dit que l'amour est la seule chose qui compte sur terre. Voyant que sa tentative en matière d'art photographique et ses contacts avec Sonya semaient le trouble dans sa relation avec la seule personne qu'il aimait vraiment, il s'en était détourné et s'était consacré à Madeleine.

Aujourd'hui, presque un an après, sa prise de conscience n'était plus aussi nette. Il pensait toujours que l'amour, en un sens, est la seule chose importante, mais il ne considérait plus cet amour comme la seule lumière dans l'univers. Que l'amour ne soit plus primordial, il ne le vivait pas comme une perte. Plutôt comme une vision plus réaliste de l'existence que comme une régression. Après tout, on ne pouvait pas fonctionner éternellement dans la tempête émotionnelle créée par l'affaire Mellery, au risque d'oublier de tondre la pelouse et d'acheter à manger – ou même de gagner l'argent nécessaire pour acheter de la nourriture et des tondeuses à gazon. N'était-il pas dans la nature des choses que toute expérience intense soit suivie d'une période de calme permettant à la vie de reprendre son cours habituel ? Gurney n'était pas trop inquiet à l'idée de considérer que « l'amour est tout ce qui compte » comme un titre d'une chanson de musique country.

Ce qui ne voulait pas dire qu'il avait complètement baissé la garde. Il y avait chez Sonya Reynolds un magnétisme que seul un triple idiot aurait jugé inoffensif. Et lorsque la fille aux cheveux roses introduisit dans la salle à manger l'élégante galeriste aux formes galbées, ce magnétisme se répandit comme le bourdonnement d'une centrale électrique.

— David, mon cher, vous êtes… absolument identique à vous-même ! lança-t-elle, glissant vers lui comme au son d'une musique et lui offrant sa joue à embrasser. Mais naturellement ! À quoi d'autre pourriez-vous ressembler ? Vous êtes un tel roc. D'une telle *stabilité* !

Elle prononça ce dernier mot en lui conférant un charme exotique comme s'il s'agissait d'un vocable étranger exprimant à merveille quelque chose que la langue anglaise était incapable de rendre.

Elle portait un jean ultramoulant de créateur et un tee-shirt à l'aspect soyeux sous une veste en lin déstructurée avec tant de désinvolture qu'elle ne pouvait pas avoir coûté moins de mille dollars. Il n'y avait ni bijoux ni maquillage pour détourner l'attention de son teint au bronzage parfait.

— Qu'est-ce que vous regardez ? demanda-t-elle d'une voix espiègle, les yeux étincelants.

— Vous. Vous avez l'air… superbe.

— Je devrais être furieuse contre vous, vous savez ça ?

— Parce que j'ai cessé de produire des portraits ?

— Bien sûr ! Des portraits magnifiques. Des portraits que j'adorais. Des portraits dont raffolaient mes clients. Des portraits que je pouvais vendre. Des portraits que j'ai vendus. Et un jour, vous me téléphonez pour me dire que vous ne pouvez pas continuer. Pour des raisons personnelles. Vous ne pouvez plus faire de portraits, et vous ne pouvez pas en parler. Vous ne pensez pas que j'ai des raisons d'être furieuse contre vous ?

Elle n'avait pas du tout l'air furieuse, si bien qu'il ne répondit pas, se bornant à l'observer, étonné par l'énergie qu'elle arrivait à injecter dans chaque mot. C'était la première chose qui l'avait frappé dans son cours d'histoire de l'art. Ça, et ses grands yeux verts.

— Mais je vous pardonne. Parce que vous allez vous y remettre, croyez-moi, quand je vous aurai expliqué de quoi il s'agit. Inutile de secouer la tête.

Elle s'interrompit, parcourut pour la première fois du regard la petite salle à manger.

— J'ai soif. Buvons un verre.

Lorsque la fille aux cheveux roses réapparut, Sonya commanda une vodka pamplemousse. Gurney prit la même chose, à contrecœur.

— Eh bien, monsieur le policier à la retraite, fit-elle une fois leurs boissons entamées, avant que je vous dise de quelle manière votre vie va changer, racontez-moi comment elle est en ce moment.

— Ma vie ?

— Vous en avez bien une, non ?

Il avait l'impression troublante qu'elle savait déjà tout de son existence, avec ses réserves, ses doutes et ses conflits. Sauf que c'était impossible. Même à l'époque où il entretenait des contacts avec la galerie de Sonya, jamais il n'en avait parlé.

— Tout va bien.

— Vous n'en donnez pas l'impression, à entendre ce genre de réponse.

— Vraiment ?

Elle avala une nouvelle gorgée.

— Vous ne voulez pas me dire la vérité ?

— Et quelle est cette vérité, d'après vous ?

Elle inclina la tête sur le côté, étudia son visage, haussa les épaules.

— Ce ne sont pas mes oignons, c'est ça ?

Elle regarda vers l'étang.

Il vida la moitié de son verre en deux gorgées.

— Je suppose que c'est comme dans la vie de tout le monde : il y a du bon et du mauvais.

— Le mélange n'a pas l'air particulièrement réjouissant.

Il rit, d'un rire sans gaieté, et ils restèrent tous les deux silencieux un moment. Il fut le premier à reprendre la parole.

— Je me suis rendu compte que je n'étais pas un amoureux de la nature aussi ardent que je l'avais espéré.

— Mais votre femme, oui ?

Il acquiesça.

— Ce n'est pas que je ne trouve pas la région magnifique, les montagnes et le reste, mais…

Elle lui lança un regard pénétrant.

— Mais cela fait que vous vous empêtrez dans les doubles négations dès que vous essayez de l'expliquer ?

— Comment ? Oh, je vois ce que vous voulez dire. Mes problèmes sont si manifestes ?

— Un mécontentement manifeste, non ? Qu'y a-t-il ? Ce mot ne vous plaît pas ?

— Mécontentement ? C'est plutôt que… ce à quoi je suis bon, la manière dont fonctionne mon cerveau ne sont pas d'une grande utilité par ici. Je veux dire, analyser les situations, démêler les éléments d'un problème, examiner les contradictions, résoudre les casse-têtes. Rien de tout ça…

Sa voix s'éteignit.

— Et, bien entendu, votre femme pense que vous devriez aimer les pâquerettes, pas les analyser. Que vous devriez dire : « Comme c'est beau ! » et non : « Qu'est-ce qu'elles font là ? » Je me trompe ?

— C'est une façon de voir les choses.

— Bon, fit-elle, changeant de sujet avec un soudain enthousiasme. Il y a un homme qui désire vous rencontrer. Le plus rapidement possible.

— Pourquoi ?

— Il veut vous rendre riche et célèbre.

Gurney fit la grimace.

— Je sais, je sais, devenir riche ne vous intéresse pas, et célèbre pas du tout. Je suis sûre que vous avez d'excellentes objections sur le plan théorique. Mais si je vous disais quelque chose d'extrêmement concret.

Elle jeta un coup d'œil circulaire dans la salle à manger. Le couple d'un certain âge se levait lentement de table, comme si cette entreprise exigeait la plus grande prudence. Le couple BlackBerry semblait toujours aussi absorbé, tapant à toute vitesse avec le bord du pouce. L'idée bouffonne qu'ils s'envoyaient peut-être des messages d'un bout à l'autre de la table traversa l'esprit de Gurney. Sonya baissa la voix en un murmure théâtral.

— Si je vous disais qu'il souhaite acheter un de vos portraits cent mille dollars. Qu'est-ce que vous répondriez ?

— Je répondrais qu'il est fou.

— Vous le pensez ?

— Bien sûr.

— L'année dernière, à une vente aux enchères à New York, la chaise du bureau d'Yves Saint Laurent s'est vendue pour vingt-huit millions de dollars. C'est sans doute un peu fou. Mais cent mille dollars pour un de vos étonnants portraits de tueurs en série ? Ce n'est pas insensé. Fantastique, oui. Fou, non. En fait, d'après ce que je sais de cet homme et de la manière dont il opère, le prix de vos portraits va tout bonnement s'envoler.

— Vous le connaissez ?

— Je ne l'avais encore jamais rencontré. Mais j'avais entendu parler de lui. C'est un solitaire, un excentrique qui fait une apparition de temps à autre, secoue le monde de l'art par tel ou tel achat, puis disparaît à nouveau. Un nom à consonance hollandaise, mais personne ne sait où il vit. Suisse ? Amérique du Sud ?

Il semble aimer le mystère. Très secret, mais riche comme Crésus. Quand Jykynstyl s'intéresse à un artiste, l'impact financier est énorme. *Énorme.*

La gentille petite Miss Cheveux Roses, qui avait ajouté une écharpe chartreuse à son ensemble éclectique, débarrassait les assiettes à dessert et les tasses de café de la table qui venait d'être libérée. Sonya attira son attention.

— Pourrais-je avoir une autre vodka pamplemousse, mon chou ? Et pour mon ami aussi, je pense ?

CHAPITRE 27

Matière à réflexion

Gurney ne savait pas comment réagir. En rentrant chez lui cet après-midi-là, il avait un mal de chien à se concentrer sur quoi que ce soit.

Le « milieu de l'art » était un monde dont il ignorait tout, sinon qu'il était probablement peuplé de gens aussi différents d'un policier qu'un perroquet d'un rottweiler. Sa brève incursion un an plus tôt avec ses portraits lui avait permis de faire partie du spectacle d'une galerie de ville universitaire – pas vraiment le terrain de jeu de collectionneurs milliardaires excentriques. Pas le genre d'endroit où la chaise d'un styliste se vendrait vingt-huit millions de dollars. Ni où une mystérieuse célébrité au nom invraisemblable de Jay Jykynstyl proposerait d'acheter la photo d'un tueur en série bricolée par ordinateur pour cent mille dollars.

En plus – de ce marché passablement miraculeux qu'elle lui avait mis en main –, la voluptueuse Sonya elle-même n'avait jamais semblé aussi disponible. Elle avait même laissé entendre qu'elle pourrait louer une chambre à l'auberge du Canard Galopant, si elle avait trop bu à la fin du repas pour conduire. Dédaigner cette invite évidente avait exigé un degré d'intégrité qu'il n'était pas certain au premier abord de posséder. Mais « intégrité » était peut-être un grand mot. La vérité, c'est qu'il n'avait jamais menti à Madeleine et que l'idée de commencer le mettait mal à l'aise.

Puis il se demanda s'il avait sincèrement tiré un trait sur les avances de Sonya ou s'il avait remis cette décision à plus tard. Il avait quand même accepté de rencontrer le riche et bizarre M. Jykynstyl lors d'un dîner, le samedi suivant à Manhattan, pour connaître le détail de son offre, avec Sonya jouant le rôle d'intermédiaire dans la perspective d'une vente éventuelle. Ce n'était donc pas comme s'il l'avait rayée de sa vie. Au contraire.

Tout cela tourbillonnait dans sa tête de façon déplaisante. Il s'efforça de recentrer son esprit sur l'affaire Perry, tout en reconnaissant l'ironie qu'il y avait à vouloir se calmer en faisant le tri de cette monstrueuse boîte de Pandore.

Son cerveau en ébullition finit par atteindre presque le stade de l'implosion, avec pour résultat qu'il faillit se tuer en s'assoupissant au volant et ne fut sauvé que par une série de nids-de-poule sur le bas-côté de la route qui lui firent reprendre pleinement conscience. Quelques kilomètres plus loin, il s'arrêta à une station d'essence, acheta un gobelet de café trouble, dont il essaya d'adoucir l'amertume par une surabondance de lait et de sucre. Le goût lui arracha néanmoins une grimace.

De retour dans sa voiture, il sortit une liste de noms et de numéros de téléphone qu'il avait établie à partir du dossier et se mit à passer des coups de fil, d'abord à Scott Ashton, puis à Withrow Perry pour lui demander un rendez-vous, tombant dans les deux cas sur la boîte vocale. Dans son message à Ashton, il lui demandait de le rappeler pour discuter d'une nouvelle piste. Celui à Perry sollicitait un rendez-vous à la convenance du neurochirurgien, il l'avait conclu par : « Faites-moi penser à vous questionner sur votre fusil Weatherby. »

Il avait à peine coupé la communication que le téléphone sonna. C'était l'autre Perry.

— Dave, je voudrais que vous alliez à une réunion.

— Quelle réunion ?

Elle expliqua qu'elle avait appelé Sheridan Kline, le procureur du comté, et qu'elle lui avait rapporté tout ce que lui avait dit Gurney.

— Comme quoi, par exemple ?

— Comme le fait que la chose remonte à bien plus loin que le pensent les flics, qu'elle a des *racines*, qu'il pourrait s'agir d'une sorte de vengeance tordue, que Hector Flores n'est aucunement Hector Flores, et que s'ils cherchent un Mexicain clandestin – ce qui est le cas –, jamais ils ne mettront la main dessus. J'ai ajouté qu'ils faisaient perdre du temps à tout le monde et que ce n'était qu'une bande de foutus crétins.

— C'est le terme que vous avez employé… *foutus crétins* ?

— En quatre mois, ils n'ont pas découvert la moitié de ce que vous avez compris en deux jours. Alors, oui, je les ai traités de foutus crétins. Ce qu'ils sont.

— Vous vous y entendez pour jeter une pierre dans un nid de frelons.

— S'il faut ça, alors soit.

— Qu'a répondu Kline ?

— Kline ? Kline est un politicien. Mon mari – ou plus exactement l'argent de mon mari – exerce une certaine influence dans la politique de l'État de New

York. En vertu de quoi, le procureur Kline a exprimé son intérêt pour toute nouvelle approche de l'affaire. De plus, il semble assez bien vous connaître, m'a demandé ce que vous veniez faire là-dedans. Je lui ai dit que vous étiez *consultant*. Un mot stupide, mais ça lui a suffi.

— Vous avez parlé d'une réunion.

— Son bureau demain à quinze heures. Vous, lui et quelqu'un de la police de l'État. Il n'a pas dit qui. Vous y serez, n'est-ce pas ?

— J'y serai.

Il descendit de voiture pour jeter son gobelet dans une poubelle près des pompes à essence. Un vieux tracteur Farmall orange passa avec des halètements, tirant une remorque débordant de fourrage. Une odeur de foin, de fumier et de gazole se mit à flotter dans l'air. Lorsqu'il regagna sa voiture, le téléphone sonna à nouveau.

C'était Ashton.

— Quelle nouvelle piste, Gurney ? demanda-t-il.

— J'aurais besoin que vous me fournissiez des noms : les camarades de classe de Jillian, à l'époque de son arrivée à Mapleshade ; et aussi ses conseillers, thérapeutes, tous ceux qui avaient régulièrement affaire à elle. Il serait également utile de disposer d'une liste d'ennemis possibles : toute personne qui aurait pu vouloir vous nuire, à Jillian ou à vous.

— J'ai bien peur que vous ne vous engagiez dans une impasse. C'est impossible.

— Même pas une liste de camarades de classe ? Les noms des membres de l'équipe auxquels elle aurait pu parler ?

— Peut-être n'avez-vous pas très bien compris la politique d'absolue confidentialité de Mapleshade. Nous ne tenons que les registres scolaires minimaux requis par l'État, et nous ne les conservons pas un jour de plus que le stipulent les règlements. Nous ne sommes pas légalement autorisés à garder les noms et adresses des anciens membres du personnel, et nous ne le faisons donc pas. Nous ne conservons aucune fiche de « diagnostic » ou de « traitement », dans la mesure où nous ne fournissons officiellement ni l'un ni l'autre. Nous avons pour principe de ne rien divulguer à personne, et nous préférerions laisser l'État fermer Mapleshade plutôt que d'y déroger. Nos élèves et leurs familles nous font une confiance dont jouissent bien peu d'autres établissements, et cette confiance unique est pour nous inviolable.

— Un discours éloquent, dit Gurney.

— Que j'ai déjà fait auparavant, admit Ashton, et que je referai sans doute.

— De sorte que, même si une liste des élèves ou des membres du personnel auxquels Jillian était susceptible de se confier pouvait nous aider à arrêter l'assassin, cela ne changerait rien pour vous ?

— On peut le dire ainsi.

— Et si nous donner ces listes pouvait sauver votre propre vie. Est-ce que cela ferait une différence ?

— Aucune.

— L'incident de la tasse de thé ne vous dérange pas ?

— Pas autant que de porter un coup fatal à Mapleshade. Si cela répond à toutes vos questions ?...

— Et des ennemis hors de l'école ?

— Pour Jillian, j'imagine qu'il devait y en avoir quelques-uns, mais je n'ai pas de noms.

— Et pour vous ?

— Universitaires concurrents, professionnels envieux, patients à l'ego meurtri, imbéciles difficilement supportables… quelques dizaines en tout.

— Et des noms que vous accepteriez de partager ?

— Je crains que non. À présent, je dois penser à ma prochaine réunion.

— Vous avez beaucoup de réunions.

— Au revoir, inspecteur.

Ce n'est qu'au moment où il traversait Dillweed et se rangeait devant Abelard en se disant qu'une bonne tasse de café ferait peut-être passer le goût infect du précédent que le téléphone sonna.

Le nom de l'appelant le fit sourire.

— Inspecteur Gurney, ici Agatha Smart, l'assistance du Dr Perry. Vous souhaitez avoir un rendez-vous, ainsi que des informations sur le fusil de chasse du Dr Perry. Est-ce exact ?

— Oui. Je me demandais quand il me serait possible…

Elle l'interrompit.

— Vous pouvez soumettre vos questions par écrit. Le docteur décidera si un rendez-vous s'impose.

— Je ne suis pas sûr de l'avoir indiqué clairement dans le message que j'ai laissé, mais c'est lié à l'enquête sur le meurtre de sa belle-fille.

— Nous l'avons bien compris, inspecteur. Comme je l'ai dit, vous pouvez soumettre vos questions par écrit. Désirez-vous l'adresse ?

— Ce ne sera pas nécessaire, répondit Gurney en s'efforçant de réprimer son irritation. Tout se résume, en fin de compte, à une question très simple. Peut-il dire avec certitude où se trouvait son fusil l'après-midi du 17 mai ?

— Je vous le répète, inspecteur…

— Contentez-vous de lui transmettre la question, madame Smart. Merci.

CHAPITRE 28

Une perspective différente

Il faillit ne pas la voir.

Alors qu'il approchait de l'endroit où la petite route de terre et de gravier arrivait à sa propriété avant de se fondre dans le sentier herbeux montant à travers le pré jusqu'à la maison, une buse à queue rousse s'envola soudain de la cime d'un grand mélèze à sa gauche, survolant le chemin puis l'étang. Comme il regardait l'oiseau s'élever au-dessus des bois et disparaître au loin, il aperçut Madeleine assise sur un banc usé par les intempéries au bord de l'étang, à moitié cachée par une touffe de quenouilles. Il arrêta la voiture près de la vieille grange rouge, descendit et lui fit signe.

Elle répondit par ce qui semblait être un petit sourire. Il ne pouvait pas en être certain à cette distance. Il avait envie de lui parler, ressentait le besoin de lui parler. Alors qu'il suivait le sentier courbe longeant la lisière herbeuse de l'étang jusqu'au banc, il sentit le calme de l'endroit l'envahir.

— Je peux m'asseoir un moment à côté de toi ?

Elle fit un léger signe de tête, comme si un geste plus ample risquait de troubler la quiétude.

Il s'assit, se mit à contempler la surface immobile de l'étang, observant le reflet inversé des érables à sucre sur la rive opposée, une partie des feuilles virant à une version discrète de leurs couleurs automnales. Puis il la regarda et fut assailli par l'idée étrange que la tranquillité qu'il y avait chez elle à cet instant n'était pas le fruit du décor, mais que, par une sorte de retournement fantastique, c'était le décor qui puisait cette qualité même dans un réservoir en elle. Une pensée qu'il avait déjà eue auparavant, mais son esprit, qui méprisait le sentimentalisme, avait toujours fini par l'écarter.

— J'ai besoin de ton aide, s'entendit-il déclarer, pour régler certaines choses.

Comme elle ne répondait pas, il poursuivit :

— J'ai eu une journée déroutante. Plus que déroutante.

Elle le gratifia d'un de ces regards qui ou bien en disaient long – dans le cas précis, qu'une journée déroutante était le résultat auquel il fallait s'attendre à vouloir se mêler de l'affaire Perry –, ou bien lui présentaient simplement une page blanche sur laquelle son esprit inquiet pourrait écrire ce même message.

Quoi qu'il en soit, il continua à parler.

— Je ne crois pas m'être jamais senti aussi surmené. Tu as trouvé le mot que je t'ai laissé ce matin ?

— À propos de ton rendez-vous avec ton amie d'Ithaca ?

— Ce n'est pas vraiment ce que j'appellerais une amie.

— Ta conseillère ?

Il résista à la tentation de se lancer dans un débat terminologique, de protester de son innocence.

— La Galerie Reynolds a été contactée par un riche collectionneur d'art, qui s'intéresse aux portraits que j'ai faits l'année dernière.

Madeleine haussa un sourcil moqueur devant ce remplacement du nom de la personne par celui de l'entreprise.

Il continua, lâchant calmement sa bombe.

— Il m'offrirait cent mille dollars pièce pour des tirages uniques.

— C'est ridicule.

— Sonya affirme que le type est sérieux.

— De quel hôpital psychiatrique s'est-il échappé ?

Il y eut un plouf sonore de l'autre côté de la touffe de quenouilles. Elle sourit.

— Un sacré spécimen.

— Tu parles de la grenouille ?

— Désolée.

Gurney ferma les yeux, plus contrarié par le désintérêt apparent de Madeleine pour son aubaine qu'il voulait l'admettre.

— D'après ce que je sais du monde de l'art, c'est un immense hôpital psychiatrique, mais certains des patients ont énormément d'argent. Apparemment, ce type en fait partie.

— Qu'est-ce qu'il désire pour ses cent mille dollars ?

— Un exemplaire qu'il serait le seul à posséder. Je n'aurais qu'à prendre les tirages que j'ai effectués l'année dernière, les améliorer un peu, introduire une variante dans chacun, de façon à ce qu'ils diffèrent de ceux que la galerie a vendus.

— Il est sincère ?

— C'est ce qu'on me dit. On me dit aussi qu'il pourrait en acheter plusieurs. Sonya évoque la possibilité d'une vente à sept chiffres.

Il se tourna pour voir la réaction de Madeleine.

— Une vente à sept chiffres ? Tu veux dire un montant de plus d'un million de dollars ?

— Ouais.

— Ma foi, c'est… une somme.

Il la dévisagea.

— Est-ce que tu t'évertues à montrer le moins de réaction possible ?

— Quelle réaction devrais-je avoir ?

— Un peu plus de curiosité ? D'enthousiasme ? Réfléchir à ce que nous pourrions faire avec une somme pareille ?

Elle fronça les sourcils d'un air pensif, puis sourit.

— Nous pourrions passer une semaine en Toscane.

— C'est ce que tu ferais avec un million de dollars ?

— Quel million de dollars ?

— Sept chiffres, tu te souviens ?

— J'ai entendu cette partie. Ce qui me manque, c'est la partie où ça devient réel.

— D'après Sonya, c'est tout ce qu'il y a de plus réel. Je dîne samedi en ville avec le collectionneur en question, Jay Jykynstyl.

— En *ville* ?

— Encore un peu et on croirait que j'ai rendez-vous avec lui dans un égout.

— Qu'est-ce qu'il *collectionne* ?

— Aucune idée. Apparemment, des trucs qu'il paie cher.

— Tu trouves vraisemblable qu'il veuille te donner des centaines de milliers de dollars pour des photos d'identité judiciaire fantaisistes de crapules de la pire espèce ? Sais-tu seulement qui c'est ?

— Je le saurai demain.

— Est-ce que tu t'entends ?

Dans la mesure où il était capable de percevoir le ton et le rythme de sa propre voix, il ne se sentait pas entièrement satisfait, mais il n'était pas prêt à le reconnaître.

— Où veux-tu en venir ?

— Tu es très fort pour détecter les failles. Personne n'y réussit mieux que toi.

— Je ne pige pas.

— Vraiment ? Tu es capable de mettre n'importe quoi en lambeaux, ce que tu as appelé une fois « l'œil pour les contradictions ». Eh bien, si quelque chose a jamais eu besoin qu'on l'examine sous toutes les coutures et qu'on le décortique, c'est bien ça. Qu'est-ce qui te retient de le faire ?

— J'attends peut-être d'en savoir davantage, de voir jusqu'à quel point c'est vrai, de me faire une opinion sur ce Jykynstyl.

— Voilà qui semble raisonnable. (Elle prononça la phrase d'une façon si monocorde qu'il comprit qu'elle voulait dire le contraire.) À propos, quelle est l'origine de ce nom ?

— Jykynstyl ? Pour moi, ça ressemble à du hollandais.

Elle sourit.

— Pour moi, ça ressemble à un monstre dans un conte de fées.

CHAPITRE 29

Parmi les disparues

Pendant que Madeleine préparait des pâtes aux crevettes pour le dîner, Gurney épluchait au sous-sol de vieux numéros du *Sunday Times* mis de côté pour un projet de jardinage. (Une des amies de Madeleine lui avait parlé d'un type de parterre dans lequel on se servait de journaux pour créer des couches de paillis.) Il feuilletait les suppléments magazine en quête de la double page publicitaire qu'il se rappelait avoir vue et sur laquelle figurait la provocante photographie de Jillian. Ce qu'il cherchait en fin de compte était le crédit photo. Il était sur le point de jeter l'éponge et d'appeler Ashton pour lui demander le nom du photographe lorsqu'il vit en dernière page la publicité – qui avait paru, par une macabre coïncidence, le jour même du meurtre.

Au lieu de prendre en note la mention, *Photo d'Alessandro* (*Karnala Fashion*), il décida de monter le magazine et de le poser, ouvert, sur la table où Madeleine était en train de mettre les assiettes.

Elle se renfrogna.

— Qu'est-ce que c'est ?

— Une pub pour des foulards très chers. Follement chers. Et aussi une photo de la victime.

— La vic… tu ne veux pas dire… ?

— Jillian Perry.

— La mariée ?

— La mariée.

Madeleine regarda attentivement la pub.

— Les deux images sur la photo sont d'elle, expliqua Gurney.

Madeleine hocha brièvement la tête pour signifier qu'elle s'en était déjà aperçue.

— C'est de cette façon qu'elle gagnait sa vie ?

— Je ne sais pas encore s'il s'agissait d'un gagne-pain ou d'une chose occasionnelle. En voyant la photo accrochée dans la maison d'Ashton, j'étais trop ahuri pour poser la question.

— Il avait *ça* accroché chez lui ? Il est veuf, et c'est la photo qu'il…

Elle secoua la tête, laissant la phrase en suspens.

— Il parle d'elle dans les mêmes termes que la mère de celle-ci : une hystérique particulièrement séduisante, brillante et malsaine. L'ennui, c'est que toute cette maudite affaire est comme ça. Chacun des protagonistes est ou bien un génie, ou bien un cinglé, ou bien… un menteur invétéré, ou bien… je ne sais quoi. Seigneur, le voisin d'Ashton, dont l'épouse se serait vraisemblablement enfuie avec le meurtrier, joue avec un train électrique sous un arbre de Noël dans son sous-sol. Je ne crois pas m'être jamais senti aussi largué. C'est comme pour la piste. L'équipe cynophile a réussi à relever une piste olfactive qui mène à l'arme du crime dans les bois, mais qui ne va pas plus loin, ce qui semblerait indiquer que l'assassin a regagné le pavillon pour s'y cacher... sauf qu'il n'y a nulle part où se cacher dans ce pavillon. Parfois, je crois comprendre, et l'instant d'après, je me rends compte que je n'ai pas la plus petite preuve pour étayer ce que je pense. Nous disposons de tas de scénarios intéressants, mais quand on regarde de près, il n'y a rien.

— Ce qui veut dire ?

— Ce qui veut dire que nous avons besoin d'obtenir des éléments concrets, des témoins crédibles. Jusqu'à présent, aucune de nos théories ne repose sur des faits. On fabrique une jolie petite histoire, on se focalise sur une certaine vision d'une affaire, et on se laisse griser au point de ne pas s'apercevoir qu'on prend ses rêves pour des réalités. Mangeons. Peut-être que ça m'aidera à réfléchir.

Madeleine posa au milieu de la table un grand plat de crevettes et de pappardelles arrosées d'une sauce à la tomate et à l'ail, ainsi que des petits bols d'asiago râpé et de basilic haché. Ils commencèrent à manger dans un silence songeur.

Gurney dut bientôt faire un effort pour réprimer un sourire. Il se rendait compte que sa frustration à l'égard de l'affaire, bien que désagréable en soi, entraînait Madeleine dans une discussion détaillée, un résultat souhaitable auquel il n'était pas parvenu jusque-là.

Après quelques bouchées, Madeleine se mit à jouer avec une crevette.

— La pomme ne tombe jamais loin de l'arbre.

— Hmm ?

— Mère et fille ont beaucoup en commun.

— Un peu fantasques toutes les deux, tu veux dire ?

— C'est une façon de l'exprimer.

Il y eut un nouveau silence tandis que Madeleine tapotait sa crevette avec les dents de sa fourchette.

— Tu es sûr qu'il n'y a aucun endroit où se cacher ?

— Se cacher ?

— Dans le pavillon.

— Pourquoi demandes-tu ça ?

— J'ai vu un film terrifiant quand j'avais treize ans… sur un propriétaire qui avait des espaces secrets entre les murs de ses appartements et qui surveillait ses locataires à travers des trous minuscules.

Le téléphone fixe se mit à sonner.

— Le pavillon est très petit, trois pièces seulement, dit-il en se levant pour aller répondre.

Elle haussa les épaules.

— C'était une idée comme ça. Rien que d'y penser, j'en ai encore la chair de poule.

L'appareil se trouvait sur la table dans le bureau. Il décrocha à la quatrième sonnerie.

— Gurney à l'appareil.

— Inspecteur Gurney ?

La voix de femme était jeune, hésitante.

— C'est exact. À qui ai-je l'honneur ?

Il pouvait entendre la respiration de son interlocutrice, manifestement en plein désarroi.

— Vous êtes toujours là ?

— Oui, je… je n'aurais pas dû appeler, mais… j'avais besoin de vous parler.

— Qui êtes-vous ?

Après une nouvelle hésitation, la femme répondit :

— Savannah Liston.

— Que puis-je pour vous ?

— Savez-vous qui je suis ?

— Je devrais ?

— Je pensais qu'il avait peut-être mentionné mon nom.

— Qui l'aurait mentionné ?

— Le Dr Ashton. Je suis une de ses assistantes.

— Je vois.

— C'est la raison pour laquelle je vous téléphone. Je sais que je ne devrais pas, mais… vous êtes vraiment détective privé ?

— Savannah, il faut que vous me disiez pourquoi vous appelez.

— Je sais. Mais vous ne le répéterez à personne ? Je perdrais mon emploi.

— À moins que vous n'ayez l'intention de nuire à quelqu'un, je ne vois aucun motif juridique qui m'obligerait à divulguer quoi que ce soit.

Cette réponse, dont il s'était servi plusieurs centaines de fois dans sa carrière, était aussi dénuée de sens que possible, néanmoins elle sembla la satisfaire.

— D'accord. Je vais vous le dire. J'ai entendu le Dr Ashton discuter avec vous au téléphone tout à l'heure. J'ai cru comprendre que vous vouliez les noms des filles de sa classe que fréquentait Jillian, mais qu'il ne pouvait pas vous les communiquer.

— Quelque chose comme ça.

— Pourquoi les voulez-vous ?

— Je suis désolé, Savannah, mais je ne suis pas autorisé à en parler. Cependant, j'aimerais en savoir un peu plus sur ce qui vous a poussée à m'appeler.

— Je pourrais vous donner deux noms.

— De filles que fréquentait Jullian ?

— Oui. Si je les connais, c'est parce que, quand j'étais élève ici, il arrivait qu'on traîne ensemble, d'où mon coup de téléphone, d'une certaine façon. Il est arrivé une chose bizarre.

Sa voix s'était mise à trembler, comme si elle allait fondre en larmes.

— Quelle chose bizarre, Savannah ?

— Ces deux filles que fréquentait Jillian… elles ont disparu toutes les deux après avoir obtenu leur diplôme.

— Comment ça, *disparu* ?

— Elles sont parties de chez elles pendant l'été, leur famille ne les a pas revues et personne ne sait où elles sont. Et il y a autre chose d'affreux.

Sa respiration était devenue si saccadée qu'on aurait dit qu'elle sanglotait en silence.

— Qu'est-ce qu'il y a d'affreux, Savannah ?

— Elles parlaient toutes les deux de sortir avec Hector Flores.

CHAPITRE 30

Les modèles d'Alessandro

Lorsqu'il eut fini de discuter avec Savannah Liston, il lui avait posé une douzaine de questions, avait obtenu une demi-douzaine de réponses utiles, le nom des deux jeunes filles contre une promesse : qu'il ne parle pas du coup de fil au Dr Ashton.

Avait-elle des raisons d'avoir peur de lui ? Non, bien sûr, le Dr Ashton était un saint, mais elle se sentait coupable d'agir derrière son dos et elle ne voulait pas qu'il pense qu'elle ne se fiait pas entièrement à son jugement.

Et se fiait-elle entièrement à son jugement ? Naturellement… si ce n'est, peut-être, qu'elle était inquiète de voir qu'il ne se faisait pas de souci pour les filles disparues.

Elle avait donc parlé avec Ashton de ces « disparitions » ? Oui, bien entendu, mais il avait expliqué que, souvent, les élèves sortant de Mapleshade éprouvaient à juste titre le besoin d'une rupture radicale et qu'il n'était pas rare que des parents n'aient pas de nouvelles de leur fille adulte, désireuse de respirer un peu.

Comment les filles disparues avaient-elles connu Hector ? Parce que le Dr Ashton l'amenait parfois à

Mapleshade pour s'occuper des massifs de fleurs. Hector était vraiment beau gosse, et certaines des filles en pinçaient pour lui.

À l'époque où elle était élève, Jillian aurait-elle pu faire des confidences à un membre du personnel en particulier ? Il y avait le Dr Kale, qui avait un tas de responsabilités – le Dr Simon Kale –, mais il s'était retiré à Cooperstown. Elle avait trouvé le numéro de Gurney sur Internet, et avec un peu de chance il pourrait avoir celui de Kale de la même façon. Kale était un vieux type grincheux. Mais il savait probablement des choses sur Jillian.

Pourquoi racontait-elle tout cela à Gurney ? Parce qu'il était de la police et qu'elle se réveillait parfois la nuit, angoissée à cause de la disparition de ces filles. À la lumière du jour, elle se rendait compte que le Dr Ashton avait sans doute raison, que beaucoup d'élèves venaient de familles malades – comme la sienne – et qu'il était logique de prendre le large. Prendre le large sans laisser d'adresse. Peut-être même de changer de nom. Mais dans l'obscurité… d'autres possibilités lui traversaient l'esprit. Des possibilités qui vous empêchaient de dormir.

Ah, et j'oubliais, les deux filles disparues avaient encore un point commun, en dehors de leur attirance pour Hector qui s'activait torse nu autour des plates-bandes.

Lequel ?

À la fin de leur scolarité à Mapleshade, elles avaient été engagées, comme Jillian, « pour ces pubs de foulards vraiment très chaudes ».

Gurney retourna à la cuisine. Madeleine était installée à la table où ils mangeaient avec le *Times Magazine* ouvert devant elle. Comme il baissait les yeux sur cette image de rapacité et d'égocentrisme, il sentit ses cheveux se hérisser sur sa nuque.

Elle le regarda avec curiosité, ce qu'il interpréta comme une invite à ce qu'il lui parle du coup de fil.

Il lui fut reconnaissant et ne lui épargna aucun détail.

La curiosité de Madeleine se changea en inquiétude.

— Il faut savoir pourquoi ces filles sont impossibles à joindre.

— Tout à fait d'accord.

— Est-ce que la police locale n'aurait pas dû être avertie ?

— Ce n'est pas aussi simple. Les jeunes filles dont parle Savannah se trouvaient dans la classe de Jillian. Elles étaient vraisemblablement du même âge, ce qui leur ferait au moins dix-neuf ans aujourd'hui – des adultes sur le plan légal. Si les membres de leur famille ou toute autre personne les voyant régulièrement n'ont pas signalé officiellement leur disparition, il n'y a pas grand-chose que la police puisse faire. Néanmoins…

Il tira son téléphone portable de sa poche et composa le numéro d'Ashton.

Après quatre sonneries, au moment où la boîte vocale s'enclenchait, Ashton décrocha et répondit. Manifestement, il avait enregistré son numéro d'appel.

— Bonsoir, inspecteur Gurney.

— Docteur Ashton, excusez-moi de vous déranger, mais il y a du nouveau.

— Des progrès ?

— Je ne sais pas comment appeler ça, mais c'est important. Je comprends la politique de confidentialité de Mapleshade, mais nous sommes devant une situation exceptionnelle… nous devons accéder aux anciens dossiers d'inscription.

— Je pensais avoir été clair. Un principe auquel on déroge n'est plus un principe. À Mapleshade, la confidentialité est *essentielle*. Il n'y a pas d'exceptions. Jamais.

Gurney sentit monter l'adrénaline.

— Cela vous intéresse de savoir quel est le problème ?

— Dites-moi.

— Supposons que nous ayons des raisons de croire que Jillian n'a pas été la seule victime.

— Que voulez-vous dire ?

— Supposons que nous ayons des raisons de croire qu'elle n'était pas la seule des anciennes élèves de Mapleshade visées par Hector Flores.

— J'ai du mal à comprendre…

— D'après certains témoignages, plusieurs diplômées de l'école qui se montraient amicales avec Hector Flores sont introuvables. Par conséquent, nous devons chercher quelles sont les camarades de classe de Jillian localisables à l'heure actuelle et celles qui ne le sont pas.

— Vous rendez-vous compte de ce que vous dites ? D'où viennent ces prétendus « témoignages » ?

— Le problème n'est pas là.

— Bien sûr que si. Il s'agit d'une question de crédibilité.

— Il s'agit aussi de sauver des vies. Pensez-y.

— Je n'y manquerai pas.

— Je vous suggère de le faire fissa.

— Je n'aime pas beaucoup votre ton, inspecteur.

— Mon *ton* a tellement d'importance ? Réfléchissez plutôt au risque qu'un certain nombre de vos élèves trouvent la mort à cause de votre précieuse politique de confidentialité. Réfléchissez à la manière dont vous expliquerez ça à la police. Et aux médias. Et aux parents. Et quand vous aurez réfléchi, rappelez-moi. J'ai d'autres coups de fil à donner.

Il coupa la communication et respira à fond.

Madeleine étudia son visage, sourit du coin des lèvres et dit :

— Ma foi, c'est une approche.

— Tu en as d'autres ?

— En fait, j'aime assez la tienne. Dois-je réchauffer le dîner ?

— Sûr. (Il avala une nouvelle goulée d'air, comme si l'adrénaline pouvait s'expirer.) Savannah m'a donné les noms et numéros de téléphone des familles des jeunes filles – je devrais plutôt dire des jeunes femmes – qui ont disparu, d'après elle. Tu crois que je devrais les appeler maintenant ?

— Est-ce de ton ressort ?

Elle prit les assiettes de pâtes et les emporta jusqu'au micro-ondes.

— Bien vu, concéda-t-il, assis à la table.

Quelque chose dans l'attitude d'Ashton l'avait piqué au vif, poussé à réagir impulsivement. Mais approfondir cette histoire de diplômées de Mapleshade disparues, songea-t-il en s'efforçant d'y réfléchir calmement, était l'affaire de la police. Il existait des règles de procédure pour la qualification de « personne disparue » et pour l'entrée du signalement et des informations dans les bases de données régionale et nationale. Plus important : le problème d'effectif. S'il s'agissait de plusieurs personnes disparues avec une présomption d'enlèvement ou pire, un enquêteur seul n'était pas la solution. La réunion du lendemain avec le procureur et le représentant de la BC serait l'occasion idéale pour discuter du coup de téléphone de Savannah et transmettre le dossier.

Dans l'intervalle, cependant, il pourrait être intéressant de parler à Alessandro.

Gurney alla prendre son portable dans le bureau et le posa à la place de son assiette.

Une recherche dans les pages blanches d'Internet pour la ville de New York donna douze individus portant ce patronyme. Bien sûr, il y avait beaucoup plus de chances qu'« Alessandro » soit un prénom ou une dénomination commerciale destinée à créer une certaine image. Pourtant, il n'y avait aucune liste de sociétés contenant ce nom dans aucune des catégories pouvant avoir un rapport avec le *Times* : photographie, publicité, marketing, graphisme, design, mode.

Il semblait curieux qu'un photographe professionnel soit aussi difficile à joindre – sauf s'il avait un succès tel que seuls les gens importants savaient comment le contacter, son invisibilité pour le grand public faisant partie intégrante de sa réputation, comme une boîte de nuit branchée dépourvue d'enseigne.

Gurney se dit que si Ashton s'était procuré la photo de Jillian directement auprès d'Alessandro, il devait avoir son numéro de téléphone ; mais ce n'était pas le meilleur moment pour lui poser la question. On pouvait supposer que Val Perry connaissait même le nom complet d'Alessandro. Il aurait la journée du lendemain pour s'en occuper. Et il devait veiller à garder l'esprit ouvert. Le fait que deux anciennes élèves de

Mapleshade que l'assistante d'Ashton avait du mal à joindre aient posé pour le même photographe de mode que Jillian n'était peut-être qu'une simple coïncidence, même si elles n'avaient d'yeux que pour Hector. Il rangea son portable.

Madeleine revint à la table avec les assiettes, pâtes et crevettes à nouveau fumantes.

Il prit sa fourchette et se tourna pour regarder par les portes-fenêtres, mais le crépuscule s'était épaissi, et les vitres, au lieu de fournir une vue de la terrasse et du jardin, n'offraient que leur propre image à la table. Son regard fut attiré par les lignes sévères sur son visage, le pli sérieux de sa bouche lui rappelant son père.

Madeleine l'observait.

— À quoi penses-tu ?

— À rien. Je ne sais pas. À mon père, je suppose.

— C'est-à-dire ?

Il battit des paupières, la regarda.

— Je t'ai déjà raconté l'histoire des lapins ?

— Je ne crois pas.

Il se racla la gorge.

— Quand j'étais petit – cinq, six, sept ans –, il m'arrivait souvent de demander à mon père de me parler de ce qu'il faisait étant gosse. Je savais qu'il avait grandi en Irlande, et j'avais une vague idée de ce à quoi ressemblait l'Irlande grâce à un calendrier que nous avait donné un voisin qui était allé là-bas en vacances... très vert, rocheux, une sorte de contrée sauvage. Pour moi, c'était un pays étrange, merveilleux – merveilleux, je présume, parce qu'il n'avait rien de commun avec l'endroit où nous habitions dans le Bronx. (L'aversion de Gurney pour le quartier de son enfance, ou peut-être pour son enfance elle-même, se lisait sur son visage.) Mon père ne parlait pas beaucoup, du moins pas à moi ni à ma mère, et l'amener à me dire quoi que ce soit sur la manière dont il avait grandi était quasiment impossible. Puis, finalement, un beau jour, probablement pour que je cesse de le harceler, il me raconta l'histoire suivante. Il y avait, dit-il, un champ derrière la maison de son père – c'est l'expression qu'il utilisa, la maison de son *père*, une façon assez curieuse de la désigner dans la mesure où il y habitait aussi –, un grand champ plein d'herbe avec un muret le séparant d'un champ encore plus grand où coulait un ruisseau et une colline au-delà. La maison était un bâtiment de couleur crème au toit sombre en chaume. Il y avait des canards blancs et des jonquilles. Chaque soir, avant de m'endormir, je les imaginais – les canards, les jonquilles, le champ, la colline – en regrettant de ne pas y être et en me promettant d'y aller un jour.

Son expression était à la fois maussade et nostalgique.

— C'était quoi, l'histoire ?

— Hmm ?

— Tu as dit qu'il t'avait raconté une histoire.

— Il a expliqué que son ami Liam et lui avaient l'habitude d'aller chasser les lapins. Ils avaient des lance-pierres et partaient dans les champs derrière la maison quand l'herbe était encore couverte de rosée. Les lapins avaient d'étroits sentiers à travers l'herbe haute, et ils suivaient leurs traces, Liam et lui. Parfois, celles-ci finissaient dans des ronces, et parfois elles passaient sous le muret. Il a décrit la taille de l'orifice des terriers creusés par les lapins et comment Liam et lui posaient des pièges le long de leurs parcours, ou devant leurs terriers, ou près des trous qu'ils perçaient sous le muret.

— Est-ce qu'ils en attrapaient ?

— Il a prétendu que oui, mais qu'ils les relâchaient.

— Et les lance-pierres ?

— Beaucoup de tirs ratés.

Gurney se tut.

— C'est ça, l'histoire ?

— Oui. Ce qu'il y a, c'est que les images peintes dans mon esprit ont fini par devenir si réelles, j'y pensais tellement, passais tellement de temps à m'imaginer là-bas, à suivre les fameux petits sentiers dans l'herbe, que, paradoxalement, ces images sont le souvenir le plus vivant que je garde de mon enfance.

Madeleine eut un petit froncement de sourcils.

— Nous faisons tous ça, non ? J'ai des souvenirs très nets de choses que je n'ai jamais vues en vrai… de scènes décrites par quelqu'un d'autre. Je me rappelle ce que j'ai visualisé.

Il hocha la tête.

— Il y a encore un bout que tu ne connais pas. Des années, des décennies plus tard, alors que j'avais la trentaine et mon père soixante et quelques, il se trouve que je lui en ai reparlé au téléphone. « Tu te souviens de l'histoire que tu m'as racontée sur Liam et toi allant dans le champ à l'aube avec vos lance-pierres ? » Il n'avait pas l'air de savoir à quoi je faisais allusion. Alors j'ai ajouté le reste : le mur, les ronces, le ruisseau, la colline, les sentiers de lapins. « Oh, ça, a-t-il répondu, ce n'était que du vent, ça n'a jamais existé. » Et il l'a dit sur ce ton qui semblait sous-entendre que j'étais un idiot de l'avoir cru.

Il y avait, phénomène rare, un tremblement à peine perceptible dans la voix de Gurney. Il toussa bruyamment comme pour essayer de dégager une quelconque obstruction qui en aurait été la cause.

— Il avait tout inventé ?

— Il avait tout inventé. Jusqu'au moindre détail. Et le pire, c'est que c'est la seule chose qu'il m'ait jamais dite sur son enfance.

CHAPITRE 31

Terriers écossais

Renversé sur sa chaise, Gurney examinait ses mains. Elles étaient plus plissées et usées qu'il l'aurait cru. Les mains de son père.

Tandis qu'elle débarrassait la table, Madeleine avait l'air perdue dans ses pensées. Lorsque plats et casseroles furent dans l'évier, recouverts d'eau savonneuse, elle dit d'un ton parfaitement neutre :

— Alors, je suppose qu'il a eu une enfance plutôt dure.

Gurney leva la tête vers elle.

— J'imagine.

— Te rends-tu compte que, pendant les douze années de notre mariage où il était en vie, je ne l'ai vu que trois fois ?

— Nous sommes ainsi.

— Tu veux dire, ton père et toi ?

Il hocha vaguement la tête, plongé dans un souvenir.

— J'ai grandi dans le Bronx, dans un appartement de quatre pièces : une petite salle à manger-cuisine, un petit salon et deux petites chambres. Nous étions quatre personnes : ma mère, mon père, ma grand-mère et moi. Et tu sais quoi ? Presque toujours, il n'y avait qu'une seule personne dans chaque pièce, sauf quand ma mère et ma grand-mère regardaient la télévision ensemble dans le salon. Mon père restait dans la cuisine, et moi j'étais dans une des chambres.

Il rit puis s'arrêta avec une impression de vide, ayant perçu dans ce son narquois comme un écho de son père.

— Tu te souviens de ces jouets à aimant en forme de terriers écossais ? Quand on les alignait dans un sens, ils s'attiraient mutuellement, et quand on les alignait dans l'autre sens, ils se repoussaient. C'est à ça que ressemblait notre famille, quatre petits terriers écossais alignés de telle sorte que nous nous repoussions aux quatre coins de l'appartement. Aussi loin que possible les uns des autres.

Madeleine ne dit rien, se contenta de commencer à laver les ustensiles du repas, les rincer puis les entasser dans l'égouttoir. Lorsqu'elle eut terminé, elle s'installa dans un fauteuil à l'autre extrémité de la pièce, près de la cheminée, alluma le lampadaire posé à côté et sortit son ouvrage de tricot en cours : un chapeau en laine. De temps à autre, elle lançait un regard en direction de Gurney, mais demeurait silencieuse.

Deux heures plus tard, elle partit se coucher.

Entre-temps, Gurney était allé chercher les dossiers de l'affaire Perry dans le bureau, où ils se trouvaient empilés depuis que les Meeker étaient venus dîner. Il avait lu les résumés des interrogatoires effectués sur place, les comptes rendus de ceux qui avaient été enregistrés au siège de la BC. Rien de cohérent ne se dégageait de tout ce matériau.

Certaines dépositions n'avaient pratiquement aucun sens. Il y avait, par exemple, l'incident « Nu dans le kiosque » rapporté par cinq habitants de Tambury. Ils affirmaient que Flores avait été vu, un mois avant le meurtre, en équilibre sur un pied, les yeux clos, les mains jointes humblement devant lui dans ce qui avait été pris pour une sorte de posture de yoga, entièrement nu au milieu du kiosque de la pelouse d'Ashton. Dans chaque récapitulatif, le policier interrogateur avait noté que l'individu ayant mentionné l'incident n'y avait pas assisté lui-même, mais le présentait comme un « fait notoire ». Chacun l'avait appris par ouï-dire. Certains se rappelaient qui le leur avait raconté, d'autres avaient complètement oublié. Personne ne se souvenait quand. L'autre incident souvent mentionné concernait une dispute entre Ashton et Flores, un après-midi d'été, dans la rue principale du village ; mais là encore, aucun des individus l'ayant signalé, dont deux l'avaient décrit en détail, n'était présent.

Les anecdotes étaient pléthore, les témoins oculaires en quantité réduite.

Presque toutes les personnes interrogées voyaient le meurtre à travers le prisme d'une poignée de paradigmes : le Monstre Frankenstein, la Revanche de l'amant trahi, la Criminalité inhérente aux Mexicains, l'Instabilité homosexuelle, l'Intoxication de l'Amérique par la violence dans les médias.

Aucune n'avait suggéré de lien avec la clientèle de Mapleshade, ni la possibilité d'une vengeance liée au comportement passé de Jillian – zones où résidait éventuellement la clé du meurtre, croyait Gurney.

Mapleshade et le passé de Jillian : deux rubriques générales sous lesquelles il y avait beaucoup plus de points d'interrogation que de faits. Peut-être le thérapeute à la retraite mentionné par Savannah pourrait-il lui donner un coup de main pour l'une et l'autre. Simon Kale, un nom facile à retenir. *Simon Kale de Cooperstown. Aimait le vermicelle et jouait du saxophone.* Bon sang ! Voilà qu'il cédait rapidement au vertige d'un épuisement total.

Il alla à l'évier, s'aspergea la figure d'eau froide. Du café sembla une bonne idée, puis une mauvaise. Il retourna à la table, installa à nouveau son ordinateur et trouva le numéro de téléphone et l'adresse de Kale en moins d'une minute. Sauf que les procès-verbaux d'interrogatoire l'avaient absorbé plus longtemps qu'il l'aurait supposé, et qu'il était à présent vingt-deux heures cinquante-cinq. Appeler ou ne pas appeler ? Maintenant ou dans la matinée ? Il brûlait d'envie de lui parler, de suivre une piste concrète, de glaner quelques miettes de vérité. Si Kale était déjà couché, le coup de fil risquait d'être mal accueilli. D'un autre côté, son caractère tardif et dérangeant contribuerait peut-être à mettre l'accent sur l'urgence de la question. Il téléphona.

Au bout de trois ou quatre sonneries, une voix androgyne répondit.

— Simon Kale, s'il vous plaît.

— Qui est à l'appareil ?

La voix, au sexe encore incertain bien qu'un tantinet masculine, avait l'air anxieuse et irritée.

— David Gurney.

— Puis-je informer le Dr Kale du motif de votre appel ?

— À qui ai-je l'honneur ?

— À la personne qui a répondu au téléphone. Et il est un peu tard. Bon, auriez-vous l'amabilité de me dire pourquoi…

Une autre voix se fit entendre à l'arrière-plan, puis il y eut un silence, le bruit du téléphone que l'on passe.

Une voix grincheuse, autoritaire, annonça :

— Ici le docteur Kale. Qui est à l'appareil ?

— David Gurney, docteur Kale. Pardon de vous importuner à cette heure de la soirée, mais la chose est assez urgente. Je travaille en tant que consultant sur le meurtre de Jillian Perry, et j'essaie de me faire une idée de Mapleshade. On m'a dit que vous pourriez m'être très utile.

Il n'y eut aucune réaction.

— Docteur Kale ?

— *Consultant ?* Qu'est-ce que ça veut dire ?

— J'ai été engagé par la famille Perry pour lui fournir un point de vue indépendant sur l'enquête.

— Vraiment ?

— J'espérais que vous pourriez m'éclairer concernant la clientèle et la philosophie générale de Mapleshade.

— J'aurais pensé que Scott Ashton était une source idéale pour ce genre d'éclaircissements.

Il adoucit l'acidité de ce commentaire en ajoutant d'un ton plus désinvolte :

— Je ne fais plus partie du personnel de Mapleshade.

Gurney tenta de s'engouffrer dans ce qui avait l'air d'être une brèche.

— Je me disais que votre position vous donnerait plus d'objectivité qu'à quelqu'un ayant encore des liens avec l'école.

— Ce n'est pas un sujet dont j'ai envie de discuter au téléphone.

— Je comprends ça. En fait, j'habite Walnut Crossing, et je serais très heureux de venir à Cooperstown si vous pouviez me consacrer ne serait-ce qu'une demi-heure.

— Je vois. Malheureusement, je pars pour un mois en vacances après-demain.

Cela ne lui semblait pas une fin de non-recevoir. Gurney avait le sentiment que Kale n'était pas seulement intrigué, mais qu'il avait peut-être quelque chose d'intéressant à dire.

— Ce serait très important, docteur, si je pouvais vous voir avant. Il se trouve que j'ai rendez-vous avec le procureur demain après-midi. Si je pouvais passer vous voir, peut-être pourrais-je faire un crochet en chemin ?

— Vous avez rendez-vous avec Sheridan Kline ?

— Oui, et ce serait très utile d'avoir votre sentiment au préalable.

— Eh bien… je suppose… ma foi, j'aurais besoin d'en savoir plus sur vous avant… de discuter de quoi que ce soit. Vos références, etc.

Gurney cita rapidement les faits marquants de sa carrière ainsi que le nom d'un commissaire adjoint à qui Kale pouvait s'adresser au NYPD. Il mentionna même, en s'excusant à moitié, l'existence de l'article, vieux de cinq ans, du *New York Magazine* qui le félicitait pour son rôle dans la résolution de deux affaires de meurtres en série tristement célèbres. L'article le faisait apparaître comme un croisement entre Sherlock Holmes et l'inspecteur Harry, ce qu'il trouvait embarrassant. Mais cela avait aussi ses avantages.

Kale lui fixa rendez-vous à douze heures quarante-cinq, le lendemain, vendredi.

Lorsque Gurney essaya d'organiser ses idées en vue de cette rencontre, de dresser une liste des sujets qu'il désirait aborder, il s'aperçut comme d'habitude que fébrilité et fatigue ne permettaient pas d'organiser quoi que ce soit et qu'il serait plus efficace d'aller se coucher. Il venait à peine de se glisser dans le lit à côté de Madeleine que son téléphone sonnait dans la cuisine.

La voix à l'autre bout du fil semblait tout droit sortie d'un club de golf du Connecticut.

— Docteur Withrow Perry à l'appareil. Vous avez téléphoné. Je peux vous accorder exactement trois minutes.

Gurney mit un moment à reprendre ses esprits.

— Merci de rappeler. J'enquête sur le meurtre de…

Il l'interrompit brutalement.

— Je sais ce que vous faites. Je sais qui vous êtes. Que voulez-vous ?

— J'ai quelques questions qui pourraient m'aider à…

— Allez-y, posez-les.

Gurney réprima l'envie de faire une remarque sur l'attitude de son interlocuteur.

— Avez-vous une idée de la raison pour laquelle Hector Flores a tué votre fille ?

— Non, aucune. Et je vous signale au passage que Jillian était la fille de ma femme, pas la mienne.

— Savez-vous si quelqu'un en dehors de Flores avait une dent contre elle… une raison de lui faire du mal ou de la tuer ?

— Non.

— Absolument personne ?

— Personne et tout le monde, je suppose.

— Ce qui signifie ?

Perry éclata de rire – un rire rauque, désagréable.

— Jillian était une garce menteuse et manipulatrice. Je ne suis sûrement pas le premier à vous le dire.

— Quelle est la pire chose qu'elle vous ait faite ?

— Ce n'est pas un sujet dont je veuille discuter.

— Pourquoi le Dr Ashton l'a-t-il épousée, à votre avis ?

— Demandez-lui.

— C'est à vous que je le demande.

— Question suivante.

— A-t-elle jamais parlé de Flores ?

— Pas à moi, c'est certain. Il n'existait aucune relation entre nous. Je vais être clair, inspecteur. Si j'accepte de vous parler, c'est uniquement parce que ma femme a décidé de poursuivre cette enquête ex officio et m'a demandé de vous rappeler. Je n'ai en fait rien à ajouter et, pour être honnête avec vous, je considère personnellement sa tentative comme un gaspillage de temps et d'argent.

— Que pensez-vous du Dr Ashton ?

— Ce que je pense ? Que voulez-vous dire ?

— Vous avez de la sympathie pour lui ? De l'admiration ? De la pitié ? Du mépris ?

— Aucun des sentiments énumérés ci-dessus.

— Quoi, alors ?

Il y eut un temps d'arrêt, suivi d'un soupir.

— Je ne m'intéresse nullement à lui. J'estime que sa vie n'est pas mon affaire.

— Pourtant, il y a quelque chose chez lui qui… quoi ?

— Question évidente. Celle que vous avez déjà posée, en un sens.

— Laquelle ?

— Pourquoi un professionnel aussi compétent épouserait-il une épave comme Jillian ?

— Vous la haïssiez à ce point ?

— Je ne la haïssais pas, monsieur Gurney, pas plus que je ne haïrais un cobra.

— Tueriez-vous un cobra ?

— C'est une question puérile.

— Faites-moi plaisir.

— Je tuerais un cobra qui menacerait ma vie, comme vous le feriez vous-même.

— Avez-vous déjà eu envie de tuer Jillian ?

Il eut un rire sans humour.

— Est-ce une sorte de petit jeu d'étudiant de seconde année ?

— Juste une question.

— Vous me faites perdre mon temps.

— Possédez-vous toujours un fusil Weatherby .257 ?

— Qu'est-ce que ça vient faire là-dedans ?

— Savez-vous que quelqu'un a tiré sur Scott Ashton avec un fusil de ce type une semaine après l'assassinat de Jillian ?

— Avec un .257 Weatherby ? Pour l'amour du ciel, vous n'êtes pas en train d'insinuer… Vous n'auriez pas l'audace d'insinuer que… Mais que voulez-vous dire ?

— Je vous pose seulement une question.

— Une question aux sous-entendus offensants.

— Dois-je supposer que le fusil est toujours en votre possession ?

— Supposez ce que vous voulez. Question suivante.

— Savez-vous avec certitude où se trouvait ce fusil le 17 mai ?

— Question suivante.

— Jillian amenait-elle des amis à la maison ?

— Non… Remercions le ciel. Je crains que votre temps ne soit écoulé, monsieur Gurney.

— Dernière question. Connaîtriez-vous le nom et l'adresse du père biologique de Jillian ?

Pour la première fois, avant de répondre, Perry hésita.

— Un nom d'origine espagnole. (Il y avait une sorte de dégoût dans sa voix.) Ma femme l'a mentionné une fois. Je lui ai dit que je ne voulais plus jamais en entendre parler. Cruz, peut-être ? Angel Cruz ? J'ignore son adresse. Il se peut qu'il n'en ait pas. Étant donné l'espérance de vie de l'accro moyen à la méthamphétamine, cela fait probablement des années qu'il est mort.

Il coupa la communication sans un mot de plus.

Trouver le sommeil se révéla difficile. Quand Gurney avait l'esprit occupé au-delà de minuit, l'arrêter n'était pas aisé. Cela pouvait mettre des heures avant qu'il desserre son étreinte obsessionnelle sur les problèmes de la journée.

Il était couché, supposait-il, depuis au moins quarante-cinq minutes, aux priscs avec le kaléidoscope d'images et de questions imbriquées dans l'affaire Perry, lorsqu'il lui sembla que le rythme de la respiration de Madeleine avait changé. Il était convaincu qu'elle dormait au moment où il s'était mis au lit, mais il avait maintenant la nette impression qu'elle était réveillée.

Il eut envie de lui parler. En réalité, il n'en était pas sûr. Pas sûr non plus, s'il le faisait, de ce dont il voulait lui parler. Puis il se rendit compte qu'il désirait avoir son avis, désirait qu'elle le guide hors de ce marécage dans lequel il s'enlisait – un marécage composé de beaucoup trop d'hypothèses incertaines. Il désirait son avis, mais il ne savait pas trop comment le lui demander.

Elle se racla doucement la gorge.

— Eh bien, que vas-tu faire de tout cet argent ? demanda-t-elle d'un ton neutre, comme s'il discutait depuis une heure du sujet – une façon d'entamer une conversation qui n'était pas rare chez elle.

— Les cent mille dollars, tu veux dire ?

Elle ne répondit pas, ce qui signifiait qu'elle jugeait la question superflue.

— Ce n'est pas *mon* argent. C'est *notre* argent. Même s'il est encore théorique.

— Non, c'est clairement le *tien*.

Il tourna la tête vers elle sur l'oreiller, mais c'était une nuit sans lune, trop sombre pour qu'il puisse distinguer son expression.

— Pourquoi dis-tu ça ?

— Parce que c'est vrai. C'est ton passe-temps, un passe-temps extrêmement rentable désormais. Et c'est ta galeriste, ta représentante, ton agent, appelle ça comme tu voudras. Et maintenant tu vas rencontrer ton admirateur, le collectionneur d'art, quelle que soit son identité. C'est donc ton argent.

— Je ne comprends pas pourquoi tu dis ça.

— Je le dis parce que c'est vrai.

— Non. Tout ce qui est à *moi* est à *nous*.

Elle laissa échapper un petit rire contrit.

— Tu ne saisis pas, n'est-ce pas ?

— Saisir quoi ?

Elle bâilla.

— Ce projet artistique est le tien. Tout ce que j'ai fait, c'est de me plaindre du temps interminable que tu lui consacrais, des magnifiques journées que tu passais enfermé dans ton bureau, à regarder ton écran, à regarder des visages de tueurs en série.

— Ça n'a rien à voir avec la façon dont nous considérons cet argent.

— Cela a tout à voir. Tu l'as gagné. Il est à toi.

Elle bâilla à nouveau.

— Je vais me rendormir.

CHAPITRE 32

Une folie incurable

Gurney partit le lendemain à onze heures et demie afin de rencontrer Simon Kale, se donnant un peu plus d'une heure pour le trajet jusqu'à Cooperstown. En cours de route, il avala un demi-litre du thermos de café fait maison, et, lorsqu'il arriva en vue du lac Otsego, il était suffisamment révcillé pour apprécier le temps typique de septembre, le ciel bleu, les érables virant au rouge.

Son GPS lui fit longer la rive ouest, ombragée de sapins, jusqu'à une petite maison coloniale blanche se dressant sur sa péninsule de deux mille mètres carrés. Une Miata roadster vert brillant et une Volvo noire étaient rangées dans un garage aux portes ouvertes. Une Coccinelle Volkswagen rouge était stationnée au bord de l'allée, à quelque distance. Gurney se gara derrière la Coccinelle à l'instant même où un homme élégant aux cheveux gris émergeait du garage avec deux sacs fourre-tout en toile.

— Inspecteur Gurney, je présume ?

— Docteur Kale ?

— Exact.

Il sourit d'un air indifférent et lui montra le chemin, remontant un sentier dallé jusqu'à la porte latérale de la maison. La porte n'était pas fermée. À l'intérieur, l'endroit semblait très ancien, mais soigneusement entretenu, avec des plafonds bas pour conserver la chaleur et des poutres taillées à la main dans le style du XVIIIe siècle. Ils étaient au milieu d'une cuisine avec une grande cheminée et une cuisinière à gaz toute chrome et émail des années trente. D'une autre pièce s'échappaient les accords clairement reconnaissables de « Grâce infinie » jouée à la flûte.

Kale posa ses sacs sur la table. On y lisait le logo de l'Adirondack Symphony Orchestra. Des légumes verts et des baguettes de pain étaient visibles dans l'un et des bouteilles de vin dans l'autre.

— Les ingrédients du dîner. On m'a envoyé faire la chasse et la cueillette, dit-il avec une pointe de malice. Pour ma part, je ne cuisine pas. Mon partenaire Adrian est à la fois cordon bleu et flûtiste.

— Est-ce… ? commença Gurney avec une inclinaison de tête en direction de la mélodie feutrée.

— Non, non, Adrian est bien meilleur que ça. C'est sûrement son élève de midi, l'individu à la Coccinelle.

— À la… ?

— La voiture dehors, devant la vôtre, l'espèce de gadget rouge.

— Ah, fit Gurney. Bien sûr. Ce qui laisse la Volvo pour vous et la Miata pour votre partenaire ?

— Vous êtes certain que ce n'est pas l'inverse ?

— Je ne pense pas.

— Intéressant. Qu'est-ce que j'ai donc pour que vous soyez aussi affirmatif ?

— Quand vous êtes sorti du garage, vous étiez près de la Volvo.

Kale émit un gloussement aigu.

— Vous n'êtes donc pas extralucide ?

— J'en doute.

— Voulez-vous du thé ? Non ? Alors, venez, suivez-moi au petit salon.

Le petit salon s'avéra être une minuscule pièce à côté de la cuisine. Deux fauteuils à fleurs, deux épais coussins également à fleurs, une table basse, une bibliothèque et un petit poêle à bois rouge émaillé occupaient l'espace. Kale indiqua un des fauteuils à Gurney et s'installa dans l'autre.

— Eh bien, inspecteur, le but de votre visite ?

Gurney remarqua pour la première fois que le regard de Simon Kale, contrairement à ses manières insouciantes, était sobre et incisif. Il ne serait pas facile à mener en bateau ou à flatter – même si son antipathie pour Ashton, révélée au téléphone, pouvait être utile à condition de prendre des pincettes.

— Je ne suis pas sûr à cent pour cent de le connaître. Peut-être que, comme pour la pornographie, je le saurai quand je le verrai. (Gurney eut un haussement d'épaules.) Je vais peut-être tout bonnement à la pêche.

Kale le scruta.

— Pas de fausse humilité.

Gurney fut surpris par la pique, mais réagit avec affabilité.

— Franchement, c'est plus de l'ignorance que de l'humilité. Il y a tant de choses dans cette maudite affaire que j'ignore… que tout le monde ignore.

— Mis à part le méchant ? (Kale jeta un coup d'œil à sa montre.) Vous avez des questions que vous souhaitez me poser ?

— J'aimerais savoir tout ce que vous êtes prêt à me dire sur Mapleshade : qui va là-bas, qui y travaille, de quoi il s'agit, ce que vous y faisiez, pourquoi vous êtes parti.

— Mapleshade avant ou après l'arrivée de Scott Ashton ?

— Les deux, mais principalement la période où Jillian Perry était élève.

Kale se lécha les lèvres pensivement, l'air de savourer la question.

— Je résumerai les choses de la façon suivante. Pendant dix-huit ans sur les vingt où j'ai enseigné à Mapleshade, cela a été un environnement thérapeutique efficace dans le traitement d'une large gamme de problèmes affectifs et comportementaux bénins à modérés. Scott Ashton est entré en scène il y a cinq ans, avec tambour et trompette, psychiatre célèbre, théoricien de pointe, exactement ce qu'il fallait pour hisser l'école à la première place dans le secteur. Dès qu'il a eu un pied dans l'école, il a commencé à réorienter l'objectif de celle-ci vers des adolescents de plus en plus malades : prédateurs sexuels violents, abuseurs d'autres enfants, jeunes femmes hypersexualisées ayant de longues histoires d'inceste à la fois comme victimes et comme bourreaux. Scott Ashton a transformé notre école, qui avait connu de nombreuses réussites avec des gosses perturbés, en un dépôt déprimant d'obsédés sexuels et de sociopathes.

Même si Gurney avait l'impression d'une tirade bien construite, polie par la répétition, l'émotion qu'elle contenait semblait bien réelle. Le ton malicieux et les maniérismes de Kale avaient fait place, au moins temporairement, à une indignation ferme et justifiée.

C'est alors que, au milieu du silence de mort qui suivit la diatribe, se déversa, de la flûte dans l'autre pièce, la mélodie obsédante de « Danny Boy ».

Elle l'assaillit lentement, de façon débilitante, comme l'ouverture d'une tombe. Il crut qu'il allait devoir s'excuser, inventer un prétexte pour abandonner l'entretien, fuir les lieux. Quinze ans, et la chanson était toujours aussi insupportable. Mais ensuite le son de la flûte cessa. Il resta là, respirant à peine, tel un soldat en état de choc attendant la reprise d'un feu d'artillerie.

Kale le toisa avec curiosité.

— Ça ne va pas ?

La première impulsion de Gurney fut de mentir, de dissimuler la blessure. Puis il se dit : à quoi bon ? La vérité était la vérité. On ne pouvait rien y faire.

— J'avais un fils de ce nom.

Kale paraissait déconcerté.

— Quel nom ?

— Danny.

— Je ne comprends pas.

— La flûte… Euh… c'est sans importance. Un vieux souvenir. Pardon pour l'interruption. Vous parliez de la transition d'un type de clientèle à un autre.

Kale fronça les sourcils.

— *Transition*… un terme bien faible pour un changement aussi foudroyant.

— Mais l'école continue à avoir du succès ?

Le sourire de Kale scintilla comme du verglas.

— Il y a de l'argent à gagner en logeant les rejetons déments de parents ayant mauvaise conscience. Plus ils sont terrifiants et plus les parents paieront pour être débarrassés d'eux.

— Sans se soucier de savoir si leur état s'améliore ?

Le rire de Kale était aussi glacé que son sourire.

— Permettez-moi d'être tout à fait clair, inspecteur, afin qu'il ne subsiste aucun doute dans votre esprit sur ce dont nous parlons. Si vous deviez découvrir que votre fils de douze ans a violé des bambins de cinq ans, vous seriez peut-être prêt à payer n'importe quelle somme pour que votre progéniture disparaisse pendant quelques années.

— Ce sont ceux-là qu'on envoie à Mapleshade ?

— Tout à fait.

— Comme Jillian Perry ?

L'expression de Kale passa par une brève série de tics et de froncements de sourcils.

— Citer des noms d'élèves en particulier dans un contexte comme celui-ci nous place à la lisière d'un champ de mines juridique. Je ne pense pas être en mesure de vous donner une réponse précise.

— J'ai déjà des descriptions dignes de foi de la conduite de Jillian. Je ne la mentionne que parce que la chronologie soulève une question. N'a-t-elle pas été envoyée à Mapleshade avant que le Dr Ashton modifie l'objectif de l'école ?

— C'est vrai. Cependant, sans prétendre quoi que ce soit dans un sens ou dans l'autre en ce qui concerne la fille Perry, je puis vous dire que, traditionnellement, Mapleshade acceptait des élèves souffrant d'une grande variété de problèmes, et qu'il y en avait toujours quelques-uns de beaucoup plus malades que les autres. Ce qu'a fait Ashton, c'est d'axer entièrement la politique d'inscription de Mapleshade sur les plus gravement atteints. Donnez à l'un d'entre eux un gramme de coke et il séduirait un cheval. Est-ce que cela répond à votre question ?

Gurney se mit à contempler le petit poêle rouge.

— Je comprends votre répugnance à enfreindre des promesses de confidentialité. Néanmoins, cela ne peut plus nuire à Jillian Perry, et retrouver son meurtrier peut dépendre de notre connaissance de ses contacts passés. Si Jillian vous a fait des confidences sur…

— Je vous arrête tout de suite. Ce qui m'a été confié demeure confidentiel.

— Il y a beaucoup de choses en jeu, docteur.

— Oui, effectivement. Parmi lesquelles l'intégrité. Je ne révélerai rien de ce qui m'a été dit sur la base du principe que je ne le répéterais pas. Est-ce clair ?

— Hélas, oui.

— Si vous désirez des informations sur Mapleshade et sa métamorphose d'école en zoo, nous pouvons en discuter en termes généraux. Mais il ne sera pas question du détail de la vie des personnes. Ce monde est un terrain glissant, inspecteur, au cas où vous ne l'auriez pas remarqué. Nous n'avons aucune prise solide en dehors de nos principes.

— Quel principe a dicté votre démission de Mapleshade ?

— Mapleshade est devenu un foyer pour psychopathes sexuels. Ce n'est pas d'un thérapeute que la plupart d'entre eux ont besoin, c'est d'un exorciste.

— Lorsque vous êtes parti, le Dr Ashton a-t-il engagé quelqu'un d'autre pour vous remplacer ?

— Il a engagé quelqu'un pour le même poste.

Il y avait de l'acidité dans cette distinction nette, et comme une véritable haine dans les yeux de Kale.

— Quel genre de personne ?

— Il s'appelle Lazarus. C'est tout dire.

— Comment ça ?

— Le Dr Lazarus est aussi chaleureux et plein d'entrain qu'un cadavre.

À la voix âpre et tranchante de Kale, Gurney comprit que l'entretien était terminé.

Comme sur un signal, la flûte se remit à jouer, et les accents plaintifs de « Danny Boy » le propulsèrent hors de la maison.

CHAPITRE 33

Une simple inversion

La fable vivante, le rêve pivot, la vision qui avait tout changé demeurait aussi vivace pour lui que lorsqu'elle lui était venue.

C'était comme regarder un film et y participer en même temps, puis oublier qu'il s'agissait d'un film, et le vivre, le sentir – une expérience plus réelle que ne l'avait jamais été la soi-disant « vie réelle ».

Le contenu était toujours le même.

Jean-Baptiste était nu à l'exception d'un simple pagne brun couvrant à peine ses organes génitaux. Le pagne était fermé par une ceinture en cuir brut où pendait un couteau de chasse primitif. Il se tenait à côté d'un lit froissé, dans une pièce ressemblant à la fois à une chambre et à un cachot. Aucune contrainte visible ne pesait sur lui, et pourtant il ne pouvait bouger ni les bras ni les jambes. Il éprouvait un sentiment de claustrophobie et il craignait, s'il perdait l'équilibre et tombait sur le lit, d'étouffer.

Dans le cachot, descendant les marches en pierre au milieu des ténèbres, venait Salomé. Elle s'approchait dans un tourbillon de parfum et de soie transparente, s'arrêtait devant lui, oscillant, dansant. Se déplaçant comme un serpent plus que comme un être humain. La soie glissait, s'évaporant, révélant une peau crémeuse, des seins étonnamment plantureux pour une créature aussi souple, des fesses parfaitement rondes, d'une beauté éclatante, d'une beauté fatale. Le corps frémissant dans l'attente du plaisir.

L'archétype de la déchéance.

Ève le succube.

Avatar du serpent.

Essence du mal.

Incarnation de la luxure.

Frémissant, dansant comme un serpent.

Dansant autour de lui, tout contre lui. Un voile de sueur couvrant sa poitrine oscillant, de fines gouttelettes entourant sa bouche. Le choc électrique de ses jambes effleurant les siennes, puis s'entrouvrant, le frottement des poils pubiens contre sa cuisse, un cri d'horreur enflant dans sa poitrine, d'horreur dévalant ses veines. Puis le hurlement dans son cœur s'efforçant de s'échapper. Tout d'abord un minuscule gémissement étouffé, grandissant, peinant à passer entre ses dents serrées. Ses yeux à elle étincelant, son flanc pressé contre le sien. Le cri augmentant, explosant, se transformant en un rugissement, un torrent sonore, le rugissement d'un cyclone qui nivelle le monde, libérant ses bras et ses jambes de leur paralysie, son couteau de chasse à présent changé en glaive, en cimeterre béni. Avec toutes les forces du ciel et de la terre, il balançait le terrible cimeterre – lui faisait décrire un arc parfait –, sentant à peine la lame traverser le cou en sueur, la tête tombant, tombant en chute libre. Et dans sa chute, disparaissant au sein du sol en pierre, le corps moite se desséchant en une poussière grise avant de se volatiliser, emporté par un vent qui lui réchauffait le cœur, le remplissait de lumière et de paix, le remplissait de la connaissance de sa véritable identité, le remplissait de sa Mission et de sa Méthode.

On dit que Dieu vient à certains lentement et à d'autres dans un éclair qui illumine tout. Et c'est ce qui se passa pour lui.

La puissance et la clarté de la chose l'avaient abasourdi la première fois, comme chaque fois qu'il se la rappelait, chaque fois qu'il revivait la Vérité Suprême qui lui avait été révélée dans le « rêve ».

Comme toutes les grandes idées, c'était incroyablement simple : Salomé ne peut pas faire décapiter Jean-Baptiste par Hérode si Jean-Baptiste frappe le premier. Jean-Baptiste vivant en lui. Jean-Baptiste destructeur du démon Ève. Jean-Baptiste, réceptacle du baptême de sang. Jean-Baptiste, fléau des serpents visqueux de la terre. Trancheur de la tête d'Ève le serpent.

C'était une image merveilleuse. Une source de motivation, de sérénité et de réconfort. Il se sentait béni entre tous. Tant de gens dans le monde moderne ignoraient qui ils étaient vraiment.

Lui savait qui il était. Et ce qu'il avait à faire.

CHAPITRE 34

Ashton inquiet

Au moment où Gurney se garait dans le parking du bâtiment du comté abritant le bureau du procureur, son portable se mit à sonner. Il fut surpris d'entendre la voix de Scott Ashton et encore plus surpris par son manque d'assurance et sa familiarité.

— David, après votre appel de ce matin, vos remarques sur ces jeunes filles introuvables... Je n'ai pas oublié ce que j'ai dit sur la question du respect de la vie privée, mais... j'ai pensé que rien ne m'interdisait de passer moi-même quelques coups de téléphone discrets, de cette façon personne ne pourra m'accuser d'avoir communiqué des noms et des coordonnées à un tiers.

— Oui ?

— Eh bien, j'ai donné un certain nombre de coups de fil, et... le fait est... je ne veux pas tirer de conclusions hâtives, mais... il est possible qu'il se passe quelque chose d'étrange.

Gurney s'arrêta sur la première place disponible.

— Étrange en quel sens ?

— J'ai donné quatorze coups de fil en tout. J'ai eu le numéro de l'ex-élève dans quatre cas, et le numéro d'un parent ou d'un tuteur dans les dix autres. S'agissant d'une des élèves, j'ai réussi à la joindre et à lui parler. Pour une autre, j'ai pu laisser un message sur sa boîte vocale. Le service téléphonique des deux autres avait été déconnecté. Sur les dix coups de fil que j'ai passés aux familles, j'ai eu deux d'entre elles et laissé des messages aux huit autres, dont deux ont rappelé. De sorte que j'ai fini par avoir quatre interlocuteurs.

Gurney se demanda à quoi rimait toute cette arithmétique.

— Dans un cas, il n'y avait pas de problème. Toutefois, dans les trois autres…

— Désolé de vous interrompre, mais qu'entendez-vous par « pas de problème » ?

— Qu'ils savaient où se trouvait leur fille : ont déclaré qu'elle était à la fac, qu'ils lui avaient parlé aujourd'hui même. Le problème, c'est pour les trois autres. Les parents n'ont aucune idée de l'endroit où elles sont – ce qui, en soi, n'a pas grande signification. En fait, je recommande fortement à certains de nos diplômés de rompre avec leur famille quand ces relations ont des antécédents nocifs. La réintégration dans le milieu familial n'est pas toujours conseillée. Je suis sûr que vous comprenez pourquoi.

Gurney faillit laisser échapper que Savannah lui avait déjà dit la même chose, mais il se retint. Ashton continua.

— L'ennui, c'est ce que m'ont raconté les parents sur la façon dont les jeunes filles étaient parties de chez elle.

— De quelle façon ?

— Le premier parent auquel j'ai parlé m'a dit que sa fille était d'un calme inaccoutumé, qu'elle s'était bien conduite pendant environ un mois après être rentrée de Mapleshade. Puis, un soir à table, elle a réclamé de l'argent pour s'acheter une nouvelle voiture, plus précisément une Matia décapotable à vingt-sept mille dollars. Les parents ont refusé, naturellement. Elle les a alors accusés de ne pas s'intéresser à elle, et leur a ressorti avec agressivité tous les traumatismes de sa petite enfance pour conclure en leur adressant cet ultimatum absurde qu'ils devaient lui donner l'argent de la voiture ou elle ne leur adresserait plus jamais la parole. Devant leur refus, elle a fait ses paquets au sens littéral, appelé une agence de location de voitures et fichu le camp. Après ça, elle leur a téléphoné une fois pour dire qu'elle partageait un appartement avec une amie, qu'elle avait besoin de temps pour résoudre ses « difficultés » et que toute tentative pour la retrouver ou pour communiquer avec elle constituerait une atteinte intolérable à sa vie privée. Et c'est la dernière fois qu'ils ont entendu parler d'elle.

— Vous en savez sûrement plus que moi sur vos anciennes élèves, mais, à première vue, cette histoire ne me paraît pas si bizarre que ça. Elle ressemble à ce que peut faire une enfant gâtée et psychologiquement instable.

Après coup, Gurney se demanda si Ashton n'allait pas objecter à cette caractérisation d'une ancienne cliente de Mapleshade.

— Oui, c'est exactement de quoi ça a l'air, répondit-il à la place. Une « enfant gâtée » tapant du pied, sortant comme un ouragan, punissant ses parents en les rejetant. Pas particulièrement surprenant, ni même inhabituel.

— Alors, je ne saisis pas très bien le sens de cette histoire. Pourquoi vous inquiète-t-elle ?

— Parce que les trois familles ont raconté la même.

— La même ?

— La même, hormis la marque et le prix de la voiture. Au lieu d'une Miata à vingt-sept mille dollars, la deuxième fille voulait une BMW à trente-neuf mille dollars et la troisième une Corvette à soixante-dix mille dollars.

— Ça alors !

— Eh bien, vous voyez pourquoi je suis inquiet ?

— Ce que je vois, c'est une énigme quant à la nature du lien. Votre conversation avec les parents vous a-t-elle donné des idées là-dessus ?

— Ma foi, ça ne peut pas être une coïncidence. Cela ressemble à une conspiration.

Gurney voyait deux possibilités.

— Ou bien les filles ont imaginé ça entre elles comme un moyen de quitter le domicile familial, même si la raison pour laquelle il fallait s'y prendre ainsi n'est pas claire. Ou bien chacune d'elles suivait les directives d'un tiers sans nécessairement savoir que les autres filles obéissaient aux mêmes consignes. Mais, là encore, la véritable question est *pourquoi*.

— Vous ne pensez pas qu'il s'agit simplement d'une combine farfelue pour voir si elles pouvaient forcer leurs parents à leur acheter la voiture de leur rêve ?

— J'en doute.

— Si c'était une histoire qu'elles avaient imaginée entre elles, ou sous la direction d'une mystérieuse tierce personne – pour des raisons encore inconnues –, pourquoi chacune des filles aurait-elle fourni une marque de voiture différente ?

Une réponse possible vint à l'esprit de Gurney, mais il avait besoin de davantage de temps pour y réfléchir.

— Comment avez-vous déniché les noms des filles que vous avez essayé d'appeler ?

— Rien de systématique. Elles étaient en dernière année avec Jillian.

— Elles avaient donc toutes approximativement le même âge ? Autour de dix-neuf, vingt ans ?

— Je crois.

— Vous vous rendez bien compte que vous allez devoir remettre vos dossiers d'inscription à la police ?

— J'ai bien peur de ne pas être tout à fait d'accord… du moins pas encore. Tout ce que je sais pour le moment, c'est que trois jeunes filles, juridiquement adultes, ont quitté leur domicile après une dispute similaire avec leurs parents. Je vous accorde qu'il y a là quelque chose de curieux – ce pourquoi je vous en parle –, mais jusqu'ici il n'existe aucune preuve d'un acte délictueux, aucun signe d'un quelconque méfait.

— Il y en a plus de trois.

— Comment le savez-vous ?

— Comme je vous l'ai déjà expliqué, on m'a…

Ashton le coupa.

— Oui, oui, je sais, une personne anonyme vous a raconté qu'elle n'arrivait pas à joindre certaines de nos anciennes étudiantes, tout aussi anonymes. Ce qui en soi ne veut rien dire. Ne mélangeons pas les torchons et les serviettes, ne tirons pas de conclusions alarmistes en s'en servant comme prétexte pour piétiner les garanties de confidentialité offertes par l'école.

— Docteur, c'est vous qui m'avez appelé. Vous aviez l'air inquiet. Et voilà que vous me dites qu'il n'y a pas de quoi s'inquiéter. Vous n'êtes pas très logique.

Il perçut de légers tremblements dans la respiration d'Ashton. Au bout de cinq longues secondes, son interlocuteur reprit la parole d'une voix plus maîtrisée.

— Je ne tiens pas à ce que toute la structure de l'école nous dégringole sur la tête. Écoutez, voici ce que je propose : je continuerai à passer des coups de fil. Je tâcherai d'appeler tous les numéros dont je dispose pour les diplômées récentes. Ainsi, nous serons sûrs d'avoir de sérieuses raisons de mettre en péril Mapleshade. Croyez-moi, je n'essaie pas de faire de l'obstructionnisme. Si nous découvrons de nouveaux exemples…

— Très bien, docteur, passez des coups de fil. Mais sachez que j'ai l'intention d'informer la BC de ce que je sais déjà.

— Faites ce que devez faire. Mais, de grâce, n'oubliez pas que vous en savez *très peu* au bout du compte. Ne détruisez pas un héritage de confiance sur la base de simples suppositions.

— Je comprends votre point de vue. Exprimé avec brio.

L'éloquence fumeuse d'Ashton commençait, en fait, à lui taper sur les nerfs.

— Mais, à propos de l'héritage de l'institution, ou de sa mission, ou de sa réputation, quel que soit le nom que vous lui donnez, j'ai cru comprendre que vous aviez vous-même opéré des changements spectaculaires dans ce domaine il y a quelques années – certains diraient des changements risqués.

Ashton répondit :

— Oui, en effet. Dites-moi comment on vous a décrit ces changements et je vous expliquerai leur motif.

— Je paraphrase : « Scott Ashton a chamboulé la mission de l'institution, transformé un établissement qui soignait le soignable en un enclos pour monstres incurables. » Je pense que cela restitue l'essentiel.

Ashton laissa échapper un petit soupir.

— Je suppose qu'on peut avoir ce genre d'opinion, surtout si celui qui l'émet n'a pas profité de tels changements.

Gurney ignora le camouflet manifeste à l'égard de Simon Kale.

— Quelle est la vôtre ?

— Ce pays possède des centaines de pensionnats thérapeutiques. Ce qui manque, ce sont des lieux d'accueil où les problèmes de violences et d'obsessions sexuelles destructrices peuvent être abordés de façon créative et efficace. Je m'efforce de corriger ce déséquilibre.

— Et vous êtes content de la manière dont ça fonctionne ?

Il y eut un soupir plus long.

— Le traitement de certains troubles mentaux est moyenâgeux. Avec la barre placée aussi bas, il est moins difficile d'accomplir des progrès que vous pourriez le supposer. Quand vous aurez quelques moments de libres, nous pourrons en discuter plus en détail. Dans l'immédiat, je préférerais continuer avec ces coups de fil.

Gurney vérifia l'heure à la pendule du tableau de bord de sa voiture.

— J'ai moi-même un rendez-vous pour lequel je suis déjà en retard de cinq minutes. Merci de me tenir au courant dès que possible. Ah… une dernière chose, docteur. Je présume que vous avez le numéro et l'adresse d'Alessandro et de Karnala Fashion ?

— Je vous demande pardon ?

Gurney garda le silence.

— Vous parlez de la publicité ? Pourquoi aurais-je leurs numéros ?

— Je suppose que vous avez eu cette photo sur votre mur soit par le photographe, soit par la société qui l'a commandée.

— Non. En fait, c'est Jillian qui l'avait. Elle me l'a donnée comme cadeau de mariage. Ce matin-là. Le matin du mariage.

CHAPITRE 35

Infiniment plus

L'immeuble des services du comté avait une histoire peu commune. Avant 1935, il était connu comme l'hôpital psychiatrique Bumblebee – ainsi nommé d'après l'excentrique immigrant britannique, Sir George Bumblebee, qui légua en 1899 la totalité de son domaine et qui, d'après sa famille qu'il avait dépossédée, était aussi fou que n'importe quel patient potentiel. Histoire qui apportait une eau intarissable au moulin des farceurs locaux commentant les activités des organismes gouvernementaux qu'on y avait installés depuis que le comté avait pris possession des lieux durant la Grande Dépression.

Le sombre édifice en brique faisait l'effet d'un gigantesque presse-papiers rivant au sol le côté nord de la grand-place. Le ravalement nécessaire pour enlever un siècle de crasse était différé chaque année jusqu'à l'année suivante, victime d'une éternelle crise budgétaire. Au milieu des années soixante, l'intérieur avait été vidé et refait. Lampes fluo et placoplâtre avaient remplacé les globes fêlés et le lambrissage gauchi. Le dispositif de sécurité ultramoderne du hall, que Gurney avait gardé en mémoire depuis ses visites lors de l'affaire Mellery, était toujours en place et toujours aussi désespérément lent. Toutefois, une fois passé cet obstacle, la disposition rectangulaire du bâtiment était d'une simplicité enfantine, et une minute plus tard il poussait une porte en verre dépoli sur laquelle le mot PROCUREUR se détachait en élégantes lettres noires.

Il reconnut la femme vêtue d'un pull en cachemire derrière le bureau de réception : Ellen Rackoff, la très sexy, bien que loin d'être de la première jeunesse, assistante personnelle du procureur. Son regard arborait une expression étonnamment froide et avertie.

— Vous êtes en retard, remarqua-t-elle d'une voix de velours.

Qu'elle ne lui ait pas demandé son nom était le seul signe qu'elle se souvenait de lui du temps de l'affaire Mellery.

— Venez avec moi.

Elle lui fit franchir à nouveau la porte puis longer un couloir jusqu'à la salle de conférences.

— Bonne chance.

Il crut un instant avoir été dirigé dans la mauvaise réunion. Il y avait plusieurs personnes dans la pièce, mais la seule qu'il s'était attendu à trouver là, Sheridan Kline, n'en faisait pas partie. Il se dit qu'il devait être au bon endroit après tout en voyant le capitaine Rodriguez, de la police de l'État, lui lancer un regard noir depuis l'extrémité de la vaste table ronde qui occupait la moitié de la pièce sans fenêtre.

Grassouillet, de petite taille, Rodriguez avait un visage fermé et d'épais cheveux noirs soigneusement coiffés, teints de toute évidence. Son complet bleu était impeccable, sa chemise plus blanc que blanc, sa cravate rouge sang. Des lunettes à fines montures d'acier soulignaient ses yeux sombres et amers. Assis à sa gauche se trouvait Arlo Blatt, qui regardait Gurney avec de petits yeux hostiles. Le type falot à la droite de Rodriguez ne montrait aucune émotion si ce n'est une légère pointe de déprime que Gurney supposa être plus constitutive que situationnelle. Il jeta à ce dernier le genre de regard inquisiteur que les flics adressent automatiquement aux inconnus, et bâilla. En face de ce trio, sa chaise à un bon mètre de la table, Hardwick fermait les yeux, les bras croisés sur sa poitrine, comme si d'être dans la même pièce que ces gens lui donnait envie de dormir.

— Bonjour, Dave.

La voix était forte, claire, féminine, et familière. Elle provenait d'une grande femme aux cheveux auburn, debout à côté d'une table séparée à l'autre extrémité de la pièce – une femme ressemblant comme deux gouttes d'eau à Sigourney Weaver jeune.

— Rebecca, je ne savais pas que… que vous…

— Moi non plus. Sheridan m'a appelée ce matin pour me demander si je pouvais trouver le temps. Ça collait, alors me voilà. Du café ?

— Merci.

— Noir ?

— Volontiers.

Il le préférait avec du lait et du sucre, mais, pour une raison ou pour une autre, il n'avait pas envie de lui dire qu'elle était tombée à côté.

Rebecca Holdenfield était une profileuse réputée, spécialiste des meurtres en série, que Gurney avait connue et qu'il avait fini par respecter, en dépit de ses doutes sur la profession en général, lorsqu'ils travaillaient tous deux sur le dossier Mellery. Il se demanda ce que sa présence pouvait bien signifier quant à l'idée que le procureur se faisait de l'affaire.

Au même moment, la porte s'ouvrit, et le procureur en personne pénétra dans la salle. Comme à l'accoutumée, Sheridan Kline irradiait une sorte d'énergie enjouée. Son regard se déplaçant avec rapidité, telle une torche de cambrioleur, ne mit que quelques secondes à faire le tour de la pièce.

— Becca ! Merci ! Je vous suis reconnaissant d'avoir pris le temps de venir. Dave ! Ce cher inspecteur Gurney, l'homme qui a semé la zizanie ! Raison pour laquelle nous sommes tous là. Et Rod !

Il sourit d'une oreille à l'autre au visage revêche de Rodriguez.

— C'est très aimable à vous d'avoir pu venir dans un délai aussi bref. Et d'avoir réussi à amener vos collaborateurs avec vous.

Il regarda sans intérêt les bonshommes flanquant le capitaine. Kline aimait avoir un public, songea Gurney, mais aussi qu'il soit composé de gens importants.

Holdenfield vint à la table avec deux cafés noirs, en donna un à Gurney et s'assit à côté de lui.

— Le chef enquêteur Hardwick n'est pas actuellement chargé de l'affaire, dit Kline à personne en particulier, mais il s'en est occupé au début, et j'ai pensé qu'il serait utile d'avoir toutes nos sources pertinentes réunies dans cette pièce en même temps.

Autre mensonge transparent, se dit Gurney. Ce que Kline trouvait « utile », c'est de fourrer chats et chiens ensemble, et d'observer ce qui se passerait. De fait, c'était un fervent adepte du principe de la confrontation pour atteindre la vérité et galvaniser les individus – et plus les adversaires étaient en colère, mieux cela valait. Il régnait dans la pièce une atmosphère d'hostilité, ce qui, supposa Gurney, expliquait le niveau d'énergie de Kline, qui frisait à présent le bourdonnement d'un transformateur à haute tension.

— Rod, pendant que je vais me prendre un café, pourquoi ne pas récapituler la démarche suivie jusqu'à présent par la BC. Nous sommes ici pour écouter et apprendre.

Gurney crut avoir entendu Hardwick, avachi sur sa chaise de l'autre côté de Rebecca Holdenfield, pousser un grognement.

— Je serai bref, dit le capitaine. En ce qui concerne le meurtre de Jillian Perry, nous savons ce qui a été fait, quand cela a été fait et comment cela a été fait. Nous savons aussi qui l'a fait, et nous avons donc employé nos efforts à retrouver cet individu afin de le placer en détention. Pour atteindre cet objectif, nous avons mis sur pied une des plus vastes chasses à l'homme de l'histoire de la Brigade. Une mobilisation massive, minutieuse et constante.

Un autre bruit sourd émana de la direction de Hardwick.

Le capitaine avait les coudes plantés sur la table, le poing gauche enfoui dans sa main droite. Il décocha à Hardwick un regard de mise en garde.

— À cette heure, nous avons effectué plus de trois cents interrogatoires, et nous continuons à élargir notre rayon d'action. Bill – le lieutenant Anderson – et Arlo ici présents sont responsables du suivi des progrès au jour le jour.

Kline s'approcha de la table avec son café, mais demeura debout.

— Peut-être que Bill pourrait nous donner un avis sur l'état actuel de l'enquête. Ce que nous savons aujourd'hui que nous ne savions pas, mettons, une semaine après la décapitation ?

Le lieutenant Anderson cligna des yeux puis se racla la gorge.

— Que nous ne savions pas ?… Eh bien, je dirais que nous avons éliminé pas mal de possibilités.

Lorsqu'il devint clair, devant les regards fixés sur lui, que ce n'était pas la réponse adéquate, il s'éclaircit à nouveau la voix.

— Il y a un tas de choses qui auraient pu avoir lieu dont nous savons maintenant qu'elles ne se sont pas produites. Nous avons éliminé quantité de possibilités, et nous avons une image plus claire du suspect. Un vrai cinoque.

— Quelles possibilités avez-vous éliminées ? demanda Kline.

— Eh bien, nous savons que personne n'a vu Flores quitter le secteur de Tambury. Rien n'indique qu'il ait appelé une compagnie de taxis, ou une société de location de voitures, et les chauffeurs de bus qui desservent les arrêts locaux ne se souviennent pas de quelqu'un comme lui. En fait, nous n'avons trouvé personne qui l'ait aperçu à un moment ou un autre après le meurtre.

Kline battit des paupières, perplexe.

— D'accord, mais je ne comprends pas très bien…

Anderson continua d'une voix terne :

— Parfois, ce que nous ne trouvons pas est aussi important que ce que nous trouvons. Les analyses de laboratoire ont montré que Flores avait récuré le pavillon à tel point qu'il y avait zéro trace de lui-même ou de qui que ce soit d'autre que la victime. Il a pris un soin incroyable à effacer tout ce qui pouvait comporter de l'ADN analysable. Même les trappes sous le lavabo de la salle de bains et celui de la cuisine avaient été frottées. Nous avons également questionné chaque ouvrier latino-américain dans un rayon de soixante-dix kilomètres autour de Tambury, et pas un seul n'a pu ou voulu nous dire quoi que ce soit sur Flores. Sans empreintes ni ADN ni date d'entrée dans le pays, l'Immigration ne peut pas nous aider. Idem pour les autorités du Mexique. Le portrait-robot est trop général pour être d'une grande utilité. Tous ceux auxquels nous l'avons fait voir pensaient qu'il ressemblait à quelqu'un qu'ils connaissaient, mais il ne s'en est pas trouvé deux pour identifier la même personne. Quant à Kiki Muller, la voisine qui a disparu avec Flores, elle n'a pas été revue par quiconque depuis le meurtre.

Kline semblait exaspéré.

— Ou je me trompe, ou vous êtes en train de me dire que l'enquête n'a rien donné.

Anderson se tourna vers Rodriguez. Rodriguez se mit à étudier son poing.

Blatt fit son premier commentaire de la réunion.

— Ce n'est qu'une question de temps.

Tout le monde le regarda.

— Nous avons des gens dans cette communauté qui gardent les yeux et les oreilles ouverts. Flores finira par refaire surface et la ramener auprès de la mauvaise personne. C'est alors que nous le ramasserons.

Hardwick considérait ses ongles d'un air dubitatif comme si c'étaient des excroissances suspectes.

— De quelle communauté s'agit-il, Arlo ?

— Les étrangers en situation irrégulière, qui d'autre ?

— Supposons qu'il ne soit pas mexicain.

— Alors, il est guatémaltèque, nicaraguayen ou je ne sais quoi. Nous avons des gens qui fouinent dans toutes ces communautés. À terme…

Il haussa les épaules.

Kline se mit au diapason du conflit.

— Où voulez-vous en venir, Jack ?

Hardwick sourit.

— Je vais vous le dire. Pourquoi ne pas écouter ce que le super inspecteur Gurney assis à cette table a appris au cours de ces quatre derniers jours : une véritable montagne de trucs et bien plus que nous en avons déniché en quatre mois.

Le voltage de Kline était en hausse.

— Dave ? Qu'avez-vous trouvé ?

— Ce que j'ai trouvé, commença lentement Gurney, ce sont plutôt des questions – questions qui suggèrent de nouvelles lignes directrices. (Il posa ses avant-bras sur la table et se pencha en avant.) Un élément clé qui mérite notre attention, c'est le passé de la victime. Jillian avait été abusée sexuellement dans son enfance avant d'abuser à son tour d'autres enfants. Elle était agressive, manipulatrice et avait apparemment des traits sociopathes. La possibilité d'un désir de vengeance découlant de ce type de comportement est considérable.

Blatt plissait le visage.

— Vous essayez de nous dire que Jillian Perry a abusé sexuellement de Hector Flores quand il était gosse et que c'est pour ça qu'il l'a tuée ? Ça paraît dingue.

— Je suis bien d'accord. D'autant plus que Flores avait probablement au moins dix ans de plus que

Jillian. Mais supposez qu'il se soit vengé de sévices commis à l'encontre de quelqu'un d'autre. Ou que lui-même ait été gravement abusé, de façon si traumatisante que cela ait affecté son équilibre mental et qu'il ait décidé de passer sa rage sur tous les abuseurs. Supposez qu'il ait été informé de l'existence de Mapleshade, de la nature de sa clientèle, du travail du Dr Ashton. Il a très bien pu se rendre au domicile d'Ashton, essayer d'obtenir des petits boulots et attendre une occasion de se livrer à un geste spectaculaire.

Kline intervint d'une voix fébrile.

— Qu'en pensez-vous, Becca ? Est-ce possible ?

Celle-ci écarquilla les yeux.

— Oui, c'est possible. Jillian aurait très bien pu avoir été choisie comme un objet particulier de vengeance sur la base de ses agissements contre des personnes que connaissait Flores ou comme une cible par procuration symbolisant les abuseurs en général. Avez-vous des éléments allant dans un sens ou dans l'autre ?

Kline regarda Gurney.

— Les détails sensationnels du meurtre – la décapitation, la disposition de la tête, le choix du jour du mariage – donnent une impression de rituel. Ce qui cadrerait avec le mobile de la vengeance. Mais, à coup sûr, nous n'en savons pas encore assez pour dire si elle était une cible individuelle ou par procuration.

Kline finit son café et alla se resservir tout en s'adressant à la pièce en général.

— Si nous prenions cette optique de la vengeance au sérieux, quelles actions seraient nécessaires ? Dave ?

Ce que Gurney estimait nécessaire – pour commencer –, c'est d'obtenir, sur les problèmes que Jillian avait rencontrés dans le passé, ses fréquentations lorsqu'elle était enfant, plus de renseignements que sa mère avait bien voulu en donner, et il avait besoin de moyens pour y parvenir.

— Je peux vous remettre une recommandation écrite là-dessus dans les deux jours.

Kline parut satisfait et poursuivit :

— Quoi d'autre ? Le chef enquêteur Hardwick vous a crédité d'avoir découvert une « véritable montagne de trucs », pour reprendre son expression.

— Je crains qu'on ne puisse parler de « montagne », mais il y a une chose qui prédomine. Un certain nombre de jeunes filles de Mapleshade semblent avoir disparu.

Les trois policiers de la BC sortirent soudain de leur apathie, plus ou moins à l'unisson, comme s'ils avaient été réveillés par un pétard.

Gurney continua :

— Scott Ashton et un autre membre du personnel de l'école ont tous deux essayé de joindre des jeunes filles diplômées récemment, sans résultat.

— Ça ne signifie pas nécessairement… commença le lieutenant Anderson.

Mais Gurney le coupa.

— En soi, cela ne veut pas dire grand-chose, mais il existe d'étranges similitudes. Ces filles se sont querellées avec leurs parents dans les mêmes termes : elles exigeaient une voiture neuve, chère, et elles se sont servies de ce prétexte pour claquer la porte de chez elles.

— De combien de filles parlons-nous ? demanda Blatt.

— Une ex-élève qui a essayé de contacter certaines de ses anciennes camarades m'a parlé de deux cas où les parents n'avaient aucune idée de l'endroit où se trouvait leur fille. Puis Scott Ashton m'a cité trois autres noms de jeunes filles qui étaient parties de chez elles à la suite d'une dispute avec leurs parents – le même genre de dispute dans les trois familles.

Kline secoua la tête.

— Je ne comprends pas. De quoi s'agit-il ? Et qu'est-ce que cela a à voir avec l'arrestation de l'assassin de Jillian Perry ?

— Les filles disparues ont au moins un point en commun, mis à part le conflit avec leurs parents. Elles connaissaient toutes Flores.

Anderson avait l'air encore plus dyspeptique à cet instant.

— Comment ?

— Flores avait proposé à Ashton d'effectuer des travaux à Mapleshade. Plutôt pas mal de sa personne, apparemment, il a attiré l'attention de certaines filles de l'école. Or il s'avère que celles qui s'intéressaient à lui, celles qui ont été vues en train de lui parler, sont précisément celles qui ont disparu.

— Ont-elles été inscrites sur la liste des personnes disparues du Centre d'information sur le crime du FBI ? demanda Anderson sur le ton plein d'espoir de celui qui s'efforce de refiler le bébé.

— Aucune d'entre elles, répondit Gurney. Le problème, c'est qu'elles ont toutes plus de dix-huit ans, et sont libres d'aller et venir à leur gré. Chacune a annoncé son projet de partir de chez elle, son intention de garder sa destination secrète et son désir qu'on la laisse tranquille. Toutes choses contraires aux critères d'entrée dans la base de données des personnes disparues.

Kline faisait les cent pas.

— Voilà qui donne une nouvelle dimension à l'affaire. Qu'en pensez-vous, Rod ?

Le capitaine avait une mine sombre.

— J'aimerais bien savoir ce que Gurney est en train de nous dire en réalité.

Ce fut Kline qui répondit :

— Il est en train de nous dire, je pense, qu'il se pourrait que l'affaire Jillian Perry ne se limite pas à Jillian Perry.

— Et que Hector Flores est peut-être plus qu'un jardinier mexicain, ajouta Hardwick. Hypothèse que j'avais mentionnée il y a déjà quelque temps, si j'ai bonne mémoire.

Ce qui eut pour effet de faire grimper les sourcils de Kline.

— Quand ?

— Quand j'étais encore affecté à l'affaire. La description initiale de Flores sonnait faux.

Si les dents de Rodriguez avaient été serrées plus fort, songea Gurney, elles se seraient désintégrées.

— En quel sens ? demanda Kline.

— Elle faisait de lui l'assassin idéal.

Gurney savait que Rodriguez ressentirait la satisfaction de Hardwick comme un coup de pic à glace dans les côtes – sans oublier que l'évidence d'un désaccord interne s'étalait au grand jour devant le procureur.

— Autrement dit ? demanda Kline.

— Autrement dit, beaucoup trop lisse. L'ouvrier analphabète, trop rapidement éduqué par le toubib bouffi d'orgueil, accomplissant trop de progrès trop vite, devenant l'amant de l'épouse du riche voisin, peut-être aussi de Jillian Perry, se sentant dépassé par les événements, pétant un câble sous la pression. On se croirait dans un feuilleton télé, du n'importe quoi.

Il parlait en regardant Rodriguez avec une telle intensité que l'auteur du scénario ne pouvait guère faire de doute.

D'après ce qu'il savait de Kline depuis l'affaire Mellery, il sentait que cette empoignade lui plaisait et qu'il cachait sa jubilation sous un froncement de sourcils méditatif.

— Quelle est votre propre théorie sur l'histoire Flores ? lui demanda Kline.

Hardwick se laissa aller en arrière sur sa chaise comme un vent qui mollit.

— Il est plus facile de dire ce qui n'est pas logique que ce qui l'est. Quand on met bout à bout tous les faits connus, on a du mal à trouver un sens au comportement de Flores.

Kline se tourna vers Gurney.

— C'est aussi votre point de vue ?

Gurney respira profondément.

— Certains éléments semblent contradictoires. Mais les faits ne se contredisent pas les uns les autres – ce qui signifie qu'il manque un gros morceau du puzzle, le morceau qui finira par donner un sens aux autres. Je ne m'attends pas à ce qu'il s'agisse d'une histoire simple. Comme l'a dit Jack, il y a assurément des zones d'ombre dans cette affaire.

Il craignit un instant que cette remarque révèle le rôle joué par Hardwick dans la décision de Val de l'engager, mais personne ne sembla relever. Blatt faisait l'effet d'un rat essayant d'identifier un objet en le flairant, mais Blatt avait toujours cet air-là.

Kline avala pensivement une gorgée de café.

— Quels faits vous gênent ?

— Pour commencer, l'ascension fulgurante de Flores du statut de ramasseur de feuilles à celui de régisseur.

— Vous pensez qu'Ashton ment sur ce point ?

— À lui-même, peut-être. Il explique cela comme une sorte de douce illusion portant l'idée d'un livre qu'il était en train d'écrire.

— Becca, cela vous paraît plausible ?

Elle sourit évasivement, plus une sorte de haussement d'épaules facial qu'un vrai sourire.

— Ne sous-estimez jamais le pouvoir de l'aveuglement, surtout chez quelqu'un essayant de prouver ce qu'il avance.

Kline opina de la tête avec componction puis se tourna à nouveau vers Gurney.

— Votre idée de base est donc que Flores avait monté une entourloupe ?

— Qu'il jouait un rôle pour une raison ou pour une autre, oui.

— Qu'est-ce qui vous chiffonne encore ?

— Le mobile. Si Flores est venu à Tambury dans le but de tuer Jillian, pourquoi a-t-il attendu si longtemps ? Et s'il est venu dans un autre but : lequel ?

— Questions intéressantes. Continuez.

— La décapitation elle-même semble avoir été méthodique et planifiée, mais aussi spontanée et conjoncturelle.

— Là, je ne vous suis pas.

— L'agencement… du corps… était précis. Le pavillon avait été nettoyé très récemment, peut-être le matin même, pour éliminer toute trace de l'homme qui y vivait. L'itinéraire d'évasion avait été étudié, et conçu pour que l'équipe cynophile ne puisse pas suivre de piste olfactive. Je ne sais pas comment Flores a disparu, mais cela a été calculé avec soin. On dirait un épisode de *Mission impossible* basé sur un timing à la fraction de seconde près. Mais les circonstances réelles semblent défier toute tentative de planification, sans parler d'un minutage parfait.

Kline inclina la tête sur le côté, intrigué.

— Comment ça ?

— La vidéo indique que Jillian est allée au pavillon sur une sorte de coup de tête. Un peu avant le toast prévu, elle a expliqué à Ashton qu'elle voulait convaincre Hector de se joindre à eux. Si je me souviens bien, Ashton a fait part au couple Luntz – le chef de la police et son épouse – des intentions de Jillian. L'idée ne semblait du goût de personne, mais j'ai l'impression que Jillian avait l'habitude de faire ce qui lui chantait. De sorte que d'un côté nous avons un meurtre méticuleusement préparé reposant sur un timing extrêmement précis et de l'autre côté une série de circonstances échappant complètement au contrôle du meurtrier. Il y a quelque chose qui ne va pas dans ce tableau.

— Pas nécessairement, lança Blatt, son nez de rat frémissant. Flores a très bien pu tout organiser à l'avance, faire en sorte que tout soit prêt, puis il a attendu son heure comme un serpent dans un trou. Attendu que la victime se pointe, et… bam !

Gurney avait l'air sceptique.

— Le problème, Arlo, c'est que cela aurait exigé de Flores que le pavillon soit parfaitement propre, sinon stérile, que lui-même se prépare et prépare sa voie d'évasion, qu'il mette les vêtements qu'il comptait porter, qu'il ait tout ce qu'il devait prendre avec lui, et que Kiki soit prête également, et ensuite… et ensuite, quoi ? Rester assis dans le pavillon avec une machette à la main en espérant que Jillian débarque pour l'inviter à la réception ?

— Vous tournez ça en ridicule, comme si c'était infaisable, dit Blatt, de la haine dans les yeux. Mais, à mon avis, c'est exactement ce qui s'est passé.

Anderson pinça les lèvres. Rodriguez plissa les yeux. Ni l'un ni l'autre ne semblaient disposés à approuver l'opinion de leur collègue.

Kline rompit le silence embarrassé.

— Autre chose ?

— Eh bien, fit Gurney, il y a toujours la question des élèves disparues.

— Ce qui, intervint Blatt, peut parfaitement ne même pas être vrai. Peut-être qu'elles ne veulent pas qu'on les retrouve, tout simplement. Ces filles ne sont pas exactement ce qu'on qualifierait de « stables ». Et quand bien même elles auraient comme qui dirait authentiquement disparu, il n'y a aucune preuve d'un lien avec l'affaire Perry.

Il y eut un nouveau silence, rompu cette fois par Hardwick.

— Il se peut qu'Arlo ait raison. Mais si elles se sont évanouies dans la nature et qu'il existe un lien, il y a gros à parier qu'elles sont déjà mortes.

Personne ne dit mot. Il était bien connu que, lorsque des jeunes femmes disparaissaient dans des circonstances suspectes sans donner aucun signe de vie, les chances de les revoir saines et sauves étaient minces. Et le fait que les filles en question aient toutes déclenché la même dispute bizarre avant de disparaître méritait à coup sûr le qualificatif de suspect.

Visiblement vexé et en colère, Rodriguez semblait sur le point de soulever une objection, mais, avant qu'il ait eu le temps de dire quoi que ce soit, le portable de Gurney se mit à sonner.

C'était Scott Ashton.

— Depuis notre dernière conversation, j'ai passé encore six coups de fil et réussi à joindre deux familles supplémentaires. Je continue à téléphoner, mais… Je voulais vous informer que les deux filles dans les familles en question ont quitté leur domicile après la même scène délirante. L'une réclamait une Suzuki à vingt mille dollars, l'autre une Mustang à trente-cinq mille dollars. Les parents ont dit non. Les filles ont refusé l'une et l'autre de dire où elles allaient, et insisté pour que personne ne les contacte. J'ignore ce que cela signifie, mais il se passe manifestement quelque chose d'étrange. Et autre coïncidence inquiétante : elles ont toutes les deux posé pour ces publicités Karnala Fashion.

— Depuis combien de temps ont-elles disparu ?

— Six mois pour la première, neuf pour la seconde.

— Dites-moi une chose, docteur. Êtes-vous prêt à nous donner des noms, ou devons-nous demander une injonction d'un tribunal pour avoir vos dossiers ?

Toute la salle avait les yeux braqués sur Gurney. Le café de Kline se trouvait à quelques centimètres de ses lèvres, mais il semblait avoir oublié qu'il le tenait.

— Quels noms désirez-vous ? répondit Ashton d'un ton abattu.

— Commençons par le nom des filles disparues, puis nous irons interroger celles qui étaient dans les mêmes classes.

— Très bien.

— Une autre question : comment Jillian avait-elle été contactée par Karnala Fashion ?

— Je ne sais pas.

— Elle ne vous l'a jamais dit ? Bien qu'elle vous ait offert la photographie en cadeau de mariage ?

— Non, jamais.

— Et vous n'avez pas posé la question ?

— Si, mais… Jillian n'aimait pas beaucoup les questions.

Gurney éprouva soudain l'envie de crier : MAIS QU'EST-CE QUI SE PASSE, BON DIEU ? TOUS LES PROTAGONISTES DE CETTE AFFAIRE ONT DONC PERDU L'ESPRIT !

À la place, il se contenta de dire :

— Merci, docteur. Ce sera tout pour l'instant. La Brigade criminelle vous contactera pour les noms et adresses concernés.

Alors que Gurney remettait le téléphone dans sa poche, Kline aboya :

— Qu'est-ce que c'était que ça ?

— Deux nouvelles filles ont disparu. Pour les mêmes raisons : l'une a exigé de ses parents qu'ils lui achètent une Suzuki, l'autre une Mustang.

Il se tourna vers Anderson.

— Ashton est prêt à fournir à la BC les noms des élèves disparues, ainsi que ceux de leurs camarades de classe. Faites-lui seulement savoir sous quelle forme vous voulez cette liste et comment vous l'envoyer.

— Parfait, mais on oublie que personne n'a disparu sur le plan légal, ce qui signifie que nous ne pouvons pas employer de ressource policière pour les retrouver. Sur le plan technique, il s'agit de jeunes femmes de dix-huit ans, adultes, qui sont parties de chez elles volontairement et sans se cacher, et qui sont actuellement injoignables, vraisemblablement par choix. Nous ne disposons d'aucune base juridique pour les traquer.

Gurney avait l'impression que le lieutenant Anderson voguait doucettement vers une retraite en Floride et qu'il avait autant soif de grand large qu'un caboteur. Cet état d'esprit, pour Gurney qui avait toujours été passionné par son métier, le mettait hors de lui.

— Alors, trouvez-en une. Déclarez que ce sont des témoins directs dans le meurtre Perry. Inventez un prétexte. Faites ce que vous avez à fairc. C'est le moindre de vos problèmes.

Anderson paraissait suffisamment en rogne pour que le conflit dégénère. Mais avant qu'il ait pu répondre, Kline intervint :

— C'est peut-être un point de détail, Dave, mais si vous insinuez que ces filles suivaient les instructions d'une tierce personne – probablement Flores –, qui leur avait fait répéter la dispute qu'elles étaient censées avoir avec leurs parents, pourquoi la marque de voiture n'est jamais la même ?

— La réponse la plus simple est qu'il y avait peut-être besoin de s'adapter pour obtenir le même effet sur des familles se trouvant dans des situations économiques différentes. Si l'on suppose que la dispute avait pour but de fournir à la fille un prétexte plausible pour s'en aller en claquant la porte – disparaître sans que sa disparition devienne pour autant une affaire de police, la demande de voiture devait avoir deux résultats. Premièrement, elle devait nécessiter suffisamment d'argent pour être refusée à coup sûr. Deuxièmement, les parents devaient croire que leur fille était sérieuse. Les différences de marques n'ont peut-être pas d'importance en soi ; seulement les différences de prix. En d'autres termes, demander une voiture à vingt mille dollars dans une famille devait avoir le même impact qu'en demander une à quarante mille dollars dans une autre famille.

— Ingénieux, fit remarquer Kline avec un sourire approbateur. Si vous avez raison, Flores en a dans le crâne. Un cinglé, peut-être, mais qui a assurément quelque chose dans la caboche.

— Mais il fait aussi des choses qui n'ont pas de sens. (Gurney se leva pour aller chercher lui aussi du café.) Cette fichue balle dans la tasse de thé… à quoi est-ce que cela rimait ? Voler le fusil de chasse d'Ashton pour pouvoir pulvériser sa tasse ? Pourquoi prendre un tel risque ? À propos, dit Gurney en aparté à Blatt, étiez-vous au courant que Withrow Perry possédait une arme du même calibre ?

— De quoi parlez-vous ?

— La balle qui a été tirée sur la tasse provenait d'un .257 Weatherby. Ashton en a un, qu'il a signalé comme volé, mais Perry en a un aussi. Vous devriez peut-être jeter un coup d'œil de ce côté-là.

Il y eut un silence gêné tandis que Rodriguez et Blatt griffonnaient des notes à la hâte.

Kline les regarda d'un air accusateur puis reporta son attention sur Gurney.

— Bon, que savez-vous d'autre que nous ignorons ?

— Difficile à dire, répondit Gurney. Qu'avez-vous sur Carl le Fou ?

— Qui ?

— Le mari de Kiki Muller.

— Qu'est-ce qu'il a à voir là-dedans ?

— Peut-être rien, si ce n'est un sérieux motif de tuer Flores.

— Flores n'a pas été tué.

— Qu'en savons-nous ? Il a disparu sans laisser de traces. Il pourrait être enterré dans une arrière-cour.

— Oh là, minute, qu'est-ce que c'est que ce délire ? Anderson était épouvanté, supposa Gurney, à la perspective d'un surcroît de travail.

Qu'est-ce que nous faisons ici, inventer des meurtres imaginaires ?

Kline avait l'air déconcerté.

— Où voulez-vous en venir ?

— L'hypothèse semble être que Flores s'est enfui de la région en compagnie de Kiki Muller, qu'il s'est peut-être même caché dans la maison des Muller pendant quelques jours avant de filer. Et si Flores était encore là lorsque Carl est rentré de son voyage sur ce navire à bord duquel il travaillait ? Je présume que l'équipe d'enquêteurs s'est aperçue que Carl a une case en moins ?

Kline fit un pas en arrière, se reculant de la table, comme si le panorama de l'affaire était trop vaste pour être vu de là où il se tenait.

— Attendez une seconde. Si Flores est mort, il ne peut pas être lié à la disparition de ces autres filles. Ni au coup de feu sur la terrasse d'Ashton. Ni au SMS reçu par Ashton et provenant du téléphone portable de Flores.

Gurney eut un haussement d'épaules.

Kline secoua la tête, frustré.

— Il me semble que vous prenez tout ce qui commençait à s'agencer et que vous le flanquez par terre.

— Je ne flanque rien par terre. Personnellement, je ne pense pas que Carl soit impliqué. Je ne suis même pas sûr que sa femme le soit. J'essaie seulement de donner un peu de mou. Nous ne disposons pas d'autant d'éléments concrets que vous pourriez le penser. Ce que je veux dire, c'est que nous devons garder l'esprit ouvert.

Il soupesa le risque de s'attirer de l'animosité générale et décida quand même d'ajouter :

— S'être lancé dans la mauvaise direction au mois de mai explique peut-être que l'enquête n'ait rien donné.

Kline regarda Rodriguez, qui regardait fixement la surface de la table comme si c'était un tableau de l'enfer.

— Quel est votre avis, Rod ? Vous pensez qu'il faudrait jeter un œil neuf sur tout ça ? Que nous avons essayé de résoudre le casse-tête en nous y prenant à l'envers ?

Rodriguez secoua lentement la tête.

— Non, ce n'est pas mon sentiment, répondit-il d'une voix rauque, tendue tellement il devait faire des efforts pour se contenir.

À en juger par les visages autour de la table, Gurney ne fut pas le seul surpris lorsque le capitaine, toujours désireux de se donner une aura d'autorité, se leva maladroitement de sa chaise et sortit de la salle comme s'il ne pouvait pas supporter d'y rester une minute de plus.

CHAPITRE 36

Au cœur des ténèbres

Après le départ du capitaine, l'objectif de la réunion se perdit dans les sables. Non qu'il ait été très clair au départ, mais l'étrangeté de cette sortie sembla souligner l'incohérence de l'enquête, et la discussion se désagrégea. Ayant exprimé sa perplexité quant à son rôle, la profileuse vedette Rebecca Holdenfield fut la seconde à mettre les voiles. Anderson et Blatt rongeaient leur frein, pris entre le champ gravitationnel de leur patron, qui s'était éclipsé, et celui du procureur, qui était toujours là.

Gurney demanda si l'on avait fait des progrès autour du nom Edward Vallory, mais il n'y en avait eu aucun. Anderson écouta la question d'un air distrait, tandis que Blatt haussait les épaules ; l'un comme l'autre faisaient peu de cas de cette piste.

Le procureur murmura quelques phrases insignifiantes pour dire combien cette réunion avait été profitable en mettant tout le monde sur la même longueur d'onde. Gurney n'en était pas convaincu. Mais au moins, cela avait obligé chacun à se demander ce que c'était que toute cette histoire. Et cela avait mis sur la table la question de la disparition des anciennes élèves.

La dernière contribution de Gurney à la séance fut de conseiller fortement que la BC se renseigne sur Alessandro et Karnala Fashion, dans la mesure où ils constituaient un point commun dans la vie des filles disparues et un lien entre elles et Jillian. Comme Kline acquiesçait à cette idée, Ellen Rackoff entrouvrit la porte en désignant sa montre. Il regarda la sienne, parut étonné et annonça avec une gravité pleine de suffisance qu'il était en retard à une conférence téléphonique avec le gouverneur et qu'il était persuadé que chacun trouverait le chemin de la sortie. Anderson et Blatt partirent ensemble, suivis par Gurney et Hardwick.

Hardwick possédait une de ces Ford sedan noires omniprésentes au sein du NYPD. Dans le parking, il s'appuya contre le coffre, alluma une cigarette et, sans y avoir été convié, offrit à Gurney son point de vue sur le capitaine.

— Ce petit connard est en train de s'écrouler. Tu sais ce qu'on dit des obsédés du contrôle : qu'il leur faut tout maîtriser à l'extérieur vu que c'est une foutue pagaille à l'intérieur. Le capitaine Rod tout craché, si ce n'est que ce saligaud n'arrive même plus à dissimuler sa folie.

Il tira une longue bouffée de sa cigarette, grimaça en soufflant la fumée.

— Sa fille est accro à la coke, tu savais ça ?

Gurney acquiesça.

— Tu me l'as dit lors de l'affaire Mellery.

— Je t'ai dit aussi qu'elle était à Greystone ? L'asile de fous, dans le New Jersey ?

— Oui.

Gurney se souvenait d'une journée humide et froide du mois de novembre de l'année précédente où

Hardwick lui avait parlé du problème de toxicomanie de la fille de Rodriguez et comment cela faussait son jugement dans les affaires incluant de la drogue.

— Eh bien, elle a été virée de Greystone pour avoir fait entrer en fraude de l'oxycodone et avoir baisé les autres patients. Aux dernières nouvelles, on l'avait arrêtée pour avoir vendu du crack à une réunion des Narcotiques anonymes.

Gurney se demanda où il voulait en venir. Il n'éprouvait pas beaucoup de compassion pour le capitaine.

Hardwick aspira une bouffée comme s'il essayait d'établir un nouveau record quant à la quantité de fumée qu'il était capable de s'envoyer dans les poumons en trois secondes.

— Tu me regardes avec l'air de dire : eh, quel est le rapport ? Est-ce que je me trompe ?

— Effectivement.

— La réponse est : rien. Ça n'a rien à voir. Sauf que les décisions de Rodriguez sont absurdes. C'est un véritable boulet dans cette enquête.

Il jeta la cigarette à moitié fumée par terre, et l'écrasa.

Gurney tenta de changer de sujet.

— Rends-moi service. Suis cette histoire Alessandro et Karnala. Je n'ai pas l'impression qu'ils ont bien compris.

Hardwick ne répondit pas. Il resta silencieux une minute, contemplant le mégot à ses pieds.

— Il faut que j'y aille, finit-il par dire.

Il ouvrit la porte de sa voiture et fit la moue comme s'il avait été assailli par une odeur aigre.

— Ouvre l'œil, Davey Boy, ce petit connard est une bombe à retardement, et il ne va pas tarder à exploser. Comme toujours, ces mecs-là.

CHAPITRE 37

La biche

Le retour à la maison fut pitoyable, d'une façon que Gurney ne parvenait pas à déterminer. Il était à la fois distrait et à la recherche de distraction, désireux et incapable d'en trouver. Les stations de radio étaient toutes plus insupportables les unes que les autres. La musique qui ne concordait pas avec son humeur lui paraissait inepte et ne faisait qu'empirer les choses. Chaque voix humaine portait en elle quelque chose d'irritant, un éclair de bêtise ou de cupidité, voire les deux à la fois. Chaque publicité lui donnait envie de hurler : « Bande de sales menteurs ! »

Éteignant la radio, il se concentra à nouveau sur la route – sur les villages miteux, les fermes défuntes ou à l'agonie, et les carottes économiques empoisonnées que l'exploitation gazière agitait devant le nez des villes pauvres du nord de l'État.

Bon sang, il était sacrément de mauvais poil.

Pourquoi ?

Il laissa son esprit passer à nouveau la réunion en revue, pour voir à quoi il s'agripperait.

Ellen Rackoff, bien sûr, en cachemire. Le degré zéro de la présomption d'innocence. Aussi chaleureuse et agréable qu'un serpent. Le danger lui-même étant une composante perverse de l'attrait.

Le rapport initial de l'équipe des techniciens sur la scène de crime, repris par le lieutenant Anderson, qui laissait entendre que le meurtre était un travail de professionnel : *Même les trappes sous le lavabo de la salle de bains et celui de la cuisine avaient été frottées.*

Les faits unissant les élèves disparues : leurs disputes communes avec leurs parents, leurs demandes extravagantes qui seraient fatalement refusées, leurs contacts antérieurs avec Hector, Karnala Fashion et le photographe fantôme, Alessandro.

Le pronostic glacial de Jack Hardwick : *Il y a gros à parier qu'elles sont déjà mortes.*

Le supplice personnel de Rodriguez, reflété et grossi par les horreurs potentielles de l'affaire à laquelle il était confronté.

Gurney pouvait entendre la voix enrouée de l'homme aussi distinctement que s'il était assis à côté de lui dans la voiture. C'était le bruit fait par quelqu'un tendu à se rompre, tendu comme un élastique trop petit pour tout ce qu'il devait enserrer – quelqu'un n'ayant pas assez de flexibilité pour absorber les éléments accidentels de sa propre vie.

Ce qui amena Gurney à se demander : existe-t-il vraiment des éléments accidentels ? N'est-ce pas nous-mêmes qui nous mettons, sans aucun doute possible, dans les situations où nous nous trouvons ? Nos actes, nos choix ne font-ils pas toute la différence ? Il avait la nausée, et il en comprit tout à coup la raison. Il s'identifiait avec Rodriguez, le flic obsédé par sa carrière, le père totalement déboussolé.

Et c'est alors – comme si l'agitation engendrée par cette prise de conscience ne suffisait pas, comme si un esprit mauvais s'efforçait d'y ajouter une catastrophe absolue venue de l'extérieur pour accompagner le chaos des émotions qu'il ressentait – qu'il heurta la biche.

Il venait de passer le panneau disant : « Vous entrez à Brownville ». Il n'y avait pas de village, seulement, à gauche, au fond d'une vallée, les vestiges envahis par la végétation d'une ferme depuis longtemps abandonnée et, à droite, une colline boisée. Une biche de taille moyenne avait émergé des arbres, hésité, puis traversé la route comme une flèche, suffisamment loin pour qu'il ait à peine besoin de ralentir ; mais lorsque son faon la suivit, il était trop tard pour freiner, et, bien qu'il eût fait son possible pour se rabattre sur la gauche, Gurney entendit et sentit le bruit terrifiant.

Il se rangea le long de l'accotement puis s'arrêta. Jeta un coup d'œil dans son rétroviseur, espérant ne rien voir, espérant qu'il s'agissait d'une de ces malheureuses collisions où le cervidé, étonnamment robuste, s'enfuit dans les bois avec quelques égratignures tout au plus. Mais ce n'était pas le cas. À une trentaine de mètres derrière lui, un petit corps brun gisait près du fossé de drainage au bord de la route.

Il descendit de voiture et remonta le long du bas-côté, se cramponnant à l'espoir bien mince que le faon n'était qu'assommé et qu'il allait se relever en titubant d'une seconde à l'autre. Comme il s'approchait, la position tordue de la tête et le regard vide des yeux ouverts dissipèrent cet espoir. Il s'immobilisa, regarda autour de lui, impuissant. Il vit la biche dans le champ de la ferme en ruine, guettant, attendant, immobile.

Il n'y avait rien qu'il puisse faire.

Il se retrouva assis dans sa voiture sans même avoir le souvenir d'avoir rebroussé chemin, la respiration entrecoupée de petits sanglots. Il était à mi-distance de Walnut Crossing lorsqu'il songea à vérifier les dégâts occasionnés à l'avant, mais continua malgré tout, tenaillé par les regrets, n'aspirant qu'à rentrer chez lui.

CHAPITRE 38

Les yeux de Peter Piggert

La maison donnait une impression de vide comme chaque fois que Madeleine était sortie. Le vendredi, elle dînait avec trois de ses amies pour parler tricot, couture, de leurs passe-temps et de leurs occupations quotidiennes, de la santé de chacun et de leurs lectures.

Il s'était dit, entre Brownville et Walnut Crossing, qu'il suivrait les conseils de Madeleine et appellerait Kyle – qu'il aurait avec son fils une vraie conversation plutôt qu'un de ces échanges d'e-mails aseptisés, rédigés avec soin, qui leur donnaient à tous deux l'illusion de la communication. Lire le récit d'événements de la vie quotidienne sur l'écran d'un ordinateur portable n'avait pas grand-chose à voir avec le fait de les raconter de vive voix, sans l'opération de lissage des corrections et des coupes.

Il alla dans le bureau, pétri de bonnes intentions, mais décida de consulter ses messages sur son répondeur et sa boîte mail. Deux d'entre eux étaient de Peggy Meeker, l'assistante sociale épouse de l'homme aux araignées.

Elle avait l'air pleine d'allant, d'un enthousiasme presque communicatif. *Dave. Peggy Meeker. Depuis que vous avez mentionné Edward Vallory l'autre soir, le nom n'a cessé de me tournicoter dans la tête. Je savais que je le connaissais, mais d'où ? Eh bien, j'ai trouvé ! Un cours d'anglais à la fac. Théâtre élisabéthain. Vallory est un dramaturge, mais aucune de ses pièces ne nous est parvenue, ce qui fait que presque personne n'a entendu parler de lui. Tout ce qui subsiste, c'est le prologue d'une tragédie. Mais écoutez bien ceci : toutes ses œuvres étaient soi-disant misogynes. Il détestait carrément les femmes ! En fait, la pièce dont faisait partie ce prologue avait pour sujet, paraît-il, un homme qui a tué sa propre mère ! Je vous envoie le prologue existant. Est-ce que cela a un rapport avec l'affaire Perry ? Je me suis posé la question parce que vous en aviez parlé un peu plus tôt dans la soirée. J'y pensais en lisant le prologue de Vallory, et ça m'a fait froid dans le dos. Regardez l'e-mail. Dites-moi si cela aide. Et faites-moi savoir s'il y a quelque chose d'autre que je puisse faire. C'est siiii excitant. On se reparle bientôt. Au revoir. Ah, et bonjour à Madeleine.*

Gurney ouvrit l'e-mail et le parcourut rapidement pour arriver à la citation de Vallory :

Il n'existe point sur terre de femme chaste. Il n'y a
Aucune pureté en elle. Sa mine, ses paroles,
Et son cœur jamais ne parlent d'une seule voix.
Elle semble ci, semble ça, et la semblance est tout.
Avec des huiles onctueuses et des poudres vives,
Elle colore ses noirs desseins, et peint
Sur elle-même un portrait qui se puisse aimer.
Mais où est donc ce cœur honnête qui, au moyen
D'une simple note, fait entendre son vrai contenu ?

Pouah ! Ne lui demandez pas une musique pure,
Sincère et loyale. La pureté n'est point dans sa nature.
Elle a hérité du serpent d'Éden tous les artifices
De son cœur vipérin qui lui fait cracher
À chaque homme une boue de mensonge et de ruse.

Gurney le lut plusieurs fois, s'efforçant d'assimiler le sens et les intentions du texte.

C'était le prologue d'une pièce sur un homme ayant tué sa propre mère. Un prologue rédigé voilà plusieurs siècles par un auteur dramatique célèbre pour sa haine des femmes. L'auteur dont le nom était apposé au SMS envoyé depuis le portable de Hector sur celui de Jillian le matin où elle avait été assassinée – et envoyé à nouveau, deux jours auparavant, à Ashton. Un SMS disant simplement : POUR TOUTES LES RAISONS QUE J'AI ÉCRITES.

Et les raisons évoquées dans sa seule œuvre encore existante semblaient se résumer à ceci : les femmes sont impures, aguichantes, trompeuses, des créatures démoniaques – vomissant tels des monstres *une boue de mensonge et de ruse*.

Plus il les examinait de près et plus il sentait derrière les mots de Vallory un cauchemar sexuel tordu.

Gurney se piquait d'être quelqu'un de prudent et de raisonnable, mais il était difficile de ne pas voir dans cette citation une justification démente du meurtre de Jillian Perry. Et peut-être aussi d'autres meurtres. Des meurtres passés. Et éventuellement des meurtres à venir.

Bien sûr, il n'y avait rien de certain. Aucun moyen de prouver qu'Edward Vallory, le prétendu haïsseur de femmes du XVIIe siècle, était bien le Edward Vallory dont on avait utilisé le nom pour les SMS. Aucune preuve qu'Edward Vallory était un pseudonyme de Hector Flores – même si la provenance des messages en question, à savoir le téléphone portable de Flores, le laissait supposer.

Cependant, tout cela semblait s'emboîter, former une sorte de logique atroce. Le prologue de Vallory offrait la première hypothèse de mobile ne reposant pas entièrement sur des conjectures. Pour Gurney, un tel mobile présentait l'avantage supplémentaire d'être compatible avec son propre sentiment que l'assassinat de Jillian était motivé par le désir de se venger de violences sexuelles – commises par elle ou par les élèves de Mapleshade en général. En outre, la réception du message de Vallory par Scott Ashton un peu plus tôt dans la semaine accréditait l'idée d'un meurtre faisant partie intégrante d'une entreprise complexe – une entreprise apparemment en cours.

Gurney y attachait sans doute trop d'importance, mais il lui vint soudain à l'esprit que le fait que le fragment conservé de la pièce de Vallory était justement son *prologue* avait peut-être une signification autre que fortuite. Qu'en plus d'être le prologue d'une pièce disparue, il se pouvait aussi qu'il soit un prologue à des événements futurs – une allusion à des meurtres encore à venir. Qu'est-ce que Hector Flores était en train de leur dire exactement ?

Il cliqua sur « Répondre » dans l'e-mail de Peggy Meeker et demanda : « Que sait-on d'autre sur la pièce ? Grandes lignes de l'intrigue ? Personnages ? Commentaires existants de contemporains de Vallory ? »

Pour la première fois dans cette affaire, Gurney ressentait une exaltation indéniable – en même temps qu'un besoin irrésistible d'appeler Sheridan Kline, en espérant qu'il soit toujours à son bureau.

Il fit le numéro.

— Il est en conférence, déclara Ellen Rackoff avec l'assurance d'un portier tout-puissant.

— Il s'est produit un fait nouveau dans l'affaire Perry qui devrait l'intéresser.

— Soyez plus précis.

— Cela pourrait bien devenir une affaire de meurtres en série.

Trois secondes plus tard, Kline était au téléphone – à cran, sous pression, et intrigué.

— Des meurtres en série ? De quoi diable parlez-vous ?

Gurney l'informa de la découverte Vallory, soulignant la colère sexuelle imprégnant les paroles du prologue, expliquant comment il pouvait se rattacher non seulement à Jillian, mais également aux filles disparues.

— Ce n'est pas un peu tiré par les cheveux ? Je n'ai pas l'impression qu'il y a vraiment quoi que ce soit de changé. Je veux dire, cet après-midi, vous disiez que Hector Flores était peut-être, ou peut-être pas, au centre de tout, que nous ne disposions d'aucun fait solide, qu'il nous fallait garder l'esprit ouvert. Eh bien, où est passée cette ouverture d'esprit ? Pourquoi en faire subitement une histoire de meurtres en série ?

— C'est peut-être que cela prend une plus grande cohérence à partir de la lecture de cet écrit de Vallory et de la haine qu'il renferme. Ou peut-être est-ce simplement ce terme : *prologue*. Une promesse de quelque chose à venir. Le fait que Flores ait expédié le SMS à Jillian avant qu'elle soit assassinée, et à nouveau à

Ashton cette semaine. Cela fait apparaître le meurtre vieux de quatre mois comme une composante d'un édifice plus vaste.

— Vous croyez sincèrement que Flores a persuadé ces filles de ficher le camp de chez elles en se dissimulant derrière l'écran de fumée d'une dispute afin qu'il puisse les tuer sans que personne se préoccupe de les rechercher ?

La voix de Kline exprimait un mélange d'inquiétude et d'incrédulité.

— Jusqu'à ce que nous les ayons retrouvées saines et sauves, je pense que c'est une possibilité qu'il nous faut prendre au sérieux.

Le réflexe défensif du politicien l'emporta chez Kline.

— Je ne l'aurais pas prise autrement.

Puis il ajouta avec ferveur, comme si on l'enregistrait pour une émission :

— Je ne connais rien de plus sérieux que la possibilité d'une conspiration de meurtre ou d'enlèvement... si, Dieu nous en préserve, c'est bien de ça qu'il s'agit en l'occurrence.

Il s'interrompit, son ton devenant suspicieux.

— Pour en revenir aux questions de protocole, comment se fait-il que je reçoive cet appel plutôt que la BC ?

— Parce que vous êtes le seul décideur possédant, à mon avis, un peu de bon sens.

— Pourquoi dites-vous ça ?

Le goût de Kline pour la flatterie était manifeste dans sa voix.

— Les tensions sous-jacentes dans cette salle de conférences aujourd'hui étaient insensées. Je sais que

Rodriguez et Hardwick n'ont jamais eu beaucoup d'affection l'un pour l'autre, ce qui était déjà criant dans l'affaire Mellery, mais quoi qu'il se passe maintenant, cela tourne au dysfonctionnel. Il n'y a pas une ombre d'objectivité. C'est comme une guerre, et j'ai l'impression que chaque nouveau développement est évalué sur la base du camp que cela favorise. Vous ne semblez pas impliqué dans cette pétaudière, aussi je préférais vous parler.

Kline hésita.

— Vous ne savez pas ce qui est arrivé avec votre copain ?

— Mon *copain* ?

— Rodriguez l'a épinglé avec un taux d'alcool supérieur à la limite pendant le service.

— Quoi !?

— Il l'a suspendu pour ébriété pendant le service, a fait planer au-dessus de sa tête une éventuelle inculpation de conduite en état d'ivresse, a menacé de lui supprimer sa pension et l'a obligé à suivre une cure de désintoxication comme condition pour mettre fin à la suspension. Je suis surpris que vous ne soyez pas au courant.

— C'est arrivé quand ?

— Il y a peut-être un mois et demi. Quatre semaines de désintoxication. Jack a repris le travail voilà une dizaine de jours environ.

— Bon Dieu.

Gurney s'était figuré que Hardwick lui avait adressé Val Perry en partie dans l'espoir que de nouvelles découvertes mettraient Rodriguez en fâcheuse posture, mais ce qu'il venait d'apprendre contribuait largement à expliquer les ondes négatives circulant dans cette salle de conférences.

— Je suis vraiment surpris que vous ne soyez pas au courant, répéta Kline, d'un ton suffisamment incrédule pour en faire une accusation.

— Si je l'avais su, jamais je ne m'en serais mêlé. Raison de plus pour limiter mes divulgations à ma cliente et à vous – en supposant que des contacts directs avec moi ne vont pas empoisonner vos relations avec la BC.

Kline mit si longtemps à retourner ça dans sa tête que Gurney imagina la calculatrice risque-rétribution de son interlocuteur se mettre à fumer pour cause d'excès de permutations.

— D'accord… à une réserve près, d'une importance majeure. Il doit être parfaitement clair que vous travaillez pour la famille Perry, indépendamment de ce service. Ce qui veut dire qu'en aucun cas, vous ne pouvez vous abriter derrière notre pouvoir d'enquête ni quelque forme d'immunité que ce soit. Vous agissez en tant que Dave Gurney, simple particulier, un point c'est tout. Cela étant entendu, je serais heureux d'entendre ce que vous avez à dire. Croyez-moi, j'ai un grand respect pour vous. Étant donné vos états de service au NYPD et votre rôle dans la résolution de l'affaire Mellery, comment pourrait-il en être autrement ? Nous devons simplement être clairs quant à votre position *non officielle*. Des questions ?

La prévisibilité de Kline fit sourire Gurney. L'homme ne s'écartait jamais de l'unique principe gouvernant sa vie : *tirer des autres le maximum tout en couvrant impérativement ses arrières*.

— Une question, Sheridan. Comment est-ce que je prends contact avec Rebecca Holdenfield ?

La voix de Kline se raidit, pleine d'un scepticisme de procureur.

— Qu'est-ce que vous lui voulez ?

— Je commence à avoir une idée de notre assassin. Très hypothétique, rien de solide encore, mais cela pourrait m'aider d'avoir quelqu'un possédant ses compétences comme comité consultatif.

— Y a-t-il une raison qui vous empêche d'appeler cet assassin par son nom ?

— Hector Flores ?

— Ça vous pose un problème ?

— Deux. Numéro un, nous ignorons s'il était seul dans le pavillon au moment où Jillian est entrée, de sorte que nous ne savons pas s'il est réellement l'assassin. À bien y regarder, nous ne sommes même pas sûrs qu'il se soit trouvé dans le pavillon. Et si quelqu'un d'autre avait été là, à attendre ? Je me rends bien compte que c'est peu probable… tout ce que je veux dire, c'est que nous n'en savons rien. Tout n'est que conjectures, hypothèses, probabilités. Le second problème réside dans le nom lui-même. Si le jardinier Cendrillon est vraiment un meurtrier froid, prévoyant, alors « Hector Flores » est certainement un pseudonyme.

— Pourquoi ai-je l'impression d'être sur un manège… que tout ce que je croyais stable tourbillonne autour de moi ?

— Un manège ne paraît pas si mal que ça. Pour moi, ce serait plutôt comme être entraîné dans un égout.

— Et vous voulez entraîner Becca avec vous ?

Gurney préféra ne pas réagir à l'insinuation perfide de Kline.

— J'aimerais qu'elle m'aide à demeurer réaliste, qu'elle fournisse un cadre à l'image que je me fais de l'homme que je recherche.

Ébranlé peut-être par l'engagement contenu dans ces derniers mots, ou se rappelant le tableau de chasse sans équivalent de Gurney en matière d'arrestations de criminels, Kline changea brusquement de ton.

— Je lui demanderai de vous appeler.

Une heure plus tard, Gurney était installé devant l'écran d'ordinateur posé sur la table de son bureau, regardant dans les yeux noirs et impassibles de Peter Piggert – un être ayant peut-être quelque chose en commun avec le meurtrier de Jillian Perry, et sans doute beaucoup en commun avec le scélérat de la pièce perdue de Vallory. Il n'aurait su dire s'il avait été à nouveau attiré par le portrait artistique qu'il avait réalisé de cet homme un an plus tôt à cause de son rapport possible avec la psychologie du gibier qu'il traquait actuellement ou de son potentiel financier inattendu.

Cent mille dollars ? Pour ça ? Le monde friqué de l'art devait être effectivement un drôle de milieu. Cent mille dollars pour une photo de Peter Piggert. Le prix était aussi absurde que l'allitération. Il lui fallait parler à Sonya. La contacter serait la première chose qu'il ferait demain matin. Pour l'instant, il voulait se concentrer non pas tant sur la valeur éventuelle du portrait que sur l'individu qu'il représentait.

À quinze ans, Piggert avait tué son père afin d'entretenir sans entraves une relation malsaine avec sa mère. Il l'avait mise enceinte à deux reprises et avait eu deux filles avec elle. Quinze années plus tard, à l'âge de trente ans, il avait tué sa mère afin d'entretenir sans entraves une relation tout aussi malsaine avec leurs filles, âgées de treize et quatorze ans.

Pour la plupart des gens, Piggert avait l'air d'un homme des plus banal. Mais Gurney avait trouvé dès le début que ses yeux avaient quelque chose qui n'allait pas. Leur sombre placidité donnait l'impression inquiétante d'un gouffre sans fond. Peter Piggert semblait voir le monde d'une façon qui justifiait et encourageait tout acte susceptible de lui plaire, indépendamment de ses conséquences pour autrui. Gurney se demanda si c'était à un individu comme Piggert que songeait Scott Asthon en lançant sa théorie provocatrice qu'un sociopathe est une créature « aux limites parfaites ».

Tandis qu'il s'absorbait dans le calme déroutant de ces yeux, Gurney était plus que jamais convaincu que la principale pulsion de l'homme résidait dans un besoin irrésistible de contrôler son environnement. Sa conception du bon ordre des choses était intangible, ses caprices omnipotents. C'est ce que Gurney s'était efforcé de mettre en relief par ses manipulations de la photo d'identité judiciaire originale. Le tyran rigide derrière le visage morne. Satan dans la peau de monsieur Tout-le-Monde.

Est-ce ce qui avait fasciné Jay Jykynstyl ? Le mal voilé ? Ce à quoi il attachait tellement de prix, ce qu'il était prêt à payer une petite fortune ?

Bien sûr, il existait une différence cruciale entre la réalité et le portrait de l'assassin. L'objet affiché sur l'écran attirait d'une part parce qu'il évoquait un monstre et d'autre part, de façon ironique, parce qu'il était un objet par nature inoffensif. Le serpent privé de crochet. Le démon paralysé et stratifié.

Gurney s'éloigna de l'écran d'ordinateur, croisa les bras sur sa poitrine et regarda par la fenêtre. Sa vision fut tout d'abord intérieure. Lorsqu'il finit par remarquer le coucher de soleil incarnat, il eut dans un premier temps l'impression d'une traînée de sang sur le ciel bleu-vert. Puis il se rendit compte qu'il était en train de se rappeler le mur d'une chambre à coucher dans le sud du Bronx, un mur turquoise auquel la victime d'une fusillade s'était adossée, avant de glisser lentement vers le sol. Il y avait de cela vingt-quatre ans, sa première affaire de meurtre.

Les mouches. On était en août, et cela faisait déjà une semaine que le corps était là.

CHAPITRE 39

Vrai, pas vrai, fou, pas fou

Pendant vingt-quatre ans, il avait baigné dans le crime et la destruction. La moitié de sa vie. Même encore maintenant, à la retraite… Quelle remarque Madeleine lui avait-elle faite durant le carnage Mellery ? Que la mort semblait l'interpeller plus que la vie ?

Il l'avait nié. En jouant sur les mots : ce n'était pas *la mort* qui l'accaparait, consumait son énergie, mais le défi que représentait la résolution d'un meurtre. Une question de justice.

Bien sûr, elle l'avait gratifié de son regard espiègle. Madeleine se méfiait des motivations régies par des principes, tout au moins du recours à de tels principes pour l'emporter dans une discussion.

En dehors de toute discussion, il devait admettre la vérité : il était attiré presque physiquement par ces énigmes, et le processus qui consistait à démasquer les auteurs de crimes. C'était une force primale, bien plus puissante que celle qui l'incitait à désherber un parterre d'asparagus. Les enquêtes criminelles captaient pleinement son attention, comme rien d'autre ne l'avait fait au cours de son existence.

C'était positif et négatif à la fois. Positif parce que réel, et certains hommes passaient leur vie sans rien pour les stimuler en dehors de leurs fantasmes. Mauvaise parce que c'était un raz de marée qui l'éloignait de tout ce qui comptait d'autre à ses yeux, y compris Madeleine.

Il essaya de se rappeler où elle était à ce moment précis, pour s'apercevoir que ça lui était sorti de la tête – supplanté par autre chose, mais quoi ? Par Jay Jykynstyl et sa carotte à cent mille dollars ? Par les rancœurs toxiques sévissant au sein de la Brigade et leurs effets dévastateurs sur l'enquête ? Par la portée troublante de l'œuvre perdue d'Edward Vallory ? Par l'empressement de Peggy, l'épouse de l'homme aux araignées, à se joindre à la battue ? Par l'écho de la voix craintive de Savannah Liston lui faisant part de la disparition de ses anciennes camarades de classe ? En vérité, les raisons qui auraient facilement pu brouiller sur son écran radar les informations concernant Madeleine étaient nombreuses.

C'est alors qu'il entendit une voiture monter le sentier du pré, et ça lui revint : sa réunion du vendredi soir avec ses amies tricoteuses. S'il s'agissait bien de la voiture de Madeleine, elle rentrait beaucoup plus tôt que d'habitude. Comme il se dirigeait vers la fenêtre de la cuisine pour vérifier, le téléphone sonna sur son bureau derrière lui. Il fit demi-tour pour aller répondre.

— Dave, ravie de vous avoir en personne au bout du fil à la place de votre répondeur. J'ai un certain nombre de choses à vous dire, mais ne vous prenez pas la tête !

C'était Sonya Reynolds, dont l'entrain habituel se teintait d'une pointe d'anxiété.

— Je m'apprêtais à vous appeler…

Il avait projeté de lui poser diverses questions afin de se faire une idée un peu plus précise du dîner avec Jykynstyl prévu le lendemain soir.

Sonya lui coupa la parole.

— Le dîner s'est transformé en déjeuner. Jay doit prendre un avion pour Rome. J'espère que ça ne vous pose pas de problème. Dans le cas contraire, il faudra vous en accommoder. Deuxièmement : je n'y serai pas. (C'est ce qui la tarabustait manifestement.) Vous avez entendu ce que j'ai dit ?

— Que ce soit un déjeuner, ça ne me dérange pas. Vous ne pourrez pas venir ?

— Je pourrais, certainement, et je donnerais cher pour y être, mais… Bon, au lieu d'essayer de vous expliquer, je vous répète mot pour mot ses propos. Laissez-moi d'abord vous rappeler qu'il est très impressionné par votre travail. Qu'il qualifie de potentiellement « fondateur ». Voilà ce qu'il a déclaré : « Je tiens à voir par moi-même qui est ce David Gurney, ce fabuleux artiste qui se trouve être aussi détective. Je veux comprendre en qui j'investis. Je souhaite me frotter à l'esprit et à l'imaginaire de cet homme sans l'entravc d'une tierce personne. » Je lui ai répondu que c'était la première fois dc ma vie qu'on me traitait d'entrave. Que je n'appréciais pas beaucoup qu'on m'empêche de venir. Mais que, pour lui, je ferais une exception. Je resterais sagement à la maison. Vous ne dites rien, David. Qu'en pensez-vous ?

— Je me demande si ce type n'est pas fou.

— On parle de Jay Jykynstyl. « Fou » n'est pas le terme que j'emploierais. Je dirais plutôt hors du commun.

Gurney entendit la porte latérale s'ouvrir et se refermer, puis des bruits dans le cellier, à côté de la cuisine.

— David, pourquoi ce silence ? Vous continuez à réfléchir ?

— Non. C'est juste… Je ne sais pas, qu'entend-il par « investir » en moi ?

— Ah, ça, c'est la très bonne nouvelle. La principale raison pour laquelle j'aurais voulu être à ce dîner, ou ce déjeuner, peu importe. Écoutez. Voilà qui va chambouler votre vie. Il veut acquérir l'ensemble de votre œuvre ! Pas juste une ou deux photos. La totalité. Et il s'attend à ce que cela prenne de la valeur.

— Pourquoi ?

— Tout ce que Jykynstyl achète prend de la valeur.

Du coin de l'œil, Gurney surprit un mouvement. En se retournant, il vit Madeleine à la porte du bureau. Elle le regardait en fronçant les sourcils. Un froncement inquiet.

— Vous êtes encore là, David ? lança Sonya sur un ton pétillant et incrédule à la fois. Vous êtes toujours aussi muet quand on vous offre un million de dollars pour commencer et des gains illimités ensuite ?

— Je trouve ça bizarre.

Une petite grimace agacée s'ajouta au froncement de sourcils de Madeleine. Elle retourna dans la cuisine.

— Évidemment que c'est bizarre, répliqua Sonya. Le succès dans le monde de l'art l'est toujours. La bizarrerie constitue la norme. Vous savez combien coûtent les carrés coloriés de Mark Rothko ? Pourquoi la bizarrerie serait-elle un problème ?

— Laissez-moi digérer tout ça, d'accord ? Puis-je vous rappeler un peu plus tard ?

— Vous avez intérêt, David, mon *Million Dollar Baby.* Demain est un grand jour. Je dois vous y préparer. Je sens que vous avez recommencé à cogiter. Dites-moi, David, à quoi pensez-vous à présent ?

— J'ai du mal à croire que tout cela est réel, c'est tout.

— David, David, David, vous savez ce qu'on nous explique quand on apprend à nager ? Cessez de lutter contre l'eau. Détendez-vous, flottez. Détendez-vous, respirez et laissez-vous porter. C'est la même chose. Arrêtez de vous débattre avec ce qui est vrai, pas vrai, fou, pas fou – tous ces grands mots. Acceptez la magie. Le magique M. Jykynstyl. Et ses millions magiques. Ciao !

Magique ? Aucun concept sur la terre n'était plus étranger à Gurney que la magie, ou dénué de sens, ou intolérablement niais.

Appuyé à sa table, il contempla le paysage par la fenêtre. Le ciel au-dessus de la crête, rouge sang un peu plus tôt, avait pâli pour se changer en un terne linceul mauve et gris. Le vert du champ en hauteur derrière la maison n'était plus qu'un souvenir.

Un fracas se fit entendre dans la cuisine, des couvercles de casserole glissant de l'égouttoir dans l'évier, puis celui que faisait Madeleine pour les remettre à leur place.

Gurney émergea du bureau sombre dans la cuisine brillamment éclairée. Madeleine était en train de s'essuyer les mains avec un torchon.

— Qu'est-il arrivé à la voiture ? demanda-t-elle.

— Comment ? Oh ! Une collision avec un cervidé.

Le souvenir encore vif dans son esprit lui retourna l'estomac.

Elle le dévisagea d'un air alarmé, peiné.

— Il a jailli brusquement des bois. Juste devant moi. Impossible… de l'éviter.

Les yeux écarquillés, elle émit une petite plainte.

— Qu'est-il advenu de l'animal ?

— Il a été tué sur le coup. J'ai vérifié. Aucun signe de vie.

— Qu'as-tu fait ensuite ?

— Que pouvais-je faire ?…

Son esprit fut subitement envahi par l'image du faon sur le bord de la route, la tête de travers, les yeux dans le vague – image chargée d'émotions remontant à des années, liées à un autre accident, des émotions qui lui serrèrent le cœur avec des doigts si glacés qu'il crut qu'il allait cesser de battre.

Madeleine l'observait. Apparemment consciente du cheminement de ses pensées, elle lui effleura la main. Alors qu'il se ressaisissait peu à peu, il plongea son regard dans le sien et y vit cette tristesse qui faisait partie intégrante de tous les sentiments qui l'animaient, même la joie. Il savait que contrairement à lui, elle avait accepté depuis longtemps la mort de leur fils, comme il ne serait jamais prêt ni capable de le faire. Il y serait contraint un jour, assurément. Mais pas maintenant, pas tout de suite.

C'était peut-être en partie ce qui se dressait entre Kyle, son fils aîné, issu de son premier mariage, et lui. Mais ce genre de théorie avait des relents de discours de thérapeute, ce dont il se passait volontiers.

Il se tourna vers les portes-fenêtres et s'absorba dans le déclin du jour, suffisamment avancé maintenant pour que la grange rouge elle-même ait perdu sa couleur.

Madeleine entreprit d'essuyer les casseroles entassées sur le bloc évier. Quand elle rompit finalement le silence, sa question surgit d'une direction inattendue.

— Alors, tu prévois d'avoir tout réglé dans une semaine. D'ici là, tu auras livré le méchant en toute sécurité aux gentils dans une boîte avec un joli nœud ?

Il l'entendit dans sa voix avant de poser les yeux sur elle et de le voir : ce sourire interrogateur, sans gaieté.

— Si c'est ce que j'ai dit, je le ferai.

Elle hocha la tête sans dissimuler son scepticisme.

Dans le long silence qui suivit, elle continua à s'occuper de ses casseroles avec plus de soin que d'habitude en les posant une par une sur la desserte en pin, les alignant avec une application qui ne tarda pas à lui taper sur les nerfs.

— À propos, reprit-il d'un ton plus agressif qu'il en avait eu l'intention. Comment se fait-il que tu sois là ?

— Je te demande pardon ?

— C'est la soirée tricot, non ?

Elle hocha la tête.

— Nous avons décidé de l'écourter.

Il crut percevoir quelque chose d'insolite dans sa voix.

— Comment ça se fait ?

— Nous avons eu un petit problème.

— Ah bon !

— Eh bien, en fait… Marjorie Ann a vomi.

Il cligna des paupières.

— Quoi ?

— Elle a vomi.

— Marjorie Ann Highsmith ?

— En effet.

Il cilla à nouveau.

— Comment ça, vomi ?

— D'après toi ?

— Je veux dire, où ça ? À table ?

— Non. Elle s'est levée de table, a couru aux toilettes et…

— Et ?

— Elle n'est pas arrivée tout à fait à destination.

Gurney nota qu'une lueur presque imperceptible avait réapparu dans les yeux de Madeleine, reflet de l'humour subtil avec lequel elle envisageait presque tout, qui compensait sa mélancolie. Lueur qui, ces derniers temps, s'était faite rare. Il avait tellement envie d'attiser cette flamme, mais il se rendait compte que, s'il essayait trop fort, il ne réussirait qu'à l'éteindre.

— Ça a dû faire un peu désordre ?

— Oh, oui. Un peu. Et puis… Euh, ça ne s'est pas limité à un seul endroit.

— Ça ne s'est pas… Je ne comprends pas.

— Elle n'a pas simplement dégobillé par terre… mais sur les chats.

— Les chats ?

— On s'est vues chez Bonnie ce soir. Elle a deux chats, tu t'en souviens ?

— Oui… plus ou moins.

— Les chats étaient tous les deux couchés dans leur lit, près des toilettes dans l'entrée.

Gurney éclata de rire, en proie à une légèreté soudaine.

— Eh bien, Marjorie Ann a réussi à tenir jusqu'aux chats, ajouta Madeleine.

— Oh, mon Dieu…

Il était plié en deux maintenant.

— Et elle a sacrément vomi. Je veux dire… en quantité substantielle. Les chats ont bondi comme une fusée et se sont rués dans le salon.

— Couverts de…

— Oui, couverts. Ils ont cavalé partout dans la pièce, sur les canapés, les fauteuils. C'était vraiment… quelque chose.

— Je veux bien le croire !

Gurney ne se souvenait pas d'avoir autant ri.

— Bien sûr, après ce coup-là, plus personne n'avait faim, conclut Madeleine. Nous ne pouvions pas aller nous installer dans le salon non plus. Naturellement, nous avons proposé à Bonnie de l'aider à nettoyer, mais elle n'a pas voulu.

Après un bref silence, il demanda :

— Aurais-tu envie de grignoter quelque chose maintenant ?

— Non !

Elle frissonna.

— Ne me parle pas de nourriture.

En se représentant les chats il eut un nouvel accès d'hilarité.

Cependant, sa proposition d'un en-cas avait semblé provoquer une association différée qui éteignit l'étincelle dans le regard de Madeleine.

Lorsqu'il s'arrêta enfin de rire, elle demanda :

— Alors, il n'y aura que Sonya, le collectionneur fou et toi à ce dîner demain soir ?

— Non, répondit-il, content pour la première fois que Sonya ne vienne pas. Rien que le collectionneur fou et moi.

Madeleine haussa un sourcil perplexe.

— J'aurais pensé qu'elle était prête à tuer pour être à ce dîner.

— En fait, le dîner s'est transformé en déjeuner.

— Déjeuner ? On te rétrograde déjà ?

Gurney ne réagit pas, mais, pour une raison absurde, la remarque le piqua au vif.

CHAPITRE 40

Un faible glapissement

Quand Madeleine en eut fini avec la vaisselle, elle se prépara une tisane et s'installa avec son panier à ouvrage dans un des fauteuils rembourrés au fond de la pièce. Gurney ne tarda pas à la rejoindre, un dossier de l'affaire Perry sous le bras, et à se caler dans le siège jumeau de l'autre côté de la cheminée. Chacun dans son halo de lumière, ils se tenaient compagnie dans un isolement relatif.

Il ouvrit la chemise et en sortit le rapport d'incident du VICAP. Étrange acronyme. Au FBI, il signifiait « Programme d'intervention contre les criminels violents ». Pour sa part, la Brigade criminelle de New York parlait de « Programme d'analyse des crimes violents ». C'était pourtant le même formulaire, traité par les mêmes ordinateurs, distribué aux mêmes destinataires. Gurney préférait la version new-yorkaise. Elle jouait franc jeu, ne faisait pas de fausses promesses.

Cet imprimé de trente-six pages était pour le moins détaillé, mais utile uniquement dans la mesure où le policier qui l'avait rempli s'était montré rigoureux et avait fait les choses à fond. L'un des objectifs était de mettre au jour des modes opératoires similaires dans d'autres affaires figurant au fichier. Dans ce cas précis, rien n'indiquait que le programme d'analyse comparative ait relevé des recoupements significatifs. Gurney se plongea dans la liasse pour s'assurer qu'il n'était pas passé à côté de quelque chose d'important la première fois.

Il avait du mal à se concentrer, obnubilé par l'idée qu'il devrait téléphoner à Kyle, cherchant des prétextes pour retarder la chose. Le décalage horaire entre New York et Seattle avait été un bon prétexte ces trois dernières années, mais Kyle était maintenant de retour à Manhattan – inscrit à la faculté de droit de Columbia –, pour Gurney, ce n'était pas plus simple, il continuait à tergiverser sans comprendre pourquoi.

Parfois il mettait ça sur le compte de ses gènes celtiques pas particulièrement chaleureux. C'était la justification la plus avantageuse. Aucune responsabilité personnelle, pour ainsi dire. À d'autres moments, il y voyait une de ces spirales de culpabilité : on n'appelle pas, on se sent coupable, et on a d'autant moins envie de téléphoner. Car, aussi loin que remontaient ses souvenirs, cette émotion n'avait jamais cessé de le ronger – un sentiment de responsabilité d'enfant unique vis-à-vis du couple tendu et chancelant de ses parents.

De plus, Kyle l'avait déçu quand, en plein cœur de la débâcle boursière, il lui avait annoncé qu'il renonçait à travailler pour une banque d'investissement afin d'entreprendre des études de droit. Gurney avait caressé brièvement le fol espoir que son fils envisageait de marcher dans ses pas en ralliant les forces de l'ordre. Il avait vite déchanté en apprenant que si Kyle se proposait de se lancer dans cette nouvelle voie, c'était pour atteindre son objectif de toujours : la réussite matérielle.

— Pourquoi ne l'appelles-tu pas ?

Madeleine l'observait, les aiguilles à tricoter posées sur les genoux au-dessus d'une écharpe orange à moitié finie.

Il la dévisagea, un peu interloqué par cette intuition troublante. Mais moins qu'il l'aurait été jadis.

— C'est cette expression particulière que tu as quand tu penses à lui, dit-elle comme si l'explication allait de soi. Pas très joyeuse.

— Je vais le faire. Je vais l'appeler.

Il parcourut le document sous ses yeux avec un empressement renouvelé, tel un homme enfermé dans une pièce cherchant une porte dérobée. Sans rien y dénicher de nouveau ou de différent de ce dont il se souvenait. Ensuite il feuilleta les autres rapports.

L'une des analyses du DVD de la réception s'achevait par le résumé suivant : « *L'emplacement de toutes les personnes présentes dans la propriété des Ashton pendant le créneau horaire correspondant à l'homicide a été vérifié par le biais des images vidéo dotées d'un timecode.* » Gurney avait une idée assez précise de ce que cela signifiait. Il se rappelait ce que Hardwick lui avait dit à ce sujet le soir où ils avaient visionné la vidéo, mais compte tenu de l'importance cruciale de cette donnée, il tenait à s'en assurer.

Il alla chercher son portable resté sur la console et composa le numéro de Hardwick. Il fut aussitôt orienté sur sa messagerie.

— Hardwick. Laissez un message.

— C'est Gurney. J'ai une question à te poser à propos de la vidéo.

Son téléphone sonna moins d'une minute après qu'il eut raccroché. Il ne prit même pas la peine de vérifier l'identité de l'appelant.

— Jack ?

— Dave ?

Une voix de femme, familière, bien qu'il fût incapable sur le moment de mettre un nom dessus.

— Pardonnez-moi. Je m'attendais à avoir quelqu'un d'autre au bout du fil.

— C'est Peggy Meeker. J'ai reçu votre mail. Je viens de vous répondre, et puis je me suis dit qu'il valait mieux que je vous appelle au cas où vous auriez besoin de savoir tout de suite.

Elle parlait à toute vitesse sous l'effet de l'excitation.

— De quoi s'agit-il ?

— Vous vouliez davantage de renseignements sur la pièce d'Edward Vallory. L'intrigue, les personnages, ce que l'on savait à ce propos. Eh bien, vous n'allez pas le croire ! J'ai joint le département d'anglais de Wesleyan et devinez qui s'y trouve encore : le professeur Barkless, qui a donné ce cours.

— Quel cours ?

— Le cours d'anglais que j'ai suivi. Sur le drame élisabéthain. Je lui ai laissé un message et il m'a rappelée. N'est-ce pas extraordinaire ?

— Que vous a-t-il dit ?

— C'est ce qu'il y a de plus extraordinaire. Vous êtes prêt ?

Gurney avait un signal de double appel, qu'il ignora.

— Allez-y.

— Eh bien, pour commencer, la pièce s'intitulait *Le Jardinier espagnol.*

Elle marqua une pause pour voir sa réaction.

— Continuez.

— Le personnage principal se nomme Hector Flores.

— Vous êtes sérieuse ?

— Ce n'est pas fini. Vous allez voir, c'est de mieux en mieux. L'intriguc, décrite en partie par un critique de l'époque, est un de ces trucs compliqués où les protagonistes se déguisent, si bien que les membres de leur propre famille ne les reconnaissent pas, toutes ces inepties, mais le scénario de base (encore un signal de double appel), que je trouve assez dingue, est que Hector Flores a été chassé de chez lui par sa mère qui avait tué son père et séduit son frère. Des années plus tard, il revient, travesti en jardinier et, pour faire court, il persuade son frère – grâce à de nouveaux accoutrements et de fausses identités – de décapiter leur mère. Tout cela dépasse la mesure, ce qui explique peut-être que tous les exemplaires de la pièce ont été détruits au lendemain de la première représentation. On ne sait pas très bien si cette intrigue était basée sur une ancienne version du mythe d'Œdipe ou s'il s'agissait simplement d'un pastiche concocté par Vallory. À moins qu'il ait été influencé d'une manière ou d'une autre par *La Tragédie espagnole* de Thomas Kyd, passablement déjantée elle aussi. Allez savoir. En tout cas, voici l'essentiel des faits que je tiens du professeur Barkless en personne.

Le cerveau de Gurney allait encore plus vite que la voix essoufflée de Peggy.

— Vous voulez que je vous répète tout ça ? demanda-t-elle au bout d'un moment.

Nouveaux bip-bip.

— Vous m'avez dit que vous m'aviez envoyé un mail à ce sujet ?

— Oui. Je vous explique tout en détail et j'ai indiqué le numéro de téléphone du professeur, au cas où vous souhaiteriez lui parler directement. C'est vraiment excitant, non ? Cela n'apporte-t-il pas un tout autre éclairage sur l'affaire ?

— Plutôt une confirmation d'une des thèses existantes. On verra ce que ça donne.

— D'accord. Entendu. Tenez-moi au courant.

Bip.

— Peggy, il semble que j'ai un autre appelant qui ne désarme pas. Permettez-moi de vous dire au revoir maintenant. Et merci. Ces renseignements pourraient se révéler très utiles.

— Je vous en prie. Contente d'avoir pu vous aider. Si je peux faire autre chose, n'hésitez pas.

— Entendu. Merci encore.

Il passa à l'autre appel.

— Il t'en a fallu du temps pour répondre. Ça ne devait pas être si pressé, en fait.

— Ah ! Jack. Merci de me rappeler.

— C'était quoi, la question ?

Gurney ne put s'empêcher de sourire. Hardwick était un maniaque de la brusquerie, quand son penchant pour la vulgarité lui en laissait le loisir.

— Est-on sûr de l'emplacement de chaque participant à la réception pendant le laps de temps où Jillian se trouvait dans le pavillon ?

— À peu près certain.

— Comment le sais-tu ?

— Vu la disposition des caméras, il n'y avait aucun angle mort. Les convives, l'équipe du traiteur, les musiciens figuraient tous sur les images, du début jusqu'à la fin.

— À l'exception de Hector.

— À l'exception de Hector, qui se trouvait à l'intérieur du pavillon.

— C'est du moins ce que nous *pensons*.

— Où veux-tu en venir ?

— J'essaie juste de faire la part des choses entre ce que nous savons et ce que nous croyons savoir.

— Qui d'autre aurait pu se trouver dans cette bicoque, bon sang ?

— Je n'en sais rien, Jack, et toi non plus. Au fait, merci de m'avoir informé de cette embrouille à propos de la cure de désintoxication.

Un long silence s'ensuivit.

— Qui est-ce qui t'a parlé de ça, bordel ?

— Pas toi en tout cas, c'est sûr.

— Je ne vois pas le rapport !

— Je suis un fervent adepte de la transparence, Jack.

— La transparence ? Je vais t'en donner, de la transparence. Ce connard de Rodriguez m'a dessaisi de l'affaire Perry parce que j'ai osé lui dire que filer le train à tous les putains de Mexicains en situation irrégulière dans le nord de l'État de New York était le plus énorme gaspillage de temps qu'on m'ait jamais imposé. Tu imagines un de ces mecs admettant candidement qu'il bosse au noir ? Sans parler de reconnaître qu'il est en contact avec un individu recherché pour meurtre. Deux mois plus tard, mon jour de congé, on m'appelle en urgence pour une chasse à l'homme à cause de deux andouilles qui ont descendu un pompiste sur la voie express. Quelqu'un sur les lieux rapporte au capitaine la Merveille que j'empeste l'alcool. Du coup, je me fais serrer. Ça faisait un bout de temps qu'il rêvait de me choper, l'enculé ! Il a trouvé l'occase. Et qu'est-ce qu'il fait ? Il m'expédie dans un centre de désintox sordide plein de minables défoncés au crack. Vingt-huit jours de misère. Avec ces ordures, Davey ! Un putain de cauchemar ! Des ordures, je te dis ! Pendant ces vingt-huit jours, je n'ai pensé qu'à une seule chose : tuer ce branleur de capitaine Tête de fion, lui arracher la tête ! C'est assez transparent pour toi ?

— Tout à fait. Le problème, Jack, c'est que l'enquête a déraillé et qu'il faut redémarrer depuis le début. J'ai besoin qu'on y affecte des gens qui s'intéressent plus à l'affaire qu'à se mettre mutuellement des bâtons dans les roues.

— Sans déconner ! Eh bien, bonne chance, monsieur la Voix de la raison.

Hardwick coupa la communication.

Gurney posa son téléphone sur le dossier devant lui. Prenant conscience du cliquetis des aiguilles à tricoter de Madeleine, il pivota vers elle.

Elle sourit sans lever les yeux.

— Un souci ?

Il eut un petit rire triste.

— Juste que l'enquête a besoin d'être entièrement réorganisée et réorientée. Or ce n'est pas en mon pouvoir.

— Réfléchis bien. Il y a forcément un moyen.

Il médita la chose un instant.

— Par le biais de Kline, tu veux dire ?

Elle haussa les épaules.

— À l'époque de l'affaire Mellery, tu m'avais laissé entendre qu'il nourrissait de grandes ambitions.

— Je ne serais pas surpris qu'il s'imagine président des États-Unis un jour. Ou tout au moins gouverneur.

— Tu vois !

— Je vois quoi ?

Elle se concentra une minute sur un point de tricot compliqué puis leva les yeux, apparemment déconcertée par son incapacité à saisir l'évidence.

— Aide-le à comprendre dans quelle mesure les retombées de cette enquête peuvent servir ses grandes ambitions.

Plus Gurney réfléchissait et plus la suggestion de Madeleine lui paraissait judicieuse. L'animal politique en Kline était ultrasensible à la dimension médiatique d'une affaire, quelle qu'elle soit. C'était le chemin le plus sûr pour qu'il réagisse.

Gurney attrapa son téléphone et appela le procureur. Le message enregistré offrait trois solutions : réessayer entre huit heures et dix-huit heures, du lundi au vendredi, laisser son nom et son numéro de téléphone pour être joint pendant les heures d'ouverture de bureau, ou composer le numéro d'urgence disponible vingt-quatre heures sur vingt-quatre en cas de problème requérant une assistance immédiate.

Gurney enregistra le numéro en question dans sa liste mais, avant d'appeler, il décida de consacrer un peu plus de temps à structurer ce qu'il allait dire – à l'opérateur d'abord, puis à Kline, si on voulait bien le lui passer. Il était essentiel de lancer la bonne grenade par-dessus le mur.

Les aiguilles cessèrent de cliqueter. Madeleine pencha légèrement la tête en direction de la fenêtre la plus proche.

— Tu as entendu ?

— Quoi donc ?
— Écoute.
— Que suis-je censé écouter ?
— Chut…
À l'instant où il allait insister sur le fait qu'il n'entendait strictement rien, il perçut de lointains glapissements de coyotes. Et puis plus rien. Juste l'image persistante dans son esprit d'animaux semblables à des petits loups malingres courant en une meute dispersée, aussi sauvages, impitoyables que le vent balayant le champ baigné par le clair de lune au-delà de la crête au nord.
Son téléphone, resté dans sa main, se mit à sonner. Il vérifia l'identité de l'appelant : Galerie Reynolds. Jeta un coup d'œil à Madeleine. Rien dans son expression ne suggérait une prémonition.
— Ici Dave.
— J'ai envie d'aller me coucher. Parlons maintenant.
Après une pause malaisée, il répondit :
— Vous d'abord.
Elle émit un petit rire doux, intime – plus un ronronnement qu'un rire.
— Comprenez-moi, j'ai envie de me coucher tôt, de dormir. Au cas où vous auriez voulu me téléphoner plus tard pour parler de demain, je préférerais que ce soit maintenant.
— Bonne idée.
Nouvel éclat de rire velouté.
— C'est très simple, à mon avis. Je ne peux pas vous dicter ce que vous direz à Jykynstyl pour la bonne raison que j'ignore ce qu'il va vous demander. Alors, soyez vous-même. Le détective avisé, expert en

homicides. L'homme tranquille qui a tout vu. Dans le camp des anges. Qui se bat avec le Malin et l'emporte toujours.

— Pas toujours.

— Vous êtes humain, non ? C'est important d'être humain. Ça fait de vous quelqu'un de réel, et non un pseudo-héros, vous comprenez ? Il vous suffit d'être vous-même. Vous êtes plus impressionnant que vous le pensez, David Gurney.

Il hésita.

— C'est tout ?

Cette fois-ci, le rire était plus mélodieux. Amusé.

— En ce qui vous concerne, oui. Pas pour moi. Avez-vous pris le temps de lire notre contrat, celui que vous avez signé pour l'exposition l'année dernière ?

— Sur le moment j'ai dû le faire. Mais pas récemment.

— Il précise que la galerie a droit à une commission de 40 % sur toutes les œuvres exposées, 30 % sur les œuvres figurant au catalogue, et 20 % sur les futures œuvres créées à l'intention de clients présentés à l'artiste par nos soins. Ça vous rappelle quelque chose ?

— Vaguement.

— Vaguement. D'accord. Mais ça vous convient, ou cela vous pose-t-il un problème aujourd'hui, pour aller de l'avant ?

— Ça me va.

— Bon. Parce que nous allons bien nous amuser en travaillant ensemble, je le sens. Pas vous ?

Impénétrable, Madeleine paraissait subjuguée par la bordure ornée de son écharpe. Clic. Clic. Clic.

CHAPITRE 41

Le grand jour

C'était une matinée magnifique – la photo d'automne sur un calendrier. Le ciel était d'un bleu exaltant, sans l'ombre d'un nuage. Madeleine était déjà partie faire une balade en vélo dans la vallée sinueuse qui s'étendait sur plus de trente-cinq kilomètres à l'est et à l'ouest de Walnut Crossing.

« Un temps idéal », avait-elle commenté avant de se mettre en route, s'arrangeant pour suggérer par l'inflexion de sa voix que la décision qu'il avait prise de passer une journée pareille en ville pour parler gros sous en échange d'une œuvre d'art immonde faisait de lui un homme aussi dément que Jykynstyl. À moins qu'il soit arrivé à cette conclusion tout seul et qu'il l'ait attribuée à tort à Madeleine.

Assis à la table de petit déjeuner, il contemplait la grange au bout du pré, d'un rouge saisissant dans la clarté matinale limpide. Il but une première et stimulante gorgée de café avant de prendre son téléphone et d'appeler le numéro d'urgence disponible vingt-quatre heures sur vingt-quatre de Sheridan Kline.

Une voix austère, terne, répondit, faisant surgir dans son esprit un souvenir net de l'homme auquel elle appartenait.

— Stimmel. Bureau du procureur.

— C'est Dave Gurney à l'appareil.

Il marqua une pause, sachant que Stimmel se souviendrait de lui depuis l'affaire Mellery – sans être surpris pour autant que le type n'en fasse pas état. Stimmel avait la chaleur, la loquacité et la physionomie épaisse d'un crapaud.

— Oui ?

— J'ai besoin de parler à Kline le plus rapidement possible.

— Ah oui ?

— C'est une question de vie ou de mort.

— Pour qui ?

— Pour lui.

Le ton se durcit encore.

— Qu'est-ce que ça veut dire ?

— Vous êtes au courant de l'affaire Perry ? (Gurney prit le silence qui suivit pour une réponse affirmative.) Elle est sur le point de déclencher un vrai cirque médiatique. Sans doute la plus grosse affaire de meurtres en série de toute l'histoire de l'État. J'ai pensé que Sheridan aurait envie d'être averti.

— De quoi parlez-vous ?

— Vous m'avez déjà posé la question, et je vous ai répondu.

— Donnez-moi les faits, et je transmettrai.

— Pas le temps d'intermédiaire. J'ai besoin de lui parler *illico presto*, même s'il faut que vous le tiriez du lit. Dites-lui qu'à côté de cette affaire-là, le meurtre de Mellery aura l'air d'un simple vol à l'étalage.

— Y a intérêt à ce que ce soit sérieux.

Gurney supposa que pour Stimmel cela voulait dire *Au revoir. On vous rappellera.* Il posa le téléphone, attrapa sa tasse et but une autre gorgée de café. Encore agréablement chaud. Son regard tomba sur les asparagus qu'agitait une douce brise venant de l'ouest. La question de l'engrais – nécessaire ? quand ? en quelle quantité ? – qui lui avait occupé l'esprit moins d'une semaine plus tôt lui semblait reportée à une date indéfinie. Il espérait ne pas avoir exagéré la situation telle qu'il l'avait exposée à Stimmel.

Deux minutes plus tard, il avait Kline, aussi excité qu'une mouche sur du fumier frais, au bout du fil.

— Qu'est-ce que c'est que cette histoire ? De quelle explosion médiatique parlez-vous ?

— C'est une longue histoire. Vous avez un peu de temps devant vous ?

— Si vous me résumiez ça en une phrase ?

— Imaginez une manchette de journal qui dirait : « La police et le procureur bredouilles dans l'affaire du tueur en série ayant enlevé les élèves de Mapleshade. »

— N'a-t-on pas déjà parlé de ça hier ?

— Il y a du nouveau.

— Où êtes-vous ?

— Chez moi, mais je vais en ville dans une heure.

— C'est du concret ou de nouvelles élucubrations de votre cru ?

— Plutôt du concret.

Un silence.

— Votre téléphone est-il sûr ?

— Je n'en ai pas la moindre idée.

— Vous empruntez la voie express pour venir, non ?

— Je suppose.

— Vous pourriez donc vous arrêter à mon bureau en chemin ?

— Bien sûr.

— Pouvez-vous partir tout de suite ?

— Dans dix minutes, je dirais.

— Retrouvez-moi dans mon bureau à neuf heures et demie. Gurney ?

— Oui ?

— J'espère pour vous que vous ne faites pas erreur.

— Sheridan ?

— Oui.

— Si j'étais vous, je prierais pour que ce soit le cas.

Dix minutes plus tard, Gurney roulait face au soleil levant. Il fit une première halte à l'épicerie Abelard pour s'acheter un café afin de remplacer la tasse presque pleine abandonnée sur la table de la cuisine dans la précipitation du départ.

Il s'attarda quelques instants sur la petite aire de gravier faisant fonction de parking, inclina son dossier d'un tiers environ et s'efforça de se détendre en se concentrant uniquement sur l'arôme du café. La technique n'était pas particulièrement efficace ; il se demanda pourquoi il s'obstinait à l'employer. Elle avait certes pour effet de modifier le cours de ses pensées, mais pas forcément dans le bon sens. En l'occurrence, elle déplaça son attention du désordre dysfonctionnel de l'enquête au désordre dysfonctionnel de sa relation avec Kyle – et à la pression grandissante qui le poussait à l'appeler.

C'était ridicule, en fait. Il n'avait qu'à prendre son téléphone. Il savait très bien que ces atermoiements n'étaient qu'une dérobade à court terme, à l'origine d'un problème à long terme qui occupait de plus en plus d'espace dans sa cervelle et suscitait toujours plus de désagréments. Cela ne se justifiait d'aucune manière intellectuellement parlant. Sur ce plan-là, il était conscient que la détresse de sa vie découlait en grande partie d'une volonté d'éviter les désagréments.

Le nouveau numéro de Kyle figurait dans son répertoire abrégé. *Appelle-le, bon sang !*

Il sortit son portable, saisit le numéro, tomba sur une boîte vocale :

« *Bonjour, ici Kyle. Je ne peux pas vous répondre pour l'instant. Merci de me laisser un message.* »

« Bonjour, Kyle. C'est ton père. Je t'appelais juste pour avoir tes impressions de Columbia. Ça se passe bien, la colocation ? » Il hésita, sur le point de demander des nouvelles de Kate, l'ex-femme de son fils, se ravisa. « Rien d'urgent. Je me demandais comment tu allais. Rappelle-moi quand tu auras une minute. À bientôt. »

Il enfonça la touche « Fin d'appel ».

Une expérience étrange. Un peu confuse, comme le reste de sa vie affective. Il se sentait soulagé de s'être jeté à l'eau. Soulagé aussi, pour être honnête, d'être tombé sur la messagerie plutôt que sur son fils. Peut-être allait-il pouvoir arrêter d'y penser, pendant quelque temps au moins. Il but encore quelques gorgées de café, vérifia l'heure – huit heures cinquante-deux – et reprit la route.

En-dehors d'une Audi d'un noir étincelant et d'une poignée de Ford et de Chevrolet nanties de plaques d'immatriculation officielles, nettement moins rutilantes, le parking des services du comté était vide, comme c'était généralement le cas le samedi matin. Le bâtiment en brique, sale, sinistre, avait un aspect glacial, désolé, reflétant à tous égards la lugubre institution qu'il avait été jadis.

Kline émergea de l'Audi alors que Gurney se glissait dans un emplacement voisin. Une Crown Victoria s'engagea à cet instant dans le parking et vint se ranger de l'autre côté de l'Audi. Rodriguez en sortit quelques secondes plus tard.

Gurney et Rodriguez convergèrent vers Kline. Ils échangèrent des signes de tête avec le procureur, mais pas entre eux. Kline les conduisit à une porte latérale dont il avait la clé, puis en haut d'un escalier. Ils n'échangèrent pas un mot avant d'être installés dans des fauteuils en cuir autour de la table basse de son bureau. Rodriguez croisa les bras sur sa poitrine. Ses yeux sombres derrière ses verres à monture d'acier n'exprimaient rien.

— Bon, fit Kline en se penchant en avant, le moment est venu d'aller à l'essentiel.

Il gratifia Gurney du regard perçant qu'il aurait pu avoir pour un témoin hostile à la barre.

— Nous sommes ici à cause de la bombe que vous nous avez promise, mon ami. Alors allez-y.

Gurney hocha la tête.

— La bombe. D'accord. Vous aurez peut-être envie de prendre des notes.

Un léger tic sous l'un des yeux mornes du capitaine lui indiqua qu'il avait pris cette suggestion comme une insulte.

— Venez-en aux faits, intervint Kline.

— La bombe comporte différents éléments. Je les jetterai pêle-mêle sur la table. Vous les assemblerez. En premier lieu, il s'avère que Hector Flores est le nom d'un personnage d'une pièce élisabéthaine – un personnage se faisant passer pour un jardinier espagnol. Étrange coïncidence, non ?

Kline eut un froncement de sourcils perplexe.

— Quel genre de pièce ?

— C'est là que ça devient intéressant. L'intrigue repose sur la violation d'un tabou sexuel majeur, l'inceste comme je vous le disais – qui se trouve être un point commun à l'enfance des délinquants sexuels.

Le froncement de sourcils s'accrut.

— Qu'essayez-vous de nous dire exactement ?

— Que l'homme qui vivait dans le pavillon d'Ashton a presque certainement tiré le nom Hector Flores de cette pièce.

Le capitaine émit un grognement sceptique.

— Je crois qu'il va nous falloir un peu plus de détails, dit Kline.

— Cette œuvre dramatique a pour thème l'inceste. Le personnage de Hector Flores apparaît déguisé en jardinier. Et… (Gurney ne put s'empêcher de marquer une pause pour ménager son effet.) … il se trouve qu'il tue la femme pécheresse en la décapitant.

Les yeux de Kline s'agrandirent.

— Quoi ?

Rodriguez lança un regard incrédule à Gurney.

— Comment peut-on trouver cette pièce ?

Plutôt que de s'enliser dans le débat sans fin s'il leur révélait que le texte dans son intégralité n'existait plus, Gurney donna au capitaine les nom et qualité de l'ancien professeur d'université de Peggy Meeker.

— Il sera ravi d'en discuter avec vous, j'en suis sûr. À propos, il ne fait aucun doute que cette tragédie est liée au meurtre de Jillian Perry. Son auteur s'appelle Edward Vallory.

Il fallut plusieurs secondes avant que Kline assimile l'information.

— La signature du texto ?

— Précisément. De sorte qu'il est clair désormais que l'identité du « travailleur mexicain » était une arnaque depuis le départ, un piège dans lequel nous sommes tous tombés.

Le capitaine avait l'air tellement furibard qu'on aurait dit qu'il allait s'embraser.

— Ce type est venu à Tambury avec des réserves de patience et un projet à long terme. L'obscurité de cette référence littéraire prouve que nous avons affaire à un individu plutôt raffiné. En outre, le contenu de la pièce de Vallory indique que les antécédents sexuels de Jillian Perry étaient très certainement le mobile de son assassinat.

Kline semblait faire des efforts désespérés pour ne pas avoir l'air abasourdi.

— Bon, nous avons donc… un nouvel éclairage sur cette affaire.

— Ce n'est que le haut de l'iceberg malheureusement.

Kline écarquilla à nouveau les yeux.

— Quel iceberg ?

— Les élèves disparues.

Le capitaine secoua la tête.

— On l'a déjà dit, et je vais le redire : nous n'avons pas la moindre preuve que quiconque ait *disparu*.

— Pardonnez-moi, mon intention n'était pas de faire un usage abusif d'un terme juridique. Vous avez raison : aucun nom précis n'a encore été consigné dans la base de données officielle des personnes disparues. Alors, appelons-les… Voyons ! Les diplômées de Mapleshade non localisables à l'heure actuelle. Ça vous convient ?

Rodriguez s'énerva, prêt à sauter de son siège.

— Je n'ai pas à supporter vos sarcasmes ! protesta-t-il d'une voix rauque.

Kline leva la main à la manière d'un agent de la circulation.

— Rod, Rod, du calme. Nous sommes tous un peu… enfin, vous savez. Ne vous emportez pas.

Il attendit que Rodriguez se carre dans son fauteuil avant de se tourner vers Gurney.

— Imaginons, histoire de voir où ça nous mène, qu'une ou plusieurs de ces filles aient effectivement disparu, qu'elles ne soient pas localisables, quel que soit le terme approprié. Si tel était le cas, quelle serait votre conclusion ?

— Si elles avaient été enlevées par l'homme qui se fait appeler Hector Flores, j'en conclurais qu'elles sont mortes ou qu'elles ne vont pas tarder à l'être.

Rodriguez s'agita à nouveau sur son siège.

— On n'a aucune preuve. *Si, si, si.* Ce ne sont que des hypothèses.

Kline inspira lentement.

— Ça me paraît sacrément prématuré comme épilogue, Dave. Vous voulez bien nous éclairer un peu sur la logique de votre raisonnement ?

— Le contenu de la pièce, plus les textos de Vallory laissent supposer que le meurtre de Jillian Perry était un acte de vengeance pour des sévices sexuels. Des sévices sexuels subis dans le passé se trouvent être un dénominateur commun aux élèves de Mapleshade, ce qui fait d'elles des cibles potentielles. Du coup, Mapleshade serait un vivier idéal pour un meurtrier en quête de ce genre de victimes.

— « Des cibles potentielles » ? Vous avez entendu ça ? Il vient de dire : potentielles. C'est justement là que je voulais en venir.

Rodriguez secoua la tête.

— Tout ça est…

— Une seconde, Rod, s'il vous plaît, l'interrompit Kline. J'ai compris. Je suis de votre côté, croyez-moi. Moi aussi, j'ai besoin de preuves. Mais laissez-le finir. Il faut explorer toutes les pistes, vous le savez. Laissez-le terminer, d'accord ?

Rodriguez la boucla, tout en continuant à secouer bêtement la tête, sans même s'en rendre compte. Kline adressa un petit signe à Gurney pour l'inciter à poursuivre.

— S'agissant des jeunes filles disparues, la similarité des disputes ayant précédé leur départ est un commencement de preuve d'une conspiration. Il est inconcevable qu'elles aient toutes invoqué l'achat d'une voiture de luxe par pure coïncidence. L'explication logique serait un complot fomenté dans le but de faciliter leur enlèvement.

Kline avait l'air d'avoir un problème de reflux de Tabasco.

— Avez-vous d'autres faits à avancer pour corroborer la thèse de l'enlèvement ?

— Hector Flores avait demandé à Ashton de l'autoriser à travailler à l'école, et les jeunes filles non localisables à l'heure actuelle ont été vues en train de bavarder là-bas avec lui.

Rodriguez secouait toujours la tête.

— C'est un lien plutôt mince.

— Vous avez raison, capitaine, répondit Gurney d'un ton las. À vrai dire, l'essentiel des données dont nous disposons sont passablement aléatoires. Toutes les filles enlevées ou disparues avaient figuré dans des publicités à caractère sexuel pour Karnala Fashion, de même que Jillian Perry, mais nous ignorons tout de cette entreprise. Comment ces séances de pose étaient organisées n'a pas été établi, ni fait l'objet d'une enquête. Au jour d'aujourd'hui, on ignore encore le nombre total de jeunes filles qui pourraient avoir disparu. Si celles que nous n'arrivons pas à contacter sont en vie ou mortes. Si des enlèvements ont lieu au moment où nous parlons. Je me borne à vous dire ce que je pense. Ce que je crains. Je suis peut-être complètement fou, capitaine. Je l'espère de tout cœur parce que l'alternative est abominable.

Kline avala péniblement sa salive.

— Vous admettez donc qu'il y a pas mal de suppositions dans votre… vision de la situation.

— Je suis inspecteur de police judiciaire, Sheridan. Faute de quelques suppositions…

Gurney haussa les épaules, laissant sa phrase en suspens.

Un long silence s'ensuivit.

Rodriguez semblait abattu, recroquevillé sur lui-même, comme si sa colère s'était à moitié envolée sans que rien vienne la remplacer.

— Supposons que vous ayez raison à cent pour cent, reprit Kline.

Il tendit les deux mains, paumes tournées vers le ciel, comme pour montrer son ouverture d'esprit face à la théorie la plus saugrenue qui soit.

— Quelles dispositions prendriez-vous ?

— La première chose à faire est de déterminer précisément qui a disparu. Procurez-vous la liste des anciennes élèves de Mapleshade avec les coordonnées des parents. Demandez-la à Ashton ce matin si possible. Interrogez toutes les familles, toutes les camarades de classe de Jillian que vous arriverez à joindre, ainsi que les élèves des classes en dessus et en dessous. S'agissant des foyers où la localisation de la jeune fille est invérifiable, tâchez d'obtenir un signalement et des détails circonstanciés afin de les rentrer dans les bases de données du VICAP, du NCIC et le fichier des personnes disparues – surtout si une dispute comme celles dont nous avons entendu parler a eu lieu lors du dernier contact avec la famille.

Kline jeta un coup d'œil à Rodriguez.

— On devait s'y atteler de toute façon, à mon avis.

Le capitaine hocha la tête.

— Continuez.

— Chaque fois que la fille ne peut être jointe, recueillez un échantillon d'ADN auprès d'un parent proche – père, mère, frère ou sœur. Dès que le laboratoire de la Brigade aura dressé le profil, comparez-le avec celui de toutes les personnes de sexe féminin, d'un âge correspondant, décédées à l'époque de la disparition et non identifiées.

— Dans quel rayon ?

— National.

— Vous vous rendez compte de ce que vous nous demandez ? Ces trucs-là se font État par État, parfois même au niveau des comtés. Certaines juridictions ne conservent pas ces données. D'autres ne les collectent même pas.

— Vous avez raison. Ça va coûter cher, prendre du temps et la couverture sera incomplète, mais ce sera encore pire si vous vous retrouvez plus tard dans la situation de devoir expliquer pourquoi ça n'a pas été fait.

— Entendu, lâcha Kline comme une exclamation de dégoût. Et après ?

— Ensuite, retrouvez la trace d'Alessandro et de Karnala Fashion. Ils sont beaucoup trop insaisissables, l'un et l'autre, pour des entreprises commerciales normales. Puis interrogez les élèves de Mapleshade sur ce qu'elles pourraient savoir à propos de Hector, d'Alessandro, de Karnala ou des filles disparues. Ainsi que les employés actuels ou récents de l'établissement.

— Vous avez idée du nombre d'heures de travail dont vous parlez ?

— C'est comme ça que je gagne ma vie, Sheridan.

Gurney marqua un temps d'arrêt pour réfléchir un instant au sens de son lapsus.

— Que je *gagnais* ma vie, je veux dire. Il faut que la Brigade mette une douzaine d'inspecteurs sur le coup au plus vite, davantage si possible. Dès que les médias auront eu vent de cette histoire, vous vous ferez bouffer tout cru si vous ne vous en êtes pas occupés.

Kline plissa les yeux.

— À vous entendre, on va se faire bouffer tout cru quoi qu'il arrive.

— La presse choisira la voie qui attire le plus d'audience, ajouta Gurney. Ce qu'il est convenu d'appeler le journalisme est friand d'images fortes. Donnez-leur un bon scénario de bande dessinée ; ils se jetteront dessus. Je vous le garantis.

— Quoi par exemple ? demanda Kline en le regardant d'un air méfiant.

— Vous devez les convaincre que vous avez mis le paquet pour résoudre le problème. Que vous avez fait preuve de beaucoup d'initiative. Dès l'instant où la Brigade a découvert la difficulté que certains parents avaient à contacter leurs filles, Rod et vous avez lancé une enquête historique, tirant toutes les sonnettes d'alarme, mettant à contribution un maximum d'effectifs, annulant tous les congés. Une opération sans précédent, destinée à arrêter un meurtrier en série.

Le disque dur mental de Kline s'appliquait à traiter à toute vitesse les multiples retombées possibles.

— Et s'ils rechignent à la dépense ?

— Facile. « Les mesures nécessaires dans une situation comme celle-ci coûtent forcément de l'argent. L'inaction, elle, coûte des vies. » Une réponse fumeuse difficile à contrer. Parlez-leur d'une mobilisation géante, et peut-être qu'ils vous éviteront le « Récit d'une enquête ratée » à la une des journaux.

Kline fermait et ouvrait alternativement les poings, pliant et dépliant les doigts tandis qu'une lueur d'excitation éclairait peu à peu son regard incertain.

— Entendu, dit-il. On ferait peut-être bien de commencer à réfléchir à la conférence de presse.

— Il faut d'abord que vous mettiez les choses en marche, souligna Gurney. Si la presse s'aperçoit que ce sont des fariboles, vos collègues et vous passerez instantanément du statut de héros du jour à celui de branleurs de l'année. À partir de maintenant, vous devez traiter cela comme l'affaire énorme dont il s'agit selon toute vraisemblance, ou dire adieu à vos carrières.

Était-ce la détermination manifeste dans la mâchoire serrée de Gurney, ou un aperçu glaçant de l'horreur potentielle à venir qui eut finalement raison de l'égocentrisme de Kline ? Toujours est-il qu'il cligna des paupières, se frotta les yeux avant de s'appuyer contre son dossier en décochant un long regard morne à son interlocuteur.

— Vous êtes persuadé que nous avons sur les bras le psychopathe du siècle, n'est-ce pas ?

— Effectivement.

Rodriguez s'extirpa des sombres préoccupations qui semblaient l'absorber.

— Qu'est-ce qui vous permet de l'affirmer ? Une pièce de théâtre écrite par un malade il y a quatre cents ans ?

Qu'est-ce qui me permet de l'affirmer ? Gurney réfléchit. Une intuition. Même si c'était l'un des plus vieux clichés dans la police, il y avait du vrai là-dedans. Mais ça ne s'arrêtait pas là.

— La tête.

Rodriguez le regardait intensément.

Gurney inspira à fond pour se calmer.

— Quelque chose à propos de la tête. Disposée comme elle l'était sur la table, face au corps.

Kline ouvrit la bouche comme pour dire quelque chose, mais rien ne sortit.

Rodriguez continuait à dévisager Gurney.

— Je pense que celui qui a fait ça, de cette manière-là, quel qu'il soit, laissait entendre qu'il avait une mission à accomplir.

Kline se renfrogna.

— Vous voulez dire qu'il a l'intention de recommencer ?

— Ou que c'est déjà fait. Visiblement, il y trouve du plaisir.

CHAPITRE 42

Le magique M. Jykynstyl

Le temps était toujours au beau fixe quand Gurney fit le trajet des Catskill à New York en fin de matinée. Tandis qu'il filait sur la voie express, l'air frais, le ciel limpide revigorèrent ses pensées, le rendant optimiste quant à l'influence qu'il avait eue sur Kline, et dans une moindre mesure sur Rodriguez.

Il voulait garder le contact avec le procureur, s'assurer qu'on le tiendrait au courant. Et puis il allait devoir appeler Val pour l'informer des derniers développements. Mais il fallait aussi, et sur-le-champ, qu'il réfléchisse au rendez-vous qui l'attendait. Avec cet homme du « monde de l'art ». Un homme prêt à lui verser cent mille dollars pour le portrait d'un fou retouché à la palette graphique. Possiblement un fou lui-même.

L'adresse que Sonya lui avait donnée se révéla être celle d'une résidence en grès brun au milieu d'un pâté de maisons tranquille abrité par des arbres dans les East Sixties de Manhattan. Le quartier respirait l'argent, les miasmes de la gentrification qui l'isolaient de l'agitation des avenues avoisinantes.

Il se gara dans une zone interdite face à l'immeuble – comme Sonya le lui avait indiqué, conformément aux instructions de Jykynstyl, on s'occuperait de son véhicule.

La gigantesque porte d'entrée en émail noir s'ouvrait sur un vestibule garni de dalles et de miroirs ouvragés donnant sur une seconde porte. Gurney était sur le point d'actionner la sonnette sur le mur voisin quand une ravissante jeune femme lui ouvrit. En y regardant de plus près, il se rendit compte qu'elle était assez ordinaire en réalité, mais son allure générale était rehaussée, ou plutôt dominée par des yeux extraordinaires – des yeux qui étaient en train de le jauger comme on évaluerait la coupe d'une veste de sport ou la fraîcheur d'une pâtisserie dans la vitrine d'un boulanger.

— C'est vous, l'artiste ?

Il perçut quelque chose de fragile dans le ton de sa voix, sans parvenir à l'identifier vraiment.

— Je m'appelle Dave Gurney.

— Suivez-moi.

Ils pénétrèrent dans un vaste hall. Une patère, un porte-parapluies, plusieurs portes closes et un vaste escalier en acajou menant à l'étage. L'éclat foncé des cheveux de sa guide s'harmonisait avec le bois sombre. Elle le conduisit devant une porte qu'elle ouvrit, révélant un petit ascenseur doté de sa propre porte coulissante.

— Venez, dit-elle avec un petit sourire qu'il trouva étrangement déconcertant.

Ils entrèrent dans la cabine, la porte se referma sans un bruit et l'ascenseur entama son ascension, donnant à peine une impression de mouvement.

Gurney rompit le silence.

— Qui êtes-vous ?

Elle se tourna vers lui, ses yeux remarquables amusés par une boutade toute personnelle.

— Je suis sa fille.

L'ascenseur s'était arrêté si doucement que Gurney ne s'en était même pas aperçu. La porte coulissa. La jeune femme se glissa dehors.

— Venez.

Ils émergèrent dans un salon meublé comme un luxueux boudoir victorien. Des plantes tropicales à grosses feuilles trônaient dans des jarres de part et d'autre d'une cheminée imposante. D'autres côtoyaient les fauteuils. Au-delà d'une ample voûte à une extrémité, Gurney découvrit une salle à manger classique – une table, des chaises, une desserte et des boiseries sculptées, le tout en acajou impeccablement ciré. Des tentures en damas vert foncé dissimulaient les hautes fenêtres dans l'une et l'autre pièce, occultant l'heure, la saison – créant l'illusion d'un univers élégant, hors du temps, où l'on s'apprêtait à tout moment à servir des cocktails.

— Bienvenue, monsieur Gurney. C'est gentil à vous de venir si vite d'aussi loin.

Gurney suivit la voix à l'étrange accent jusqu'à sa source : un petit homme terne, rapetissé par l'énorme fauteuil club dans lequel il était assis près d'une majestueuse plante tropicale. Il tenait un minuscule verre à liqueur rempli d'un liquide vert pâle.

— Pardonnez-moi de ne pas me lever pour vous accueillir. J'ai des problèmes de dos. Paradoxalement, c'est pire quand il fait beau. Un mystère troublant, non ? Je vous en prie, asseyez-vous.

Il désigna un fauteuil assorti au sien, face à lui, à l'autre bout d'un petit tapis oriental. Il portait un jean délavé et un sweat-shirt bordeaux. Des cheveux gris courts, clairsemés, peignés sans soin. Ses yeux aux paupières lourdes créaient une impression superficielle de détachement somnolent.

— Vous aimeriez boire quelque chose. Une des filles va vous apporter ça.

Son accent indéfini semblait avoir des origines européennes multiples.

— Pour ma part, j'ai à nouveau commis l'erreur de choisir de l'absinthe. (Il brandit son verre et lorgna la liqueur verdâtre comme s'il avait affaire à un ami déloyal.) Je ne vous la recommande pas. Depuis qu'elle est légale et totalement sans danger, elle a perdu son âme, à mon avis. (Il porta le verre à ses lèvres et en éclusa à peu près la moitié.) Pourquoi est-ce que je m'obstine à en reprendre ? Question intéressante. Je dois être sentimental. Ce qui n'est manifestement pas votre cas. Vous êtes un détective chevronné, un homme de clarté qui ne s'encombre pas d'attachements stupides. Pas d'absinthe pour vous. Autre chose. Que désirez-vous ?

— Un verre d'eau ?

— *Acqua minerale ? Ein Mineralwasser ? De l'eau gazéifiée ?*

— Du robinet.

— Bien sûr. (Son sourire subit était aussi étincelant que des os blanchis.) J'aurais dû m'en douter.

Il haussa à peine la voix, comme une personne habituée à avoir des domestiques sous la main.

— Un verre d'eau du robinet pour notre invité.

La jeune femme à l'étrange sourire qui se prétendait sa fille quitta la pièce.

Gurney s'installa tranquillement dans le fauteuil que son hôte lui avait désigné.

— Comment auriez-vous pu savoir que je demanderais de l'eau du robinet ?

— À cause de ce que Mlle Reynolds m'a confié de votre personnalité. Vous froncez les sourcils. J'aurais dû le prévoir, ça aussi. Vous m'observez avec vos yeux de détective et vous vous demandez : « Que sait vraiment ce Jykynstyl à mon sujet ? Qu'est-ce que cette Reynolds lui a raconté sur moi ? » Ai-je raison ?

— Vous allez nettement plus vite en besogne que moi. Je m'interrogeais juste sur le rapport qu'il pouvait y avoir entre l'eau du robinet et ma personnalité.

— Sonya m'a dit que vous étiez tellement compliqué en votre for intérieur que vous privilégiiez la simplicité autour de vous. Vous êtes d'accord avec ça ?

— Bien sûr. Pourquoi pas ?

— C'est très bien, dit Jykynstyl sur le ton d'un expert savourant un cru intéressant. Elle m'a averti aussi que vous réfléchissez constamment et que vous en savez toujours plus que vous êtes prêt à l'admettre.

Gurney haussa les épaules.

— Est-ce un problème ?

De la musique commença à se faire entendre en fond sonore, si douce que les notes les plus basses étaient à peine audibles. Une mélodie pastorale lente, triste, au violoncelle qui rappela à Gurney les subtils parfums de jardin anglais qui flottaient dans le manoir de Scott Ashton.

Jykynstyl esquissa un sourire avant d'avaler une nouvelle gorgée d'absinthe. Une jeune femme à la silhouette spectaculaire mise en valeur par un jean taille basse et un tee-shirt au décolleté plongeant entra dans la pièce pour apporter à Gurney un verre en cristal rempli d'eau, posé sur un plateau en argent. Elle avait le regard et la bouche d'une cynique deux fois plus âgée qu'elle. Alors qu'il prenait le verre, Jykynstyl se décida à répondre à la question de Gurney.

— Ça ne me pose aucun problème. J'apprécie les êtres qui ont de la substance, et qui voient plus loin que le bout de leur nez. Vous appartenez à cette catégorie, n'est-ce pas ?

Comme Gurney ne répondait pas, il éclata de rire. Un son abrupt, sans gaieté.

— Vous êtes aussi un homme qui aime aller droit au but, à ce que je comprends. Vous voulez savoir ce que nous faisons ici. Très bien, David. Venons-en aux faits : je suis sans doute votre plus grand admirateur. Pourquoi cela ? Deux raisons. Premièrement, j'estime que vous êtes un remarquable portraitiste. Deuxièmement, j'ai l'intention de gagner beaucoup d'argent avec votre travail. Veuillez noter, je vous prie, l'ordre de mes motivations. À en juger d'après les œuvres que vous avez déjà produites, vous possédez un don exceptionnel pour faire apparaître la mentalité d'un être dans les traits de son visage, dévoiler son âme à travers son regard. C'est un talent qui se nourrit de pureté. Ce n'est pas la faculté d'un individu obnubilé par l'argent ou la considération, qui s'ingénie à être agréable et qui parle trop. C'est le talent de quelqu'un qui privilégie la vérité dans tout ce qu'il entreprend – les affaires, sa vie professionnelle et artistique. Je me doutais que vous étiez ce genre d'homme, mais je voulais en avoir la certitude.

Il soutint le regard de Gurney pendant un long moment avant de poursuivre :

— Que voudriez-vous pour déjeuner ? Nous avons de la rémoulade de bar, un ceviche de crustacés au citron vert, des quenelles de veau, un délicieux tartare de bœuf de Kobe. Ce que vous préférez. À moins qu'un petit échantillon de chaque vous fasse plaisir ?

Tout en parlant, le petit homme entreprit de s'extirper lentement de son fauteuil. Il chercha un endroit où poser son verre et finit par le placer délicatement dans le pot de la plante envahissante à côté de lui. Puis, cramponné des deux mains aux accoudoirs, il se redressa au prix d'un effort considérable avant de devancer son hôte dans la salle à manger.

L'élément le plus saisissant du décor était un portrait grandeur nature dans un cadre doré qui trônait au centre du long mur face à la voûte. Fort de ses connaissances au demeurant limitées en matière d'histoire de l'art, Gurney pensa à la Renaissance hollandaise.

— Remarquable, n'est-ce pas ? s'exclama Jykynstyl.

Gurney acquiesça.

— Je suis content qu'il vous plaise. Je vais vous en parler pendant que nous déjeunons.

Deux couverts avaient été mis face à face sur la table. Les hors-d'œuvre que Jykynstyl avait énumérés étaient disposés entre eux dans quatre plats en porcelaine, ainsi qu'une bouteille de puligny-montrachet et une de château-latour que même un non-œnophile comme Gurney était capable d'identifier comme de ces grands crus hors de prix.

Il opta pour le montrachet et le bar, son hôte pour le latour et le tartare.

— Ce sont toutes les deux vos filles ?

— Absolument.

— Vous vivez ici ensemble ?

— Par moments. Nous ne sommes pas fixés où que ce soit. Je vais, je viens. Telle est la nature de mon existence. Mes filles habitent ici quand elles ne vivent pas avec quelqu'un d'autre.

Il exposa ces arrangements sur un ton qui parut aussi trompeusement désinvolte à Gurney que son regard somnolent.

— Où passez-vous le plus clair de votre temps ?

Jykynstyl posa sa fourchette sur le bord de son assiette comme pour se débarrasser d'un obstacle afin de pouvoir s'exprimer plus clairement.

— Je ne pense pas en ces termes. Être ici pendant une certaine période, là pendant une autre. Je suis… en mouvement. Vous comprenez ce que j'essaie de dire ?

— Votre réponse est plus philosophique que l'était ma question. Je vais vous la poser autrement. Avez-vous des résidences telles que celle-ci ailleurs ?

— Des parents m'hébergent parfois dans d'autres pays, ou devrais-je dire me supportent. En anglais, les formules sont voisines sans signifier la même chose pour autant. Je me trompe ? Elles sont sans doute appropriées toutes les deux dans mon cas. (Il afficha son froid sourire d'ivoire.) Je suis donc un SDF ayant de nombreuses demeures à sa disposition.

Son accent indéfinissable, de nulle part et de partout, parut se renforcer comme pour appuyer ses revendications nomadiques.

— Comme ce merveilleux M. Wordsworth, j'erre, solitaire tel un nuage. À la recherche de jonquilles dorées. J'ai l'œil pour ces jonquilles. Mais ça ne suffit pas. Il faut savoir *regarder.* C'est mon double secret, David Gurney : *avoir l'œil et être toujours en quête.* Cela me semble beaucoup plus important que de vivre dans un endroit particulier. Je n'habite ni ici ni là. Je vis dans l'activité, l'effervescence. Je ne suis pas un résident, mais un itinérant. Cela ressemble sans doute à votre propre existence, à votre profession. N'ai-je pas raison ?

— Je vois ce que vous voulez dire.

— Vous voyez, mais vous n'êtes pas tout à fait d'accord.

Il paraissait plus amusé qu'offensé.

— Et comme tous les policiers, s'agissant de questions, vous préférez les poser plutôt qu'y répondre. Une caractéristique de votre métier, pas vrai ?

— Absolument.

Jykynstyl émit un son qui aurait aussi bien pu être un rire qu'une toux. Son regard ne permettait pas d'en avoir le cœur net.

— Dans ce cas, laissez-moi vous suggérer des réponses plutôt que des questions. Je pense que vous aimeriez savoir pourquoi ce petit homme fou au drôle de nom a l'intention de vous payer une telle somme pour ces portraits que vous faites peut-être très vite et facilement.

Gurney ressentit une pointe d'irritation.

— Pas si vite ni si facilement que ça.

Puis il regretta sa réaction.

Jykynstyl cligna des paupières.

— Non, bien sûr que non. Pardonnez mon anglais. Je crois le parler mieux que je le fais en réalité, mais je perçois mal les nuances. Voulez-vous que je reformule ma phrase ou saisissez-vous ce que j'essaie de vous dire ?

— Je crois avoir compris.

— Bon alors, la question de base : pourquoi est-ce que je propose autant d'argent pour votre art ? (Il marqua une pause, affichant à nouveau ce sourire glaçant.) Parce qu'il en vaut la peine. Et parce que je veux vos œuvres, en exclusivité, sans concurrence. C'est la raison pour laquelle je vous fais ce que je considère comme une offre imbattable, offre que vous pouvez accepter sans poser de questions, sans chicaneries ni marchandages. Vous comprenez ?

— Je pense.

— Bien. Vous avez remarqué, me semble-t-il, le tableau accroché au mur derrière moi. Le Holbein.

— C'est un Holbein authentique ?

— Authentique ? Bien sûr. Je ne possède pas de reproductions. Qu'en pensez-vous ?

— Je ne trouve pas les mots.

— Dites ce qui vous vient à l'esprit.

— Saisissant. Étonnant. Vivant. Troublant.

Jykynstyl l'observa un long moment avant de rompre le silence.

— Laissez-moi vous dire deux choses. D'abord que ces mots qui, selon vous, ne sont pas les bons sont plus proches de la vérité que toutes les balivernes des critiques d'art. Ensuite que ce sont ceux qui me sont venus à l'esprit quand j'ai vu votre portrait de Piggert, le meurtrier. Exactement les mêmes. J'ai plongé mon regard dans celui de votre Peter Piggert et j'ai senti sa présence dans la pièce avec moi. Saisissant. Étonnant. Vivant. Troublant. Ce que vous avez dit à propos du portrait de Holbein, mot pour mot. J'ai déboursé un peu plus de huit millions de dollars pour ce tableau. Le montant exact est un secret, mais je vous le dis quand même. Huit millions cent cinquante mille dollars. Pour une jonquille dorée. Un jour peut-être, je le vendrai trois fois plus cher. Maintenant, je paie cent mille dollars pièce pour une poignée de jonquilles signées David Gurney, et peut-être qu'un jour, je les vendrai dix fois plus cher. Qui sait ? Vous allez porter un toast à cet avenir avec moi, s'il vous plaît ? Que nous tirions tous les deux de cette transaction la satisfaction que nous en espérons.

Jykynstyl sembla percevoir le scepticisme de Gurney.

— Cela vous paraît une grosse somme. C'est parce que vous n'y êtes pas encore habitué, et non pas parce que votre travail ne le vaut pas. Souvenez-vous-en. On vous rétribue pour votre remarquable perspicacité et votre aptitude à la véhiculer – ce en quoi vous ne différez guère de Hans Holbein. Vous êtes un détective de l'esprit criminel, mais aussi de la nature humaine. Pourquoi ne seriez-vous pas rémunéré en conséquence ?

Jykynstyl leva son verre de château-latour. Gurney l'imita d'un geste plus hésitant, avec son montrachet.

— À votre travail perspicace, à notre transaction et à votre santé, inspecteur Gurney.

— À la vôtre, monsieur Jykynstyl.

Ils burent. L'expérience surprit agréablement Gurney. Bien qu'il fût loin d'être un connaisseur, il trouva que le montrachet était le meilleur vin qu'il lui eût été donné de goûter – et l'un des rares, dans son souvenir, à provoquer une envie instantanée de remplir à nouveau son verre. Alors qu'il finissait le premier, la jeune femme qui l'avait accompagné dans l'ascenseur apparut à côté de lui, une étrange lueur dans le regard, pour satisfaire son souhait.

Pendant les dix minutes qui suivirent, les deux hommes mangèrent en silence. Le bar froid était délicieux, et le montrachet semblait en agrémenter parfaitement le goût. Quand Sonya lui avait fait part de l'intérêt de Jykynstyl pour ses photos, deux jours plus tôt, Gurney s'était laissé aller un bref instant à fantasmer sur ce que cette coquette somme lui permettrait d'entreprendre. Des fantasmes de voyages qui le transportaient sur la côte nord-ouest – à Seattle et Puget Sound, aux îles San Juan sous un soleil estival, ciel bleu, mer bleue sur fond de monts Olympiques. Cette vision ressurgit à cet instant, alimentée, semblait-il, par la confirmation de la promesse financière, ainsi que par le second verre de montrachet, encore plus délectable que le premier.

Jykynstyl avait repris la parole, vantant la perception de son invité, sa finesse psychologique, son œil incomparable pour les détails. Mais plus que leur sens, c'était le rythme de ses paroles qui captait à présent l'attention de Gurney, l'élevant, le berçant doucement. Et puis les jeunes femmes débarrassèrent la table, un sourire serein aux lèvres, pendant que Jykynstyl décrivait des desserts exotiques. Quelque chose de crémeux avec du romarin et de la cardamome. Quelque chose de soyeux à base de safran, de thym et de cannelle. Gurney sourit en comparant dans son for intérieur l'accent étrangement complexe de son hôte à un plat relevé d'assaisonnements que l'on n'associait pas d'ordinaire.

Il éprouvait une sensation de liberté exaltante, tout à fait inhabituelle, mêlée d'optimisme et d'orgueil pour ce qu'il avait accompli. Il avait toujours rêvé de se sentir ainsi – l'esprit clair, plein d'énergie. Ces sentiments fusionnèrent avec les bleus glorieux du ciel et de l'eau, un bateau filant, sa voile blanche déployée, sur les ailes d'un vent qui ne mourrait jamais.

Et puis il ne sentit plus rien.

TROISIÈME PARTIE

Omission fatale

CHAPITRE 43

Réveil

Aucune illusion ne se dissipe plus douloureusement que celle de l'invulnérabilité.

Gurney ignorait depuis combien de temps il était assis dans sa voiture, comment elle s'était trouvée garée là et quelle heure il était. Il savait juste qu'il était assez tard pour qu'il fasse nuit, qu'il avait un mal de crâne à donner le vertige, accompagné de sentiments d'anxiété et de nausée. Aucun souvenir de ce qui s'était passé après son second verre de vin au déjeuner. Il jeta un coup d'œil à sa montre. 20 h 45. Il n'avait jamais eu une réaction aussi désastreuse à l'alcool, quelle que soit la quantité absorbée et certainement pas après deux verres de vin blanc.

La première explication qui lui vint à l'esprit fut qu'on l'avait drogué.

Mais pourquoi ?

Analyser cette question sans réponse ne fit qu'intensifier son angoisse. Fixer aveuglément l'espace vide qui aurait dû être rempli des souvenirs de l'après-midi aggrava encore les choses. Jusqu'à ce qu'il se rende compte avec un ahurissement qui lui fit l'effet d'une gifle qu'il était assis non pas derrière le volant, mais sur le siège passager. Le fait qu'il lui ait fallu une minute entière de conscience pour s'en apercevoir le fit basculer dans un état proche de la panique.

En regardant par les fenêtres, devant, derrière, il découvrit qu'il se trouvait au milieu d'un long pâté de maisons – probablement un de ces blocs interminables au cœur de Manhattan, trop éloigné des deux angles pour qu'il puisse déchiffrer les noms des rues. La chaussée était assez encombrée, des taxis principalement collant au train d'autres taxis, mais aucun piéton à proximité. Il ouvrit la portière et sortit prudemment, raide, endolori. Il avait l'impression d'être resté assis un long moment dans une position inconfortable. Il promena son regard le long du trottoir, de part et d'autre, dans l'espoir de reconnaître un bâtiment.

L'immeuble non éclairé de l'autre côté de la rue devait être une institution quelconque, une école peut-être. De larges marches en pierre menaient à une porte massive d'au moins trois mètres de haut. La façade classique était à colonnes.

Soudain, il la vit !

Au-dessus des hautes colonnes grecques, au centre d'une sorte de frise qui se déployait sur toute la largeur de la façade, juste en dessous du toit plongé dans l'ombre, une devise gravée, à peine visible : AD STUDIUM VERITATIS.

Ad studium veritatis ? St Genesius ? Son lycée ? Qu'est-ce que c'était que cette histoire ?

Il fixa l'édifice en pierre sombre tout en essayant de comprendre la situation. Il s'était réveillé sur le siège passager de sa voiture. Quelqu'un avait dû le conduire jusqu'ici. Qui ? Il n'en avait pas la moindre idée. Il ne se souvenait pas d'avoir pris le volant, ni qu'on l'eût accompagné.

Pourquoi là ?

Cela ne pouvait pas être une coïncidence qu'on l'ait emmené à cet endroit précis de ce pâté de maisons parmi le millier qui composait Manhattan, en face de l'entrée du lycée où il avait fait ses études quarante ans plus tôt. Une institution d'excellence où il était boursier. Il s'y rendait chaque jour depuis l'appartement de ses parents dans le Bronx. Institution qu'il détestait, où il n'avait pas remis les pieds depuis. Il n'en parlait jamais. Presque personne ne savait qu'il l'avait fréquentée.

Que se passait-il, pour l'amour du ciel ?

Il explora une seconde fois la rue, comme si quelqu'un de sa connaissance allait surgir des ténèbres pour lui fournir une explication simple. Il n'eut pas cette chance. Il remonta dans sa voiture, derrière le volant. Trouver la clé sur le contact lui procura un soulagement momentané. C'était certainement préférable à ne pas l'avoir, sans que cela apaisât le moins du monde ses pensées tourmentées.

Sonya. Sonya savait peut-être quelque chose. Elle devait être en rapport avec Jykynstyl. Et si ce dernier était responsable, s'il l'avait drogué…

Sonya faisait-elle partie du complot ? Lui avait-elle tendu un piège ? Dans quel but ? Quelle était la logique de tout ça ? Pourquoi l'avoir conduit ici ? Se donner cette peine ? Comment Jykynstyl pouvait-il savoir quel lycée il avait fréquenté ? Et pourquoi ? Montrer que les détails de sa vie privée étaient accessibles ? Focaliser son attention sur le passé ? Lui rappeler quelque chose de spécifique de ses années d'adolescence, quelqu'un, un événement lié à ces misérables années passées à St Genesius ? Lui provoquer une crise d'angoisse ? Pour quelle raison Jay Jykynstyl, connu dans le monde entier, ferait-il des choses pareilles ?

C'était ridicule.

Pour couronner le tout, quelle preuve avait-il que l'homme qu'il avait rencontré dans l'immeuble en grès brun était bien Jay Jykynstyl ? Dans le cas contraire, s'il s'agissait d'un imposteur, à quoi bon monter un stratagème aussi complexe ?

Si effectivement on l'avait drogué, quelle était la nature de la substance qu'on lui avait administrée ? L'avait-elle assommé à la manière d'un sédatif ou d'un anesthésiant puissant, ou s'agissait-il d'un produit tel que le Roxynol, un amnésique désinhibant ? Une éventualité nettement plus préoccupante.

Présentait-il des troubles d'ordre physique ? Une déshydratation importante pouvait être à l'origine d'une désorientation, voire de troubles de la mémoire.

Mais pas à ce point-là. Pas un trou de mémoire complet de huit heures !

Une tumeur au cerveau ? Une embolie ? Une attaque ?

Était-il concevable qu'il ait quitté la résidence de Jykynstyl, qu'il soit monté dans sa voiture et qu'il ait décidé sous le coup d'un caprice nostalgique d'aller jeter un coup d'œil à son ancienne école, qu'il soit même entré et puis…

Et puis quoi ? Il serait ressorti, se serait glissé sur le siège passager pour ranger quelque chose dans la boîte à gants, ou l'en sortir, stade auquel il aurait eu une sorte de crise ? Aurait-il tourné de l'œil ? Certaines attaques peuvent provoquer une amnésie rétroactive bloquant les souvenirs de la période juste avant et juste après. Était-ce ça ? Une pathologie grave du cerveau ?

Des questions. Encore des questions. Et pas de réponses. Il avait l'impression d'avoir une poignée de gravier au creux de l'estomac.

En inspectant la boîte à gants, il n'y trouva rien d'insolite. Le manuel du véhicule, quelques vieux reçus de stations-service, une petite lampe de poche, le bouchon en plastique d'une bouteille d'eau.

Il tapota les poches de sa veste et sortit son portable. Sept messages l'attendaient sur sa boîte vocale, ainsi qu'un texto. Il avait été très demandé pendant ses heures d'absence. Peut-être trouverait-il l'explication qu'il cherchait parmi ces messages ?

Le premier, reçu à 15 h 44, provenait de Sonya. *« David ? Vous êtes toujours à table ? C'est bon signe, je suppose. Je veux tout savoir. Appelez-moi dès que vous le pourrez. Bisous. »*

Le deuxième, enregistré à 16 h 01, était du procureur. *« David, ici Sheridan Kline. Je voulais vous tenir au courant, par courtoisie, concernant une question que vous avez soulevée au sujet de Karnala Fashion. Vous serez peut-être content de savoir que nous avons vérifié, et découvert des informations intéressantes. La famille Skard, cela vous dit quelque chose ? S.K.A.R.D. Rappelez-moi au plus vite. »*

Skard ? Un curieux nom, qui lui semblait familier, comme s'il était déjà tombé dessus il n'y avait pas si longtemps. L'avait-il lu quelque part ?

Troisième appel à 16 h 32. De Kyle. *« Salut, papa. Comment va ? Jusqu'à maintenant, Columbia, c'est super, je crois. Je passe mon temps à lire, lire, lire, sauf quand je vais en cours. Mais ça en vaut la peine.*

Vraiment. Tu n'as pas idée de ce qu'un bon avocat en recours collectif peut se faire. Des dollars à la pelle ! Il faut que j'y aille. Je suis en retard pour un autre cours. J'oublie sans arrêt l'heure. Je te rappelle plus tard. »

Sonya avait rappelé, à 17 h 05. *« David ? Que se passe-t-il ? C'est le plus long déjeuner du monde ou quoi ? Rappelez-moi ! Vite ! »*

Le coup de fil le plus bref, à 17 h 07, venait de Hardwick. *« Hé, champion ! Je suis de nouveau sur l'affaire. »* Sur un ton triomphant, malveillant. Il avait bu apparemment.

Sixième appel, à 17 h 50, de la psychologue médico-légale fétiche de Kline.

« Bonjour, David. Ici Rebecca Holdenfield. Sheridan m'a informée que vous aviez de nouvelles idées à propos du tueur à la machette dont vous souhaitiez me faire part. Je suis passablement occupée, mais pour ça je trouverai du temps. Les matinées sont impossibles, mieux vaudrait plus tard dans la journée. Indiquez-moi par téléphone les jours et les heures qui vous conviennent. Nous trouverons un moyen. D'après le peu que j'en sais pour le moment, je dirais que vous êtes aux trousses d'un type très malade. » L'enthousiasme qui transparaissait à travers ce ton professionnel indiquait que rien ne l'excitait davantage que de filer le train à un individu de cette espèce. Avant de raccrocher, elle avait laissé un numéro avec un indicatif de zone correspondant à Albany.

Le septième et dernier message, reçu à 20 h 35, provenait de Sonya. *« Putain, David, vous êtes encore vivant ? »*

Il vérifia l'heure encore une fois. 20 h 58.

Il réécouta l'ultime message, une fois, deux fois, cherchant une portée sérieuse à la question de Sonya. Il n'en trouva aucune, au-delà de l'exaspération de quelqu'un qu'on n'avait pas rappelé après plusieurs coups de fil. Sur le point de la rappeler, il s'interrompit en se souvenant qu'il avait aussi reçu un texto. Il décida de le lire d'abord.

Il était court, anonyme, ambigu : TANT DE PASSIONS ! TANT DE SECRETS ! DE SI MERVEILLEUSES PHOTOS !

Il le fixa un long moment. En y réfléchissant, même s'il laissait le champ libre à l'imagination, il n'avait strictement rien d'ambigu. C'était on ne peut plus clair.

Il voyait déjà le contenu supposé de ces clichés exploser dans sa vie comme une bombe artisanale.

CHAPITRE 44

Déjà-vu

Maintenir son équilibre, rester concentré, soumettre les faits à une analyse objective, tels avaient été les piliers de la réussite de Gurney tout au long de sa carrière d'inspecteur aux homocides.

À cet instant, il avait toutes les peines du monde à faire quoi que ce soit de semblable. Toutes sortes d'inconnues, d'hypothèses terribles tourbillonnaient dans son esprit.

Qui était ce Jykynstyl ? À moins que la question appropriée fût plutôt : qui était l'homme qui se faisait passer pour Jykynstyl ? Quelle menace cherchait-il à faire peser sur lui ? Quel était son objectif ? Gurney avait la quasi-certitude que le scénario, quel qu'il soit, était de nature criminelle. L'espoir qu'il se soit enivré de façon anodine, que le texto ait un sens inoffensif lui paraissait illusoire. Il devait accepter le fait qu'il avait été drogué, et que ses pires soupçons – impliquant une dose massive de Roxynol dans ce premier verre de vin blanc – étaient aussi les plus vraisemblables.

Roxynol plus alcool. Le cocktail amnésique par excellence. La « drogue du viol » qui annihilait le jugement, les peurs, les doutes. Qui débarrassait l'esprit de toute inhibition morale et pratique, empêchait l'intervention de la conscience et de la raison, et avait le pouvoir de vous réduire à la somme de vos appétits primaux. La combinaison chimique apte à convertir vos pulsions, si insensées soient-elles, en actions, parfois dévastatrices. Un élixir ravageur qui donnait la priorité aux désirs de notre cerveau de lézard primitif, quoi qu'il en coûte à l'individu, avant d'enfouir l'expérience – susceptible de se prolonger entre six et douze heures – dans une amnésie impénétrable. À croire qu'il avait été inventé pour faciliter les catastrophes. Le genre de catastrophes que Gurney, assis dans sa voiture, totalement désemparé, était en train d'imaginer en essayant de comprendre des faits qui n'avaient ni queue ni tête.

Madeleine lui avait appris à apprécier les petites actions simples, à mettre un pied devant l'autre. Mais quand plus rien n'avait de sens, quand toutes les directions recelaient une obscure menace, pas facile de décider où poser le pied en premier.

Il lui vint cependant à l'esprit qu'il était inutile de rester garé là dans cette rue sombre. S'il démarrait, même sans avoir décidé où aller, il pourrait au moins se rendre compte si on le surveillait. Avant de s'empêtrer dans toutes sortes de raisons pour ne pas le faire, il mit le contact, attendit que le feu au bout de la rue devienne vert, puis que trois taxis pressés le dépassent à la queue leu leu avant d'allumer ses phares et de s'engager dans la file. Il franchit Madison Avenue juste avant que le feu passe au rouge. Il continua sa route, s'acheminant vers l'est de Manhattan, des Eighties jusqu'aux Sixties en tournant au hasard à plusieurs intersections jusqu'à ce qu'il soit sûr que personne ne le suivait.

Sans l'avoir vraiment décidé, il arriva au pâté de maisons où se trouvait la résidence de Jykynstyl, qu'il longea une première fois avant de faire demi-tour et de passer devant à nouveau. Aucune lumière aux fenêtres de l'immeuble en grès brun. Il se gara à la même place qu'il avait occupée neuf heures plus tôt.

Il était nerveux, ne sachant même pas ce qu'il allait faire ensuite, bien que le peu d'initiatives qu'il avait prises jusque-là l'aient un peu calmé. Il se rappela qu'il avait le numéro de téléphone de Jykynstyl dans son portefeuille – Sonya le lui avait donné au cas où il serait retardé par la circulation. Il le composa sans prendre la peine de réfléchir à ce qu'il allait dire. Peut-être quelque chose comme : *Sacrée fiesta, Jay ! Vous avez pris des photos ?* Ou peut-être davantage dans la veine de Hardwick : *Espèce d'enfoiré, déconne avec moi, et tu vas te retrouver avec une balle entre les deux yeux !* En définitive, il ne dit rien de tout ça parce qu'il tomba sur un enregistrement lui annonçant que la ligne était coupée.

Il avait envie d'aller frapper à la porte jusqu'à ce que quelqu'un lui ouvre. Puis il se souvint que Jykynstyl lui avait expliqué qu'il était presque toujours en déplacement, sans jamais rester longtemps au même endroit, et il acquit soudain la conviction que la résidence était vide, que le zèbre avait filé, et qu'il ne lui servirait à rien de taper sur cette porte.

Il devait appeler Madeleine, pour la prévenir qu'il serait en retard. Mais en retard de combien ? Devait-il lui parler de l'amnésie ? De son réveil devant son ancien lycée ? De la menace des photos ? Ou tout cela lui retournerait-il les sangs inutilement ?

Il avait peut-être intérêt à joindre Sonya d'abord, histoire de voir si elle pouvait l'éclairer d'une manière ou d'une autre sur ce qui se passait. Que savait-elle exactement de Jay Jykynstyl ? Cette offre de cent mille dollars avait-elle une réalité quelconque ou s'agissait-il d'un stratagème pour le faire venir en ville sous prétexte d'un déjeuner privé ? Afin qu'on puisse le droguer et… et quoi ?

Il aurait peut-être intérêt à se rendre aux urgences pour se soumettre à un examen toxicologique et déterminer précisément quelles substances chimiques il avait ingérées, avant qu'elles soient métabolisées. Remplacer ses soupçons par des preuves. D'un autre côté, ce genre d'analyse risquait d'entraîner des questions, et des complications. Il se trouvait dans une impasse. Comment comprendre ce qui s'était passé sans prendre les mesures officielles lui permettant de le savoir ?

Alors qu'il se sentait sombrer dans un gouffre d'indécision, une grosse camionnette blanche s'arrêta à moins de dix mètres de lui, juste devant l'immeuble en grès. Grâce au faisceau des phares d'une voiture qui le doubla, il put déchiffrer les caractères verts sur le flanc : ENTREPRISE DE NETTOYAGE WHITE STAR.

Il entendit une portière coulisser de l'autre côté de la camionnette, puis quelques commentaires en espagnol avant que la portière se referme. Le véhicule redémarra, laissant un homme et une femme en uniforme terne dans la pénombre, sur le trottoir devant l'entrée de l'immeuble. L'homme ouvrit la porte avec une clé accrochée à un anneau fixé à sa ceinture. Ils entrèrent et, quelques instants plus tard, le hall s'éclaira. Puis une fenêtre du rez-de-chaussée. À la suite de quoi des lumières apparurent à environ deux minutes d'intervalle aux quatre étages du bâtiment.

Gurney décida d'y aller au culot. Il avait l'apparence d'un flic, le ton d'un flic, et sa carte de membre d'une association d'inspecteurs à la retraite pouvait faire figure de pièce d'identité toujours valide.

En approchant de la porte d'entrée, il s'aperçut qu'elle était restée ouverte. Il pénétra dans le vestibule, tendit l'oreille. Pas de bruits de pas ni de voix. Il essaya la porte donnant accès au reste de la maison. Ouverte également. Il la poussa, dressa à nouveau l'oreille. Rien en dehors de la plainte étouffée d'un aspirateur à un des étages supérieurs. Il se glissa à l'intérieur et referma sans bruit derrière lui.

Les employés de ménage avaient allumé toutes les lumières, plongeant le hall d'entrée dans une atmosphère plus froide, plus dénudée que dans le souvenir de Gurney. La clarté émoussait la splendeur de l'escalier en acajou trônant au centre de la pièce. Les boiseries aussi avaient perdu de leur lustre, comme si l'éclairage peu flatteur les avait dépouillées de leur vernis.

Il avisa deux portes au fond. L'une d'elles donnait accès au petit ascenseur dans lequel l'avait conduit la fille de Jykynstyl – si tant est que ce fût vraiment sa fille, ce dont il doutait fort. Par l'autre porte, demeurée entrouverte, il apercevait une pièce tout aussi inondée de lumière que le hall.

Il s'agissait apparemment de ce que les annonces immobilières appellent une salle audiovisuelle, dominée par un grand écran plat autour duquel une demi-douzaine de fauteuils étaient disposés selon des angles différents. Il y avait un bar au fond, dans l'angle, et, le long du mur voisin, un buffet contenant tout un assortiment de verres à vin et à cocktail, outre une pile d'assiettes en verre convenant aussi bien à des desserts raffinés qu'à des lignes de coke. Gurney jeta un petit coup d'œil dans les tiroirs, qu'il trouva vides. Les compartiments du bar et le petit réfrigérateur étaient fermés à clé. Il quitta la pièce aussi discrètement qu'il était entré et se dirigea vers l'escalier.

Le chemin d'escalier persan couvrit le bruit de ses pas quand il monta les marches deux à deux jusqu'au second, puis au troisième étage. De là, le grondement de l'aspirateur était plus distinct. L'équipe de nettoyage risquait à tout instant de redescendre. Sa reconnaissance serait de courte durée. Une voûte conduisait à un couloir où il dénombra cinq portes. Celle du fond correspondait à l'ascenseur ; les quatre autres devaient donner sur des chambres. Il se dirigea vers la plus proche et tourna la poignée aussi silencieusement que possible. À cet instant, il entendit le déclic étouffé de l'ascenseur s'arrêtant à l'étage, suivi du doux glissement de la porte coulissante.

Il s'introduisit à la hâte dans la pièce plongée dans l'obscurité qu'il supposait être une chambre et referma derrière lui, en espérant que la personne qui avait surgi de l'ascenseur, un des employés de ménage vraisemblablement, regardait ailleurs.

Il se rendit compte qu'il était en mauvaise posture, dans l'incapacité de se cacher – il faisait trop sombre pour qu'il puisse trouver un endroit adéquat –, ou d'allumer de peur de révéler sa présence. Si on le surprenait en train de se dissimuler de façon pathétique derrière cette porte, il se voyait mal bluffer en exhibant sa carte d'inspecteur à la retraite. Qu'est-ce qu'il fichait là d'ailleurs ? Qu'espérait-il découvrir ? Le portefeuille de Jykynstyl contenant des preuves d'une autre identité ? Des mails trahissant un complot ? Les photos dont il était question dans le texto ? Quelque chose qui incriminait suffisamment Jykynstyl pour neutraliser toute menace ? Ces éventualités étaient la trame de scénarios peu plausibles. Pourquoi s'était-il mis dans cette position ridicule, à rôder dans le noir comme un cambrioleur imbécile ?

L'aspirateur reprit vie brusquement dans un rugissement derrière la porte, son ombre passant et repassant le long du centimètre de lumière qui séparait le battant et l'épaisse moquette. Gurney recula prudemment contre le mur en tâtonnant. Il entendit une autre porte s'ouvrir de l'autre côté du couloir. Quelques secondes plus tard, le grondement de l'aspirateur s'affaiblit.

Ses yeux commençaient à s'adapter à l'obscurité que le rai de lumière sous la porte diluait juste assez pour lui permettre de distinguer quelques formes : le pied d'un grand lit, les oreilles d'un fauteuil Queen Ann, une armoire sombre contre un mur plus clair.

Il décida de courir sa chance. En tâtant le long du mur derrière lui, il trouva l'interrupteur et le bouton d'un rhéostat. Il le tourna jusqu'à ce qu'il soit à peu près au milieu, puis appuya dessus pour allumer une fraction de seconde avant de le remettre dans sa position initiale. Il pariait sur le fait que les employés de ménage étaient suffisamment occupés pour ne pas remarquer le flash de lumière sous la porte.

Ce qu'il entrevit au cours de ce bref instant d'illumination fut une chambre spacieuse contenant les meubles qu'il avait discernés dans la quasi-obscurité, ainsi que deux fauteuils plus petits, une commode basse surmontée d'une glace ouvragée et deux tables de chevet supportant des lampes ornées. Rien d'inattendu ou d'étrange, en dehors d'une impression de déjà-vu. Il était certain d'avoir contemplé auparavant ce qui lui était apparu dans l'éclair de lumière.

À cette impression viscérale de familiarité succéda presque aussitôt une question glaçante : s'était-il trouvé dans cette pièce plus tôt dans la journée ? Ses frissons se changèrent en une sorte de nausée. *Il y était forcément allé !* Pour quelle autre raison lui aurait-elle inspiré un pareil sentiment ? Le lit, la position des sièges, la corniche ?

Plus important, jusqu'où le pouvoir désinhibant du Roxynol conjugué à l'alcool pouvait-il vous mener ? Dans quelle mesure ses convictions, son système de valeurs, ce qui lui était le plus précieux, dans quelle mesure tout cela pouvait-il être balayé par ce mélange chimique ? Jamais il ne s'était senti aussi vulnérable, aussi étranger à lui-même – incertain quant à la personne qu'il était vraiment, et ce qu'il était capable de faire.

Progressivement, cette sensation vertigineuse d'impuissance et d'incompréhension fut remplacée par des vagues de peur et de rage, en alternance. Il accueillit la rage avec bonheur, ce qui lui ressemblait peu. La vigueur de la rage. Sa force et sa ténacité.

Il ouvrit la porte et sortit dans la clarté.

Le vrombissement de l'aspirateur venait d'une pièce située au fond du couloir. Gurney s'éloigna dans la direction opposée, vers le grand escalier. La brièveté de sa montée en ascenseur à l'heure du déjeuner lui donnait à penser que le salon et la salle à manger devaient se trouver au deuxième étage. Il descendit les marches dans l'espoir que quelque chose dans ces pièces lui fournirait un fil d'Ariane qu'il pourrait suivre.

Une autre voûte séparait le palier du reste de l'étage. En passant dessous, Gurney se retrouva dans le salon victorien où Jykynstyl l'avait accueilli. Comme dans le reste de maison, les lumières étaient toutes allumées, avec un effet non moins glacial. Les plantes tropicales elles-mêmes avaient perdu de leur luxuriance. Il traversa la pièce pour gagner la salle à manger. Assiettes, verres, couverts, tout avait disparu. De même que le tableau de Holbein. Ou le faux Holbein.

Gurney songea qu'il n'avait aucune certitude quant à ce déjeuner. Il y avait fort à parier que tout était bidon, en particulier l'extravagante proposition d'achat de ses portraits. La prise de conscience que tout cela était du flan, qu'il n'y avait jamais eu d'argent sur la table, pas plus que d'admiration pour son talent ou sa perspicacité, constitua un choc inattendu pour son ego, suivi d'un sentiment de consternation à la pensée de ce que cette offre et la flatterie qui y était associée avaient représenté à ses yeux.

Un thérapeute lui avait déclaré un jour que le seul moyen de mesurer la force de l'attachement que l'on a pour quelque chose réside dans le degré de souffrance causé par sa suppression. À l'évidence, les rétributions potentielles du fantasme Jykynstyl avaient eu la même importance à ses yeux que… la conviction qu'elles n'en avaient aucune. Du coup, il avait le sentiment de s'être fait doublement rouler.

Il regarda autour de lui. Sa vision extatique d'un voilier dans le détroit de Puget lui revint avec l'amertume d'un vin régurgité. Il scruta la surface fraîchement cirée de la table. Pas l'ombre d'une traînée ou d'une empreinte. Il retourna dans le salon. Une odeur complexe dont il avait eu vaguement conscience en y passant quelques minutes plus tôt flottait dans l'air. Il tenta d'en dissocier les éléments. Alcool, tabac froid, cendres dans la cheminée, cuir, terre humide dans les pots des plantes, cire, vieux bois. Rien de surprenant. Rien de déplacé.

Il soupira, en proie à un sentiment de frustration et d'échec à la pensée du risque inutile qu'il avait pris en s'introduisant dans la maison. Un vide hostile y régnait – comme si personne n'occupait vraiment les lieux. Jykynstyl lui-même l'avait reconnu en lui faisant une vague description de son existence de nomade. Et Dieu sait où ses « filles » passaient leur temps.

Le grondement de l'aspirateur à l'étage au-dessus s'intensifia. Gurney jeta un dernier coup d'œil à la pièce avant de se diriger vers l'escalier. Il était à mi-chemin du premier étage quand un souvenir vif le cloua sur place.

L'odeur de l'alcool.

Le petit verre.

Nom de Dieu !

Il remonta les marches quatre à quatre, regagna le salon, s'approcha de l'immense fauteuil en cuir d'où Jykynstyl l'avait accueilli à son arrivée, d'où le soi-disant infirme avait eu tellement de mal à s'extraire qu'il lui avait fallu ses deux mains pour se lever. Et faute d'une table voisine pour y poser son petit verre d'absinthe…

Gurney tendit le bras vers la base de l'épaisse plante tropicale. Il était là – caché par le rebord épais du pot et la cascade de feuilles foncées. Il l'enveloppa soigneusement dans son mouchoir avant de le glisser dans sa poche de veste.

La question qui se posa à lui une minute plus tard, quand il fut de retour dans sa voiture, était de savoir ce qu'il allait en faire.

CHAPITRE 45

Un chien curieux

Le commissariat du quartier se trouvant à quelques pâtés de maisons, dans la 67e Rue Est, Gurney se concentra sur la liste des contacts dont il disposait là-bas. Il connaissait au moins une demi-douzaine d'inspecteurs du district, dont deux sans doute suffisamment pour solliciter de leur part une faveur. Et recueillir des empreintes sur un verre à liqueur qu'il avait chapardé dans le but de les croiser avec la base de données du FBI – processus qui nécessiterait une manip astucieuse pour éviter d'avoir à fournir un numéro de dossier – était pour le moins délicat. Il était hors de question qu'il explique ce qui le poussait à vouloir en savoir plus sur son hôte, mais il n'était pas disposé à concocter un bobard qui risquait de lui exploser à la figure par la suite.

Il allait devoir trouver un moyen de contourner le problème.

Il rangea le petit verre avec soin dans la boîte à gants, posa son portable sur le siège à côté de lui, puis démarra en prenant la direction du George Washington Bridge.

En chemin, il commença par appeler Sonya Reynolds.

— Où étiez-vous passé ? Qu'est-ce que vous avez fichu tout l'après-midi ?

Elle avait l'air furieuse, inquiète, ignorant manifestement tout des événements de la journée, ce qu'il trouva rassurant.

— Excellentes questions pour lesquelles je n'ai aucune réponse.

— Que vous est-il arrivé ? De quoi parlez-vous ?

— Dans quelle mesure connaissez-vous Jay Jykynstyl ?

— De quoi s'agit-il ? Que s'est-il passé, pour l'amour du ciel ?

— Je n'en sais rien. Rien de bien fameux.

— Je ne comprends pas.

— Jusqu'à quel point connaissez-vous Jykynstyl ? répéta-t-il.

— Je sais ce qu'on dit de lui dans la presse. Un gros acheteur, très sélectif. Énorme influence financière sur le marché. Aime garder l'anonymat. Interdit qu'on le prenne en photo. Apprécie une bonne dose de confusion à propos de sa vie privée, y compris son lieu de résidence. On ne sait même pas s'il est homo ou hétéro. Plus c'est embrouillé, plus ça lui plaît. Obsédé par le désir de préserver son intimité.

— Donc, vous ne l'aviez jamais rencontré, vous n'aviez jamais vu une photo de lui jusqu'à ce qu'il se pointe un beau jour dans votre galerie en disant qu'il voulait acheter mes œuvres ?

— Où voulez-vous en venir ?

— Comment savez-vous que l'homme avec qui vous avez parlé était bien Jay Jykynstyl ? Parce qu'il vous l'a dit ?

— Non. C'est exactement l'inverse.

— Il vous a dit qu'il *n'était pas* Jay Jykynstyl ?

— Il ne m'a donné que son prénom : Jay.

— Dans ce cas, comment…

— J'ai lourdement insisté en lui expliquant que ce serait difficile de faire affaire avec lui sans connaître son nom complet, que je trouvais ridicule de ne pas savoir avec qui je traitais alors qu'il était question d'une telle somme d'argent.

— Et il vous a répondu ?…

— Javits. Il m'a répondu qu'il s'appelait Jay Javits.

— Comme Jacob Javits ? L'ancien sénateur ?

— Exactement, mais il l'a dit d'une drôle de façon, comme si ce nom venait de lui traverser l'esprit et qu'il avait le sentiment de devoir répondre quelque chose parce que j'en faisais tout un plat. Dave, expliquez-moi de quoi on parle là, bon sang ! Je veux savoir tout de suite ce qui s'est passé aujourd'hui.

— Il est clair désormais que toute cette histoire n'est qu'un piège, voilà ce qui s'est passé. Je pense qu'on m'a drogué et que ce déjeuner était une sorte de coup monté sans rapport aucun avec mes œuvres.

— C'est de la folie !

— Pour en revenir à l'identité de ce type… il vous a dit s'appeler Jay Javits, et vous en avez conclu que son vrai nom était Jay Jykynstyl ?

— Ce n'est pas tout à fait ça. Ne soyez pas ridicule. Au cours de la conversation, nous avons évoqué la beauté du lac. Il a mentionné qu'il le voyait de sa chambre. Du coup, je lui ai demandé où il était descendu. Il m'a répondu : « dans une très jolie auberge », comme s'il n'avait pas envie d'être plus précis. Un peu plus tard, j'ai appelé le Huntington, l'hôtel le plus chic du bord du lac, et je leur ai demandé s'il avait un certain Jay Javits inscrit sur leur registre. Au début, le type au bout du fil a semblé perplexe, mais ensuite il m'a demandé si j'avais pu me tromper de nom. Je lui ai répondu : c'est possible, je prends de l'âge, je n'ai plus l'ouïe aussi fine et il m'arrive d'écorcher les noms. Tout cela en essayant de prendre un ton pathétique.

— Vous pensez avoir réussi à le convaincre ?

— Forcément, puisqu'il m'a dit : « La personne que vous cherchez pourrait-elle s'appeler Jykynstyl ? » Je l'ai prié d'épeler, ce qu'il a fait, et là j'ai pensé : *Bon Dieu, est-ce possible ?* Je lui ai demandé de me décrire son client, il a accepté. C'était bien le type qui était passé à la galerie. Alors, vous voyez, il ne voulait pas que je sache qui il était, mais je l'ai découvert quand même.

Gurney garda le silence. Il était beaucoup plus vraisemblable, à son avis, que Sonya se soit fait habilement manipuler de manière à ne lui laisser aucun doute sur la pseudo-identité de son visiteur. La subtilité et l'efficacité de ce stratagème étaient peut-être encore plus déconcertantes que la ruse en elle-même.

— Vous êtes toujours là, David ?

— J'ai besoin de passer quelques coups de fil. Je vous rappelle tout de suite après.

— Vous ne m'avez toujours pas dit ce qui vous était arrivé.

— Je n'en ai pas la moindre idée en dehors du fait qu'on m'a menti, drogué, baladé en ville alors que j'étais inconscient, et menacé. Pourquoi, par qui ? Je ne saurais vous le dire. Je fais de mon mieux pour le découvrir. Et j'en aurai le cœur net.

L'optimisme de cette ultime phrase était sans commune mesure avec la colère, la peur et la confusion qu'il éprouvait. Il promit à nouveau de la rappeler.

Ensuite il téléphona à Madeleine, sans penser à ce qu'il allait dire, ni vérifier l'heure. Ce fut seulement quand elle décrocha et qu'il entendit sa voix ensommeillée qu'il jeta un coup d'œil à l'horloge du tableau de bord. Il était 22 h 04.

— Je me demandais quand tu allais te décider à appeler, dit-elle. Ça va ?

— À peu près. Désolé de ne pas avoir téléphoné plus tôt. J'ai vécu des choses assez dingues cet après-midi.

— Qu'entends-tu par « à peu près » ?

— Comment ? Oh, euh... tout va bien. Je suis au cœur d'un petit mystère, c'est tout.

— Petit comment ?

— Difficile à dire, mais il semblerait que cette histoire avec Jykynstyl soit une arnaque. Je me suis démené toute la soirée pour essayer d'y comprendre quelque chose.

— Que s'est-il passé ?

Elle était parfaitement réveillée maintenant et s'exprimait avec un calme olympien qui en disait long sur l'inquiétude qu'elle cherchait à dissimuler.

Il avait le choix. Soit lui relater tout ce qu'il savait, et redoutait, nonobstant l'effet que cela produirait sur elle. Soit lui présenter une version abrégée, moins alarmante des faits. À la faveur de ce qu'il considérerait plus tard comme une acrobatie illusoire, il choisit la seconde solution en guise de *première étape* en se promettant de lui raconter toute l'affaire par le menu dès qu'il l'aurait élucidée.

— J'ai commencé à me sentir bizarre pendant le déjeuner, et plus tard dans la voiture, je n'arrivais plus à me souvenir de la conversation que nous avions eue.

Il se dit que tout cela était vrai, même s'il minimisait quelque peu les circonstances.

— Tu avais bu, on dirait.

C'était plus une question qu'une affirmation.

— Peut-être, mais… je n'en suis pas sûr.

— Tu penses qu'on t'a drogué ?

— C'est l'une des possibilités que j'ai envisagées. Même si ça n'a aucun sens. Bref, j'ai exploré la maison, et la seule chose dont je suis certain, c'est qu'il y a quelque chose qui ne tourne pas rond dans toute cette histoire, et que l'offre de cent mille dollars est presque à coup sûr bidon. En fait, je t'ai appelée pour te dire que je quitte Manhattan maintenant. Je ne devrais pas être à la maison avant deux heures et demie. Je te demande pardon de ne pas t'avoir jointe plus tôt.

— Inutile de rouler à tombeau ouvert.

— À tout à l'heure. Je t'aime.

Il faillit rater la dernière sortie du Harlem River Drive en direction du George Washington Bridge. Après avoir jeté un rapide coup d'œil à droite, il bifurqua vers la bretelle de sortie, provoquant des protestations indignées.

Il était trop tard pour appeler Kline, mais si vraiment Hardwick était de nouveau à pied d'œuvre, il saurait peut-être quelque chose à propos des investigations menées sur Karnala et l'allusion faite par le procureur à la famille Skard dans son message téléphonique. Avec un peu de chance, Hardwick serait encore debout, il répondrait à son appel et serait disposé à parler.

Gurney avait raison sur les trois tableaux.

— Quoi de neuf, Sherlock ? Tu ne pouvais pas attendre demain matin pour me féliciter de ma réintégration ?

— Félicitations.

— Il semblerait que tu aies convaincu toute la smala que les filles de Mapleshade tombent comme des mouches. Du coup, il faut interroger la terre entière. Ça a provoqué un méga-problème de main-d'œuvre obligeant Rodriguez à me reprendre à bord. Sa tête a failli exploser.

— Je me réjouis que tu sois de retour parmi nous. J'ai quelques questions à te poser.

— À propos du clebs ?

— Quel clebs ?

— Celui qui a déterré Kiki.

— De quoi parles-tu, Jack ?

— De l'airedale de Marian Eliot. Le petit curieux. Tu n'es pas au courant ?

— Explique-moi ça.

— Elle avait attaché Melpomène à un arbre pendant qu'elle travaillait dans sa roseraie.

— Qui ça ?

— Melpomène. C'est le nom du clébard. Une femelle super-sophistiquée. Elle a réussi à se libérer. Elle est allée errer dans le jardin des Muller, où elle s'est mise à gratter derrière le bûcher. Quand la vieille Mme Eliot est finalement arrivée sur les lieux pour la récupérer, Melpomène avait déjà creusé un sacré trou. Quelque chose a attiré l'attention de la vieille dame. Devine quoi.

— Pour l'amour du ciel ! Ne me fais pas languir.

— Elle a cru que c'était une de ses paires de gants de jardin.

— Bon sang, Jack…

— Réfléchis. Qu'est-ce qui ressemble à un gant ?

— Jack…

— Une main en décomposition.

— Et cette main appartenait à Kiki Muller, la femme censée avoir pris la poudre d'escampette avec Hector Flores ?

— En personne.

Gurney resta muet cinq bonnes secondes.

— Tu te creuses les méninges, Sherlock ? Déductions, inductions et *tutti quanti* ?

— Comment le mari de Kiki a-t-il réagi ?

— Carl le Fou ? Le cheminot au pied de son sapin de Noël ? Aucune réaction. Son psy le bourre tellement de Xanax qu'il n'est plus capable de réagir, à mon avis. Un putain de zombie. Ou alors il joue vachement bien la comédie.

— A-t-on des informations sur la cause du décès, sa date approximative ?

— On ne l'a déterrée que ce matin, mais ça faisait un bout de temps qu'elle était enfouie dans le sol. Quelques mois peut-être, ce qui correspondrait à l'époque de la disparition de Hector.

— Et la cause ?

— Le légiste n'a pas encore rédigé son rapport, mais d'après ce que j'ai pu voir du corps, je suis prêt à avancer une hypothèse.

Hardwick marqua une pause. Gurney serra les dents. Il savait déjà à quoi s'en tenir.

— Je dirais que sa mort pourrait bien être liée au fait qu'on lui a coupé la tête.

CHAPITRE 46

Rien d'écrit

De retour chez lui à minuit passé, Gurney eut une nuit si courte qu'au final il eut l'impression de ne pas avoir dormi du tout.

Le lendemain matin, en buvant un café avec Madeleine, il mit sa fébrilité sur le compte des soupçons qu'il nourrissait envers « Jykynstyl », sans parler de l'affaire Perry qui semblait prendre une tournure tentaculaire. Il l'attribuait aussi, sans se l'avouer, aux métabolites des substances chimiques qu'on lui avait administrées.

— Tu aurais dû te rendre à l'hôpital.

— Ça va aller.

— Tu ferais peut-être mieux de retourner te coucher.

— Il se passe trop de choses. De toute façon, je suis trop énervé pour dormir.

— Que comptes-tu faire ?

— Travailler.

— Tu sais qu'on est dimanche, n'est-ce pas ?

— Ah oui.

Ça lui était sorti de la tête. Son état de confusion l'effrayait. Il fallait qu'il se concentre sur quelque chose de concret pour pouvoir progresser pas à pas sur la voie de la clarté.

— Tu devrais peut-être appeler Dichter, lui demander s'il peut te prendre aujourd'hui.

Il secoua la tête. Dichter était leur médecin de famille. Le docteur Dichter. Ce nom grotesque lui donnait presque toujours envie de sourire. Mais pas ce jour-là.

— Tu dis qu'on t'a peut-être drogué. Prends-tu la chose suffisamment au sérieux ? De quel type de drogues parlons-nous ?

Il fut sur le point d'évoquer le spectre du Roxynol, mais ses connotations sexuelles déclencheraient un déferlement de questions et d'inquiétudes qu'il ne se sentait pas capable d'affronter.

— Je ne sais pas très bien. Une substance qui provoque le même genre de trou de mémoire que l'alcool, je suppose.

Elle lui décocha ce regard inquisiteur qui lui donnait l'impression d'être à nu.

— De toute façon, les effets sont en train de passer.

Il sentait bien qu'il avait un ton un peu trop désinvolte, qu'il semblait trop pressé de passer à un autre sujet.

— Tu devrais peut-être prendre un remède pour contrebalancer.

Il secoua la tête.

— Les défenses naturelles de mon organisme s'en chargeront, ne t'inquiète pas. En attendant, j'ai besoin de me concentrer sur quelque chose.

Cette pensée le ramena à l'affaire Perry, ce qui orienta naturellement son esprit vers le coup de fil qu'il avait passé à Hardwick la veille au soir. Il s'aperçut que les révélations sur Melpomène et la main en décomposition de Kiki Muller lui avaient fait oublier la raison pour laquelle il avait contacté Hardwick au départ.

Quelques minutes plus tard, il l'avait à nouveau au téléphone.

— Skard ? répéta Hardwick, mécontent, d'une voix râpeuse. Ouais, ce nom est apparu en relation avec Karnala Fashion. Au fait, on est dimanche matin, putain ! C'est si urgent que ça ?

Rien n'était facile avec Hardwick, mais, en jouant le jeu, on pouvait simplifier un peu les choses. Renchérir sur la vulgarité faisait partie des manœuvres envisageables.

— Si je te dis aussi urgent que si on te braquait un fusil sur les couilles ?

Son interlocuteur garda le silence quelques secondes, comme s'il se demandait combien de points attribuer à cette subtile formule.

— Karnala Fashion s'est révélée être une organisation compliquée, difficile à cerner. Elle appartient à une autre société, elle-même propriétaire d'une boîte distincte appartenant à une énième, basée aux îles Cayman. On a du mal à savoir dans quelle branche ils opèrent exactement. Mais il semblerait qu'il y ait un lien avec la Sardaigne et que ce lien sarde soit en rapport avec la famille Skard. Les Skard ont la réputation d'être des lascars fort peu recommandables.

— *La réputation ?*

— Non qu'il y ait le moindre doute à ce sujet. C'est juste que nous manquons de preuves juridiques. D'après nos amis d'Interpol, aucun membre de la famille n'a jamais été inculpé de quoi que ce soit. Les témoins potentiels se désistent toujours. Ou bien ils disparaissent.

— Les Skard sont propriétaires de Karnala Fashion ?

— Probablement. Tout est flou en ce qui les concerne. Ils ne laissent pas de traces.

— Bon alors, Karnala Fashion, c'est quoi exactement ?

— Personne ne le sait. On n'a pas pu trouver un seul fournisseur de tissu ou magasin d'habillement qui ait traité avec eux. Ils font de la pub pour des vêtements féminins coûtant les yeux de la tête, mais rien n'indique qu'ils les vendent.

— Que disent leurs représentants à ce sujet ?

— On n'en a déniché aucun.

— Bon sang, Jack, qui publie ces pubs ? Qui les paie ?

— Tout se fait par mails.

— Des mails venant d'où ?

— Des îles Cayman, ou de Sardaigne.

— Mais…

— Je sais. Ça n'a aucun sens. On continue les recherches. Nous attendons d'autres infos d'Interpol. Ainsi que de la police italienne. Et des îles Cayman. C'est problématique, dans la mesure où personne n'a été mis en examen, d'autant plus que la disparition de toutes ces filles n'est pas officielle. Même dans le cas contraire, leur lien avec Karnala ne prouverait rien, et aucun document n'associe Karnala aux Skard. Fâcheuse réputation. On ne peut pas faire mieux. Sur le plan juridique, nous sommes au milieu d'un champ de mines en plein brouillard. En outre, grâce aux observations dont tu as fait part au procureur, l'affaire est désormais gérée comme une cellule de crise, chacun couvrant ses arrières.

— Ce qui veut dire ?

— Qu'au lieu d'avoir une poignée de mecs dans ce champ de mines, on est une douzaine à se marcher sur les pieds.

— Tu adores ça, Jack, reconnais-le.

— Va te faire foutre !

— Bon, je suppose que le moment est mal choisi pour te demander un service.

— Quel genre ?

Il avait retrouvé son calme subitement. Hardwick était un drôle de type. Il réagissait à contre-courant comme un gosse hyperactif qu'un excitant apaiserait. Le meilleur moment pour solliciter une faveur de sa part se trouvait être précisément celui qui paraissait le pire, et vice versa. Le même principe d'inversion régissait son attitude face au risque. Il avait tendance à y voir un facteur positif, quelle que soit l'équation. Contrairement à la plupart des flics, attachés à la hiérarchie et conservateurs par nature, Hardwick avait le virus de l'anticonformisme. Il avait de la chance d'être encore vivant, en somme.

— Du genre entorse au règlement, ajouta Gurney avec la sensation d'être sur la terre ferme pour la première fois depuis près de vingt-quatre heures.

Pourquoi n'avait-il pas pensé plus tôt à Hardwick ?

— Cela risque de nécessiter un peu de perfidie.

— De quoi s'agit-il ?

On aurait dit qu'on venait de lui proposer un dessert-surprise.

— J'ai besoin de prélever des empreintes sur un verre et de les comparer avec celles de la base de données du FBI.

— Laisse-moi deviner. Tu ne veux pas qu'on te demande pourquoi, ni qu'on ouvre un dossier, et surtout pas qu'on associe cette requête avec toi.

— Quelque chose comme ça.

— Où est-ce que je récupère ce verre, et quand ?

— Chez Abelard dans dix minutes, ça te va ?

— Gurney, tu n'es qu'un crétin prétentieux.

CHAPITRE 47

Une situation impossible

Après avoir remis le précieux verre à Hardwick sur la minuscule aire de stationnement devant l'épicerie Abelard, Gurney eut soudain l'idée de poursuivre sa route jusqu'à Tambury. Il avait déjà fait la moitié du trajet, et la scène de crime aurait peut-être davantage de choses à lui révéler. De plus, il tenait à continuer à bouger pour empêcher l'anxiété provoquée par cette sombre histoire avec Jykynstyl de l'engloutir.

Il songea à Marian Eliot et à Melpomène, ces aristocrates amateurs de plein air, à la chienne creusant le sol derrière le bûcher de Muller, à la main de Kiki jaillissant du sol comme un gant de jardinage usagé. Et Carl. Carl de Noël. Qui risquait fort de se retrouver épinglé pour le meurtre de sa femme. Certes, le fait qu'elle ait été décapitée désignerait Hector, mais si Carl était futé…

Avait-il découvert la liaison de son épouse avec le jardinier ? Et décidé de la tuer comme Hector avait tué Jillian Perry ? Possible, mais peu probable. Si Carl était coupable, cela faisait du meurtre de Kiki une digression par rapport à la trajectoire principale de l'affaire Mapleshade. Cela sous-entendait aussi que

Carl avait été assez en colère pour supprimer son épouse, assez rationnel en même temps pour imiter le mode opératoire de Hector, et suffisamment stupide pour l'enfouir sous quelques centimètres de terre dans son propre jardin. Gurney avait vu des scénarios plus étranges, ce qui ne rendait pas celui-ci plus crédible pour autant.

Il devait y avoir une meilleure explication au meurtre de Kiki Muller que la fureur d'un mari jaloux, quelque chose qui serait plus directement lié au mystère Mapleshade dans son ensemble. Alors qu'il quittait Badger Lane pour s'engager dans Higgles Road, Gurney commença à se sentir mieux. Il n'en était pas encore à siffloter, mais au moins il avait retrouvé son âme de détective, et il n'avait plus la nausée.

Deux flics tatoués, clones de Calvin Harden, le fermier propriétaire des lieux, montaient la garde près du tas de fumier entre la maison minable et la grange tout aussi minable. Leurs regards mornes suivirent sa voiture avec une indifférence malveillante.

En montant chez Ashton, il s'attendait à moitié à voir Marian Eliot et Melpomène, révélateurs de péchés enfouis, prenant la pause, austères, sur leur perron. Mais pas trace de l'une ni de l'autre. Aucun signe de vie non plus chez Muller.

Au moment de sortir de sa voiture dans l'allée en brique d'Ashton, il fut frappé une fois de plus par l'ambiance toute britannique des lieux – un subtil mélange d'opulence et de tranquillité. Au lieu de s'approcher de la porte d'entrée, il se dirigea vers le treillis qui conduisait à la vaste pelouse derrière la maison. Si les taillis environnants étaient encore verts dans l'ensemble, des nuances de jaune et de rouge commençaient à émailler la frondaison des arbres.

— Inspecteur Gurney ?

En se tournant vers la maison, il découvrit Scott Ashton sur le seuil de la porte latérale.

Il sourit.

— Navré de vous déranger un dimanche matin.

Ashton lui rendit son sourire.

— J'imagine qu'il n'y a pas de différence entre le week-end et les jours de la semaine lors d'une enquête criminelle. Quelque chose de particulier ?...

— À vrai dire, je me demandais si je pourrais examiner d'un peu plus près les abords du pavillon ?

— Examiner de plus près ?

— C'est ça. Cela vous ennuie ?

— Que cherchez-vous exactement ?

— J'espère le savoir quand je l'aurai sous les yeux.

Le sourire immuable d'Ashton était aussi mesuré que sa voix.

— Dites-moi si je peux vous aider. Je serai dans la bibliothèque avec mon père.

Certaines personnes ont des « bureaux », d'autres des « bibliothèques », songea Gurney. Qui a dit que les États-Unis étaient une nation sans classe ? Certainement pas quelqu'un dont la maison est en pierre des Cotswold et dont le père s'appelle Hobart Ashton.

Il gagna la pelouse en passant sous le treillis pour rejoindre le jardin de derrière. Ses pensées l'avaient absorbé au point que, jusqu'à cet instant, il ne s'était pas rendu compte que c'était une journée étrangement idéale, une de ces journées d'automne où l'angle altéré du soleil, les couleurs altérées des feuilles, et l'immobilité totale de l'air concouraient à créer un monde d'un calme intemporel, un monde qui n'exigeait rien de lui, dont la paix lui coupait le souffle.

Comme tous les moments de sérénité dans sa vie, celui-ci fut de courte durée. Il était venu là pour se concentrer sur un meurtre, pour s'imprégner plus pleinement de la dure réalité de l'endroit où le drame avait eu lieu, du cadre dans lequel le meurtrier avait accompli son acte infâme.

Il contourna la maison jusqu'à la vaste terrasse en pierre, la petite table ronde – où quatre mois plus tôt, une balle d'un Weatherby .257 avait fracassé la tasse d'Ashton. Il se demanda où Hector Flores se trouvait à ce moment-là. Il aurait pu être n'importe où. Dans les bois en train de surveiller la maison, Ashton et son père.

Gurney reporta son attention sur le pavillon en réfléchissant à ce qui s'était passé le jour du meurtre, le jour du mariage. De là où il se trouvait, il voyait la façade et un côté de la maisonnette, ainsi qu'une partie des bois que Flores avait dû traverser pour déposer la machette là où on l'avait trouvée. En mai, le feuillage devait être en train de pousser ; à cette saison, il se clairsemait, si bien que les conditions de visibilité auraient été sensiblement les mêmes.

Comme il l'avait fait à plusieurs reprises au cours de la semaine précédente, il imagina un Latino-Américain athlétique sortant par la fenêtre arrière du pavillon, courant parmi les arbres et les buissons épineux en zigzaguant comme un joueur de foot, sur une distance de cent cinquante mètres environ, avant de dissimuler en partie la machette ensanglantée sous des feuilles. Et ensuite… quoi ? Aurait-il enfilé des sacs plastique sur ses chaussures ? Ou les aurait-il aspergées d'un produit chimique quelconque pour interrompre la piste olfactive, de façon à continuer son chemin sans laisser de trace jusqu'à un autre endroit dans les taillis ou la route au-delà ? Afin d'y retrouver Kiki Muller attendant dans sa voiture pour le conduire hors du périmètre avant l'arrivée de la police. Ou le ramener chez elle. Chez elle, où il l'avait tuée et enterrée. Mais pourquoi ? Qu'est-ce que tout cela signifiait ? À moins que ce ne soit pas la bonne question à se poser, dans la mesure où elle supposait que le scénario avait une logique ? Et si ce n'était le fruit que d'une pure pathologie, quelque fantasme tordu ? Mais ce n'était pas une voie exploitable. Si rien de tout cela n'avait de sens, il était impossible d'y comprendre quelque chose. Or Gurney avait le sentiment que, sous le couvert de la fureur, de la folie, une logique présidait bel et bien à tout ça.

Pourquoi l'arme du crime n'avait-elle été que partiellement cachée ? À quoi bon se donner la peine de recouvrir la lame en laissant le manche bien en vue ? Pour une raison inexplicable, cette petite anomalie le tracassait plus que tout. « Tracassait » n'était peut-être pas le mot qui convenait. Au fond, il raffolait de ce genre de contradictions. D'après son expérience, c'était bien souvent ce qui finissait par ouvrir une fenêtre sur la vérité.

Il s'installa à la table et contempla les bois en s'efforçant d'imaginer l'itinéraire du tueur. Sur les cent cinquante mètres qui séparaient le pavillon de l'emplacement de la machette, la perspective était presque entièrement bloquée par le feuillage et la bordure de rhododendrons qui isolait la partie sauvage du jardin de la pelouse et des parterres de fleurs. Gurney essaya d'évaluer à quelle distance dans toute cette verdure le regard pouvait porter. Il en conclut qu'il était vite arrêté, ce qui aurait permis à Flores de se frayer aisément un chemin dans les bois sans que personne le remarque depuis la pelouse. De fait, depuis l'endroit où il était assis, l'élément le plus éloigné que Gurney arrivait à distinguer à travers le feuillage était le tronc noir d'un cerisier. Il n'en apercevait qu'une portion étroite grâce à une trouée dans les taillis. Quelques centimètres à peine.

Certes, la partie visible du tronc se trouvait au bout du trajet que Flores avait dû effectuer. Théoriquement, si quelqu'un avait scruté les bois en focalisant son attention sur cette zone au bon moment, il aurait pu entrevoir l'homme une fraction de seconde quand il était passé devant. Mais cela n'aurait rien voulu dire à ce stade. Et les chances que quelqu'un ait scruté cet endroit à cet instant précis étaient à peu près aussi infimes que…

Impossible !

Gurney écarquilla les yeux en se rendant compte qu'il avait failli passer à côté d'une évidence.

Il fixa l'écorce noire, écailleuse, du cerisier à travers le feuillage. Puis, le gardant dans sa ligne de mire, il marcha dans cette direction – traversant tour à tour la terrasse, le parterre de fleurs où Ashton s'était effondré, la bordure de rhododendrons le long de la pelouse, le boqueteau. Sa trajectoire était à peu près perpendiculaire à celle que Flores avait dû suivre pour se rendre du pavillon à l'emplacement de la machette. Il voulait s'assurer que l'homme n'avait pas pu éviter de passer devant le cerisier.

Son hypothèse fut confirmée lorsqu'il arriva au bord de la ravine qu'il avait explorée quelques jours plus tôt, lors de sa première visite chez Ashton. L'arbre se trouvait de l'autre côté du long fossé aux versants escarpés. Tout itinéraire depuis le pavillon passant *derrière* l'arbre en question obligeait à franchir cette ravine au moins deux fois – une tâche prenant du temps, impossible à accomplir avant que le coin pullule de policiers une fois le corps découvert –, sans compter que la piste olfactive suivait le flanc le plus proche du fossé et non pas l'autre. En d'autres termes, tout individu ayant couvert cette distance était forcément passé *devant* le cerisier. Pas moyen de faire autrement.

Gurney mit cinquante-cinq minutes au lieu de l'heure et quart habituelle pour faire le trajet de Tambury à Walnut Crossing. Il était pressé de visionner la vidéo du mariage avec un peu plus d'attention. Il se rendait compte qu'il avait aussi besoin de s'absorber autant que possible dans l'affaire Perry – un meurtre qui, si atroce soit-il, l'angoissait moins que ce qui s'était passé avec Jykynstyl.

La voiture de Madeleine était garée près de la maison, sa bicyclette adossée à l'abri de jardin. Gurney en conclut qu'elle devait être dans la cuisine, mais lorsqu'il poussa la porte et cria : « Je suis rentré », il n'eut pas de réponse.

Il se dirigea vers la table sur laquelle s'entassaient ses copies des dossiers de l'affaire, au grand dam de Madeleine. Un de ces dossiers contenait un lot de DVD.

Celui du dessus, qu'il avait regardé avec Hardwick, portait la mention : « Réception Perry-Ashton, montage complet BC ». Il en cherchait d'autres, ceux qui regroupaient les rushes, avant montage. Il y en avait cinq au total. Le premier s'intitulait « Hélicoptère, vues aériennes et piqué ». Les quatre autres, contenant chacun les images captées par l'une des caméras fixes pendant la réception, étaient étiquetés selon l'axe de leur champ de vision.

Il les emporta tous les quatre dans le bureau, ouvrit son portable, se brancha sur Google Earth et tapa : « *Badger Lane, Tambury, NY* ». Trente secondes plus tard, il avait sous les yeux une photo satellite de la propriété d'Ashton, précisant l'altitude et les points cardinaux. Il discernait même la petite table de la terrasse.

Il choisit le point approximatif où devait se trouver le tronc du cerisier visible dans les bois. À l'aide des points cardinaux indiqués sur Google, il calcula l'orientation de la table par rapport à l'arbre. Quatre-vingt-cinq degrés. Quasiment plein est.

Il passa rapidement en revue les DVD. Le dernier indiquait « Est-Nord-Est ». Il l'inséra dans le lecteur face au canapé, localisa le moment de l'entrée de Jillian Perry dans le pavillon avant de s'installer confortablement pour accorder toute son attention à la vidéo pendant les quatorze minutes suivantes.

Il la visionna une fois, puis une deuxième, de plus en plus déconcerté. Il recommença en laissant cette fois la bande défiler jusqu'au moment où Luntz, le chef de la police locale, avait sécurisé le périmètre alors que les flics de l'État arrivaient.

Quelque chose n'allait pas. Pire que ça. C'était impossible.

Il appela Hardwick, qui prit tout son temps pour décrocher. À la septième sonnerie.

— Que puis-je faire pour toi, champion ?

— Es-tu sûr que les séquences de la réception sont complètes ?

— Qu'entends-tu par « complètes » ?

— L'une des quatre caméras fixes était installée de manière à couvrir le pavillon et une vaste portion des bois à gauche du bâtiment. Cette perspective inclut toute la distance que Flores a dû parcourir pour placer l'arme du crime là où on l'a trouvée.

— Et alors ?

— Alors, il y a un tronc d'arbre au fond de cette zone, visible par une trouée dans le feuillage depuis la terrasse, qui se trouve être aussi l'angle de vue d'une des caméras.

— Et donc… ?

— Ce tronc, je répète, se trouve *en arrière-plan* de l'itinéraire que Flores a dû emprunter pour planquer la machette à cet endroit. Il est clairement visible en continuité sur les images haute définition enregistrées par cette caméra.

— Par conséquent… ?

— J'ai visionné la vidéo trois fois pour être absolument sûr. Personne n'est passé devant cet arbre, Jack.

Hardwick semblait sur ses gardes.

— Je ne comprends pas.

— Moi non plus. Peut-on envisager que la machette trouvée dans le bosquet ne soit pas l'arme du crime ?

— Nous avons un profil ADN qui colle parfaitement. Le sang frais sur la machette était celui de Jillian Perry. Le facteur d'erreur potentiel est inférieur à un sur un million. Sans compter que le rapport du médecin légiste fait état d'un coup violent porté avec une lame tranchante et lourde. Quelle pourrait être l'alternative, je te le demande ? Flores se serait débarrassé en douce d'une seconde machette ensanglantée, la véritable arme du crime, après avoir étalé un peu du sang de celle-ci sur la première ? Il a quand même fallu qu'il l'amène là où on l'a découverte. De quoi est-ce qu'on parle à la fin ? Comment veux-tu que ça ne soit pas l'arme du crime ?

Gurney poussa un soupir.

— Nous avons donc affaire, en définitive, à une situation impossible.

CHAPITRE 48

Précieux souvenirs

Si les faits se contredisent, cela signifie que certains ne sont pas des faits.

L'un de ses professeurs à l'école de police du NYPD avait fait un jour cette remarque, que Gurney n'avait jamais oubliée.

S'il voulait tirer des éléments concluants du contenu de la vidéo, il allait devoir s'assurer de son authenticité. Sur le boîtier du DVD figurait le numéro de téléphone de Perfect Memories, la société qui s'était chargée de la vidéographie.

Il appela et laissa un message mentionnant les noms d'Ashton et de Perry. Il avait à peine raccroché que son portable se mit à sonner. Perfect Memories s'inscrivait sur le minuscule écran.

Une femme au ton professionnel, agréable et alerte, demanda :

— En quoi puis-je vous être utile ?

Gurney déclina son identité avant de lui expliquer qu'il s'efforçait d'assister Val Perry, la mère de la mariée décédée. Il ajouta que les images produites par Perfect Memories pouvaient à son avis jouer un rôle majeur dans la capture du forcené qui avait tué Jillian, et aider la famille à faire son deuil dans cette affaire. Il avait besoin d'avoir une réponse absolument certaine à une seule et unique question, mais il devait l'entendre de la bouche de la personne qui avait supervisé le travail.

— Moi, en l'occurrence.

— Et vous êtes… ?

— Jennifer Stillman. Je suis directrice générale.

Un titre à consonance quelque peu britannique. Le détail qui compte pour faire classe.

— Il faut que je sache s'il y a eu des coupes dans les enregistrements d'origine, Jennifer.

— Absolument pas, répondit-elle aussitôt, d'un ton catégorique.

— Pas même une fraction de seconde ?

— Absolument pas.

— Vous semblez remarquablement sûre de vous. Vous a-t-on déjà posé la question ?

— La question, non. C'était une exigence imposée à la base.

— Une exigence ?

— Il était précisé dans le contrat que la vidéo devait couvrir l'ensemble du périmètre du début à la fin de la réception. La jeune mariée tenait apparemment à ce que tout soit enregistré, sans rien omettre. Chaque petit détail de l'événement, seconde par seconde.

Le ton de Jennifer Stillman prouvait qu'il ne s'agissait pas d'une requête habituelle, ou que l'insistance de sa cliente était pour le moins insolite. Gurney l'interrogea néanmoins à ce sujet, pour avoir confirmation.

— Eh bien… (Elle hésita.) Ils semblaient y attacher une importance particulière, je dirais. La jeune femme surtout. Quand le docteur Ashton nous a transmis sa demande, il a paru un peu… (Nouvelle hésitation.) Je ne devrais pas vous dire ça. Je ne lis pas dans les pensées.

— C'est capital, Jennifer. Il s'agit d'une affaire de meurtre, comme vous le savez. Je tiens à avoir la certitude que les DVD contiennent un enregistrement en continu – qu'il ne manque rien, qu'on n'a mis aucune image de côté.

— Pour ça, vous pouvez en être sûr. Cela entraînerait des problèmes de timecode, et l'ordinateur les aurait repérés sans délai.

— D'accord. C'est bon à savoir. Merci. Juste une chose encore. Vous sembliez vouloir me dire quelque chose à propos du Dr Ashton ?

— Pas vraiment… C'est juste qu'il avait l'air un peu gêné de parler de l'obsession de sa fiancée d'exiger que chaque instant de la réception soit enregistré. Peut-être était-ce le sentimentalisme de la chose qui l'embarrassait, à moins qu'il ait trouvé ça puéril. Je ne saurais vous le dire. Je n'ai pas à juger des motivations des gens. Le client a toujours raison, pas vrai ?

— Merci, Jennifer. Vous m'avez été d'un grand secours.

Si juger des motivations d'autrui ne faisait pas partie des attributions de Jennifer Stillman, c'était indéniablement une part importante du travail de Gurney. Comprendre ce qui poussait les gens à agir pouvait faire toute la différence et, dans le cas présent, un mobile étrange lui vint à l'esprit : la sécurité faisait partie des motifs qui pouvaient inciter quelqu'un à vouloir une couverture vidéo complète d'un événement. Soit parce qu'on espérait que l'effet dissuasif de caméras multiples enregistrant en mode continu empêcherait un épisode redouté de se produire, soit parce qu'on souhaitait des archives probantes de tout ce qui se déroulerait.

Restait à savoir qui tenait tant à faire marcher toutes ces caméras en continu. Jennifer avait spécifié que cette requête venait de Jillian – ce qui n'avait pas échappé à Gurney –, même si la jeune femme n'était pas présente, sa demande ayant été « transmise » par son futur époux. Peut-être était-ce son idée à lui, qu'il avait choisi de présenter comme si elle émanait d'elle. Mais pour quelle raison ? En définitive, peu importait de qui cela provenait, non ?

L'éventualité que l'un ou l'autre ait été motivé par le côté sécuritaire des caméras – que l'un d'eux au moins, sinon les deux, ait eu des raisons de redouter ce qui risquait de se passer ce jour-là avait de quoi intriguer.

Leur motif d'inquiétude le plus vraisemblable était Flores, qui s'était comporté bizarrement ces derniers temps, semblait-il. Peut-être était-ce Jillian qui avait insisté pour les caméras, comme l'avait soutenu Ashton. Elle avait des raisons de craindre le jardinier, si ça se trouve. Après tout, les relevés de son portable au cours des semaines ayant précédé le meurtre comportaient d'innombrables textos de Flores – y compris le dernier, celui qui n'avait pas été effacé : POUR TOUTES LES RAISONS QUE J'AI ÉCRITES. EDWARD VALLORY. À la lumière du prologue de la pièce de Vallory, ce message pouvait certainement être interprété comme une menace. Aussi, peut-être était-elle allée le voir dans le pavillon pour parler de quelque chose de nettement moins plaisant qu'un toast porté à la santé des mariés.

Quand Gurney s'appliquait à rassembler des preuves, les interprétations, les on-dit, les extrapolations logiques grâce auxquels il se faisait une idée plus claire d'un crime, ce processus occupait pleinement son esprit, lui faisant oublier l'heure et le lieu où il se trouvait. Lorsqu'en jetant un coup d'œil à la pendule sur l'étagère de son bureau, il s'aperçut qu'il était dix-sept heures cinq, cela ne le surprit donc pas vraiment – pas plus que la raideur de ses jambes quand il se leva.

Madeleine n'était toujours pas rentrée. Il ferait peut-être bien de préparer quelque chose pour le dîner, de vérifier au moins si elle ne lui avait pas laissé un plat à mettre au four. Il se dirigeait vers la cuisine quand le téléphone le fit rebrousser chemin. C'était Jack Hardwick.

— La vache, superflic, tu as un copain sacrément zarbi !

— Ce qui veut dire ?

— J'espère que tu n'as jamais traîné aux abords d'une cour de récré avec ce type.

Gurney avait un sombre pressentiment de ce qui l'attendait.

— De quoi parles-tu, Jack ?

— Ce que tu peux être susceptible. Tu es proche de ce charmant bonhomme ?

— Arrête tes conneries. De qui s'agit-il ?

— Le monsieur avec qui tu as bu un coup. Celui dont tu as chouravé le verre ? Ces empreintes que tu m'as demandé de vérifier ? Ça te dit quelque chose, Sherlock ?

— Qu'as-tu découvert ?

— Pas mal de trucs.

— Jack…

— Il s'appelle Saul Steck. Son nom professionnel : Paul Starbuck.

— Quel métier exerce-t-il au juste ?

— Aucun pour l'heure. Rien d'officiel en tout cas. Jusqu'à il y a quinze ans, c'était un acteur hollywoodien dont la carrière avait du mal à décoller. Des pubs pour la télé, quelques petits rôles.

Hardwick s'était mis en mode conteur, marquant une pause théâtrale après chaque phrase.

— Ensuite il a eu un petit problème.

— Pourrais-tu avancer un peu la bande, Jack ? Quel petit problème ?

— On l'a accusé de viol sur une mineure. Une fois que les médias ont eu vent de l'affaire, d'autres victimes ont commencé à surgir de nulle part. Steck-Starbuck a été mis en examen pour diverses inculpations de viol et de maltraitance. Il adorait droguer les gamines de quatorze ans. Il prenait des flopées de photos des plus explicites. Ça a mis un point final à sa carrière. Il aurait dû passer le reste de son existence derrière les barreaux. Y a pas de meilleur endroit pour un salopard de son espèce. Mais l'argent de la famille a permis d'acheter suffisamment d'experts médicaux pour le faire admettre dans un hôpital psychiatrique d'où il a été gentiment relâché il y a cinq ans. Du coup, il est sorti de l'écran radar. Adresse actuelle inconnue. Sauf peut-être de toi ? Tu as bien dû récupérer ce joli petit verre quelque part, hein ?

CHAPITRE 49

Petits garçons

Planté face aux vestiges couleur lavande d'un coucher de soleil spectaculaire qu'il n'avait pas vraiment remarqué, Gurney s'efforçait de digérer le dernier choc du séisme Jykynstyl.

Des informations. Il lui fallait des informations. Qu'avait-il besoin de savoir en premier ? Il ferait bien de commencer à classer sur son bloc-notes les questions par ordre de priorité. La plus évidente lui vint à l'csprit : à qui appartenait l'immeuble en grès brun ?

Comment s'y prendre pour le découvrir était moins évident.

Encore une impasse. Pour se sortir dc cc marécage, encore fallait-il qu'il sache de quel genre de marécage il s'agissait. S'il abordait la question naïvement, sans avoir la moindre idée de ce que pouvait être la réponse, il risquait de se retrouver encore plus englué. Des questions sans réponse menaçaient d'en engendrer de nouvelles.

— Bonjour !

C'était la voix de Madeleine. Comme celle qui, le réveillant le matin, le projetait dans la réalité du quotidien.

Il se tourna vers le petit couloir menant de la cuisine au cellier.

— C'est toi ? demanda-t-il.

Évidemment que c'était elle. Question idiote. Comme elle ne réagissait pas, il la répéta, plus fort.

Pour toute réponse, elle apparut à la porte de la cuisine, la mine renfrognée.

— Tu viens de rentrer ?

— Non, j'ai passé l'après-midi dans le cellier. Qu'est-ce que tu crois ?

— Je ne t'ai pas entendue entrer.

— Et pourtant me voilà, répliqua-t-elle d'un ton enjoué.

— Oui. Te voilà.

— Ça va ?

— Ça va.

Elle leva un sourcil sceptique.

— Je t'assure. Un peu faim, peut-être.

Elle jeta un coup d'œil au bol posé à côté de la cuisinière.

— Les coquilles saint-jacques doivent être décongelées. Ça t'ennuie de les faire sauter pendant que je mets de l'eau à chauffer pour le riz ?

— Pas de problème.

Il espérait que cette simple tâche lui offrirait une échappatoire ne serait-ce que temporaire au tourbillon Steck-Starbuck qui lui engloutissait l'esprit.

Il fit revenir les saint-jacques dans de l'huile d'olive avec de l'ail, du jus de citron et des câpres. Madeleine prépara du riz basmati et confectionna une salade d'oranges avec un avocat et un oignon rouge coupés en dés. Il avait un mal de chien à rester concentré dans le présent. *Il adorait droguer les gamines de quatorze ans. Il prenait des flopées de photos des plus explicites.*

Au milieu du repas, il se rendit compte que Madeleine lui avait raconté la balade qu'elle avait faite l'après-midi sur les sentiers sinueux qui reliaient leurs vingt-cinq hectares aux cent soixante-dix du voisin. Il n'en avait pour ainsi dire pas retenu un seul mot. Il sourit vaillamment et fit un effort un peu tardif pour écouter.

— … un vert d'une extraordinaire intensité, même à l'ombre. Et sous le tapis de fougères, il y avait les plus petites fleurs violettes que tu puisses imaginer.

Pendant qu'elle s'extasiait ainsi, ses yeux brillaient d'un éclat plus vif que toutes les lampes de la pièce.

— Microscopiques presque. Comme de minuscules flocons bleu et violet.

Des flocons bleu et violet. Doux Jésus ! La tension, l'incongruité, le décalage entre l'allégresse de Madeine et l'anxiété qui le tenaillait faillirent lui arracher un gémissement. Un champ de fougères d'un émeraude parfait, face à son cauchemar peuplé d'épines vénéneuses. La gaieté candide de Madeleine en opposition à sa… sa quoi ?

Sa rencontre avec le diable ?

Ressaisis-toi, Gurney. Ressaisis-toi. De quoi as-tu si peur ?

La réponse ne fit qu'assombrir le fossé, rendre ses parois encore plus glissantes.

Tu as peur de toi-même. Peur de ce que tu as peut-être fait.

Il resta assis là, en proie à une sorte de paralysie émotionnelle jusqu'à la fin du dîner, essayant de manger suffisamment pour masquer le fait qu'il n'avait pas faim du tout, feignant d'apprécier les descriptions de Madeleine. Mais plus elle s'enthousiasmait sur la beauté des rudbeckias, les délicieux parfums qui flottaient dans l'air, le bleu azur des asters sauvages, plus il se sentait isolé, disloqué, fou. Il s'aperçut tout à coup qu'elle avait cessé de parler et l'observait avec inquiétude. Lui avait-elle demandé quelque chose ? Attendait-elle la réponse ? Il ne voulait pas reconnaître à quel point il était distrait, ni lui en préciser la raison.

— Tu as appelé Kyle ?

Cela semblait surgir de nulle part. Lui avait-elle déjà posé la question alors qu'il était plongé dans ses pensées ?

— Kyle ?

— Ton fils.

Il avait compris la première fois. Il s'était borné à répéter le mot, le nom, pour tenter de reprendre pied, être présent. Trop difficile à expliquer.

— J'ai essayé. On s'est téléphoné et laissé des messages.

— Tu devrais te donner un peu plus de mal. Persévère jusqu'à ce que tu l'aies au bout du fil.

Il hocha la tête, refusant d'en débattre, ne sachant pas quoi dire.

Elle sourit.

— Ça lui ferait du bien. Ça vous ferait du bien à tous les deux.

Il acquiesça à nouveau.

— Tu es son père.

— Je sais.

— Alors.

C'était une conclusion. Elle entreprit de débarrasser la table.

Il la regarda faire deux trajets jusqu'à l'évier. Quand elle revint avec une éponge humide et un Sopalin pour essuyer la table, il ajouta :

— Il attache beaucoup d'importance à l'argent.

Madeleine souleva le plateau sur lequel les serviettes étaient posées pour nettoyer en dessous.

— Et alors ?

— Il veut être avocat en recours collectif.

— Ce n'est pas forcément une mauvaise idée.

— La seule chose qui l'intéresse, apparemment, c'est d'avoir plein d'argent, une grande maison et une grosse voiture.

— Il cherche peut-être à se faire remarquer.

— Remarquer ?

— Les petits garçons aiment bien se faire remarquer de leur père.

— Kyle n'est plus vraiment un petit garçon.

— C'est exactement ce qu'il est, insista-t-elle. Et si tu refuses de l'admettre, il en sera réduit à impressionner le reste du monde.

— Je ne *refuse* rien du tout. C'est de la psychologie de café du commerce.

— Tu as peut-être raison. Va savoir !

Madeleine excellait dans l'art d'esquiver une attaque sans en être ébranlée. Du coup, Gurney se retrouvait titubant dans le vide.

Il resta assis à la table pendant qu'elle faisait la vaisselle. Ses yeux commencèrent à se fermer. Comme il en avait déjà fait l'expérience d'innombrables fois, l'anxiété extrême finit par avoir raison de lui. Il sombra dans un demi-sommeil.

CHAPITRE 50

Franc-tireur

— Tu devrais venir te coucher.

C'était la voix de Madeleine.

Gurney ouvrit les yeux. Elle avait éteint toutes les lumières sauf une et s'apprêtait à quitter la cuisine, un livre sous le bras. Au lieu de le requinquer, son petit somme n'avait fait que raviver ses inquiétudes. L'inclinaison de sa tête contre son épaule avait provoqué une douleur intense dans la clavicule. En se redressant, il en découvrit une autre tout aussi pénible au niveau de sa nuque.

Vu son état d'agitation, il n'arriverait sûrement pas à dormir. Il devait faire quelque chose pour empêcher les scénarios d'horreur de s'enchaîner dans sa tête.

Il pouvait rappeler Sheridan Kline, qui lui avait laissé ce vague message à propos de la famille Skard. Il en avait déjà discuté avec Hardwick, mais peut-être le procureur en savait-il davantage. Seulement, son bureau devait être fermé. On était dimanche soir.

Gurney avait bien son numéro de portable, mais, comme Kline le lui avait fourni à l'époque de l'affaire Mellery, il n'avait pas cru bon de s'en servir dans le cadre de l'enquête en cours sans y être invité. Toutefois, à cet instant, sa santé mentale semblait prendre le pas sur le protocole.

Il alla dans le bureau, trouva le numéro. Il était prêt à laisser un message pour qu'on le rappelle plus tard, convaincu qu'un individu avide de tout régenter tel que Kline choisissait lui-même le créneau horaire de ses conversations téléphoniques. Il fut donc surpris qu'il décroche.

— Gurney ?

— Je suis désolé d'appeler si tard.

— Je pensais que vous alliez me rappeler cet après-midi au bureau. Je vous ferais remarquer que c'est vous qui avez insisté pour qu'on fasse des recherches sur Karnala.

— Je n'ai pas eu une minute à moi. Dans votre message, vous me demandiez si j'avais entendu parler de la famille Skard.

— C'est là que nous a conduits la piste Karnala. Ce nom vous dit quelque chose ?

— Oui et non.

— Ce n'est pas une réponse.

— Ce que je veux dire, Sheridan, c'est qu'il m'est familier, mais je ne sais pas pourquoi. Jack Hardwick m'a laissé entendre qu'il s'agissait de loustics peu recommandables ayant des racines en Sardaigne, mais je n'arrive toujours pas à me souvenir où j'ai vu ce nom-là. Je sais que je suis tombé dessus récemment.

— Hardwick ne vous en a pas dit plus ?

— Il m'a expliqué qu'aucun membre de la famille n'avait jamais été inculpé. Et que, quel que soit le domaine d'activités de Karnala Fashion, ce n'est pas la mode.

— Dans ce cas, vous en savez autant que moi. Pourquoi m'appeliez-vous ?

— Je souhaiterais être impliqué d'une manière plus officielle dans cette affaire.

— Ce qui signifie ?

— Être tenu au courant, convié aux réunions d'information.

— Pourquoi ?

— Je m'y suis attaché, en un sens, et jusqu'à présent mon instinct ne m'a pas trop desservi.

— La question reste ouverte.

— Écoutez, Sheridan, j'essaie juste de vous dire que nous pouvons nous entraider. Plus j'en sais, plus je le sais rapidement et plus je pourrai vous être utile.

Le long silence qui suivit tenait sûrement plus du stratagème que de l'indécision de la part de Kline. Gurney attendit.

Kline émit un petit rire sans gaieté. Gurney continua à attendre.

— Êtes-vous au courant que Rodriguez ne peut pas vous encadrer ?

— Bien sûr.

— Et Blatt non plus ?

— Tout à fait.

— Que Bill Anderson lui-même ne vous porte pas dans son cœur ?

— Certes.

— Vous serez accueilli par la BC comme un chien dans un jeu de quilles. Vous en avez conscience ?

— Je n'en doute pas une seconde.

Il y eut un nouveau silence, suivi d'un petit rire glacial.

— Voilà ce qu'on va faire. Je dirai à tout le monde que nous avons un problème avec vous. Que vous êtes un franc-tireur. Que le meilleur moyen de contrôler un franc-tireur est de l'avoir à l'œil, de lui tenir la bride haute, de le garder dans le corral. Et que, pour mieux vous surveiller, j'envisage de vous faire venir ici régulièrement afin que vous partagiez avec nous vos trouvailles de franc-tireur. Ça vous va ?

L'idée de tenir la bride haute à un franc-tireur dans un corral fit à Gurney l'effet d'un symptôme de désagrégation mentale.

— Ça me paraît jouable.

— Bien. Il y a une réunion à la Brigade demain matin à dix heures. Soyez là.

Kline raccrocha sans dire au revoir.

CHAPITRE 51

Confusion totale

Quelque peu rassuré par cette conversation et sa promesse d'une liaison plus étroite, Gurney se sentit ragaillardi pendant le reste de la soirée.

Il fut ravi, bien qu'assez étonné, de se trouver dans le même état d'esprit en se réveillant le lendemain matin à l'aube. Déterminé à alimenter ce sentiment, à demeurer dans les confins comparativement sûrs et stables d'un monde où il était le chasseur et non la proie, il se replongea dans le dossier Perry pour la centième fois en buvant son café. Puis il appela Rebecca Holdenfield et lui laissa un message pour savoir s'il était possible qu'ils se voient à son bureau d'Albany dans l'après-midi, après sa réunion avec la Brigade.

Passer des coups de fil, rappeler les gens, prendre des rendez-vous, cette activité confirma son impression de dynamisme. Il téléphona à Val Perry et fut aussitôt dirigé vers sa messagerie vocale. Il eut à peine le temps de dire : « Dave Gurney à l'appareil », qu'elle décrocha, le prenant au dépourvu. Il ne l'aurait pas cru du genre à se lever tôt.

— Que se passe-t-il ? demanda-t-elle.

— Je souhaitais simplement reprendre contact avec vous, répondit-il, ne s'attendant pas à lui parler.

— Ah ? Et… ?

Elle semblait à cran, mais peut-être pas plus que d'habitude.

— Le nom de Skard vous dit quelque chose ?

— Non. Ça devrait ?

— Je pensais que Jillian l'avait peut-être mentionné.

— Jillian ne mentionnait jamais rien. Ce n'est pas comme si elle partageait des choses avec moi. Je pensais vous l'avoir fait clairement comprendre.

— Tout à fait clairement. À plusieurs reprises. Mais je me dois de poser certaines questions, même si je suis sûr à quatre-vingt-dix-neuf pour cent de la réponse.

— D'accord. Autre chose ?

— Jillian vous a-t-elle jamais demandé, à vous ou à votre mari, de lui acheter une voiture de luxe ?

— Elle a réclamé à peu près tout ce qu'on peut imaginer, à un moment ou à un autre. Une voiture aussi, certainement. Par ailleurs, elle a établi sans détour, dès l'âge de douze ans, que Withrow et moi n'avions aucun impact sur son bonheur, qu'elle trouverait sans mal un homme riche pour lui offrir ce qu'elle voulait, et qu'en conséquence, nous pouvions aller nous faire voir.

Val marqua une pause, savourant sans doute l'effet détonant de ses propos.

— J'étais sur le point de sortir. Vous avez d'autres questions ?

— C'est tout pour le moment, madame Perry. Merci de m'avoir accordé du temps.

Comme Sheridan Kline, la veille au soir, Val Perry raccrocha sans prendre la peine de lui dire au revoir.

Quelle que fût la contribution de Gurney à l'enquête menée sur le meurtre de sa fille, ce n'était manifestement pas ce qu'elle avait espéré.

À neuf heures cinquante, il s'engagea dans le parking du siège de la police de l'État, aux allures de forteresse, où la réunion devait avoir lieu. Durant les quelques minutes où il chercha une place, son portable sonna deux fois. Un message vocal, suivi d'un texto. Il espérait que l'un d'eux au moins était de Rebecca Holdenfield.

Dès qu'il fut garé, il sortit son téléphone et commença par vérifier le texto. Il provenait d'un portable dont l'indicatif correspondait à Manhattan.

Une vague de terreur lui monta des entrailles lorsqu'il en prit connaissance.

VOUS PENSEZ À MES FILLES ? ELLES AUSSI PENSENT À VOUS.

Il le relut. Une fois. Deux fois. Vérifia le numéro de l'appelant. Le fait qu'on n'ait pas pris la peine de le bloquer prouvait sans l'ombre d'un doute qu'il correspondait à une carte prépayée. Intraçable donc. Mais il pouvait envoyer une réponse.

Après avoir chassé les formules hargneuses ou insolentes qui lui venaient à l'esprit, il se rabattit sur quatre petits mots neutres : DITES-M'EN PLUS.

Au moment d'appuyer sur la touche « Envoi », il s'aperçut qu'il était neuf heures cinquante-neuf. Il fonça dans le bâtiment.

Dans la salle de conférences sinistre, les six chaises autour de la table ovale étaient déjà réquisitionnées. En guise de salutations, Hardwick désigna une poignée de chaises pliantes adossées au mur près de la cafetière.

Rodriguez, Anderson et Blatt l'ignorèrent. Gurney imaginait sans mal leur manque d'enthousiasme, l'ingénieux bobard du procureur ne devait pas les avoir convaincus.

Le sergent Wigg, une rousse maigre et nerveuse que Gurney connaissait parce qu'elle avait été l'efficace coordinatrice de l'équipe des techniciens pendant l'affaire Mellery, était assise au bout de la table, les yeux rivés sur son ordinateur – exactement comme dans son souvenir. Sa mission consisterait à être à l'affût de certitudes factuelles et d'une cohérence logique. Gurney déplia sa chaise et la plaça à l'autre extrémité de la table, face à elle. La pendule murale indiquait dix heures cinq.

Sheridan Kline consulta sa montre en fronçant les sourcils.

— Bon, les gars, nous avons pris un peu de retard. J'ai un emploi du temps chargé aujourd'hui. On pourrait peut-être commencer par ce que nous avons de nouveau, les avancées significatives, les pistes prometteuses ?

Rodriguez se racla la gorge.

— Dave a du nouveau pour nous, intervint Hardwick. Un truc bizarre lié à la scène de crime. Ça me paraît une bonne façon de démarrer.

— Qu'est-ce qu'il y a cncorc ? dcmanda Kline en écarquillant les yeux.

Gurney avait eu l'intention d'attendre un peu plus avant d'aborder le sujet, au cas où une information glanée en cours apporterait davantage de lumière. Maintenant que Hardwick avait abordé la question, il voyait mal comment tergiverser.

— Nous sommes partis de l'hypothèse qu'après avoir tué Jillian, Flores s'était enfoncé dans le bosquet jusqu'à l'endroit où nous avons trouvé la machette, c'est bien ça ? déclara-t-il.

Rodriguez ajusta ses lunettes à monture d'acier sur son nez.

— De *l'hypothèse* ? Nous en avons des preuves concluantes, je dirais.

Gurney soupira.

— Le problème, c'est que certaines données vidéo dont nous disposons ne corroborent pas cette hypothèse.

Kline cilla rapidement.

— Des données vidéo ?

Avec force détails, Gurney leur expliqua que le fait que le tronc d'arbre soit visible en permanence sur les images de la réception prouvait que Flores n'avait pas pu emprunter l'itinéraire obligatoire à travers les bois, puisque toute personne ayant suivi ce chemin serait inévitablement passée entre la caméra située dans cette partie de la propriété et le cerisier. Elle serait forcément apparue, ne serait-ce qu'un bref instant, sur la vidéo.

Rodriguez fronçait obstinément les sourcils comme un homme qui se serait fait rouler sans savoir comment. Anderson aussi, mais pour éviter de s'endormir. Wigg leva les yeux de son ordinateur, ce que Gurney interpréta comme un signe d'intérêt manifeste.

— Il a fait le grand tour, en passant derrière l'arbre, lança Blatt. Je ne vois pas où est le problème.

— Le problème, Arlo, c'est le terrain. Vous l'avez exploré, j'en suis sûr.

— De quel problème de terrain parlez-vous ?

— La ravine. Pour se rendre du pavillon à l'endroit où la machette a été retrouvée sans passer devant l'arbre en question, il faut marcher tout droit depuis l'arrière du pavillon, dévaler un long versant en pente raide tapissé de pierraille et parcourir une quinzaine de mètres au fond de ce fossé accidenté et rocailleux avant d'atteindre le premier point où il est possible de remonter. Et même là, les cailloux et la terre meuble rendent la chose délicate. Sans compter que l'endroit où l'on émerge au niveau du sol est loin de l'emplacement où l'on a déniché la machette.

Blatt soupira comme pour signifier qu'il savait déjà tout ça et que ça ne changeait rien.

— Ce n'est pas parce que c'était malaisé qu'il ne l'a pas fait.

— Il y a un autre hic : le temps nécessaire.

— Qu'entendez-vous par là ? intervint Kline.

— J'ai examiné la zone d'assez près. Gagner l'emplacement de la machette via la ravine aurait pris trop de temps. Je doute que notre homme ait eu envie d'aller crapahuter là-bas alors qu'on avait découvert le corps et que cela commençait à grouiller de gens partout. Sans compter deux problèmes encore plus importants. Premièrement : pourquoi se compliquer la vie à ce point-là alors qu'il aurait pu se débarrasser de la machette n'importe où ? Deuxièmement – et c'est l'argument décisif, à vrai dire –, la piste olfactive suit l'itinéraire qui passe devant l'arbre, et non pas derrière.

— Attendez une seconde ! s'exclama Rodriguez. Vous êtes en train de vous contredire, non ? Vous prétendez que tous ces facteurs indiquent que Flores est passé devant l'arbre, mais que la vidéo prouve le contraire. En résumé, ça donne quoi ?

— Une équation comportant une faille sérieuse, répondit Gurney, et je serais bien en peine de vous dire laquelle.

Pendant l’heure et demie qui suivit, les autres le questionnèrent sur la fiabilité du timecode de la vidéo, le risque que des images aient été laissées de côté, la position du cerisier par rapport au pavillon, à la machette, au fossé. Ils sortirent les croquis de la scène de crime du dossier et les firent circuler, chacun les étudiant avec attention. Ils se livrèrent à de brèves digressions à propos de l’efficacité et des exploits légendaires des équipes de chiens policiers. Ils envisagèrent d’autres scénarios possibles susceptibles d’expliquer la disparition de Flores après qu’il se fut débarrassé de l’arme du crime, évoquèrent le rôle éventuel de Kiki Muller en tant que complice a posteriori, les mobiles et la date de son assassinat. Ils se lancèrent dans diverses spéculations relatives à la psychopathologie d’une décapitation. Au final, l’énigme de base ne semblait pas plus proche de sa résolution.

— Donc, lança Rodriguez, résumant l’imbroglio aussi simplement qu’il était possible, selon Dave Gurney, nous pouvons être absolument certains de deux choses. Primo : Hector Flores devait forcément passer devant le cerisier. Secundo : il n’a pas pu le faire.

— Une situation des plus intéressante, commenta Gurney, sensible au caractère électrique de cette contradiction.

— Le moment est sans doute bien choisi pour faire une petite pause déjeuner, suggéra le capitaine, que ce casse-tête frustrait plus qu’il ne l’électrisait, à l’évidence.

CHAPITRE 52

Le facteur Flores

Le déjeuner n'avait rien d'un repas mondain, ce qui convenait parfaitement à Gurney, aussi peu enclin à la sociabilité qu'il pouvait l'être sans que sa femme le quitte. Au lieu de converger vers la cafétéria pendant la demi-heure consentie, tout le monde se dispersa pour communier avec son BlackBerry et son ordinateur portable.

Il aurait toutefois préféré trente minutes de camaraderie machiste plutôt que de se retrouver seul sur un banc glacé devant la forteresse policière, absorbé par le dernier texto qu'il avait trouvé sur son téléphone. Manifestement, une réponse à sa requête : DITES-M'EN PLUS.

Texto qui disait : VOUS ÊTES UN HOMME TELLEMENT INTÉRESSANT. J'AURAIS DÛ ME DOUTER QUE MES FILLES VOUS ADORERAIENT. C'ÉTAIT SI GENTIL À VOUS DE VENIR EN VILLE. LA PROCHAINE FOIS, CE SONT ELLES QUI VIENDRONT À VOUS. QUAND ? QUI PEUT LE DIRE ? ELLES TIENNENT À CE QUE CE SOIT UNE SURPRISE.

Gurney contempla les mots qui le ramenaient brutalement aux sourires déconcertants des jeunes femmes, au pâle montrachet avec lequel il avait trinqué, au mur noir menaçant de son amnésie.

Il songea à renvoyer un message commençant par : *« Cher Saul... »*, mais décida de garder pour lui le fait qu'il connaissait le nom de l'usurpateur d'identité de Jykynstyl – tout au moins pour le moment. Il ne savait pas trop ce que valait cette carte, mais il ne tenait pas à l'étaler avant d'avoir compris les règles du jeu. La conserver lui donnait un vague sentiment de pouvoir. Comme avoir un canif sur soi dans un quartier dangereux.

Lorsqu'il regagna la salle de conférences, il était impatient de se replonger dans l'affaire. Kline, Rodriguez et Wigg étaient déjà installés. Anderson approchait de la table, un œil féroce fixé sur une tasse de café pleine à ras bord. Derrière lui, Blatt avait incliné la cafetière dans l'espoir d'en extraire quelques dernières gouttes noirâtres. Hardwick n'avait pas réapparu.

Rodriguez jeta un coup d'œil à sa montre.

— Il est l'heure, les gars. Certains sont là, d'autres pas, mais c'est leur problème. Venons-en au rapport sur les interrogatoires des familles. Bill, c'est à vous.

Anderson posa sa tasse sur la table avec la concentration d'un homme en train de désamorcer une bombe.

— OK, dit-il.

Il s'assit, ouvrit un dossier dont il entreprit de passer en revue et de réorganiser le contenu.

— Voilà. Nous avons commencé avec la liste de toutes les jeunes filles ayant obtenu leur diplôme au cours des vingt années depuis que Mapleshade a ouvert ses portes, après quoi nous l'avons limitée aux cinq dernières années. En effet, il y a cinq ans, la composition des effectifs de l'établissement a changé, d'une population adolescente présentant des troubles comportementaux variés à de jeunes délinquantes sexuelles exclusivement.

— Ayant fait l'objet d'une condamnation ? intervint Kline.

— Non. Rien que des initiatives privées émanant de membres de la famille, de médecins, de thérapeutes. La plupart des élèves de Mapleshade sont des détraquées auxquelles leurs familles tentent d'éviter le tribunal pour enfants, ou qu'elles cherchent à éloigner à tout prix de la ville, de la maison avant qu'elles se fassent prendre en flagrant délit. Les parents les expédient à Mapleshade, paient des frais de scolarité conséquents en espérant qu'Ashton réglera le problème.

— Et c'est le cas ?

— Difficile à dire. Les familles refusent d'en parler. Nous en sommes réduits à faire des recoupements entre les noms des filles concernées et la base de données nationale relative aux délinquants sexuels afin d'établir si l'une d'elles a eu maille à partir avec la justice depuis qu'elle a quitté l'école. Ça n'a pas donné grand-chose pour le moment. Deux diplômées il y a quatre et cinq ans, aucune ces trois dernières années. Je ne sais pas trop ce qu'il faut en conclure.

Kline haussa les épaules.

— Ça veut peut-être dire qu'Ashton sait ce qu'il fait. À moins que cela reflète le fait que les sévices perpétrés par des femmes sont grossièrement sous-estimés par la police et qu'on engage rarement des poursuites.

— Comment ça, grossièrement ? demanda Blatt.

— Pardon ?

— Dans quelle mesure sont-ils sous-estimés et impunis à votre avis ?

Kline se carra sur sa chaise, agacé par ce qu'il considérait à l'évidence comme une digression.

— D'après des estimations, à peu près 20 % des femmes et 10 % des hommes ont été abusés sexuellement dans leur enfance, répondit-il d'un ton sec, pompeux, impatient. Le coupable était de sexe féminin dans 10 % des cas environ. En résumé, nous parlons de millions de cas de sévices sexuels, et de centaines de milliers d'exemples où une femme est en cause. Mais vous savez aussi bien que moi qu'il y a toujours deux poids deux mesures – de la répugnance de la part des familles à dénoncer une mère, une sœur, une baby-sitter à la police, de la répugnance de la part des forces de l'ordre à prendre au sérieux de telles accusations à l'encontre de jeunes femmes, sans parler des tribunaux qui renâclent à les inculper. La société semble avoir du mal à admettre la réalité de prédatrices sexuelles, telle que nous l'acceptons s'agissant de la gent masculine. Certaines études laissent pourtant entendre que de nombreux hommes inculpés de viol ont été victimes eux-mêmes d'abus sexuels commis par des femmes dans leur enfance. (Kline secoua la tête, hésitant à poursuivre.) Bon sang, je pourrais vous raconter des histoires survenues ici même, dans ce comté, des cas soumis aux tribunaux pour enfants par les services sociaux. Vous connaissez ces histoires : des femmes faisant le marlou pour leurs propres mioches, vendant des photos porno d'eux en train de se grimper dessus les uns les autres. Et très peu d'affaires sont portées devant la justice. Vous m'avez compris. J'en ai assez dit, d'accord ? Revenons-en à l'ordre du jour.

Blatt haussa les épaules.

Rodriguez acquiesça d'un signe de tête.

— OK, Bill, passons au rapport sur les appels téléphoniques.

Anderson remua une fois de plus ses papiers, étalés sur la table.

— Nous avons utilisé les adresses et numéros de téléphone les plus récents figurant dans les dossiers. Nous avons dénombré cent cinquante-deux diplômées au total sur ces cinq années, soit une trentaine par an. Nous avons les coordonnées de cent vingt-six d'entre elles. Nous les avons contactées et nous avons réussi à en joindre quarante, soit directement, soit un membre de sa famille. Sur les quatre-vingt-six messages que nous avons laissés, nous comptabilisions vingt rappels à neuf heures quarante-cinq ce matin.

— Ce qui fait cinquante-deux contacts directs, calcula rapidement Kline. En résumé, ça donne quoi ?

— Difficile à dire, répondit Anderson, donnant l'impression que sa vie n'était qu'une suite ininterrompue de complications.

— S'il vous plaît, lieutenant !

— J'entends par là que les résultats ne sont pas homogènes. (Il pêcha une autre feuille dans la pile.) Sur les cinquante-deux, nous nous sommes entretenus avec la fille dans onze cas. Là, pas de problème, d'accord ? Si nous leur avons parlé, c'est qu'elles n'ont pas disparu.

— Et les quarante et une autres ?

— Dans vingt-neuf cas, la personne que nous avons eue au téléphone – un parent, un conjoint, un frère ou une sœur, un colocataire, un copain – a affirmé savoir où se trouvait la jeune fille et être en contact avec elle.

Kline prenait scrupuleusement des notes sur son carnet.

— Et les douze autres ?

— Un type nous a dit que sa fille avait été victime d'un accident de voiture. Un autre, probablement défoncé, s'est montré extrêmement vague ; il avait l'air de ne savoir rien de rien. Et un autre encore nous a dit qu'il savait où elle habitait mais ne dirait rien.

Kline gribouilla quelque chose sur sa feuille.

— Il en reste neuf.

— Les neuf autres – tous des parents ou des beaux-parents – ont répondu qu'ils n'avaient pas la moindre idée de l'endroit où leur fille pouvait se trouver.

Un silence songeur s'ensuivit, auquel Gurney coupa court.

— Quel pourcentage de ces disparitions ont commencé par une dispute à propos d'une voiture ?

Anderson consulta ses notes, les sourcils froncés.

— Six.

— Waouh ! s'exclama Kline avec un petit sifflement. En plus de celles dont Ashton et la fille Liston ont déjà parlé à Gurney ?

— Exact.

— Seigneur ! On est proches de la douzaine au total. Et il y a encore tout un tas de familles qui ne nous ont pas rappelés. Quelqu'un a-t-il un commentaire à faire là-dessus ?

— Je pense que nous devons des remerciements à Dave Gurney, lança Hardwick qui s'était glissé dans la pièce à l'insu de tous.

Il jeta un coup d'œil à Rodriguez.

— S'il ne nous avait pas orientés dans cette direction…

— Sympa que vous ayez trouvé le temps de vous joindre à nous, bougonna le capitaine.

— Ne nous laissons pas embarquer dans de folles théories, dit Anderson d'un ton lugubre. Nous n'avons toujours aucune preuve d'un enlèvement ou d'un autre délit associé. Gardons-nous des excès. On a peut-être affaire à une bande de gamines rebelles ayant monté un petit plan ensemble.

— Dave ? demanda Kline, ignorant Anderson. Souhaitez-vous intervenir ?

— Juste une question, à l'intention de Bill. Quelle est la répartition des jeunes filles disparues sur ces cinq années de terminale que vous avez passées au peigne fin ?

Anderson secoua légèrement la tête comme s'il n'avait pas bien entendu.

— Pardon ?

— Les disparues – à quelles promos appartenaient-elles ?

Anderson soupira, recommença à fouiller dans son tas de papiers.

— Quel que soit le document qu'on cherche, marmonna-t-il sans s'adresser à quiconque en particulier, il est toujours en dessous. (Il parcourut une bonne dizaine de feuilles avant de fixer son attention sur l'une d'elles.) Bon… je dirais… 2009… 2008… 2007… 2006. C'est ça. Rien en 2005. Les plus anciennes disparitions, si vous tenez à les appeler comme ça, remontent à mai 2006.

— Elles ont donc toutes eu lieu au cours des quatre dernières années, conclut Kline. Ou, plus exactement, les trois dernières années et demie.

— Et alors ? fit Blatt en haussant les épaules. Qu'est-ce que ça veut dire ?

— Par exemple, que les disparitions ont commencé à se produire peu après l'entrée en scène de Hector Flores ? suggéra Gurney.

CHAPITRE 53

Changement de partie

Kline se tourna vers Gurney.

— Ça coïncide avec ce que l'assistante d'Ashton vous a dit. Ne vous a-t-elle pas précisé que les deux élèves qu'elle n'arrivait pas à joindre avaient manifesté de l'intérêt pour Flores à l'époque où il travaillait dans le parc de Mapleshade ?

— En effet.

— C'est ahurissant ! s'exclama Kline, excité comme une puce. Imaginons que Flores soit bel et bien la clé du mystère – qu'une fois qu'on aura compris ce qui l'a amené ici, tout deviendra clair. Le meurtre de Jillian Perry, celui de Kiki Muller, comment et pourquoi il a caché la machette là où on l'a trouvée, pourquoi il n'apparaît pas sur la vidéo, la disparition d'on ne sait combien d'élèves de Mapleshade…

— Ça, c'est peut-être une histoire de harem, lança Blatt.

— Pardon ?

— Comme dans le cas de Charlie Manson.

— Vous voulez dire qu'il cherchait des disciples ? Des jeunes femmes influençables ?

— Des obsédées du sexe. Il n'y a que ça à Maple-shade, non ?

Gurney se tourna vers Rodriguez pour voir sa réaction au commentaire de Blatt étant donné son problème avec sa fille, mais s'il avait ressenti quelque chose, il le dissimulait sous un air renfrogné et pensif.

L'ordinateur mental de Kline semblait à nouveau lancé à plein régime. Il évaluait vraisemblablement les lauriers que lui tresserait la presse s'il parvenait à faire juger et condamner son propre Manson. Il tenta de développer l'idée de Blatt.

— Vous pensez donc que Flores avait une petite communauté nichée quelque part, qu'il persuadait ces jeunes femmes de l'y rejoindre en quittant leur domicile sans laisser de trace ?

Il pivota vers le capitaine dont le froncement de sourcils parut le décourager, si bien qu'il préféra s'adresser à Hardwick.

— Qu'est-ce que tout ça vous inspire ?

Hardwick répondit par un regard ironique.

— Pour ma part, je pensais à Jim Jones. Un leader charismatique entouré d'une congrégation d'acolytes nubiles.

— C'est qui, ce Jim Jones ?

La question émanait de Blatt.

— Jonestown, répondit Kline. L'affaire des suicides en masse. Avec du cyanure dans du jus de raisin. Neuf cents personnes restées sur le carreau.

— Ah ouais ! Le coup du jus de raisin, commenta Blatt en grimaçant un sourire. Jonestown, bien sûr. Un truc de dingue !

Hardwick brandit un doigt en guise de mise en garde.

— Méfiez-vous des types qui vous invitent dans des bleds au milieu de la jungle auxquels ils ont donné leur nom.

Le froncement de sourcils du capitaine n'allait pas tarder à atteindre une intensité orageuse.

— Dave ? dit Kline. Vous avez des idées sur le grand projet de Flores ?

— Le problème avec la thèse de la communauté, c'est que Flores vivait dans la propriété d'Ashton. S'il rassemblait ces femmes et les planquait quelque part, il aurait fallu que ce soit à proximité. Je doute que cette hypothèse soit la bonne.

— Quoi d'autre alors ?

— Je suppose que cela a plutôt un rapport avec l'allusion qu'il a faite. « Pour toutes les raisons que j'ai écrites. »

— Ce qui donne au final ?

— Une vengeance.

— Pour quoi ?

— Pour un abus sexuel grave si nous prenons au sérieux le prologue d'Edward Vallory.

Kline adorait les conflits, c'était l'évidence même. Aussi Gurney ne fut-il pas surpris qu'il s'adresse à Anderson pour lui demander son avis.

— Bill ?

Ce dernier secoua la tête.

— La vengeance revêt généralement la forme d'une agression physique, d'un meurtre. Il n'y a pas le moindre indice de ça dans toutes ces pseudo-disparitions. (Il s'adossa à sa chaise.) Pas le moindre indice. Nous devrions rester proches des faits.

Il sourit, apparemment ravi de la concision de son résumé.

Le regard de Kline se posa sur le sergent Wigg, captivée par son écran d'ordinateur, comme à l'accoutumée.

— Robin ? Avez-vous quelque chose à ajouter ?

Elle répondit sur-le-champ, sans lever les yeux.

— Trop d'éléments n'ont pas de sens. Il y a des données fausses quelque part dans l'équation.

— Quel genre de données fausses ?

Avant qu'elle ait le temps de s'expliquer, la porte s'ouvrit, livrant passage à une femme mince qui aurait pu être le modèle d'une toile de Grant Wood. Ses yeux gris se fixèrent sur Rodriguez.

— Navrée de vous interrompre, chef.

Sa voix semblait avoir été façonnée par le même vent froid que son visage.

— Il s'est produit un événement important.

— Entrez, ordonna le capitaine. Fermez la porte.

Elle s'exécuta, puis resta plantée là, aussi raide qu'un soldat attendant la permission de parler.

Son formalisme parut plaire à Rodriguez.

— Bon, Gerson, de quoi s'agit-il ?

— On vient de nous informer qu'une des jeunes femmes figurant sur notre liste de personnes à localiser avait été victime d'un homicide il y a trois mois.

— *Trois mois ?*

— Oui, chef.

— Vous avez des détails ?

— Oui, chef.

— Allez-y.

Son expression était aussi rigide que le col amidonné de son chemisier.

— Nom : Melanie Strum. Dix-huit ans. Sortie de l'école de Mapleshade le 1er mai de cette année. Vue la dernière fois par sa mère et son beau-père à Scarsdale, dans l'État de New York, le 6 mai. Son corps a été retrouvé dans le sous-sol d'une résidence de Palm Beach, en Floride, le 12 juin.

— Cause du décès ? demanda Rodriguez en faisant la grimace.

Gerson pinça les lèvres.

— Cause du décès ? répéta-t-il.

— On lui avait coupé la tête, chef.

Rodiguez la dévisagea.

— Comment cette information nous est-elle parvenue ?

— Par le biais des appels que nous avons reçu l'ordre de passer. Le nom de Melanie Strum se trouvait sur la liste qu'on m'a confiée. C'est moi qui ai téléphoné.

— À qui avez-vous parlé ?

Elle hésita.

— Puis-je aller chercher mes notes, chef ?

— Faites vite, si ça ne vous ennuie pas.

Pendant la minute que dura son absence, Kline fut le seul à prendre la parole.

— Eh bien voilà, dit-il avec un sourire enthousiaste. Nous avons peut-être progressé.

Anderson fit la grimace comme s'il avait un aphte dans la bouche. Hardwick avait l'air fasciné. Le visage de Wigg n'exprimait rien. Gurney se sentait moins troublé qu'il aurait pu l'admettre sans gêne. Il songea que l'absence de choc ou de tristesse tenait au fait que, dès le départ, il s'était attendu à ce que les filles disparues soient mortes. (De temps à autre, quand il était seul et à bout de forces, un système de défense intérieur se rompait, et il se voyait comme un homme émotionnellement détaché de la vie des autres, tellement obnubilé par ses activités d'élucideur de mystères qu'il ne méritait pas d'appartenir à la race humaine. Cependant, cette vision déconcertante passait avec une bonne nuit de sommeil, après quoi il rationalisait son insensibilité, sous-produit normal d'une longue carrière au sein des forces de l'ordre.)

Gerson réapparut, un bloc-notes à la main. Ses cheveux bruns étaient relevés en une queue-de-cheval serrée, conférant à ses traits une rigidité cadavérique.

— J'ai les renseignements sur l'appel Strum, capitaine.

— Allez-y.

Elle jeta un coup d'œil à ses notes.

— C'est Roger Strum, le beau-père de Melanie, qui m'a répondu. Quand je lui ai expliqué l'objet de mon coup de téléphone, il a exprimé de la confusion, puis de la colère que nous ne soyons pas encore au courant du décès de Melanie. Sa femme, Dana Strum, s'est jointe à la conversation sur un autre poste. Ils étaient bouleversés tous les deux. Ils nous ont dit qu'une information était parvenue à la police de Palm Beach, qui avait perquisitionné le domicile de Jordan Ballston et a découvert le corps de Melanie dans un congélateur à la cave. La police…

Kline l'interrompit.

— Jordan Ballston, le type des fonds spéculatifs ?

— Je n'ai pas entendu parler de fonds spéculatifs à proprement parler, mais quand j'ai ensuite passé un coup de fil au commissariat de Palm Beach, pour confirmation, ils ont dit que Ballston vivait dans une résidence d'une valeur de plusieurs millions de dollars.

— Le congélo, putain ! murmura Blatt, comme si l'éventualité d'une contamination de la nourriture lui donnait la nausée.

— OK, dit Rodriguez, continuez.

— M. et Mme Strum ont paru scandalisés à l'idée qu'on ait remis Ballston en liberté. À qui graissait-il la patte ? Avait-il le juge dans sa poche ? Des remarques de ce genre. M. Strum a indiqué que, si jamais Ballston réussissait à s'en sortir en déboursant de l'argent, il mettrait personnellement « une balle dans la tête de ce salopard ». Il l'a répété plusieurs fois. J'ai pu établir qu'ils avaient bien eu une dispute avec Melanie le 6 mai, le jour de son départ de la maison, concernant une voiture qu'elle voulait qu'ils lui achètent – une Porsche Boxster coûtant la bagatelle de quarante-sept mille dollars. Ils ont dit qu'elle avait piqué une colère quand ils avaient refusé, qu'elle leur avait déclaré qu'elle les détestait et qu'elle ne voulait plus vivre avec eux, ni leur parler. Elle a annoncé qu'elle allait habiter chez une copine. Le lendemain matin, elle était partie. La dernière fois qu'ils l'ont vue, c'était à la morgue de Palm Beach, pour identifier le corps.

— Vous avez dit que les flics du coin avaient découvert le corps grâce à une information ? Savez-vous autre chose à ce sujet ?

Elle jeta un coup d'œil à Rodriguez avant de répondre aux questions de Gurney à contrecœur.

— Allez-y, dit le capitaine.

Elle hésita.

— J'ai dit à l'inspecteur en chef de Palm Beach que nous nous intéressions à cette affaire et que nous souhaitions avoir un maximum de renseignements. Il m'a répondu qu'il était disposé à s'entretenir au téléphone avec la personne responsable de l'enquête que nous menions ici. Il a précisé qu'il serait disponible dans la demi-heure qui suit.

Après quelques minutes passées à discuter des avantages et des inconvénients, le procureur et le capitaine décidèrent que cela pourrait être intéressant. On installa le téléphone fixe de la salle de conférences au centre de la table. Gerson composa le numéro de la ligne directe que l'inspecteur de Palm Beach lui avait donné. Elle lui expliqua brièvement qui était présent dans la pièce avant d'appuyer sur la touche « Haut-parleur ».

Rodriguez s'en remit à Kline, qui précisa les noms et qualités des personnes réunies autour de la table et décrivit l'affaire comme une possible enquête sur des disparitions, à son tout premier stade.

Le vague accent du Sud de son interlocuteur semblait indiquer qu'il était originaire de Floride – une espèce rare dans cet État, presque inimaginable à Palm Beach.

— Je suis seul ici dans mon bureau. Du coup, je me sens surpassé en nombre. Lieutenant Darryl Becker. D'après ce que m'a dit l'agent que j'ai eue au téléphone un peu plus tôt, vous aimeriez en savoir plus sur l'affaire Strum.

— Nous vous serions reconnaissants de nous dire tout ce que vous savez, Darryl, répondit Kline, qui semblait avoir fait sien l'accent traînant de Becker. Une question que nous aimerions vous poser d'emblée : quelle piste vous a conduits à la découverte du corps ?

— Rien de vraiment délibéré.

— Comment ça ?

— L'homme qui a fourni l'info n'était pas ce qu'on pourrait appeler un citoyen modèle cherchant à aider les forces de l'ordre. Il avait appris la chose d'une manière quelque peu compromettante.

— De quoi parle-t-il ? murmura Blatt, pas très discrètement.

— Comment ça ? répéta Kline.

— Il s'agit d'un cambrioleur. Un cambrioleur professionnel. C'est comme ça qu'il gagne sa vie.

— Il s'est fait pincer dans la maison de Ballston ?

— Non. Pas là. Il a été appréhendé en sortant d'une autre résidence une semaine après avoir rendu visite à Ballston. Le type s'appelle Edgar Rodriguez – rien à voir avec votre capitaine, assurément.

Blatt laissa échapper un ricanement monosyllabique.

Les muscles de la mâchoire du capitaine se crispèrent. Ce commentaire anodin semblait l'avoir mis hors de lui.

— Laissez-moi deviner, dit Kline. Edgar s'apprêtait à passer un bon bout de temps en prison. Il a proposé d'échanger quelques informations sur le sous-sol de Ballstone, à propos d'une chose qu'il y avait vue, contre une certaine clémence à son égard ?

— C'est à peu près ça, monsieur Kline. À propos, comment ça s'épelle ?

— Pardon ?

— Votre nom. Comment ça s'épelle ?

— K-L-I-N-E.

— Ah, avec un K. (Becker avait l'air déçu.) Je pensais que c'était peut-être comme Patsy.

— Pardon ?

— Patsy Cline. Aucune importance. Désolé pour la digression. Allez-y. Posez vos questions.

Kline mit quelques instants à retrouver le fil.

— Et donc… ce qu'il vous a raconté suffisait pour justifier un mandat de perquisition ?

— Et comment !

— Et qu'avez-vous trouvé ?

— Melanie Strum. En deux morceaux. Enveloppés dans du papier d'aluminium. Au fond d'un congélateur. Sous une cinquantaine de kilos de blancs de poulet. Et une bonne quantité de brocolis surgelés.

Hardwick émit à son tour un hennissement, plus retentissant que celui de Blatt.

Kline avait l'air de ne pas en revenir.

— Pourquoi votre cambrioleur s'était-il donné la peine de défaire des paquets enveloppés dans du papier alu au fond d'un congélateur ?

— Il nous a expliqué qu'il commençait toujours ses recherches par là. Les gens s'imaginent que c'est le dernier endroit où un cambrioleur irait fouiner, si bien qu'ils y cachent leurs biens les plus précieux. Si vous cherchez des diamants, jetez un coup d'œil dans le congélo, a-t-il dit. Il trouvait ça très drôle, tous ces gus qui pensaient avoir une idée lumineuse, qui s'imaginaient l'abuser, être plus intelligents que lui. Ça le faisait beaucoup rire.

— Il a donc fouillé le congélateur, a entrepris de déballer le corps et…

— En fait, l'interrompit Becker, c'est la tête qu'il a déballée en premier.

Diverses exclamations gutturales de dégoût s'élevèrent dans la salle, suivies d'un silence.

— Vous êtes toujours là, messieurs ? demanda Becker, une note d'amusement dans la voix.

— On est là, répondit froidement Rodriguez.

Nouveau silence.

— Vous avez d'autres questions à me poser, ou cela boucle-t-il en gros votre affaire de personnes disparues ?

— J'ai une question, intervint Gurney. Comment avez-vous établi l'identité de la victime ?

— Nous avons trouvé quasiment le même profil ADN dans le fichier des délinquants sexuels de la base de données du NCIC.

— Un membre de la famille proche, en d'autres termes ?

— Ouais. Qui s'est avéré être le père biologique de Melanie, Damian Clark, un héroïnomane inculpé de viol, d'agressions sexuelles avec circonstances aggravantes, d'abus sexuels sur mineur et de divers autres méfaits déplaisants remontant à une dizaine d'années. Nous avons retrouvé la mère, divorcée de son violeur d'époux et remariée à un certain Roger Strum. Elle est venue ici identifier le corps. Nous en avons profité pour prélever un échantillon d'ADN sur elle, et obtenu la confirmation d'un lien de parenté du premier degré, comme cela avait été le cas avec le père biologique. Aucun doute ne subsiste donc sur l'identité de la jeune fille assassinée. D'autres questions ?

— Avez-vous le moindre doute sur celle du meurtrier ? enchaîna Gurney.

— Pas vraiment. Il y a quelque chose chez ce M. Ballston…

— Les Strum avaient l'air très contrariés par sa remise en liberté.

— Pas autant que moi.

— Il a réussi à convaincre le juge qu'il n'allait pas s'envoler ?

— Il s'est débrouillé pour verser une caution de dix millions de dollars et a accepté ce qui revient à une assignation à résidence. Il doit rester dans l'enceinte de son domicile ici, à Palm Beach.

— Ça n'a pas l'air de vous réjouir.

— Me réjouir ? Ai-je mentionné que le médecin légiste a conclu qu'avant d'être décapitée, Melanie Strum avait été violée une douzaine de fois et que chaque centimètre de son corps avait été lacéré avec une lame de rasoir pour ainsi dire ? Est-ce que ça me réjouit que l'homme qui a fait ça soit assis au bord de sa piscine d'une valeur d'un million de dollars avec des lunettes à cinq cents dollars sur le pif pendant que le cabinet d'avocats le plus cher de l'État de Floride et l'agence de relations publiques la plus chic de New York se décarcassent pour faire de lui l'innocente victime d'un commissariat de police incompétent et corrompu ? Vous me demandez si ça m'enchante ?

— Dire qu'il ne coopère pas à l'enquête serait un euphémisme, si je comprends bien ?

— C'est rien de le dire. Les avocats de M. Ballston nous ont clairement signifié que leur client ne dira pas un mot à la police à propos de cette affaire bidon montée de toutes pièces contre lui.

— Avant de décider de la boucler, a-t-il fourni la moindre explication sur la présence d'une femme assassinée dans son congélateur ?

— Il a juste dit qu'il lui arrivait fréquemment de faire faire des travaux chez lui, qu'il avait de nombreux domestiques et que Dieu sait combien de gens avaient accès à sa cave – sans parler du cambrioleur.

Kline promena son regard autour de la table, paumes levées en un geste interrogateur, mais personne n'avait quoi que ce soit à ajouter.

— Bon, dit-il. Inspecteur Becker, je tiens à vous remercier de votre aide. Et de votre franchise. Bonne chance pour votre enquête.

Il y eut un temps d'arrêt. Puis la voix traînante se fit à nouveau entendre.

— Je me demandais seulement… si vous aviez des informations à nous fournir de votre côté, susceptibles de nous être utiles dans nos investigations ?

Kline et Rodriguez échangèrent un regard. Gurney pouvait entendre leurs méninges bourdonner tandis qu'ils soupesaient les risques et avantages potentiels d'une approche franche. Le capitaine finit par avoir un petit haussement d'épaules désabusé, abandonnant la décision au procureur.

— Eh bien, dit Kline, donnant l'impression que les choses étaient nettement plus vagues qu'elles l'étaient en réalité, il y a des chances que nous soyons à la recherche de plusieurs personnes disparues.

— Ah ?

Il y eut un silence, laissant supposer que Becker prenait le temps de digérer l'information, ou qu'il se demandait pourquoi il n'en avait pas été fait mention plus tôt. Quand il reprit la parole, sa voix n'avait plus la même suavité.

— De combien de personnes au juste parlons-nous ?

CHAPITRE 54

Histoires désagréables

Pendant le long trajet de retour, Gurney ne cessa de penser à la situation à Palm Beach, à la vision de Jordan Ballston près de sa piscine, à son désir d'entrer en contact avec ce type et d'aller jusqu'au bout de cette étrange affaire. Seulement, il allait avoir du mal à mettre la main sur ce type. Abrité derrière un rempart de conseillers juridiques et de communicants, Ballston n'accepterait pas facilement une petite conversation amicale à propos du corps retrouvé dans sa cave.

À l'entrée du petit village de Musgrave, il s'arrêta à l'épicerie Steward pour prendre un café. Il était près de trois heures de l'après-midi, et il sentait qu'il n'allait pas tarder à être en manque de caféine.

Alors qu'il remontait dans sa voiture, un gobelet d'un quart de litre fumant à la main, son téléphone sonna.

C'était Hardwick.

— Alors, qu'en penses-tu, Davey ? La donne a changé, hein ?

— Même donne. C'est l'angle de la caméra qui a changé.

— Tu vois quelque chose que tu n'avais pas vu auparavant ?

— Une opportunité. Je ne suis pas sûr de savoir comment la saisir.

— Ballston ? Tu t'imagines qu'il va te faire des aveux ? Bonne chance !

— C'est la seule clé dont nous disposons, Jack. Il faut trouver le moyen de s'en servir.

— Tu crois qu'il est derrière toute cette histoire, d'une manière ou d'une autre ?

— Je n'en sais pas suffisamment pour croire quoi que ce soit à ce stade. Je ne vois pas comment il aurait pu tuer Jillian Perry. Mais je te le répète, il est la seule clé à notre disposition. Il a un vrai nom, un vrai boulot, des antécédents personnels, et une adresse précise. Comparé à lui, Hector Flores est un fantôme.

— Entendu, champion, fais-nous savoir quand ta cervelle de génie aura trouvé le moyen d'utiliser cette clé. Mais ce n'est pas pour ça que je t'appelle. On a du nouveau sur Karnala et ses propriétaires.

— Kline m'a dit que vous aviez découvert que ce n'était pas vraiment une entreprise de confection ?

Hardwick se racla la gorge.

— Ce n'est que le haut de l'iceberg, comme on dit, ou plus précisément d'un asile de fous. Nous ne savons toujours pas dans quel secteur Karnala sévit véritablement, mais j'ai eu des renseignements à propos des Skard. Décidément, pas des gens avec qui on a envie de déconner.

— Attends une seconde, Jack. (Gurney ôta le couvercle de son gobelet et but une longue gorgée.) Raconte-moi ça.

— Les infos nous arrivent au compte-gouttes. Avant d'émigrer aux États-Unis et de prendre une envergure internationale, les Skard opéraient depuis la Sardaigne. L'Italie compte trois organismes chargés de l'application de la loi, chacun possédant ses propres archives, outre les ressources locales, et puis il y a Interpol qui a accès à une partie de ces données, mais pas toutes. En plus, je reçois des bribes d'informations qui ne figurent dans aucun dossier – de vieilles rumeurs, des ouï-dire, ce genre de choses – provenant d'un gars d'Interpol à qui j'ai rendu un certain nombre de services. Je me retrouve donc avec des éléments décousus, parfois isolés, d'autres récurrents, d'autres encore contradictoires. Certaines sont dignes de foi, d'autres non, sans qu'on puisse faire la distinction entre les deux.

Gurney attendit. Ça ne servait à rien de demander à Harwick de sauter le préambule.

— En apparence, les Skard sont des investisseurs internationaux de haut vol. Stations balnéaires, casinos, hôtels à mille dollars la nuit, sociétés construisant des yachts à un million de dollars, tu vois le tableau. Il y a fort à parier que l'argent qui leur sert à acquérir ces actifs juridiques vient d'ailleurs.

— D'une entreprise beaucoup moins reluisante fonctionnant sous le manteau ?

— Exactement, et les Skard en connaissent un rayon en la matière. Dans toute l'histoire de cette fichue famille, on n'a enregistré qu'une seule arrestation – pour une agression particulièrement brutale il y a dix ans – et pas la plus petite condamnation. Il n'y a donc aucun dossier pénal, pratiquement rien d'écrit. Des rumeurs ne cessent de faire surface à propos de leur implication dans la prostitution haut de gamme, l'esclavage sexuel, la pornographie violente SM, l'extorsion de fonds. Mais impossible de vérifier quoi que ce soit. Ils bénéficient par ailleurs d'une représentation légale très agressive qui intente immédiatement un procès en diffamation dès qu'une vague critique à leur encontre paraît dans la presse. On n'a même pas de photos d'eux.

— Qu'est devenue la photo d'identité judiciaire prise au moment de l'arrestation pour agression ?

— Elle a mystérieusement disparu.

— Personne n'a jamais témoigné contre ces types ?

— Les gens susceptibles de savoir quelque chose, qu'on pourrait peut-être persuader de se mettre à table, même ceux qui se trouvent être dans les parages des Skard en période de stress, ont un mal de chien à rester en vie. Les rares personnes ayant collaboré à la rédaction d'articles publiés dans la presse à leur sujet, même anonymement, se volatilisent dans les jours qui suivent. Les Skard n'ont qu'une seule façon de réagir aux problèmes – ils les effacent, une fois pour toutes, sans états d'âme ni la moindre considération pour les dommages collatéraux. Un exemple probant : selon mon contact à Interpol, il y a une dizaine d'années, Giotto Skard, a priori le chef de famille, a eu un désaccord professionnel avec un promoteur immobilier israélien. À la fin d'une rencontre dans un petit night-club de Tel-Aviv au cours duquel Giotto a paru accepter les conditions de l'Israélien, il lui a dit bonsoir, est sorti, a bloqué les issues et foutu le feu à la boîte. Il a réussi à faire rôtir le promoteur, ainsi que cinquante-deux autres personnes qui se trouvaient là par hasard.

— Leur organisation n'a jamais été infiltrée ?

— Jamais.
— Et pourquoi ?
— Ils n'ont pas d'organisation à proprement parler.
— Qu'entends-tu par là ?
— Les Skard sont les Skard. Une famille biologique. Les seuls moyens de s'intégrer au clan sont la naissance et le mariage – et là tout de suite, je n'arrive pas à penser à une de nos agents secrets suffisamment dévouée pour lier son sort à une bande de criminels.
— C'est une grande famille ?
Hardwick s'éclaircit à nouveau la voix.
— Étonnamment restreinte. De l'ancienne génération, on pense qu'il ne reste plus qu'un seul frère en vie sur les trois. Giotto Skard. Il est possible qu'il ait tué les deux autres. Mais personne ne le dira. Pas même tout bas. Y compris en blaguant. Giotto a – avait ? – trois fils. Personne ne sait combien sont encore vivants, ni quel âge ils ont exactement, ni où ils peuvent bien se trouver. Comme je te l'ai dit, bien qu'ils soient peu nombreux, les Skard opèrent à l'échelle internationale. On suppose donc que les fistons sont disséminés à travers le monde, là où les intérêts des Skard ont besoin d'être protégés.
— Attends une seconde. Si les membres de la famille sont les seuls à être impliqués, comment font-ils pour assurer leur protection ?
— On dit qu'ils règlent les problèmes eux-mêmes. Qu'ils sont très rapides et très efficaces. Qu'au fil des ans, les Skard ont éliminé personnellement au moins deux cents obstacles humains aux objectifs commerciaux de la famille, sans compter le massacre dans le night-club.

— Sympa. S'il a trois fils, Giotto doit aussi avoir une épouse ?

— Absolument. Tirana Magdalena. Le seul membre de toute cette ménagerie puante sur lequel on soit quelque peu renseignés. Et peut-être la seule personne ici-bas à avoir jamais mis sérieusement des bâtons dans les roues de Giotto, et à avoir survécu pour en parler.

— Comment s'est-elle débrouillée ?

— C'était la fille du chef d'une famille mafieuse albanaise. Je devrais dire, *c'est* la fille. Elle est toujours de ce monde. La soixantaine bien sonnée, elle vit dans un établissement pour fous criminels. Le parrain albanais doit avoir dans les quatre-vingt-dix ans. Note que ce n'est pas lui qui ferait peur à Giotto. On raconte que ce dernier a pris une décision purement commerciale en épargnant sa femme. Il n'avait pas envie de gaspiller du temps et de l'argent à tuer des Albanais en rogne désireux de venger sa mort.

— Comment sais-tu tout ça, pour l'amour du ciel ?

— Je n'ai aucune certitude. Comme je te l'ai dit, ce sont essentiellement des bruits émanant de mon pote d'Interpol. Il se pourrait que ce ne soient que des conneries. Mais ça sonne bien, je trouve.

— Attends. Il y a deux secondes, tu m'as dit que Tirana était le seul membre de la famille Skard sur lequel on soit renseignés. Tu as bien dit, *renseignés*.

— Ah, mais je n'ai pas encore abordé cette partie. Je la gardais pour la fin.

CHAPITRE 55

Tirana Magdalena Skard

— Tirana Magdalena était la fille unique d'Adnan Zog.

— Zog, le parrain de la mafia ?

— Zog, le parrain, ou quel que soit le titre ronflant que l'on attribue à cette fonction en Albanie. Bref, sa fille était d'une beauté à couper le souffle.

— Comment le sais-tu ?

— Sa beauté était légendaire, tout au moins parmi la pègre d'Europe de l'Est, à en croire ma taupe à Interpol. Il y a des photos aussi. Beaucoup de photos. Contrairement aux Skard, les Zog, et Tirana Magdalena en particulier, apprécient la célébrité. En plus d'être canon, Tirana était aussi une fille étrange, d'un tempérament nerveux, faussement bohème, qui rêvait de devenir danseuse. Papa Zog n'en avait rien à foutre de ses ambitions. Il voyait simplement en elle un objet d'une valeur potentielle. Si bien que, lorsque le jeune Giotto Skard aux dents longues manifesta un intérêt pour Tirana, âgée de seize ans, alors même qu'il négociait une alliance commerciale avec Zog, ce dernier l'ajouta dans la balance, estimant sans doute que ce serait donnant, donnant. Il offrait à Skard quelque chose qu'il désirait et qui ne lui coûtait rien, en plus de se débarrasser d'une fille cinglée qui lui cassait les pieds. Ce qui faisait de Giotto et lui des frères de sang sans qu'ils aient besoin de se piquer le doigt avec une aiguille.

— Très efficace, nota Gurney.

— Super efficace. Voilà que la gamine de seize ans élevée par un meurtrier albanais maboul devient l'épouse d'un meurtrier sarde tout aussi maboul. Et elle n'a qu'une seule envie : danser. Alors que Giotto, lui, veut des fils – une ribambelle de fils. C'est bon pour les affaires. Elle commence donc à lui donner des enfants, qui s'avèrent être tous des garçons, comme il le souhaitait. Tiziano, Raffaello et Leonardo. Ce qui le rend plutôt heureux. Mais Tirana continue à n'avoir qu'un seul et unique désir : danser. Et chaque rejeton la rend un peu plus folle. Quand elle en est rendue au troisième, elle est mûre pour l'asile. Et puis elle fait une grande découverte. La coke ! Elle s'aperçoit que sniffer de la coke est presque aussi agréable que de danser. Elle en sniffe pas mal. Quand elle n'arrive plus à piquer du fric à Giotto – une entreprise des plus périlleuse, entre parenthèses –, elle n'hésite pas à baiser avec le dealer de coke local. Le jour où Giotto l'apprend, il découpe le type en morceaux.

— En morceaux ?

— Littéralement. En petits morceaux. Pour que les choses soient bien claires.

— Impressionnant.

— Je ne te le fais pas dire. Giotto décide alors d'emmener sa famille en Amérique. C'est mieux pour tout le monde, déclare-t-il. Ce qu'il veut dire, en fait, c'est que c'est mieux pour les affaires. Les affaires, c'est la seule chose qui l'intéresse. Une fois là-bas, Tirana se met à se taper des dealers de coke américains. Giotto les débite tous en tranches. Elle en baise tellement qu'il arrive à peine à tenir le rythme. Pour finir, il la fout dehors, en compagnie du numéro trois, Leonardo, qui a dix ans maintenant, et doit être homo, schizo ou trop zarbi pour que Giotto le supporte. Avec le fric que Giotto lui a refilé en guise de cadeau d'adieu pour qu'elle disparaisse de sa vue, Tirana ouvre une agence de mannequins destinée aux enfants dont les parents rêvent de voir leur progéniture dans des pubs, à la télé, etc., en proposant par-dessus le marché des cours d'art dramatique et de danse afin d'agrémenter leur carrière naissante. Pendant ce temps-là, Giotto entreprend d'asseoir son empire du sexe et de l'extorsion de fonds avec l'aide de ses deux aînés. Une fin heureuse pour tout le monde, en apparence. Mais il y a une mouche dans le fromage.

— Le potage.

— Pardon ?

— Une mouche dans le potage.

— Fromage, potage, peu importe. Le problème avec Tirana la cocaïnomane et son agence de mannequins, c'est qu'elle abuse des enfants. En plus de s'envoyer en l'air avec ses dealers, elle se farcit tous les gamins de dix, onze, douze ans sur lesquels elle arrive à mettre la main.

— Seigneur ! Et ça finit comment ?

— À la fin, elle se fait arrêter et inculper pour deux douzaines d'abus sexuels – agression, sodomie, viol. La totale. En définitive, elle se retrouve internée dans un hôpital psychiatrique où elle continue de croupir.

— Et son fils ?

— Au moment de son arrestation, il avait disparu.

— Disparu ?

— Soit il a pris la fuite, soit son père l'a récupéré, à moins qu'il ait été mis au vert par le biais d'une adoption. Connaissant les Skard, il pourrait aussi bien être mort. Ce n'est pas sa sensiblerie qui empêcherait Giotto de régler un tel détail.

CHAPITRE 56

Une question de contrôle

À mi-chemin entre sa halte chez Steward et Walnut Crossing, le portable de Gurney se mit à sonner. La voix de Rebecca Holdenfield – vive, crispée – lui rappelait autant la jeune Sigourney Weaver que son visage et sa chevelure.

— Je présume que vous ne venez pas ?

— Je vous demande pardon ?

— Vous ne vérifiez jamais vos messages ?

Cela lui revint subitement en mémoire. Le matin, il avait reçu un texto ainsi qu'un message sur sa boîte vocale. Il avait lu le SMS d'abord – qui l'avait projeté dans tout un monde de spéculations à propos de sa perte de connaissance dans l'immeuble de grès brun. Il n'avait jamais pris la peine d'écouter le message.

— Mon Dieu ! Je suis désolée, Rebecca. Je ne sais plus où donner de la tête. Vous m'attendiez cet après-midi ?

— C'est ce que vous m'aviez demandé dans votre message. J'ai répondu : d'accord. Venez.

— Peut-on reporter ça à demain ? On sera quel jour demain, d'ailleurs ?

— Mardi. Je suis coincée toute la journée. Que diriez-vous de jeudi ? Je n'ai pas une seconde à moi d'ici là.

— C'est trop loin. Pouvons-nous parler maintenant ?

— Je suis libre jusqu'à cinq heures. Ce qui nous laisse dix minutes. De quoi s'agit-il ?

— J'ai plusieurs questions à aborder avec vous : les effets d'une mère de mœurs légères sur un enfant, l'état d'esprit de femmes abusant sexuellement des enfants, les failles psychologiques des criminels sexuels… Enfin, le type de comportement à attendre d'un individu sous l'influence d'un cocktail à base de Roxynol.

Après deux secondes de silence, elle éclata de rire.

— Entendu, et après ça, nous pourrons débattre des causes du divorce, des moyens d'éradiquer la guerre et…

— D'accord, d'accord, j'ai compris. Choisissez le sujet que nous aurons le temps de traiter d'après vous.

— Vous avez l'intention de corser votre prochain Martini avec du Roxynol ?

— Pas vraiment.

— C'est juste une question théorique alors ?

— Si l'on veut.

— Hum. Eh bien, il n'y a pas de réaction type dans le cas d'une intoxication en général. Les substances chimiques modifient le comportement de différentes manières. La cocaïne, notamment, tend à intensifier les pulsions sexuelles. Si vous me demandez s'il y a des limites aux agissements suscités par un désinhibant non hallucinogène, la réponse est oui et non. Aucune limite spécifique ne s'applique à tout le monde, chaque individu a les siennes.

— Lesquelles, par exemple ?

— Impossible à savoir. Tout dépend de la précision de nos perceptions, de la force de nos désirs instinctifs, de l'intensité de nos peurs. Si la drogue est un désinhibant qui élimine notre crainte des répercussions, alors notre attitude reflétera nos désirs et se réduira essentiellement à la douleur, à la satisfaction ou à l'épuisement. Nous ferons ce que nous serions prêts à faire dans un monde sans conséquences, mais rien dont nous n'ayons pas envie. Les désinhibants laissent libre cours à nos pulsions existantes, mais ils ne donnent pas d'impulsions incompatibles avec la structure psychique fondamentale de notre être. Ai-je répondu à votre question ?

— En gros, administrez une drogue de ce genre à quelqu'un et il pourra réaliser ses fantasmes ?

— Voire accomplir des choses qu'il a peur d'imaginer dans ses fantasmes.

— Je vois, balbutia Gurney, le cœur au bord des lèvres. Permettez-moi de passer à un tout autre sujet. Une élève récemment diplômée de Mapleshade a été retrouvée morte. En Floride. Un crime sexuel. Viol, torture, décapitation. Le corps avait été dissimulé dans le congélateur du suspect.

— Combien de temps ?

Comme d'habitude, Holdenfield ne se laissa pas désarçonner par ces détails sordides, ou s'efforça de n'en rien laisser paraître.

— Que voulez-vous dire ?

— Combien de temps le corps est-il resté dans le congélateur ?

— Plusieurs jours, d'après le médecin légiste. Pourquoi me posez-vous la question ?

— Je me demandais juste pour quelle raison il l'avait conservé. C'était un homme, pas vrai ?

— Jordan Ballston, une grosse pointure des produits dérivés de la finance.

— Ballston, le multimillionnaire ? Je me souviens d'avoir lu un article à ce sujet. Meurtre au premier degré. Mais ça remonte à des mois.

— Effectivement, mais dans un premier temps on a caché à la presse l'identité de la victime. On vient juste de découvrir le lien avec les autres disparitions liées à Mapleshade.

— Vous êtes sûr qu'il y a un rapport ?

— Sacrée coïncidence sinon.

— Vous allez pouvoir interroger Ballston ?

— Apparemment pas. Il se planque derrière une armée d'avocats.

— Que puis-je faire pour vous, dans ce cas ?

— Imaginez que je réussisse à arriver jusqu'à lui.

— Comment ?

— Je ne sais pas encore. Imaginez.

— D'accord. Et après ?

— Qu'est-ce qui lui ferait le plus peur ?

— S'il est protégé par des avocats ? (Elle fit claquer sa langue à plusieurs reprises, rapidement, comme une manière de ponctuer le cheminement de sa pensée.) Pas grand-chose à moins…

— Que quoi ?

— À moins qu'il pense que quelqu'un d'autre sait ce qu'il a fait, quelqu'un dont le programme pourrait être en conflit avec le sien. Ce genre de situation ouvrirait une brèche dans son aire de contrôle. Les criminels sexuels sont obsédés par le contrôle, et la seule chose susceptible de les faire craquer, c'est d'être à la merci de quelqu'un d'autre.

Rebecca marqua un temps d'arrêt.

— Avez-vous un moyen de contacter Ballston ?

— Pas encore.

— Mais mon petit doigt me dit que vous êtes sur le point d'en trouver un.

— J'apprécie votre confiance.

— Je dois vous laisser maintenant. Désolée de ne pas avoir plus de temps. Souvenez-vous, Dave, plus il pense que vous avez du pouvoir sur lui et plus il y a des chances qu'il perde les pédales.

— Merci, Becca. Je vous suis très reconnaissant de votre aide.

— J'espère ne pas vous avoir donné l'impression que ça allait être facile.

— Ne vous inquiétez pas. Ce n'est pas ce que je crois.

— Tant mieux. Tenez-moi au courant, d'accord ? Et bonne chance !

Le même facteur de surcharge mentale qui lui avait fait négliger le message téléphonique de Holdenfield l'empêcha jusqu'à la fin du trajet de profiter du coucher de soleil spectaculaire sur les montagnes. Lorsqu'il quitta la grand-route pour entamer la montée sinueuse aboutissant à sa propriété, il n'en restait plus qu'un lavis rose passé vers l'ouest, qu'il remarqua à peine.

À l'intersection devant sa grange où le chemin de terre se changeait en une allée étroite, plus herbeuse, il se rangea près de la boîte aux lettres suspendue à un poteau de la barrière. Alors qu'il s'apprêtait à l'ouvrir, une petite tache jaune à flanc de colline accrocha son regard. Elle évoluait lentement le long de la sente en arc de cercle de l'alpage. Il reconnut le ciré de Madeleine.

À cause des touffes de fétuque et de laiterons, elle n'était visible que depuis la taille, mais il crut percevoir le doux rythme de ses pas. Il resta là à la regarder, puis la trajectoire du chemin et le contour onduleux du champ la firent peu à peu disparaître de sa vue, silhouette solitaire se mouvant calmement dans un océan de hautes herbes.

Il s'attarda encore un peu à contempler le versant désert jusqu'à ce que toutes les couleurs du ciel aient disparu, remplacées par un gris monotone. Il cligna des paupières, se rendit compte qu'il avait les yeux humides, les essuya du revers de la main et parcourut le reste du trajet.

En arrivant, il décida de prendre une douche dans l'espoir de restaurer en lui un semblant de normalité. Planté sous le puissant jet d'eau chaude qui le massait à petits coups d'épingle, détendant sa nuque, ses épaules, il se mit à enjoliver le bruit, à en faire le doux grondement d'une averse estivale. Pendant une ou deux secondes, l'odeur pure, apaisante de la pluie envahit même ses pensées. Il se frictionna de savon à l'aide d'une éponge rugueuse, se rinça, sortit de la douche et se sécha.

Trop ensommeillé pour se rhabiller, encore enveloppé de chaleur après sa douche, il écarta l'édredon du lit et s'allongea sur le drap frais. Pendant une merveilleuse minute, le monde se résuma à ce drap frais, à l'air embaumant l'herbe qui s'engouffrait dans la chambre par la fenêtre ouverte, à la clarté d'un soleil qu'il imaginait à travers les feuilles d'arbres géants…

Il se réveilla dans le noir sans aucune notion de l'heure. On avait glissé un oreiller sous sa tête et remonté l'édredon jusqu'à son menton. Il se leva, alluma la lampe de chevet, jeta un coup d'œil au réveil. Dix-neuf heures quarante-neuf. Il remit les vêtements qu'il portait avant de se doucher et se rendit dans la cuisine. La stéréo diffusait à faible volume de la musique baroque. Madeleine était assise à la plus petite des deux tables de la pièce devant un bol de soupe orange et une demi-baguette, un livre à la main. Elle leva les yeux quand il entra.

— Je pensais que tu dormirais jusqu'à demain matin.

— Apparemment pas, marmonna-t-il.

Trouvant sa voix rauque, il toussa pour l'éclaircir.

Elle reporta son attention sur son livre.

— Si tu as envie de manger quelque chose, il y a de la soupe de carotte dans la casserole et du poulet sauté dans le wok.

Il bâilla.

— Qu'est-ce que tu lis ?

— L'*Histoire naturelle des papillons de nuit.*

— De quoi ?

Elle répéta en articulant comme si elle s'adressait à quelqu'un lisant sur les lèvres.

— Des papillons de nuit. (Elle tourna une page.) Il y avait du courrier ?

— Du courrier. Je… je ne sais pas. Ah oui, j'étais sur le point de le prendre et puis je t'ai vue sur la colline et ça m'a distrait.

— Ça fait un moment que tu es distrait.

— Tu trouves ?

Il regretta immédiatement son ton défensif, mais pas assez pour l'admettre.

— Tu n'es pas d'accord ?

Il soupira nerveusement.

— Je suppose.

S'approchant de la casserole restée sur le fourneau, il se servit un bol de soupe.

— Il y a quelque chose dont tu veux me parler ?

Il attendit d'être assis en face d'elle devant sa soupe et l'autre moitié de la baguette pour répondre.

— Il y a eu un rebondissement important dans l'affaire. Une ancienne élève de Mapleshade a été retrouvée morte en Floride. Victime d'un criminel sexuel.

Madeleine ferma son livre, le dévisagea.

— Alors tu penses que…

— Il se peut que les autres filles disparues aient fini de la même façon.

— Assassinées par le même individu ?

— C'est possible.

Madeleine étudia son visage comme si des informations non dites y étaient marquées.

— Qu'est-ce qu'il y a ?

— C'est ça qui te turlupine ?

Une onde de malaise lui traversa l'estomac.

— En partie. L'autre partie, c'est que la police n'a pas été capable de tirer un seul mot de l'homme qu'elle a accusé de ce meurtre, au-delà d'un déni catégorique. Pendant ce temps, son cabinet d'avocats et sa boîte de relations publiques attitrés concoctent des scénarios de rechange à balancer aux médias – des tas de motifs innocents pour expliquer la découverte du cadavre violé, torturé et décapité d'une femme dans son congélateur.

— Et tu te dis que si seulement tu pouvais t'asseoir avec ce monstre et discuter avec lui…

— Je ne prétends pas que j'obtiendrais des aveux, mais…

— Mais tu ferais mieux que les flics du coin ?

— Ce ne serait pas très difficile.

Sa propre arrogance le fit grimacer intérieurement.

Madeleine fronça les sourcils.

— Ce ne serait pas la première fois que l'inspecteur vedette relèverait le défi et éluciderait le mystère.

Il la fixa, mal à l'aise.

Une fois de plus, elle semblait chercher à déchiffrer un message codé dans son expression.

— Qu'est-ce qu'il y a ? répéta-t-il.

— Je n'ai rien dit.

— Mais tu penses à quelque chose. De quoi s'agit-il ? Dis-moi.

Elle hésita.

— Je croyais que tu aimais les énigmes.

— Je le reconnais. Et alors ?

— Pourquoi as-tu l'air aussi pitoyable, dans ce cas ?

La question le piqua au vif.

— Je suis peut-être fatigué, c'est tout. Je ne sais pas.

Il le savait très bien. S'il se sentait aussi abattu, c'est parce qu'il n'arrivait pas à se résoudre à lui confier la cause d'un tel abattement, pour commencer. Sa répugnance à lui révéler toute l'étendue de son dépit à la pensée d'avoir été berné et l'intensité de son angoisse quant à ce qui avait pu se passer pendant sa période d'amnésie l'avaient relégué dans un terrible isolement.

Il secoua la tête comme pour faire taire les supplications de la meilleure partie de lui-même, cette petite voix intérieure qui l'implorait de dévoiler les faits à la femme qui l'aimait. Sa peur était si grande qu'elle faisait obstacle à la seule initiative capable de la dissiper.

CHAPITRE 57

Le plan

Si tendue qu'elle puisse être parfois, la relation de Gurney avec Madeleine avait toujours été le principal pilier de son équilibre. Cependant, cette relation dépendait d'une certaine ouverture dont il se sentait incapable pour l'instant.

Avec le désespoir d'un homme en train de se noyer, il se cramponna à son seul autre garde-fou, son statut de policier, et tenta de canaliser toutes ses énergies dans l'Élucidation de l'Affaire.

La prochaine étape la plus productive de ce processus, il en était convaincu, serait d'avoir une conversation avec Jordan Ballston. Il fallait qu'il se débrouille pour qu'elle ait lieu. Rebecca avait insisté sur le fait que la peur serait le facteur clé pour briser la carapace du riche psychopathe, et Gurney n'avait aucune raison de contester son point de vue. Pas plus qu'il n'avait de raison de nier sa mise en garde quant à la difficulté de la tâche qui l'attendait.

La peur.

Un sentiment dont il avait une connaissance intime, en la circonstance. Cela pourrait peut-être lui être utile. Qu'est-ce qui le terrifiait donc à ce point-là ? Il récupéra les trois textos alarmants qu'il avait reçus et les relut avec attention.

TANT DE PASSIONS ! TANT DE SECRETS ! DE SI MERVEILLEUSES PHOTOS !

VOUS PENSEZ À MES FILLES ? ELLES AUSSI PENSENT À VOUS.

VOUS ÊTES UN HOMME TELLEMENT INTÉRESSANT. J'AURAIS DÛ ME DOUTER QUE MES FILLES VOUS ADORERAIENT. C'ÉTAIT SI GENTIL À VOUS DE VENIR EN VILLE. LA PROCHAINE FOIS, CE SONT ELLES QUI VIENDRONT À VOUS. QUAND ? QUI PEUT LE DIRE ? ELLES TIENNENT À CE QUE CE SOIT UNE SURPRISE.

Ces mots faisaient naître une sensation intolérable de poids sur la poitrine.

Des menaces si virulentes, dissimulées derrière des platitudes.

Tellement peu précises, et pourtant si malveillantes.

Si peu précises. Oui, c'était ça. L'explication de la force émotionnelle propre à Harold Pinter selon son professeur d'anglais préféré lui revint en mémoire : *Les périls qui provoquent la pire terreur en nous ne sont pas ceux qui ont été énoncés, mais ceux que nos imaginations font surgir. Ce ne sont pas tant les divagations interminables d'un homme en colère qui nous glacent jusqu'à la moelle que la menace contenue dans une voix placide.*

La vérité intrinsèque de ce commentaire l'avait frappé sur le moment, et l'expérience n'avait fait que la confirmer au fil des ans, si bien que Gurney ne l'avait jamais oubliée. Ce que nous sommes capables d'imaginer est toujours pire que ce que la réalité nous met sous les yeux. Notre plus grande terreur est, de loin, ce que nous nous représentons tapi dans le noir.

Le meilleur moyen de faire paniquer Ballson serait peut-être de lui donner l'occasion de se mettre lui-même dans cet état. Une attaque frontale serait repoussée par son armée de juristes. Gurney devait s'arranger pour franchir les fortifications par une porte dérobée.

La stratégie de défense de Ballston consistait à nier catégoriquement avoir connu Melanie Strum vivante ou morte, à laquelle il convenait d'ajouter sa version de rechange, savamment échafaudée, concernant l'accès que d'autres individus pouvaient avoir à son domicile, de façon à expliquer la présence du cadavre. Si l'on démontrait l'existence d'un lien plus ancien entre la fille et lui, sa défense tombait avec des conséquences dévastatrices. La chance aidant, la nature de ce lien expliquerait aussi de quelle façon les meurtres de Melanie Strum, Jillian Perry et Kiki Muller étaient reliés entre eux, ainsi qu'avec la disparition des autres ex-élèves de Mapleshade. Que ce soit le cas ou non, Gurney était convaincu qu'en découvrant comment Melanie s'était retrouvée dans le congélateur de Ballston, on ferait un pas de géant vers la résolution du problème. Et la pire crainte de Ballston devait être qu'on puisse mettre ce lien au jour.

Le problème était de savoir comment déclencher cette crainte – comment s'en servir pour accéder au psychisme de Ballston de manière à contourner le rempart de ses avocats. Y avait-il un individu, un lieu, une chose qu'il suffirait de mentionner pour ouvrir la porte ? Mapleshade ? Jillian Perry ? Kiki Muller ? Hector Flores ? Edward Vallory ? Alessandro ? Karnala Fashion ? Giotto Skard ?

Quelle que soit la difficulté de choisir le nom magique, le plus ardu serait de gérer le dialogue qui s'ensuivrait – l'art pintérien d'insinuer sans en dire trop, de semer le trouble sans fournir de détails. Le défi consisterait à ouvrir la trappe dans laquelle Ballston pourrait imaginer le pire, l'estrade sur laquelle il grimperait pour se pendre.

Madeleine était allée se coucher. Gurney, parfaitement réveillé en revanche, arpentait la cuisine, l'esprit enflammé par les multiples possibilités, l'évaluation des risques, la logistique. Il réduisit la liste de ses noms sésames aux trois qu'il estimait les plus prometteurs : Mapleshade, Flores et Karnala.

Il opta pour placer Karnala en tête, à un millimètre près. Parce que toutes les filles de l'école ayant disparu avaient figuré dans les publicités quasi pornographiques de Karnala Fashion, parce que l'entreprise ne semblait pas opérer dans le secteur qu'elle revendiquait, parce qu'elle était associée aux Skard et que ces derniers avaient la réputation de tremper dans des activités criminelles liées au sexe, dont le meurtre de Melanie Strum faisait partie. De fait, le facteur Edward Vallory et la politique d'admission de Mapleshade suggéraient que tout ce qui avait trait à l'affaire jusqu'à présent relevait d'une manière ou d'une autre du délit sexuel, ou était la conséquence d'un tel acte.

Gurney se rendait bien compte que l'enchaînement logique remontant à Karnala était loin d'être parfait, mais exiger une logique parfaite, si séduisante que soit cette perspective, menait non pas à des solutions mais à la paralysie. Il avait appris que la question cruciale, dans le travail de la police comme dans la vie, n'était pas : « Suis-je *absolument sûr* de ce que je crois ? », mais : « Suis-je *suffisamment sûr* pour agir selon cette croyance ? »

La réponse était oui, en l'occurrence. Il était prêt à parier que l'évocation de Karnala déstabiliserait Jordan Ballston. D'après la vieille pendule sur la desserte, il était dix heures légèrement passées quand il téléphona au commissariat de Palm Beach pour obtenir le numéro sur liste rouge de Ballston.

Aucun des hommes affectés à l'affaire Strum n'était de garde ce soir-là, mais le sergent en faction accepta de lui donner le numéro de portable de Darryl Becker.

Étonnamment, ce dernier décrocha à la première sonnerie.

Gurney lui expliqua l'objet de son appel.

— Ballston ne parlera à personne, répondit Becker avec irritation. Toute communication transite par Markham, Mull & Sternberg, son principal cabinet d'avocats. Je pensais m'être fait clairement comprendre.

— J'ai peut-être un moyen de le convaincre.

— Comment ça ?

— En jetant une bombe par sa fenêtre.

— Quel genre de bombe ?

— De celles dont il aura envie de me parler.

— Est-ce une sorte de jeu, Gurney ? La journée a été longue. J'aimerais que vous soyez un peu plus précis.

— Vous en êtes sûr ?

Becker ne répondit pas tout de suite.

— Écoutez, enchaîna Gurney, si je parviens à faire perdre les pédales à ce salopard, tout le monde sortira gagnant. Et dans le pire des cas, on se retrouvera au point de départ. Tout ce que je vous demande, c'est un numéro de téléphone, pas une autorisation officielle pour faire ceci ou cela, de sorte que, s'il y a des répercussions, ce dont je doute, vous n'en ferez pas les frais. D'ailleurs, j'ai déjà oublié d'où je tenais ce numéro.

Il y eut encore un bref silence, suivi de quelques clics sur un clavier numérique, puis la voix de Becker lisant un numéro commençant par l'indicatif de Palm Beach se fit à nouveau entendre. Après quoi la ligne fut coupée.

Gurney passa les quelques minutes suivantes à visualiser puis à se glisser dans la peau du personnage clandestin, à facettes multiples, qu'il évoquait lors de ses conférences à l'école de police – un homme glacial, reptilien, se dissimulant sous un vernis de bonnes manières.

Une fois satisfait du ton et de l'attitude à adopter, il bloqua le numéro d'appelant sur son téléphone et composa le numéro à Palm Beach. Il fut orienté immédiatement sur une boîte vocale.

Une voix cassée, impérieuse, annonça : *Ici, Jordan. Si vous souhaitez recevoir une réponse, laissez un message détaillé concernant le motif de votre appel, s'il vous plaît.*

Il avait réussi à imprégner le « s'il vous plaît » d'une condescendance grinçante qui contredisait le sens habituel de cette formule.

Gurney s'exprima à dessein avec une certaine maladresse, comme si les subtilités de la courtoisie lui faisaient l'effet d'une danse étrange et compliquée. À quoi il ajouta une pointe d'accent du sud de l'Europe.

— Le motif de mon appel est votre relation avec Karnala Fashion, dont j'ai besoin de vous parler le plus rapidement possible. Je me propose de vous rappeler dans une demi-heure environ. Soyez disponible pour me répondre, et je vous expliquerai la situation… plus en détail… cette fois.

Il se fondait sur trois hypothèses substantielles : que Ballston était chez lui, comme le stipulait son assignation à résidence, qu'un homme dans sa position précaire filtrait ses appels et vérifiait ses messages de façon obsessionnelle, et que la manière dont il choisirait de traiter le coup de fil promis trente minutes plus tard révélerait la nature de son implication avec Karnala.

Une hypothèse, c'était déjà risqué. Trois, de la folie pure !

CHAPITRE 58

Passage à l'acte

Gurney rappela à dix heures cinquante-huit. On décrocha au bout de la troisième sonnerie.

— Jordan à l'appareil.

La voix en direct semblait rigide, plus âgée que celle du message d'accueil.

Gurney sourit. Karnala était effectivement le mot magique, semblait-il. Le fait d'avoir fait mouche du premier coup lui provoqua une montée d'adrénaline. Il avait le sentiment d'avoir gagné l'accès à un tournoi de haut vol dont la difficulté consistait à déduire les règles du jeu d'après le comportement de son rival. Il ferma les yeux et se glissa dans la peau de son personnage reptilien cherchant à se faire passer pour inoffensif.

— Bonsoir, Jordan. Comment allez-vous ce soir ?

— Ça va.

Gurney ne dit rien.

— De… de quoi s'agit-il ?

— À votre avis ?

— Comment ? Qui êtes-vous ?

— Je suis officier de police, Jordan.

— Je n'ai rien à dire à la police. Ce qui a été clairement établi par…

Gurney l'interrompit.

— Pas même à propos de Karnala ?

Il y eut un temps d'arrêt.

— Je ne vois pas de quoi vous voulez parler.

Gurney soupira, émit un petit bruit agacé en aspirant entre ses dents.

— Je ne vois pas du tout de quoi vous voulez parler, répéta Ballston.

Si c'était le cas, pensa Gurney, il aurait déjà raccroché, ou il n'aurait pas pris la peine de rappeler.

— Écoutez, Jordan, si vous disposez d'informations que vous êtes prêt à partager, on pourrait peut-être s'arranger pour que le vent tourne à votre avantage.

Ballston hésita.

— Bon… euh, si vous me donniez votre nom ?

— Ce n'est pas une bonne idée.

— Pardon ? Je n'ai…

— Voyez-vous, Jordan, il s'agit d'une enquête préliminaire pour le moment. Vous comprenez ce que je veux dire ?

— Je n'en suis pas sûr.

Gurney poussa un nouveau soupir, comme si le simple fait de parler était un fardeau.

— Aucune proposition formelle ne saurait être faite sans certaines indications tendant à prouver qu'elle sera prise sérieusement en considération. Une volonté de fournir des renseignements utiles à propos de Karnala Fashion pourrait donner lieu à une approche très différente des poursuites engagées contre vous, mais, avant d'aborder ces possibilités, il faudrait que nous ayons le sentiment d'une coopération de votre part. Vous saisissez, j'en suis sûr.

— Pas du tout, répliqua Ballston d'une voix crispée.

— Non ?

— Je ne sais absolument pas à quoi vous faites allusion. Je n'ai jamais entendu parler de Caramel Fashion, ou je ne sais quoi. Il m'est donc impossible de vous renseigner à ce sujet.

Gurney émit un petit rire.

— Très bien, Jordan. Vous vous en tirez très bien.

— Je suis sérieux. J'ignore tout de cette société, de cette marque, ou quoi que ce soit.

— C'est bon à savoir, répondit Gurney, laissant un aperçu de sa froideur reptilienne transparaître dans sa voix. Bon pour vous. Bon pour tout le monde.

L'aperçu en question eut apparemment un effet remarquable. Ballston n'ouvrit plus la bouche.

— Vous êtes toujours là, Jordan ?

— Oui.

— Nous pouvons donc écarter cet élément, exact ?

— Élément ?

— De la situation. Mais nous avons d'autres sujets à aborder.

Un autre silence s'ensuivit.

— Vous n'êtes pas vraiment flic, n'est-ce pas ?

— Bien sûr que si. Pourquoi prétendrais-je le contraire ?

— Qui êtes-vous véritablement, et que me voulez-vous ?

— Je souhaiterais venir vous voir.

— Me voir ?

— Je n'aime pas beaucoup le téléphone.

— Je ne comprends pas ce que vous voulez.

— Juste avoir une petite conversation avec vous.

— À quel sujet ?

— Assez déconné. Vous êtes un type intelligent. Cessez de me prendre pour un imbécile.

Une fois de plus, sa réaction réduisit Ballston au silence. Gurney crut percevoir un tremblement dans la respiration de celui-ci. Quand l'homme reprit la parole, sa voix n'était plus qu'un chuchotement craintif.

— Écoutez, je ne sais pas au juste qui vous êtes, mais la situation est… sous contrôle.

— Tant mieux. Tout le monde sera content de l'entendre.

— Je vous assure. Vraiment. Tout… est… sous contrôle.

— Vous m'en voyez ravi.

— Alors quoi d'autre…

— Un petit entretien. Face à face. Nous voulons juste être sûrs.

— Sûrs ? Mais pourquoi ? Je veux dire…

— Je viens de vous le dire, Jordan… *Je n'aime pas ce foutu téléphone !*

Nouveau silence. Cette fois-ci, Ballston donnait l'impression de ne plus respirer du tout.

Gurney reprit sur un ton d'un calme velouté.

— Bon. Pas d'inquiétude. Voilà ce qu'on va faire. Je monterai jusque chez vous. Nous discuterons un petit moment. C'est tout. Vous voyez ? Pas de problème. C'est facile.

— Quand voulez-vous venir ?

— Dans une demi-heure. Ça vous irait ?

— Ce soir ?

La voix de Ballston était sur le point de se briser.

— Oui, Jordan. Ce soir. Dans une demi-heure, je ne vois pas ce que ça peut vouloir dire d'autre !

Dans le silence de son interlocuteur, Gurney crut percevoir cette fois-ci de la terreur pure. Le moment idéal pour clore la discussion. Il raccrocha et posa le téléphone au bout de la grande table.

Madeleine se tenait sur le seuil de la cuisine, dans la pénombre, à l'extrémité de la table. Le haut et le bas de son pyjama étaient dépareillés.

— Que se passe-t-il ? demanda-t-elle en clignant des yeux, tout ensommeillée.

— Je crois que nous avons une touche.

— Nous ?

Il reformula sa phrase, non sans une certaine irritation.

— Le poisson de Palm Beach semble avoir mordu à l'hameçon, pour le moment en tout cas.

Elle hocha la tête d'un air pensif.

— Et maintenant ?…

— On le remonte. C'est la seule chose à faire.

— Avec qui as-tu rendez-vous alors ?

— Rendez-vous ?

— Dans une demi-heure.

— Tu m'as entendu dire ça ? Je n'ai pas l'intention de rencontrer qui que ce soit dans une demi-heure. Je voulais donncr à M. Ballston l'impression que je me trouvais dans les parages. Histoire de lui flanquer encore un peu plus le trac. J'ai aussi précisé que j'allais *monter* le voir, pour suggérer que je pouvais venir du lac Worth ou de South Palm.

— Que va-t-il se passer quand il ne te verra pas arriver ?

— Il s'inquiétera. Il aura du mal à dormir.

Madeleine paraissait sceptique.

— Et ensuite ?

— Je ne sais pas encore très bien.

Bien que ce ne fût que partiellement vrai, les antennes de Madeleine parurent détecter sa mauvaise foi.

— Tu as un plan ou pas ?

— Une sorte de plan.

Elle attendit sans le quitter des yeux.

Il ne voyait pas comment sortir de l'impasse dans laquelle il s'était fourré sinon en fonçant tête baissée.

— J'ai besoin de me rapprocher de lui. Il est évident qu'il existe un lien entre lui et Karnala Fashion, un lien dangereux, et ça lui fait peur. Il faut que j'en sache davantage à ce sujet – la nature précise de ce lien, les activités de l'entreprise, en quoi Karnala et Jordan Ballston sont associés aux autres éléments de l'affaire. Impossible d'arriver à mes fins par téléphone. J'ai besoin de voir ses yeux, de déchiffrer ses expressions, d'analyser son langage corporel. Il faut aussi que je profite du moment, pendant que le salopard se tortille au bout du crochet. Pour l'instant, sa peur joue en ma faveur, mais ça ne va pas durer.

— Donc, tu pars pour la Floride ?

— Pas ce soir. Peut-être demain.

— *Peut-être* demain.

— Très probablement.

— Mardi.

— C'est ça. (Il se demanda s'il avait oublié quelque chose.) Avons-nous d'autres engagements ?

— Qu'est-ce que ça change ?

— Dis-moi.

— Je répète, qu'est-ce que ça change ?

Une question si simple, et pourtant si étrangement difficile. Peut-être parce qu'aux oreilles de Gurney, elle se substituait à des interrogations plus vastes qui ne semblaient jamais loin de l'esprit de Madeleine ces temps-ci : *Ce que nous projetons de faire ensemble changera-t-il jamais quoi que ce soit ? Un épisode de notre vie commune comptera-t-il un jour davantage que la prochaine étape de l'enquête en cours ? Notre couple l'emportera-t-il jamais sur ton métier de policier ? Poursuivre ce que tu poursuis sera-t-il toujours au centre de ton existence ?*

Mais peut-être extrapolait-il à partir d'une remarque hargneuse, fruit d'une humeur passagère en pleine nuit.

— Écoute, dis-moi si je suis censé faire quelque chose demain qui me serait sorti de la tête, dit-il, un accent de sincérité dans la voix, et je te dirai si ça change quelque chose.

— Tu es si conciliant, répondit-elle d'un ton moqueur. Je retourne me coucher.

Pendant un certain temps après qu'elle fut partie, ses priorités formèrent un véritable embrouillamini. Il gagna le coin sombre de la pièce, le petit salon entre la cheminée en pierre et le four à bois. L'air sentait le froid, les cendres. Mal à l'aise, privé d'amarres, il se laissa tomber dans un fauteuil en cuir. Un homme sans port d'attache.

Il s'endormit.

Il se réveilla à deux heures du matin. S'extirpa du fauteuil, s'étira les bras, le dos pour délier les nœuds.

Ses pensées avaient repris leurs cours et semblaient avoir dissipé les doutes qu'il avait pu nourrir sur ses projets de la journée. Il sortit sa carte de crédit de son portefeuille, s'approcha de l'ordinateur du bureau et tapa dans la barre de recherche : « *Vols d'Albany NY à Palm Beach FL.* »

Pendant que ses billets électroniques aller-retour s'imprimaient, ainsi qu'un guide touristique de Palm Beach, il alla prendre une douche. Quarante-cinq minutes plus tard, après avoir griffonné un petit mot à l'intention de Madeleine promettant d'être de retour le soir même vers dix-neuf heures, il était en route pour l'aéroport, avec pour seul bagage son portefeuille, son portable et ses billets d'avion.

Durant le trajet d'une centaine de kilomètres sur la I-88, il passa quatre coups de fil. Le premier à une compagnie de location de voitures de luxe ouverte vingt-quatre heures sur vingt-quatre, afin que le véhicule l'attende à l'aéroport. Le suivant à Val Perry, parce qu'il s'apprêtait à dépenser son argent en vue d'achats coûteux, mais indispensables. Il tenait à ce que ce soit consigné, ne serait-ce que sur sa boîte vocale aux petites heures du matin.

Son troisième appel, à quatre heures vingt, fut pour Darryl Becker. Étonnamment, non seulement il décrocha, mais il semblait parfaitement réveillé – autant qu'un homme à l'accent du Sud pouvait en avoir l'air aux oreilles de quelqu'un du Nord.

— Je m'apprêtais à aller à la salle de gym, dit-il. Que se passe-t-il ?

— J'ai de bonnes nouvelles à vous annoncer, et j'ai besoin d'un grand service.

— Bonnes comment ? Grand comment ?

— J'ai tenté ma chance avec Ballston au téléphone et j'ai fait mouche. Je suis en route pour lui rendre visite, histoire de voir ce qui se passe si je continue à le titiller.

— Il ne parle pas aux flics. Qu'est-ce que vous avez bien pu lui raconter pour arriver à le convaincre ?

— C'est une longue histoire, mais il va craquer, le salopard.

Gurney n'était pas aussi sûr de lui qu'il le laissait paraître.

— Chapeau. De quel service s'agit-il ?

— Il me faut quelques malabars à la mine patibulaire pour rester près de ma voiture pendant que je serai chez Ballston.

Becker semblait perplexe.

— Vous avez peur qu'on vous la pique ?

— J'ai besoin de produire une certaine impression.

— À quel moment, cette impression ?

— Aux environs de midi, aujourd'hui. À propos, le tarif est on ne peut plus correct. Ils auront droit à cinq cents dollars par tête de pipe pour une heure de travail.

— Rien qu'en restant planté à côté de votre voiture ?

— Et avoir l'air de brutes épaisses.

— À cinq cents dollars de l'heure, je dois pouvoir vous trouver ça. Vous n'aurez qu'à passer les chercher à mon gymnase dans West Palm. Je vais vous donner l'adresse.

CHAPITRE 59

Infiltration

L'avion de Gurney décolla de l'aéroport d'Albany à l'heure, soit cinq heures cinq. Il prit une correspondance à Washington, DC, qu'il eut de justesse, et se posa à l'aéroport international de Palm Beach à neuf heures cinquante-cinq.

Dans la zone du terminal réservée à la récupération des voitures de location, parmi la douzaine de chauffeurs en livrée attendant des passagers nantis, fraîchement débarqués, l'un d'eux brandissait une pancarte portant son nom.

C'était un jeune Latino aux pommettes saillantes, aux cheveux noirs comme de l'encre de seiche, arborant un diamant à une oreille. De prime abord, il parut quelque peu déconcerté, voire agacé par l'absence de bagage de son client – jusqu'à ce que Gurney lui communique l'adresse de leur première halte : le Giacomo Emporium. Il s'anima alors, se disant sans doute qu'un homme qui voyageait léger par commodité pour aller s'achalander ensuite au Giacomo, risquait d'avoir le pourboire facile.

— La voiture est juste là dehors, monsieur, dit-il avec un accent que Gurney situa quelque part en Amérique centrale. Elle est très bien.

Une porte à tambour électrique les propulsa de l'atmosphère climatisée, commune aux terminaux d'aéroport dans un bain de vapeur tropical, rappelant à Gurney que le mois de septembre dans le sud de la Floride n'avait rien d'automnal.

— Par ici, monsieur, indiqua le chauffeur dont le sourire révéla des dents curieusement abîmées pour un homme jeune. C'est la première.

Comme Gurney l'avait spécifié lors de son coup de fil avant l'aube, il s'agissait d'une Mercedes S600, le genre de conduite intérieure coûtant des dizaines de milliers de dollars qu'on ne risquait pas de croiser plus d'une fois par an à Walnut Crossing. À Palm Beach, elles étaient aussi communes que les paires de lunettes de soleil à cinq cents dollars. Gurney se glissa sur la banquette arrière – un cocon tranquille, déshumidifié, constitué de cuir, de moquette et de vitres teintées d'une égale douceur.

Le chauffeur ferma la portière derrière lui, s'installa au volant, et ils s'engagèrent sans bruit dans le flot de taxis et de navettes.

— Ça vous va, la température ?

— Parfait.

— Vous voulez de la musique ?

— Non merci.

L'homme renifla, toussa et ralentit avant de franchir au pas une flaque grosse comme une mare.

— Il a plu comme c'est pas possible.

Gurney ne répondit pas. Il n'avait jamais été enclin à bavarder avec des étrangers, c'était dans le silence qu'il se sentait le plus à l'aise. Ils n'échangèrent plus un mot jusqu'à ce que la voiture s'arrête à l'entrée du petit centre commercial ultrachic abritant le Giacomo Emporium.

Le chauffeur lui jeta un coup d'œil dans le rétroviseur.

— Avez-vous une idée du temps que vous comptez y passer ?

— Pas longtemps, répondit-il. Un quart d'heure tout au plus.

— Alors, je vais rester ici. Si jamais les flics me chassent, je ferai le tour.

Il décrivit une forme orbitale avec l'index pour illustrer son intention.

— Je tournerai en rond jusqu'à ce que vous soyez de retour. D'accord ?

— Entendu.

Le choc de replonger dans l'atmosphère moite et torride fut renforcé par l'impact visuel de l'éclat puissant du soleil de Floride après l'éclairage tamisé de la voiture. Le centre commercial s'ornait de palmiers, de fougères et de lis en pots. Des effluves de fleurs bouillies flottaient dans l'air.

Gurney se précipita dans le magasin, qui sentait plus l'argent que les fleurs. Les clientes, des blondes de la trentaine à la soixantaine, déambulaient parmi les enfilades de vêtements et d'accessoires méticuleusement rangés. Les vendeurs, de jeunes anorexiques d'une vingtaine d'années, des deux sexes, faisaient semblait-il de leur mieux pour ressembler aux modèles tout aussi anorexiques des publicités Giacomo.

L'empressement de Gurney à fuir cet environnement chic fit qu'il se retrouva dans la rue dix minutes plus tard. Jamais il n'avait dépensé une telle somme pour si peu : 1 879,42 dollars pour un jean, une paire de mocassins, un polo, et des lunettes de soleil – choisis avec l'aide d'un jeune homme élancé affichant la lassitude branchée d'une victime récente d'un vampire.

Dans la cabine d'essayage, il avait enlevé son jean élimé, son tee-shirt, ses chaussettes et ses baskets afin d'enfiler la tenue hors de prix qu'il venait d'acheter. Il ôta les étiquettes, qu'il remit au vendeur avec ses oripeaux en le priant de les emballer dans un sac Giacomo.

C'est alors que le jeune homme le gratifia du premier pâle sourire qu'il ait vu depuis qu'il était entré dans le magasin.

— Vous me faites penser à un Transformer, remarqua-t-il, faisant vraisemblablement référence au jouet populaire se métamorphosant en un clin d'œil.

La Mercedes l'attendait. Après avoir consulté le guide touristique qu'il avait imprimé, Gurney indiqua au chauffeur une nouvelle adresse, à moins d'un kilomètre de là.

Nails Delicato était une boutique minuscule où s'activaient quatre manucures aux coiffures extravagantes, vacillant au bord de la fragile barrière qui sépare les mannequins haute couture des prostituées de luxe. Personne ne parut s'apercevoir ni se soucier du fait que Gurney fût l'unique client de sexe masculin. La jeune femme chargée de s'occuper de lui avait l'air de dormir à moitié. À part se confondre en excuses pour avoir bâillé pendant qu'elle lui faisait les ongles, elle ne pipa mot jusqu'à la dernière étape de l'opération qui consistait à appliquer une couche de vernis transparent.

— Vous avez de jolies mains, observa-t-elle. Vous devriez en prendre soin.

Elle avait une voix à la fois jeune et lasse qui semblait faire écho à la tristesse glacée de son regard.

Au moment de régler la note, il acheta un petit tube de gel pris parmi l'échantillonnage de crèmes et de cosmétiques en vente sur le comptoir. Il le déboucha, en étala un peu sur ses paumes et s'en enduisit les cheveux dans le but de se donner ce look faussement négligé tellement en vogue.

— Qu'en pensez-vous ? demanda-t-il à la jeune beauté absente chargée de récolter l'argent.

La question capta son attention dans des proportions qui le laissèrent pantois. Elle cilla à plusieurs reprises comme s'il l'avait arrachée à un rêve, fit le tour du comptoir et étudia son crâne sous divers angles.

— Puis-je… ? demanda-t-elle.

— Je vous en prie.

Elle glissa les doigts dans sa chevelure avec de rapides zigzags, flanqua des pichenettes çà et là, tira sur quelques mèches pour les hérisser. Au bout d'une ou deux minutes, elle se recula, les yeux brillants de plaisir.

— Voilà, dit-elle. Ça, c'est votre vrai moi !

Il éclata de rire, ce qui parut la troubler. Toujours hilare, il lui prit la main et, sous le coup d'une impulsion, y posa les lèvres sans raison apparente – ce qui ne fit que la troubler davantage, mais plus agréablement. Puis il se jeta à nouveau dans le bain de vapeur avant de remonter dans la Mercedes. Cette fois-ci, il donna au chauffeur l'adresse du gymnase de Darryl Becker.

— Nous devons aller chercher quelques personnes à West Palm, lui expliqua-t-il. Ensuite, nous rendrons visite à quelqu'un dans South Ocean Boulevard.

CHAPITRE 60

Danse avec le diable

Comme l'aurait rapidement compris toute personne ayant assisté à l'une de ses conférences à l'école de police, l'approche du travail d'agent infiltré propre à Gurney était plus subtile que celle du policier lambda. Il ne s'agissait pas seulement d'endosser les manières, le comportement et les antécédents d'une identité d'emprunt. C'était plus tortueux que ça, et de ce fait plus difficile à gérer. Sa méthode à « strates multiples » nécessitait la création d'un personnage complexe que la cible devait percer à jour, d'un code qu'elle devait déchiffrer, d'un cheminement qu'elle devait suivre pour en arriver à croire ce que Gurney désirait qu'elle croie.

La situation à Palm Beach présentait une difficulté supplémentaire. Dans les cas précédents, il avait toujours su précisément à quelle ultime conclusion il voulait que sa cible aboutisse. Pas cette fois-ci, pour la bonne raison que l'identité adéquate dépendait de la nature exacte des opérations de Karnala, et du lien que Ballston entretenait avec la firme – pour l'heure, deux inconnues. En conséquence, il devait avancer à tâtons, tout en sachant qu'un faux pas pouvait lui être fatal.

Au moment où la voiture tournait dans South Ocean Boulevard, à quelques kilomètres du domicile de Ballston, Gurney commença à prendre conscience de la difficulté absurde de ce qu'il s'apprêtait à faire. Il était sur le point de pénétrer dans la demeure d'un criminel sexuel psychopathe. Sans arme. Sa seule défense, et son unique chance de succès, résidait dans l'élaboration d'un personnage qu'il allait devoir inventer au fur et à mesure en s'adaptant au mieux aux infimes réactions de Ballston, minute par minute. C'était un défi digne d'*Alice au pays des merveilles*. Un homme sain d'esprit aurait probablement fait demi-tour. Un homme sain d'esprit ayant femme et enfant aurait certainement fait demi-tour.

Il se rendit compte qu'il allait trop vite en besogne, que l'adrénaline lui dictait ses décisions. Une erreur qui pouvait aisément en engendrer d'autres. Pire, elle le privait de son principal atout. Ce n'était pas par la qualité de son adrénaline, mais par sa capacité d'analyse qu'il excellait. Il fallait qu'il *réfléchisse*. Il se posa la question de savoir ce dont il était sûr, et s'il disposait de quoi que ce soit ressemblant à une base solide pour sa conversation avec Ballston.

L'homme avait peur, et cette frayeur était liée à Karnala Fashion. Selon toute vraisemblance, la société était aux mains de la famille Skard – qui se livrait à un proxénétisme haut de gamme, entre autres activités peu recommandables. Il apparaissait aussi qu'on avait envoyé Melanie Strum à Ballston afin de satisfaire ses appétits sexuels. De là à en conclure que Karnala était impliqué dans l'affaire, il n'y avait qu'un pas. S'il était possible de dénicher un lien entre Karnala, Melanie et Ballston, l'inculpation de ce dernier ne ferait plus aucun doute. Cela pouvait expliquer ses craintes. Sauf que… Gurney avait eu l'impression que, ce qui l'avait effrayé, ce n'était pas seulement la mention du nom de Karnala, et donc la possibilité que Gurney soit au courant d'un lien, mais Karnala en tant que tel.

Et comment interpréter l'étrange insistance avec laquelle Ballston avait affirmé que tout était « sous contrôle » ? Cela n'avait aucun sens s'il pensait que son interlocuteur était bel et bien policier. En revanche, cela se comprenait s'il avait cru avoir affaire à un représentant de Karnala ou d'une autre organisation dangereuse avec laquelle il était en rapport.

Telle était la logique justifiant la présence dans la voiture des deux armoires à glace au visage de granit qu'il venait de prendre devant le gymnase de Darryl Becker. Après s'être vaguement identifiés sous les prénoms de Dan et de Frank et avoir informé Gurney que Becker les avait mis au parfum et qu'ils connaissaient la chanson, ils n'avaient plus ouvert la bouche. Ils avaient des allures de défenseurs d'une équipe de football carcérale pour lesquels les contacts se limitaient à percuter quelque chose de plein fouet, de préférence une autre personne.

Alors que la Mercedes s'arrêtait en douceur devant chez Ballston, Gurney se rendit compte avec effroi que ses hypothèses étaient trop aléatoires pour justifier l'initiative qu'il était en train de prendre. Néanmoins, c'est tout ce qu'il avait à sa disposition. Et il fallait bien qu'il fasse quelque chose.

À sa demande, les deux malabars sortirent de la voiture. L'un d'eux lui ouvrit la portière. Gurney jeta un coup d'œil à sa montre. Il était midi moins le quart. Il chaussa ses lunettes de soleil Giacomo et mit pied à terre devant un portail en fer forgé ouvragé donnant sur une allée de gravier jaune. Ce portail était l'unique ouverture dans l'imposant mur en pierre entourant sur trois côtés la propriété en front de mer. Comme ses voisines le long de cette prestigieuse bande de littoral, elle avait été convertie, à grand renfort de terreau et de paillis, d'un banc de sable couvert d'herbes sauvages et de palmiers nains en un luxuriant jardin botanique agrémenté de frangipaniers, d'hibiscus, de lauriers-roses, de magnolias et de gardénias.

Pour Gurney, elle avait l'odeur d'une allée de cimetière.

Tandis que ses deux anges gardiens faisaient le pied de grue près de la voiture, exhalant une violence à peine contenue, Gurney s'approcha de l'interphone niché dans le pilastre à côté du portail. En plus de la caméra intégrée, deux autres caméras de surveillance étaient fixées sur des mâts de part et d'autre de l'allée – à des angles se croisant de manière à couvrir les abords extérieurs du portail ainsi qu'un large segment du boulevard adjacent. On pouvait également surveiller le portail depuis au moins une des fenêtres du second étage de la bâtisse de style hispanique se dressant au bout de l'allée. Dans un environnement aussi verdoyant et fleuri, le fait qu'il n'y eût pas une feuille ni un pétale à terre en disait long sur la nature obsessionnelle du propriétaire des lieux.

Lorsque Gurney pressa le bouton de l'interphone, la réaction fut immédiate, le ton d'une courtoisie mécanique.

— *Bonjour. Merci de vous identifier en précisant l'objet de votre démarche.*

— Dites à Jordan que je suis là.

Une courte pause s'ensuivit.

— *Merci de vous identifier en précisant l'objet de votre démarche.*

Gurney sourit, puis effaça le sourire de son visage.

— Contentez-vous de lui dire que je suis là.

Nouveau silence.

— J'ai besoin de donner un nom à M. Ballston.

— Bien sûr, répondit Gurney en souriant à nouveau.

Conscient d'être à une croisée des chemins, il passa en revue ses différentes options et choisit celle qui lui offrait la meilleure gratification, avec un risque maximum.

Son sourire se dissipa à nouveau.

— Je m'appelle Va-Te-Faire-Foutre.

Il ne se passa rien pendant quelques secondes. Puis un petit déclic métallique se fit entendre avant que le portail s'ouvre lentement, sans bruit.

Dans le feu des préparatifs, Gurney avait oublié une chose : chercher des photos de Ballston sur Internet. Toutefois, lorsque la porte de la demeure s'ouvrit à son approche, il n'eut aucun doute sur l'identité de l'homme venu l'accueillir.

Son apparence répondait à l'idée que l'on pouvait se faire d'un milliardaire décadent et corrompu. Sa coupe de cheveux, son teint, ses vêtements avaient quelque chose d'apprêté. Un pli dédaigneux incurvait sa bouche comme si le monde dans son ensemble se situait nettement en deçà de ses normes. Une lueur de cruauté suffisante brillait dans ses yeux. Gurney eut aussi l'impression qu'il reniflait à intervalles réguliers, ce qui laissait supposer qu'il sniffait de la coke. Il était on ne peut plus clair que, pour Jordan Ballston, rien au monde ne comptait davantage que d'arriver à ses fins, dans les délais les plus brefs, quoi qu'il en coûte aux autres.

Il considéra Gurney avec une anxiété mal dissimulée. Renifla.

— Je ne comprends pas ce qui vous amène.

Son regard se porta derrière son visiteur vers la Mercedes, sous bonne garde, ses yeux s'écarquillant une fraction de seconde.

Gurney haussa les épaules, sourit comme s'il dégainait un couteau.

— Vous souhaitez que nous parlions ici, dehors ?

Apparemment, Ballston perçut une menace dans la question. Il cilla, secoua nerveusement la tête.

— Entrez.

— Joli gravier, commenta Gurney en pénétrant gaillardement dans la maison devant son hôte.

— Comment ?

— Les petits cailloux jaunes. Dans votre allée. Charmant.

— Oh ! fit Ballston en hochant la tête, perplexe.

Gurney se planta au milieu du grand hall, prenant l'œil perçant d'un expert lors d'une saisie. Sur le mur principal face à lui, entre les bras arrondis d'un double escalier, trônait un gigantesque tableau représentant une chaise longue – qu'il reconnut pour l'avoir vu lors du cours d'histoire de l'art donné par Sonya Reynolds qu'il avait suivi un an et demi plus tôt avec Madeleine. Ce fameux cours à l'origine de son fatidique hobby.

— Ça me plaît beaucoup, annonça-t-il en désignant la toile comme si sa remarque était une forme de bénédiction qui éviterait au tableau d'atterrir à la poubelle.

Ballston parut vaguement soulagé par cette approbation, mais pas moins perplexe.

— Le type est une tantouze, précisa Gurney, mais ses merdes valent un paquet de fric.

Ballston fit une désastreuse tentative pour sourire. Il se racla la gorge sans trouver quoi que ce soit à dire pour autant.

Se tournant vers lui, Gurney remonta ses lunettes sur l'arête de son nez.

— Alors, Jordan, vous collectionnez beaucoup d'art pédé ?

Ballston avala sa salive, renifla, frissonna.

— Pas vraiment.

— Pas vraiment ? C'est très intéressant. Bon, où pouvons-nous nous asseoir pour discuter un peu ?

Au fil des interrogatoires, Gurney en était venu à mesurer l'effet déstabilisant des propos sans queue ni tête.

— Euh…

Ballston regarda autour de lui comme s'il était en visite chez quelqu'un d'autre.

— Par là ? (Il tendit un bras prudent vers une voûte donnant sur un élégant salon meublé d'antiquités.) On pourrait s'installer là.

— Où ça vous convient, Jordan. On va juste s'asseoir, tailler une petite bavette. Détendez-vous.

D'une démarche raide, Ballston le précéda jusqu'à une paire de bergères tapissées de brocart blanc, de part et d'autre d'une table de jeu baroque.

— Ici ?

— Parfait. Très jolie table.

Son expression contredisait le compliment. Il s'assit et regarda son hôte en faire autant.

L'homme croisa gauchement les jambes, hésita, les décroisa, renifla.

Gurney sourit.

— La coke vous tient par les couilles, hein ?

— Pardon ?

— Ce n'est pas mon problème.

Un long silence s'ensuivit.

Ballston s'éclaircit la voix. Il avait la gorge sèche apparemment.

— Alors, euh… au téléphone, vous avez dit que vous étiez flic ?

— Effectivement. C'est ce que j'ai dit. Vous avez une bonne mémoire. Très important d'avoir une bonne mémoire.

— Cela ne fait pas vraiment l'effet d'une voiture de flic là-dehors.

— Bien sûr que non. J'opère incognito, vous voyez ? Pour tout vous dire, je suis à la retraite.

— Vous avez toujours des gardes du corps avec vous ?

— Des corps du corps ? Comment ça ? Pourquoi aurais-je besoin de gardes du corps ? Des amis m'ont accompagné, c'est tout.

— Des amis ?

— Ouais. Des amis.

Gurney s'adossa, s'étirant le cou dans un sens, puis dans l'autre, tout en laissant son regard errer dans la pièce. Une pièce qui aurait pu faire la couverture d'*Architectural Digest*. Il attendit que Ballston reprenne la parole.

— Y a-t-il un problème particulier ? finit par demander à voix basse celui-ci.

— C'est à vous de me le dire.

— Quelque chose a bien dû vous inciter à venir… Un souci concret.

— Vous subissez beaucoup de pressions. De stress, j'entends.

Les traits de Ballston se crispèrent.

— Je suis capable de gérer.

Gurney haussa les épaules.

— Le stress est une chose terrible. Les gens deviennent… imprévisibles.

La rigidité de l'expression de Ballston se propagea à son corps.

— Je peux vous assurer que la situation ici sera résolue.

— Il y a des tas de façons de résoudre les choses.

— Je vous garantis qu'elle le sera de manière positive.

— Positive pour qui ?

— Pour… tout le monde.

— Et si les intérêts de chacun n'allaient pas dans le même sens ?

— Ce ne sera pas un problème, je vous le promets.

— Je suis content de vous l'entendre dire.

Gurney posa un regard indolent sur le gros porc bichonné assis en face de lui, laissant filtrer juste assez de répugnance.

— Voyez-vous, Jordan, j'ai l'art de résoudre les problèmes. Seulement, j'en ai déjà suffisamment sur les bras. Je n'ai pas envie de les accumuler. Vous comprenez bien.

— Il n'y aura pas de… nouveaux… problèmes, fit Ballston d'une voix de plus en plus chevrotante.

— Comment pouvez-vous en être aussi sûr ?

— Ce qui s'est passé cette fois-ci avait une chance sur un million de se produire.

Cette fois-ci ! Seigneur Dieu, c'est ça ! Je le tiens, cet enfoiré ! Pour l'amour du ciel, Gurney, ne le montre pas. Relax. Du calme. Relax.

Il haussa les épaules.

— C'est comme ça que vous voyez les choses, hein ?

— Un putain de cambrioleur, nom d'un chien ! Un putain de cambrioleur, et il a fallu qu'il s'introduise chez moi, juste le mauvais soir, le soir où cette foutue gonzesse était dans ce putain de congélo !

— Une coïncidence, en quelque sorte ?

— Évidemment ! Qu'est-ce que vous voulez que ce soit d'autre ?

— Je n'en sais rien, Jordan. La seule fois que les choses sont allées de travers, hein ? La seule. Vous en êtes sûr ?

— Absolument.

Gurney se remit à s'étirer le cou en prenant tout son temps.

— Trop de fichues tensions dans ce business. Vous avez déjà essayé le yoga ?

— Quoi ?

— Vous vous souvenez de Maharishi ? Il a fait du bon boulot !

— Qui ça ?

— C'était avant votre époque. J'oublie à quel point vous êtes jeune. Alors, dites-moi, Jordan, comment sait-on que personne ne va surgir à l'improviste ?

Ballston cligna des paupières, renifla, ébaucha un sourire qui étira ses lèvres par à-coups.

— Ma question vous semble-t-elle bizarre ?

La respiration de Ballston se fit aussi saccadée que ses tics, tout son torse s'ébranla, et une succession de sons *staccato* s'échappèrent soudain de sa gorge.

Il riait. Un rire atroce.

Gurney attendit que cette crise bizarre se calme.

— Ça vous ennuierait de me dire ce qui vous amuse tant ?

— *Surgir !* s'exclama Ballston, avant de partir d'une nouvelle salve de ricanements dignes d'une mitrailleuse.

Gurney attendit encore, ne sachant que faire ni que dire. Il se rappela un précieux adage dont lui avait fait part un jour un collègue agent infiltré : *Dans l'incertitude, boucle-la.*

— Pardon, fit Ballston, je suis désolé. Mais je trouve l'image tellement drôle. *Surgir !* Deux corps sans tête surgissant du putain d'océan à mi-chemin des Bahamas ! Sapristi, quelle vision !

Mission accomplie ! Probablement. Peut-être. Reste dans la peau du personnage. Il faut continuer à être crédible. Patience. Vois où ça mène.

Gurney examina les ongles de sa main droite avant de frotter leur surface brillante contre son jean.

L'hilarité de Ballston finit par se dissiper.

— Vous m'assurez donc que tout est sous contrôle ? demanda Gurney sans cesser de s'astiquer les ongles.

— Totalement.

Gurney hocha lentement la tête.

— Dans ce cas, pourquoi suis-je toujours aussi inquiet ?

Voyant que son hôte se contentait de le dévisager, il ajouta :

— Deux ou trois petites questions. Je suis sûr que vous aurez des réponses satisfaisantes à me donner. D'abord, en supposant que je sois vraiment flic ou que je travaille pour la police, comment savez-vous que je n'ai pas de micro sur moi ?

Ballston sourit, manifestement soulagé.

— Vous voyez cet engin qui ressemble à un lecteur DVD sur la console ? La petite lumière verte ? Elle serait rouge s'il y avait un dispositif d'enregistrement ou de transmission en fonctionnement où que ce soit dans cette pièce. C'est très fiable.

— Tant mieux. J'aime bien les choses fiables. Les gens fiables.

— Insinuez-vous que je ne le suis pas ?

— Comment savez-vous que je ne suis pas flic, nom de Dieu ? Un flic qui serait venu là pour apprendre précisément ce que vous venez de me débiter en ricanant comme un malade, pauvre andouille ?

Ballston faisait la tête d'un sale morveux qui vient de se prendre une taloche. Un rictus encore plus disgracieux remplaça l'expression de surprise.

— En dépit de la piètre opinion que vous avez de moi, je suis un excellent juge en matière de caractères. On ne s'enrichit pas comme je l'ai fait en se trompant sur le compte des gens. Alors, laissez-moi vous dire une chose. Il y a à peu près autant de chances que vous soyez flic que la police découvre un jour ces putes sans tête. L'une ou l'autre possibilité ne risque pas de m'empêcher de dormir.

Le sourire de Gurney reflétait celui de Ballston.

— Du culot. Bien. Très bien. J'aime le culot.

Gurney se leva brusquement. Ballston tressaillit.

— Bonne chance, monsieur Ballston. Nous vous recontacterons.

Au moment où Gurney franchissait le seuil, Ballston ajouta :

— Vous savez, si vraiment je pensais que vous étiez flic, ce que je vous ai dit ne serait qu'un ramassis de foutaises.

CHAPITRE 61

Le trajet de retour

— C'était peut-être ça si ça se trouve, commenta Becker avec son accent traînant.

Il avait à peine quitté la fraîcheur capitonnée de la Mercedes pour le trottoir brûlant devant le terminal de l'aéroport, que Gurney était au téléphone, en train de faire à Darryl Becker un compte rendu *in extenso* de son entrevue avec Jordan Ballston.

— Je ne pense pas qu'il m'ait raconté des craques. J'ai une certaine expérience des psychopathes en décompensation. Je serais prêt à parier qu'une véritable énergie a commencé à se libérer dans ce rire de dingo, et l'image de femmes décapitées allant avec. Mais nous n'avons pas le temps d'épiloguer. Je vous conseille fortement de prendre ses confidences au pied de la lettre et d'agir en conséquence maintenant.

— Vous n'êtes pas en train de me suggérer de fouiller l'Atlantique, je suppose. Alors, que proposez-vous ?

— Ce salopard a un bateau, non ? Il en a forcément un. Trouvez ce maudit rafiot et mettez tous vos techniciens dessus en partant de l'hypothèse qu'il s'en est servi pour transporter au moins deux corps. Il doit bien rester des indices quelque part à bord – dans un recoin, une fente, une fissure. N'interrompez pas vos recherches tant que vous n'aurez pas trouvé !

— Je comprends ce que vous me dites. Cependant, juste pour introduire une minuscule parcelle de rationalité dans tout ça, permettez-moi de souligner que nous ne sommes même pas certains que Ballston soit propriétaire d'un bateau. Nous ne…

Gurney l'interrompit.

— Je vous dis qu'il en a un. Si quelqu'un dans ce fichu État possède un bateau, c'est lui.

— Comme je le disais, reprit Becker, nous n'en avons pas la moindre preuve. On sait encore moins de quel type d'embarcation il s'agit, où elle pourrait se trouver, à quelle date ces transports de corps supposés ont eu lieu, de qui il s'agissait, ni même s'il y a vraiment eu des corps. Vous voyez où je veux en venir ?

— J'ai d'autres coups de fil à passer, Darryl. Je vous le répète une dernière fois. Il a un bateau à bord duquel il a transporté au moins deux victimes. Mettez la main dessus. Dénichez-moi des indices. Tout de suite. Il faut qu'on fasse parler cette vermine. Qu'on sache ce qui se passe, nom d'un chien ! Cette affaire dépasse largement Ballston, et je sens que ça craint ! Ça craint, et nous devons agir vite.

Il y eut un silence, trop prolongé au goût de Gurney.

— Vous êtes toujours là, Darryl ?

— On fera ce qu'on pourra. Je ne vous promets rien.

Tandis qu'il s'acheminait dans l'interminable hall en direction de sa porte d'embarquement, Gurney appela Sheridan Kline. Il tomba sur Ellen Rackoff.

— Il est au tribunal tout l'après-midi, expliqua-t-elle. Impossible de le déranger.

— Et Stimmel ?

— Il est dans son bureau, je crois. Vous préférez lui parler plutôt qu'à moi ?

— Pour des raisons pratiques, et non pas personnelles.

Gurney voyait mal comment on pouvait avoir envie de s'entretenir avec l'adjoint de Kline, d'une sécheresse sans bornes.

— Il va lui falloir gérer un certain nombre de choses super urgentes si Sheridan est coincé.

— Entendu. Rappelez ce numéro. Si je ne décroche pas, l'appel lui sera transféré automatiquement.

Gurney s'exécuta et, trente secondes plus tard, il avait Stimmel au bout du fil. Sa voix exhalait tout le charme d'un marécage.

Il lui en raconta suffisamment pour lui communiquer sa vision de l'affaire : à savoir qu'elle était probablement énorme, qu'elle alliait une efficacité redoutable à une démence à caractère sexuel, que les personnes de Hector Flores, Jordan Ballston et les décès connus jusqu'à présent n'étaient que les parties visibles d'un monstre souterrain. Enfin, que, s'il s'avérait qu'une quinzaine, voire une vingtaine d'anciennes élèves de Mapleshade étaient portées disparues, il y avait fort à parier qu'elles finiraient toutes violées, torturées et décapitées.

Il conclut en disant :

— Kline ou vous devez contacter le procureur du comté de Palm Beach dans l'heure qui suit afin d'accomplir deux choses. Premièrement, vous assurer que le PBPD a affecté suffisamment de ressources pour retrouver le bateau de Ballston et le passer au peigne fin dans les plus brefs délais. Deuxièmement, convaincre le procureur qu'une coopération totale est indispensable. Il faut bien lui mettre dans le crâne que c'est New York qui mène la danse et qu'il va sans doute nous falloir arriver à une sorte d'arrangement avec Ballston si on veut démasquer Karnala Fashion, ou quelle que soit l'organisation à l'origine de ce cauchemar.

— Vous vous imaginez que le procureur de Floride va octroyer un sauf-conduit à Ballston, histoire de faciliter la vie à Sheridan ?

À l'évidence, Stimmel trouvait cette idée absurde.

— Il n'est pas question de sauf-conduit. Il s'agit de faire comprendre à Ballston qu'à moins de coopérer pleinement, il n'échappera pas à l'injection létale.

— Et s'il coopère ?

— S'il coopère véritablement, sans réserve, on pourrait peut-être envisager d'autres issues.

— Pas facile à faire avaler.

À entendre Stimmel, s'il était à la place du procureur de Floride, ce serait tout bonnement impossible.

— Faire parler Ballston risque d'être notre seule chance.

— Seule chance de quoi ?

— Plusieurs filles ont disparu. À moins que Ballston craque, je doute qu'on en retrouve ne serait-ce qu'une seule vivante.

Les pressions successives de la journée le rattrapèrent durant le deuxième vol de retour. Son cerveau commença à se déconnecter. Avec le bourdonnement des moteurs dans les oreilles, il lâcha prise sur le présent, il laissa son esprit dériver vers des scènes désagréables, des instants décousus auxquels il n'avait pas songé depuis plus de dix ans : les visites qu'il faisait en Floride après que ses parents eurent quitté le Bronx pour s'installer dans un bungalow de location à Magnolia, bourgade qui semblait être le filon mère de l'âpreté et du délabrement ; un parasite de chou palmiste, de la taille d'une souris, détalant sous le tas de feuilles amassé sur le porche de la bicoque ; l'eau du robinet qui avait le goût de rinçure recyclée, mais qui, selon ses parents, n'avait pas de goût du tout ; les fois où sa mère l'avait pris à part, les larmes aux yeux, pour se plaindre amèrement de son couple, de son mari égoïste, de ses migraines et de son insatisfaction sexuelle.

Entre ces souvenirs lugubres, des rêves perturbants et une déshydratation croissante, Gurney plongea dans un état d'abattement anxieux. À peine descendu de l'avion à Albany, il acheta un litre d'eau minérale au prix exorbitant de l'aéroport ; il en but la moitié sur le chemin des toilettes. Dans le box pour handicapés, relativement spacieux, il enleva son jean, son polo et ses mocassins de luxe puis sortit ses vêtements d'origine du carton de Giacomo Emporium et se rhabilla. Il rangea les habits neufs dans le carton qu'il jeta dans une poubelle des toilettes. Pour finir, il élimina le gel qu'il avait dans les cheveux en les rinçant sous le robinet. Il les essuya à la hâte avec des serviettes en papier avant de se regarder dans la glace pour s'assurer qu'il était redevenu lui-même.

D'après la pendule de la caisse du parking, il était six heures précises quand il régla sa note de douze dollars. La barrière à rayures jaunes se leva pour le laisser passer. Il prit la direction de l'I-88, le soleil de la fin d'après-midi éclaboussant son pare-brise.

Une heure s'était écoulée quand il quitta l'autoroute et s'engagea sur la départementale menant au nord des Catskill, et à Walnut Crossing. Il avait fini son litre d'eau et se sentait mieux. Cela le surprenait toujours qu'une chose aussi simple – peut-on faire plus simple que l'eau ? – puisse avoir un effet aussi apaisant sur les pensées. Il continua à recouvrer peu à peu son équilibre émotionnel, si bien que lorsqu'il atteignit la petite route qui se faufilait à travers les collines jusqu'à sa ferme, il avait l'impression d'être presque normal.

Au moment où il entrait dans la cuisine, Madeleine sortait un plat du four. Elle le posa sur le fourneau, lui jeta un coup d'œil, les sourcils en accent circonflexe, et dit avec un peu plus de sarcasme que de surprise dans la voix :

— Je suis sous le choc.

— Content de te voir, moi aussi.

— Cela t'intéresserait de dîner ?

— Je t'ai dit dans le petit mot que je t'ai laissé ce matin que je serais de retour pour le dîner. Me voilà.

— Félicitations, fit-elle en sortant une deuxième assiette du placard au-dessus de sa tête avant de la placer à côté de celle qui attendait déjà sur la table.

Gurney l'observa en plissant les yeux.

— On ferait peut-être mieux de recommencer à zéro. Faut-il que je sorte et que je revienne ?

Elle lui rendit son regard en forçant le trait, puis son expression s'adoucit.

— Non. Tu as raison. Tu es là. Sors des couverts et mangeons. J'ai faim.

Ils se servirent de cuisses de poulet grillées et de légumes et portèrent leurs assiettes à la table ronde près des portes-fenêtres.

— Je pense qu'il fait assez chaud pour ouvrir, dit-elle, et il fit ce qu'elle lui demandait.

Un air délicatement parfumé les enveloppa. Madeleine ferma les yeux, un sourire plissant ses joues au ralenti. Gurney crut entendre le doux roucoulement des tourterelles nichées dans les arbres au-delà du pré.

— Charmant, charmant, murmura-t-elle.

Elle soupira d'aise, ouvrit les yeux et commença à manger.

Une bonne minute passa avant qu'elle reprenne la parole.

— Alors, raconte-moi ta journée, dit-elle en scrutant le navet planté au bout de sa fourchette.

Gurney réfléchit en fronçant les sourcils.

Elle l'observait, dans l'expectative.

Il posa les coudes sur la table en croisant les doigts sous son menton.

— Ma journée. Eh bien… le plus beau moment a été lorsque le psychopathe s'est mis à ricaner comme un fou. Une vision amusante lui était venue à l'esprit. Une vision impliquant deux femmes qu'il a violées, torturées et décapitées.

Madeleine étudiait son visage, les lèvres serrées.

Au bout de quelques instants, il ajouta :

— Voilà le genre de journée que j'ai eue.

— As-tu fait ce que tu souhaitais ?

Il frotta lentement l'articulation de son index contre ses lèvres.

— Je pense.

— Cela veut dire que tu as élucidé l'affaire Perry ?

— Je crois détenir une partie de la solution.
— Tant mieux.
Un long silence suivit.
Madeleine se leva, prit les assiettes, les couverts.
— Elle a téléphoné aujourd'hui.
— Qui ça ?
— Ta cliente.
— Val Perry ? Tu lui as parlé ?
— Elle a dit qu'elle te rappelait, qu'elle avait ton numéro de fixe sur elle, mais pas celui de ton portable.
— Et alors ?
— Elle tenait à ce que tu saches que tu n'avais pas à te tracasser pour trois mille dollars. « Qu'il dépense tout ce qu'il lui faut pour mettre la main sur Hector Flores. » Ce sont ses termes. Une cliente idéale, à mon avis. (Les assiettes cliquetèrent contre l'émail de l'évier.) Que peut-on demander de plus ? Oh, à propos de décapitation…
— À propos de quoi ?
— De l'homme de Floride dont tu m'as parlé, celui qui coupe la tête aux gens… Ça m'a fait penser qu'il fallait que je te demande, au sujet de cette poupée.
— La poupée ? Quelle poupée ?
— Celle qui est en haut.
— En haut ?
— On fait quoi, là ? On joue à l'écho ?
— Je ne vois pas de quoi tu veux parler.
— Je te parle de la poupée posée sur le lit dans la pièce où je fais la couture.
Il secoua la tête, tourna les paumes vers le ciel en signe d'incompréhension.
Une lueur d'anxiété passa dans le regard de Madeleine.

— La poupée. La poupée cassée. Sur le lit. Ça ne te dit vraiment rien ?

— Une poupée de petite fille, tu veux dire ?

— Oui, David ! Une poupée de petite fille !

L'inquiétude avait fait grimper sa voix d'un cran.

Gurney se leva, se dirigea à grands pas vers l'escalier, monta les marches deux à deux. Quelques secondes plus tard, il se retrouva sur le seuil de la chambre d'amis convertie en salle de couture. Le crépuscule ne jetait plus qu'une pâle lumière grise sur le grand lit. Il actionna l'interrupteur, l'éclairage de la lampe de chevet lui fournit toute la lumière dont il avait besoin.

Adossée contre un des oreillers, il vit une poupée nue, ordinaire. Ordinaire en dehors du fait qu'on avait ôté la tête qui reposait sur la courtepointe à une petite distance du corps, face à elle.

CHAPITRE 62

Tremblements

Le rêve se dissolvait, se démantelant comme les pans d'un carton fragile, incapable de contenir son chargement désordonné.

Au fil des nuits, sa victoire au cimeterre contre Salomé devenait de moins en moins claire, moins certaine. C'était comme la transmission d'une vieille émission de télévision interrompue par le programme d'une fréquence voisine. Des voix rivales se couvraient les unes les autres. Aux images de Salomé dansant se substituaient des flashes intenses d'un autre danseur.

À la place de la Vision puissante, rassurante, de Sa Mission, de Sa Méthode – le courage et la conviction de saint Jean-Baptiste – surgissaient des bribes de souvenirs, des images éclatantes qui provoquaient un mouvement de recul chez lui, des instants d'une familiarité accablante, à donner la nausée.

Une femme en train de danser, sa robe en soie virevoltant autour d'elle dévoilant ses longues jambes. Une femme montrant aux petites filles comment danser comme Salomé, comment danser devant des petits garçons.

Salomé dansant la samba sur un tapis couleur pêche au milieu de plantes tropicales aux énormes feuilles humides, dégoulinantes. Montrant aux garçons comment danser la samba. Comment la tenir dans leurs bras.

Le tapis couleur pêche et les plantes tropicales étaient dans sa chambre. Elle lui apprenait, à lui et à son meilleur camarade d'école, à danser la samba. À la tenir.

Le serpent ondulant de sa bouche à elle dans la sienne pour l'explorer.

Plus tard il avait vomi, et elle avait ri. Vomi sur le tapis couleur pêche sous les plantes tropicales géantes, haletant, en sueur. Tout tournait autour de lui tandis que son estomac se soulevait.

Elle l'avait emmené dans la douche en pressant ses jambes contre lui.

Elle rampait sur le tapis couleur pêche vers un garçon et une fille épuisés, mus par un appétit sexuel insatiable. « Attends dans le couloir, chéri. » Le souffle court. « Je m'occupe de toi dans une minute. » Son visage enflammé, luisant de sueur. Se mordant la lèvre. Les yeux fous.

CHAPITRE 63

Comme au pavillon d'Ashton

L'équipe d'investigation de la Brigade arriva en deux temps : Jack Hardwick à minuit, les techniciens une heure plus tard, en combinaisons anticontamination blanches.

Dans un premier temps, ces derniers se montrèrent sceptiques face à une scène de crime où l'unique *crime* se trouvait être la présence mystérieuse d'une poupée cassée. Ils avaient l'habitude du carnage, des vestiges sanglants du meurtre et de la destruction. Il était compréhensible que leurs réactions initiales se limitent à des haussements de sourcils et des regards en coulisse.

Leurs premières hypothèses – que la poupée avait peut-être été déposée là par un enfant en visite ou qu'il s'agissait d'une blague – étaient sans doute compréhensibles mais intolérables pour Madeleine, qui s'adressa brutalement à Hardwick pour lui demander de façon à ce que tous entendent : « Sont-ils ivres ou juste stupides ? »

Après que Hardwick les eut emmenés à l'écart pour leur expliquer la similitude troublante entre la position de la poupée et celle du corps de Jillian Perry, ils passèrent la scène au peigne fin avec le même zèle que si elle avait été criblée de balles.

Cela ne donna pas grand-chose, malheureusement. Tous les efforts déployés pour relever des empreintes, des fibres, des particules ne produisirent rien de bien intéressant. La chambre d'ami contenait les empreintes d'une seule personne, celles de Madeleine vraisemblablement. Idem pour les quelques cheveux prélevés sur le dossier du fauteuil près de la fenêtre où elle s'installait pour tricoter. Le cadre de la fenêtre en question, que Gurney était chargé d'ouvrir quand elle était coincée, en présentait d'autres – les siennes sûrement. En revanche, aucune empreinte sur le corps ou la tête de la poupée, d'une marque populaire, vendue dans tous les Walmart des États-Unis. Les portes d'entrée au rez-de-chaussée étaient maculées d'empreintes multiples, identiques à celles trouvées dans la chambre. Aucune ouverture – porte ou fenêtre – de la maison ne montrait de signes d'effraction. Rien à l'extérieur des fenêtres. L'examen des sols avec un filtre Luma-Lite ne révéla aucune empreinte de semelle nette ne correspondant pas à la pointure de Dave ou de Madeleine. L'inspection de tous les accès, des rampes, comptoirs, robinets et poignées de chasses d'eau donna des résultats analogues.

Quand les experts rangèrent finalement leur équipement dans leur camionnette pour lever le camp vers seize heures, ils emmenèrent avec eux la poupée, la courtepointe et les lirettes qu'ils avaient récupérées de part et l'autre du lit.

— Nous allons procéder aux analyses standard, avait dit l'un d'eux à Hardwick au moment de partir, mais dix contre un que tout est propre.

Les hommes paraissaient fatigués, frustrés.

— Exactement comme la scène au pavillon d'Ashton, commenta Gurney quand Hardwick revint s'installer à la table de la cuisine avec Madeleine et lui.

— Oui, marmonna Hardwick avec un détachement empreint d'une lassitude infinie.

— Que veux-tu dire ? demanda Madeleine d'un ton hostile.

— Le côté antiseptique de la chose, répondit Gurney. Pas d'empreintes, rien.

Un petit son presque douloureux jaillit de la gorge de Madeleine. Elle prit plusieurs inspirations profondes.

— Alors, que… sommes-nous censés faire maintenant ? On ne peut pas juste…

— Une voiture de police sera ici avant mon départ, dit Hardwick. Vous serez protégés pendant quarante-huit heures minimum. Pas de problème.

— Pas de problème ?

Madeleine le dévisagea d'un air consterné.

— Comment pouvez-vous…

Elle n'acheva pas sa phrase, se bornant à secouer la tête avant de quitter la pièce.

Gurney la regarda partir sans trouver les mots pour la rassurer, aussi secoué par son émotion que par l'événement qui l'avait provoquée.

Hardwick avait posé son carnet sur la table devant lui. Il l'ouvrit, trouva la page qu'il cherchait, sortit un stylo de sa poche de poitrine. Il n'écrivit rien, se contentant de tapoter la feuille d'un geste désinvolte. Il avait l'air éreinté et vaguement troublé.

— Alors… commença-t-il.

Il se racla la gorge. On aurait dit qu'il devait hisser chaque mot au sommet d'une colline.

— D'après ce que j'ai noté plus tôt… tu étais en vadrouille toute la journée.

— Effectivement. J'étais en Floride en train de soutirer une quasi-confession à Jordan Ballston. À laquelle on donne suite, je l'espère, à l'instant où je te parle.

Hardwick posa son stylo, ferma les yeux, se massa les paupières du pouce et de l'index. Lorsqu'il rouvrit les yeux, il reporta son attention sur son carnet.

— Et ta femme m'a indiqué qu'elle était sortie tout l'après-midi – entre une heure et cinq heures et demie environ. À bicyclette. Après quoi elle est allée marcher dans les bois. Ça lui arrive souvent ?

— Assez souvent.

— On peut donc raisonnablement penser que la poupée a été… déposée dans ce créneau horaire.

— C'est ce que je dirais, répondit Gurney, que cette réitération d'évidences commençait à agacer.

— Bon, dès que l'équipe du matin prendra son service, j'enverrai quelqu'un interroger vos voisins en bas de la route. Une voiture qui passe doit être un événement dans les parages.

— Avoir des voisins en chair et en os est un événement. Il n'y a que six maisons sur cette route, dont quatre appartiennent à des citadins qui viennent seulement le week-end.

— On ne sait jamais. J'enverrai quelqu'un.

— Entendu.

— Tu ne me parais pas très optimiste.

— Pour quelle raison le serais-je, tu veux me le dire ?

— Tu n'as pas tort. (Hardwick reprit son stylo et recommença à pianoter sur son carnet.) Madeleine dit qu'elle est certaine d'avoir verrouillé les portes quand elle est sortie. Ça te paraît normal ?

— Comment ça, ça me paraît normal ?

— Je veux dire, est-ce qu'elle le fait d'habitude, fermer les portes à clé ?

— Ce qu'elle fait d'habitude, c'est dire la vérité. Si elle dit qu'elle a fermé les portes à clé, c'est qu'elle l'a fait.

Hardwick le dévisagea, apparemment sur le point de riposter, mais il se ravisa. Les martèlements reprirent.

— Donc… si tout était fermé et s'il n'y a aucun signe d'effraction, quelqu'un est entré avec une clé. Avez-vous confié un trousseau à quelqu'un ?

— Non.

— Vos clés auraient-elles pu se trouver hors de votre possession assez longtemps pour que quelqu'un puisse en faire des doubles à un moment ou à un autre ?

— Non.

— Tu en es sûr ? Ça ne prend pas plus de vingt secondes pour faire une clé.

— Je sais combien de temps ça prend.

Hardwick opina comme s'il s'agissait d'une information digne d'intérêt.

— Eh bien, il y a des chances que quelqu'un ait réussi à s'en procurer une. Je te conseillerais de changer les serrures.

— À qui crois-tu t'adresser, Jack, nom d'un chien ? On n'est pas à une réunion de parents d'élèves en train de parler de la sécurité des maisons la nuit.

Hardwick sourit, se laissa aller en arrière sur sa chaise.

— C'est vrai, j'oubliais. Je cause avec Sherlock Gurney, putain ! Alors dis-moi, monsieur le super-détective, as-tu des idées lumineuses sur tout ça ?

— Au sujet de la poupée ?

— Ouais. De la poupée.

— Rien qui ne t'aurait pas déjà paru évident.

— Quelqu'un essaie de te filer les jetons pour que tu laisses tomber l'affaire, c'est ça ?

— Tu as une meilleure idée ?

Hardwick haussa les épaules et entreprit d'inspecter son stylo comme s'il s'agissait d'une pièce à conviction complexe.

— S'est-il produit d'autres phénomènes bizarres ?

— Comme quoi, par exemple ?

— Ben… des trucs bizarres, quoi. Aurais-tu constaté d'autres… anomalies dans ta vie de tous les jours ?

Gurney émit un petit rire sans humour.

— En dehors des multiples facettes de cette affaire d'une étrangeté sans nom et de tous les gens monstrueusement bizarres qui y sont impliqués, tout me semble parfaitement normal.

Ce n'était pas vraiment une réponse, mais Hardwick le savait. En dépit de ses fanfaronnades et de sa grossièreté, c'était l'un des esprits les plus fins que Gurney eût rencontrés au cours de toutes ces années passées dans les rangs de la police. Hardwick aurait aisément pu être promu capitaine à trente-cinq ans, s'il se préoccupait un tant soit peu de ce dont se préoccupent les capitaines.

Il leva les yeux au plafond ; son regard suivit les moulures comme si c'était le thème de la conversation.

— Tu te souviens du type dont les empreintes se trouvaient sur le petit verre à liqueur ?

Un mauvais pressentiment noua l'estomac de Gurney.

— Saul Steck, alias Paul Starbuck ?

— C'est ça. Tu te rappelles ce que je t'ai dit à son sujet ?

— Que c'était un acteur de seconde zone ayant un vilain penchant pour les jeunes filles. Qu'il avait été envoyé dans un hôpital psychiatrique et qu'il en était sorti récemment. Quoi d'autre ?

— Le gars qui m'a aidé à analyser les empreintes m'a appelé hier soir pour me faire part d'un petit additif intéressant.

— À savoir ?

Les yeux plissés, Hardwick scrutait l'angle le plus éloigné de la corniche.

— Avant de se faire pincer, Steck avait un site porno, semble-t-il, et Starbuck n'était pas son unique pseudo. Le site en question qui présentait des mineures s'appelait *L'Antre de Sandy*.

Gurney attendit que le regard de Hardwick revienne se poser sur lui avant de réagir.

— Tu te dis que le nom de Sandy pourrait bien être un diminutif d'Alessandro, pas vrai ?

Hardwick sourit.

— Quelque chose comme ça.

— Le monde est plein de coïncidences qui ne s'expliquent pas toujours, Jack.

Hardwick hocha la tête. Il se leva pour aller jeter un coup d'œil par la fenêtre.

— La voiture est là. Comme j'ai dit, protection totale pendant quarante-huit heures minimum. Après ça, on verra. Ça va aller pour toi ?

— Oui.

— Pour elle aussi ?

— Oui.

— Il faut que je rentre dormir un peu. Je t'appelle plus tard.

— Entendu. Merci, Jack.

Hardwick hésita.

— Tu as toujours ton arme ?

— Non. Je n'ai jamais aimé la porter. Ni l'avoir dans les parages.

— Eh bien… compte tenu de la situation, tu ferais peut-être bien de t'acheter un fusil de chasse.

Après que les feux arrière de la voiture de Hardwick eurent disparu au bout du sentier, Gurney s'attarda un long moment à la table de la cuisine à digérer le choc provoqué par la poupée, à contempler le paysage changeant de l'affaire.

Il était concevable, bien sûr, que les noms de Sandy et d'Alessandro aient surgi l'un et l'autre de manière fortuite, mais n'était-ce pas là la définition même du rêve qu'on prend pour une réalité ? Un esprit rationnel devait accepter que Sandy, l'ex-photographe du site pornographique, puisse fort bien être Alessandro, le photographe des publicités quasi pornographiques de Karnala – et que ces noms soient tous les deux des pseudonymes du criminel sexuel, Saul Steck.

Mais qui était Hector Flores ?

Pourquoi Jillian Perry avait-elle été décapitée ?

Et Kiki Muller ?

Avaient-elles découvert quelque chose à propos de Karnala ? De Steck ? De Flores lui-même ?

Pourquoi Steck l'avait-il drogué ? Dans le but de le photographier en compagnie de ses « filles » ? Pour menacer de le mettre publiquement dans l'embarras, ou pire ? Pour avoir barre sur lui et sur son enquête ? Pour le faire chanter afin qu'il lui fournisse des informations sur l'avancée des recherches ?

À moins que l'idée de le droguer, tout comme la poupée décapitée visent à lui faire prendre conscience de sa vulnérabilité ? À l'effrayer pour l'inciter à prendre ses distances ?

Quelque chose d'encore plus malsain était-il à l'origine de ces initiatives ? S'inscrivaient-elles dans un jeu orchestré de main de maître par cet obsédé du contrôle ? Une démonstration de force et de domination ? L'homme cherchait-il à prouver qu'il en avait les moyens, ou trouvait-il là une source d'excitation ?

Gurney avait les mains glacées. Il les frotta avec vigueur contre ses cuisses pour les réchauffer. En vain. Il tremblait à présent. Il se leva, essaya de frictionner ses mains contre sa poitrine, ses avant-bras, de faire les cent pas. Il gagna le bout de la pièce où le four à bois conservait parfois la chaleur résiduelle d'un feu allumé plus tôt dans la journée, mais la fonte noire et poussiéreuse était plus froide que sa main. En la touchant, il frissonna de plus belle.

Il entendit le déclic d'un interrupteur dans la chambre, suivi peu après par le grincement de la porte de la salle de bains. Il allait parler à Madeleine, la tranquilliser – quand il serait parvenu à se calmer lui-même. En regardant par la fenêtre, il fut rassuré par la vue de la voiture de police près de l'entrée latérale.

Il prit une profonde inspiration, expira méthodiquement. Respiration lente, contrôlée. Raisonnement. Détermination. Pensées positives. De réussite et de compétence.

Il se rappela que, si la piste des empreintes ayant conduit à Steck existait, c'était parce qu'il avait pris l'initiative de récupérer le verre dans des circonstances délicates.

Cette révélation avait également permis de faire le lien entre la mystérieuse drogue que « Jykynstyl » lui avait administrée et l'énigme des disparitions et des meurtres des anciennes élèves de Mapleshade. Bien placé pour connaître les tenants et aboutissants de part et d'autre, il était dans une position unique pour tirer profit de chaque situation afin de faire la lumière sur l'autre.

Ses explorations initiales avaient tiré l'enquête du bourbier dans lequel elle s'était enlisée – la recherche d'un travailleur mexicain fou – en l'orientant sur une nouvelle voie.

En insistant pour que toutes les anciennes élèves de Mapleshade soient contactées, il avait pu établir qu'on ignorait l'adresse d'un nombre incroyable d'entre elles, et mis au jour le terrible sort réservé à Melanie Strum.

Ses hypothèses concernant les activités présumées de Karnala avaient arraché à Jordan Ballston des aveux démentiels susceptibles de mener à la résolution finale. L'énergie, les ressources déployées par le tueur dans le but manifeste de contrecarrer ses efforts tendaient à prouver qu'il était sur la bonne voie.

Il entendit les gonds de la porte de la salle de bains grincer de nouveau et, vingt secondes plus tard, le déclic de la lampe qui s'éteignait. Maintenant qu'il avait de nouveau les pieds sur terre, qu'il s'était réchauffé les mains, peut-être réussirait-il à parler à Madeleine. Il prit d'abord la précaution de fermer la porte latérale à double tour en mettant de surcroît le verrou qu'ils n'utilisaient jamais d'ordinaire. Après quoi il vérifia que toutes les fenêtres du rez-de-chaussée étaient fermées.

Il entra dans la chambre avec ce qu'il considérait comme de bonnes dispositions, et s'approcha du lit sans allumer.

— Maddie !

— Espèce de salaud !

Il s'attendait à ce qu'elle soit au lit, mais sa voix étranglée de colère provenait du fond de la pièce.

— Quoi ?

— Qu'est-ce que tu as fait ?

Sa voix, à peine un murmure, vibrait de rage.

— Que… .

— Ceci est ma maison. Mon sanctuaire.

— Oui.

— Oui ? Oui ? Comment as-tu pu ? Comment as-tu osé amener cette horreur sous mon toit ?

L'intensité de cette question le rendit muet. Il tâtonna le bord du lit et alluma la lampe.

L'antique rocking-chair qui se trouvait d'habitude près du pied du lit avait été poussé dans l'angle de la pièce le plus éloigné des fenêtres. Madeleine y était assise, encore tout habillée, les genoux pressés contre sa poitrine. Gurney fut affolé par l'émotion pure que trahissait son regard, et plus encore par la paire de ciseaux à bout pointu que serrait chacun de ses poings.

Il possédait une longue expérience pour ce qui était de ramener par la parole une personne sur les nerfs à un état plus calme, mais, à cet instant, rien de ce qu'il avait appris ne paraissait approprié. Il s'assit sur le coin du lit le plus proche d'elle.

— Quelqu'un a envahi ma maison. Pourquoi, David ? Pourquoi a-t-on fait ça ?

— Je ne sais pas.

— Bien sûr que si ! Tu sais pertinemment ce qui se passe.

Il la regarda, baissa les yeux sur les ciseaux. Elle avait les jointures toutes blanches.

— Tu es censé nous protéger, chuchota-t-elle d'une voix tremblante. Protéger notre maison, faire en sorte qu'elle soit sûre. Or tu as fait exactement le contraire. Le contraire. Tu as laissé des gens horribles s'immiscer dans nos vies, pénétrer chez nous. Dans MA MAISON ! hurla-t-elle d'une voix brisée. TU AS LAISSÉ DES MONSTRES ENTRER CHEZ MOI !

Jamais il ne l'avait vue dans une telle rage. Il ne répondit pas. Il n'avait pas de mots dans la tête, pas même de pensées. Il osait à peine bouger, respirer. Cet éclat semblait avoir chassé toute autre réalité de la pièce, du monde. Il attendit. Aucune autre option ne lui vint à l'esprit.

Au bout d'un moment, sans qu'il sache combien de temps au juste, elle reprit :

— Je n'arrive pas à croire ce que tu as fait.

— Ce n'était pas mon intention.

Sa propre voix lui parut bizarre. Ténue.

Elle émit un son qu'on aurait pu prendre pour un éclat de rire, mais qui résonna à ses oreilles comme une sorte de spasme.

— Ces affreuses photos d'identité judiciaire retouchées, c'est là que tout a commencé. Ces portraits des monstres les plus ignobles de la terre. Mais ça ne t'a pas suffi. Ça ne t'a pas suffi de les avoir sur l'écran de notre ordinateur en train de nous dévisager.

— Maddie, je te promets, celui qui est entré dans la maison, je le trouverai. Je le neutraliserai. Jamais plus ça n'arrivera.

Elle secoua la tête.

— C'est trop tard. Tu ne vois donc pas ce que tu as fait ?

— Je vois que la guerre est déclarée. On nous a attaqués.

— Non ! Toi… ce que tu as fait, *toi* ?

— J'ai délogé un serpent à sonnettes de sous une pierre.

— Tu as introduit ça dans nos vies.

Il ne répondit rien, se contentant de baisser la tête.

— Nous sommes venus nous installer à la campagne. Dans un endroit magnifique. Avec des lilas, des pommiers. Un étang.

— Maddie, je te le promets, je tuerai ce serpent.

Elle ne semblait pas l'écouter.

— Ne vois-tu pas ce que tu as fait ?

D'un geste lent, elle tourna l'une des paires de ciseaux vers la fenêtre obscure à côté de lui.

— Ces bois, les bois où je fais mes promenades, il s'est caché là, pour m'épier.

— Qu'est-ce qui te fait penser qu'on t'a épiée ?

— Seigneur ! C'est évident. Il a déposé cette horreur dans la chambre où je travaille, où je lis, celle où se trouve ma fenêtre favorite, près de laquelle je m'assois pour tricoter. La chambre qui donne sur les bois. Il savait que c'était ma pièce. S'il l'avait mise dans la chambre d'ami de l'autre côté du couloir, j'aurais pu ne pas la trouver pendant des mois. Il savait, tu comprends. Il m'a vue à la fenêtre. Et le seul endroit d'où il pouvait m'observer, c'étaient les bois.

Elle marqua une pause, le dévisagea d'un air accusateur.

— Tu vois ce que je veux dire, David ? Tu as détruit mes bois. Comment pourrais-je y retourner ?

— Je tuerai ce serpent. Ça va aller.

— Jusqu'à ce que tu en débusques un autre.

Elle secoua la tête, soupira.

— Je n'arrive pas à croire que tu as détruit l'endroit le plus beau de la terre.

Gurney avait l'impression que de temps à autre, sans crier gare, les éléments d'un univers par ailleurs indifférent concouraient à faire naître en lui des sensations désagréables, et c'est ainsi qu'à cet instant précis, derrière la ferme, sur la crête au-delà du pré en pente, les coyotes se mirent à hurler.

Madeleine ferma les yeux puis baissa les jambes. Elle posa les poings sur ses genoux et relâcha suffisamment les deux paires de ciseaux pour que le sang revienne dans ses articulations. Elle inclina la tête en arrière contre le dossier du fauteuil. Sa bouche se détendit. On aurait dit que l'étrange hurlement des coyotes, si perturbant pour elle à d'autres occasions, l'affectait d'une manière tout autre ce soir-là.

Alors que les premières lueurs grises de l'aube apparaissaient à la fenêtre côté est, elle s'endormit. Au bout d'un moment, Gurney lui prit les ciseaux des mains et éteignit la lumière.

CHAPITRE 64

Une journée bien étrange

Les rayons dorés du soleil levant tombaient à l'oblique sur le pré lorsque Gurney s'assit pour boire une seconde tasse de café. Quelques minutes plus tôt, il avait assisté à la relève de la garde quand une voiture de patrouille avait remplacé celle que Hardwick avait fait venir. Il était sorti proposer un petit déjeuner au nouveau policier en faction, mais le jeune homme avait refusé avec une politesse toute militaire.

— Merci, monsieur, j'ai déjà déjeuné.

Une douleur sourde s'était installée dans sa jambe gauche pendant qu'il se débattait avec une multitude de questions dont la réponse lui échappait comme autant de poissons visqueux.

Devait-il demander à Hardwick de lui obtenir une copie de la photo d'identité judiciaire qui avait dû être prise lors de l'arrestation de Saul Steck pour s'assurer qu'il n'y avait pas d'erreur concernant les empreintes digitales, ou les traces écrites engendrées entre la BC et la juridiction d'origine soulèveraient-elles trop d'interrogations ?

Fallait-il prier Hardwick, ou un de ses anciens collègues du NYPD, de vérifier les rôles d'imposition afin de se renseigner sur le propriétaire de l'immeuble en grès brun ? Cette simple démarche ne risquait-elle pas de provoquer toute une série de questions délicates ?

Avait-il des raisons de mettre en doute l'affirmation de Sonya selon laquelle elle avait été abusée par l'histoire de « Jykynstyl », comme il l'avait été lui-même, même si elle lui faisait l'effet d'être le genre de femme qui ne se laisse pas rouler facilement ?

Devait-il se procurer un fusil, ou Madeleine seraitelle plus angoissée que rassurée par la présence d'une arme ?

Feraient-ils mieux d'aller vivre à l'hôtel jusqu'à ce que l'affaire soit éclaircie ? Et si cela prenait des semaines, des mois, si on ne résolvait jamais l'énigme ?

Devait-il contacter Darryl Becker afin de se tenir informé de l'avancée des recherches relatives au bateau de Ballston ? Interroger la Brigade quant aux progrès de l'enquête menée par téléphone auprès des ex-élèves de Mapleshade et de leurs familles ?

Tous les événements qui s'étaient succédé depuis l'arrivée de Hector Flores à Tambury jusqu'à la mascarade dans l'immeuble new-yorkais et la poupée décapitée, en passant par les meurtres de Jillian et de Kiki et les disparitions des autres filles, tout cela était-il le fruit d'un cerveau unique ? Et dans ce cas, le moteur de ce cerveau était-il une entreprise criminelle ou une manie psychotique ?

Plus inquiétant encore, pourquoi tous ces nœuds lui semblaient-ils si difficiles à démêler ?

Il n'arrivait même pas à décider s'il devait continuer à réfléchir, retourner se coucher ou se lancer dans une activité physique pour faire le vide. Il se sentait même incapable d'aller prendre dans la chambre les comprimés d'ibuprofène pour apaiser son nerf sciatique endolori.

Il regarda fixement les asparagus figés dans le calme plat du matin. Il se sentait déconnecté, comme si ses attaches habituelles au monde avaient été rompues. Il avait éprouvé cette même sensation de flottement lorsque sa première femme lui avait annoncé son intention de divorcer, ainsi que, des années plus tard, quand le petit Danny avait été tué, puis à nouveau au moment du décès de son père. Et maintenant...

Maintenant que Madeleine...

Ses yeux se remplirent de larmes. Alors que sa vue se brouillait, il eut la première pensée parfaitement claire qui lui soit venue depuis longtemps. C'était si simple. Il allait laisser tomber l'enquête.

La justesse, la pureté de cette décision se traduisit par une impression de liberté immédiate, une envie d'agir irrépressible.

Il se rendit dans son bureau et appela Val Perry.

En tombant sur sa boîte vocale, il fut tenté de lui présenter tout de go sa démission, mais estima que c'eût été trop impersonnel, trop lâche. Il laissa donc un message disant qu'il avait besoin de lui parler le plus rapidement possible. Puis il alla se servir un verre d'eau, monta dans la chambre et prit trois ibuprofènes.

Madeleine avait quitté le rocking-chair pour se mettre au lit. Sans se déshabiller, elle s'était allongée sur l'édredon plutôt qu'en dessous, mais elle dormait paisiblement. Il s'allongea près d'elle.

Quand il se réveilla, à midi, elle n'était plus là.

Il éprouva une pointe de terreur qui passa dès qu'il entendit de l'eau couler dans l'évier. Il se rendit dans la salle de bains, s'aspergea le visage, se brossa les dents, se changea – de quoi avoir la sensation que c'était le début d'une nouvelle journée.

Lorsqu'il entra dans la cuisine, Madeleine était en train de s'activer. Son visage était dénué d'expression.

— J'ai pris une décision, annonça-t-il.

Elle lui décocha un regard sous-entendant qu'elle savait déjà ce qu'il allait lui dire.

— Je me retire de l'affaire.

Elle plia son torchon et le suspendit au bord de l'égouttoir.

— Pourquoi ?

— À cause de tout ce qui s'est passé.

Elle scruta son visage quelques secondes avant de se tourner vers la fenêtre la plus proche pour regarder pensivement dehors.

— J'ai laissé un message à Val Perry, précisa-t-il.

Elle lui fit face à nouveau. Son sourire à la Mona Lisa apparut et disparut tel un éclat de lumière.

— Il fait un temps splendide, dit-elle. Tu veux venir faire une petite promenade ?

— Volontiers.

D'ordinaire, il aurait refusé, ou il l'aurait accompagnée à contrecœur mais, à cet instant, il était incapable de résister à quoi que ce soit.

C'était une de ces douces journées de septembre où la température est la même à l'extérieur qu'à l'intérieur. La seule différence perceptible lorsqu'ils sortirent sous le petit porche était l'odeur de feuilles flottant dans l'air. Le flic assis dans sa voiture près des asparagus baissa aussitôt sa vitre et les regarda d'un air interrogateur.

— Nous allons juste nous dégourdir les jambes, l'informa Gurney. Nous resterons en vue.

Le jeune homme hocha la tête.

Ils suivirent l'andain qu'ils tondaient régulièrement à la lisière du bois pour empêcher les jeunes arbres d'envahir le pré et s'acheminèrent lentement jusqu'au banc près de l'étang où ils s'assirent en silence.

C'était tranquille à cet endroit en septembre – contrairement aux mois de mai et juin, quand les coassements des grenouilles et les cris des merles entretenaient un vacarme constant, chacun défendant son territoire.

Madeleine prit la main de Gurney dans la sienne.

Il perdit toute notion du temps. L'émotion.

— Je suis désolée, murmura Madeleine à un moment donné.

— Pour quoi ?

— Mes attentes… Je veux toujours que les choses se passent exactement comme je l'entends.

— C'est peut-être ainsi qu'elles devraient être. Tu as sans doute raison.

— J'aimerais pouvoir le croire mais… j'en doute. Je ne pense pas que tu devrais abandonner un travail que tu t'es engagé à faire.

— J'ai déjà pris ma décision.

— Alors tu devrais en changer.

— Pourquoi ?

— Parce que tu es policier. Je n'ai pas le droit d'exiger de toi que tu deviennes quelqu'un d'autre, comme par magie.

— Je ne sais pas grand-chose sur la magie, mais tu as parfaitement le droit de me demander d'envisager les choses autrement. Et moi, je n'ai pas le droit de faire passer quoi que ce soit avant ta sécurité et ton bonheur. Il m'arrive… de songer à ce que j'ai fait… aux situations que j'ai créées… aux dangers auxquels je n'ai pas prêté suffisamment attention, et je me dis que je dois être fou.

— C'est peut-être vrai parfois, dit-elle. Juste un peu.

Elle contempla l'étang, un sourire triste aux lèvres, et pressa sa main dans la sienne. L'air était parfaitement immobile. Même les pointes des typhas étaient aussi immobiles que sur une photographie. Puis elle ferma les yeux, et son expression se fit poignante.

— Je n'aurais pas dû m'en prendre à toi comme je l'ai fait, je n'aurais pas dû te traiter de salaud. C'est bien la dernière chose qu'on puisse dire à ton sujet.

Elle rouvrit les yeux, planta son regard dans le sien.

— Tu es un type bien, David Gurney. Un homme honnête. Brillant. Extrêmement talentueux. Peut-être le meilleur détective du monde.

Un rire nerveux jaillit de sa gorge.

— Que Dieu nous en préserve !

— Je suis sérieuse. Peut-être le meilleur détective du monde. Comment pourrais-je t'obliger à mettre un terme à tout ça, à devenir quelqu'un d'autre ? Ce n'est pas juste. Rien ne m'y autorise.

Il porta son regard, au-delà de l'étang envahi d'herbes, vers les reflets inversés des érables bordant l'autre rive.

— Je ne vois pas les choses en ces termes.

Elle ignora sa réponse.

— Voilà ce que tu devrais faire. Tu as accepté de t'occuper de l'affaire Perry pendant deux semaines. On est aujourd'hui mercredi. Tes deux semaines se terminent samedi. Plus que trois jours. Finis le travail.

— C'est inutile.

— Tu es disposé à laisser tomber, je sais. C'est précisément la raison pour laquelle il n'est pas nécessaire que tu le fasses.

— Tu peux répéter ça ?

Elle rit, ignorant une nouvelle fois son commentaire.

— Où en seraient-ils sans toi ?

— Tu plaisantes, j'espère, dit-il en secouant la tête.

— Pourquoi ?

— La dernière chose dont j'ai besoin, c'est qu'on me conforte dans mon arrogance.

— La dernière chose dont tu as besoin, c'est d'une femme qui pense que tu devrais être quelqu'un d'autre.

Un peu plus tard, ils remontèrent le pré à pas lents en se tenant par la main, adressant un signe de tête aimable à leur garde du corps avant d'entrer dans la maison.

Madeleine alluma un petit feu de bois de cerisier dans la cheminée en ouvrant la fenêtre la plus proche pour qu'il ne fasse pas trop chaud dans la pièce.

Pendant le reste de l'après-midi, ils firent quelque chose qui leur arrivait rarement, à savoir rien du tout. Ils se contentèrent de paresser sur le canapé, hypnotisés par le feu. Un peu plus tard, Madeleine évoqua de nouvelles plantations à tenter dans le jardin au printemps suivant. Un peu plus tard encore, peut-être pour conjurer une vague d'anxiété, elle lui lut à haute voix un chapitre de *Moby Dick* – enchantée et perplexe à la fois par ce qu'elle continuait à qualifier de « livre le plus singulier que j'aie jamais lu ».

Elle s'occupa du feu. Il lui montra des photos d'abris de jardin, dans un livre qu'il avait acheté des mois plus tôt chez Home Depot. Ils projetèrent d'en bâtir un l'été prochain, près de l'étang peut-être. Ils somnolèrent, et l'après-midi passa ainsi. Ils dînèrent de bonne heure, d'une soupe et d'une salade, alors que le coucher de soleil illuminait encore le ciel, embrasant les érables à flanc de coteau en face. Ils allèrent se coucher à la tombée de la nuit, firent l'amour avec une tendresse qui ne tarda pas à se changer en ardeur désespérée. Ils dormirent plus de dix heures et se réveillèrent en même temps à la première lueur de l'aube.

CHAPITRE 65

Message du monstre

Gurney avait fini ses œufs brouillés avec toast et s'apprêtait à porter son assiette dans l'évier. Madeleine leva le nez de son bol de flocons d'avoine aux raisins secs.

— Je présume que tu as déjà oublié où j'allais aujourd'hui.

Pendant le dîner, la veille au soir, il l'avait persuadée, non sans peine, d'aller passer quelques jours chez sa sœur dans le New Jersey – une sage précaution étant donné les circonstances –, pendant qu'il achevait sa mission. Il plissa ses traits comme s'il se concentrait, tout en prenant un air exagérément confus. Elle éclata de rire.

— Tes techniques de flic incognito devaient être nettement plus convaincantes. Ou alors tu avais affaire à des idiots.

Après avoir vidé son bol et avalé une seconde tasse de café, elle alla se doucher et s'habiller. À huit heures trente, elle étreignit Gurney, l'embrassa, scruta son visage d'un air inquiet avant de lui donner un second baiser puis elle se mit en route pour le palais banlieusard de sa sœur à Ridgewood.

Lorsque sa voiture ne fut plus qu'un point sur la route, il grimpa dans la sienne pour la suivre. Connaissant l'itinéraire qu'elle prendrait, il put se maintenir à bonne distance, ne l'ayant que de temps en temps dans son champ de vision. Son but n'était pas de la traquer, mais de s'assurer que personne d'autre n'était à ses trousses.

Au bout de quelques kilomètres, il fut rassuré et fit demi-tour.

En se garant près de son véhicule, il échangea un petit salut amical avec le policier.

Avant de pénétrer dans la maison, il s'attarda près de la porte latérale pour regarder autour de lui. L'espace d'un instant, il eut une impression d'intemporalité, comme s'il se trouvait dans un tableau. Au moment d'entrer, cette sensation paisible fut rompue par son portable – une sonnerie brève annonçant l'arrivée d'un texto –, puis réduite en miettes par le message lui-même :

DÉSOLÉ DE VOUS AVOIR RATÉ L'AUTRE JOUR. JE TENTERAI MA CHANCE UNE AUTRE FOIS. J'ESPÈRE QUE LA POUPÉE VOUS A PLU.

Il faillit s'élancer de manière absurde dans les bois, pris d'une envie frénétique d'abreuver d'insultes son ennemi invisible, comme si l'expéditeur du message se trouvait tapi là, derrière un arbre, en train de l'observer. Au lieu de ça, il relut le texto. Comme précédemment, l'envoi provenait d'un téléphone à carte prépayée.

On pouvait chercher l'emplacement de la borne d'origine, mais le processus n'allait pas de soi.

Depuis qu'il avait signalé l'intrusion de la poupée à son domicile, l'affaire avait le statut d'enquête officielle. Dans ce contexte, un message anonyme faisant référence à la poupée en question était une forme de pièce à conviction qu'il se devait de rapporter. Seulement, une analyse complète des relevés de son portable ne manquerait pas de révéler que d'autres textos lui avaient été envoyés précédemment depuis le même téléphone, textos auxquels il avait répondu. Il se sentait pris à son propre piège, un piège où chaque solution générait un nouveau problème.

Il se maudit d'avoir laissé son ego le pousser à accepter une fois de plus une affaire de meurtre que personne n'arrivait à résoudre, à autoriser Sonya Reynolds à s'immiscer de nouveau dans sa vie. Ce même ego l'avait aveuglé face aux supercheries de Jykynstyl et persuadé de cacher les conséquences, et photos possibles, à Madeleine. Autant d'éléments qui l'avaient précipité dans l'impasse pernicieuse et absurde dans laquelle il se trouvait à présent.

Cependant, battre sa coulpe ne le mènerait nulle part. Il fallait qu'il fasse quelque chose. Mais quoi ?

La sonnerie du téléphone le sortit de ses réflexions.

C'était Sheridan Kline, exsudant son enthousiasme le plus visqueux.

— Dave ! Content que vous ayez décroché. Enfourchez votre monture, mon ami. On a besoin de vous ici *pronto.*

— Que se passe-t-il ?

— Ce qui se passe, c'est que Darryl Becker, de la meilleure police de Palm Beach, a mis la main sur le bateau de Ballston, comme vous l'aviez prédit. Et devinez ce qu'il a trouvé d'autre.

— Je ne suis pas fort en devinettes.

— Ah ! En attendant, vous avez eu un sacré flair pour ce qui est de ce rafiot – et de la possibilité que les techniciens de Palm Beach y dénichent quelque chose. Effectivement, ils ont découvert une minuscule tache de sang… qui a donné lieu à un profil ADN express… à l'origine d'un CODIS presque parfait… D'où un changement d'humeur du sieur Ballston. Enfin, disons, une modification de sa stratégie juridique. Son avocat et lui sont désormais prêts à collaborer pleinement pour éviter l'injection létale.

— Attendez une seconde, intervint Gurney. Le CODIS presque parfait – quel nom a surgi ?

— Ça a marché de la même manière que pour Melanie Strum – un membre de la famille proche, en l'occurrence un abuseur d'enfants déjà condamné du nom de Wayne Dawker. Même nom de famille qu'une des ex-élèves de Mapleshade, Kim Dawker, qui a disparu trois mois avant Melanie. Il s'avère que Wayne est le frère aîné de Kim. Les avocats de Ballston sont peut-être assez fortiches pour lui épargner une inculpation de meurtre, mais pas deux.

— Comment se sont-ils débrouillés pour avoir la réponse du CODIS aussi vite ?

— La formule « meurtres en série » a peut-être été une motivation suffisante. À moins qu'il se soit trouvé quelqu'un à Palm Beach pour avoir justement le bon numéro de téléphone dans ses tablettes.

Kline avait l'air envieux.

— Dans un cas comme dans l'autre, ça me va très bien, répondit Gurney. Que fait-on maintenant ?

— Becker va procéder cet après-midi même à un interrogatoire en règle de Ballston, auquel ce dernier a accepté de se soumettre. On nous a invités à y participer par le biais d'une vidéoconférence. Nous assistons à l'interrogatoire sur un écran d'ordinateur et leur transmettons toutes les questions que nous avons envie de leur poser. J'ai insisté pour que vous soyez de la partie.

— Quel est mon rôle ?

— Poser la bonne question au bon moment. Déterminer dans quelle mesure il est sincère. C'est vous qui connaissez le mieux cette vermine. Hé, à propos de vermine, j'ai appris que vous aviez été victime d'une petite effraction à votre domicile.

— On peut dire ça comme ça. Plutôt déroutant de prime abord, mais… je suis sûr que nous finirons par découvrir qui en est l'auteur.

— Quelqu'un a envie que vous lâchiez l'affaire, on dirait. Vous pensez que c'est ça ?

— Je ne vois pas ce que ça pourrait être d'autre.

— Bon, nous en reparlerons quand vous serez là.

— Entendu.

En fait, Gurney n'avait pas la moindre envie d'en parler. Aussi loin que remontaient ses souvenirs, il était incapable de parler ou de reconnaître sa vulnérabilité. Ce dysfonctionnement l'empêchait non seulement d'être honnête avec Madeleine concernant ses craintes liées au Roxynol, par exemple, mais encore d'en limiter les dégâts.

L'équipement informatique de l'école de police était plus moderne que celui de la Brigade, et c'est là que tout le monde se réunit peu après quatorze heures. Une salle de conférences dominée par un écran plat encastré dans un mur face à une table semi-circulaire entourée d'une douzaine de chaises. Gurney connaissait toutes les personnes présentes. Il était plus content d'en voir certaines – Rebecca Holdenfield notamment – que d'autres.

Il constata avec soulagement qu'ils semblaient tous concentrés – trop absorbés pour songer à lui poser des questions à propos de la présence de la poupée et ses implications.

Le sergent Robin Wigg avait pris place à une petite table à l'écart dans un coin de la pièce, face à deux ordinateurs portables, un téléphone mobile ainsi qu'un clavier avec lequel elle semblait contrôler le moniteur au mur. À mesure qu'elle tapait sur les touches, l'écran afficha une série de données digitales et de codes numériques avant de passer à des images *life* en haute définition, qui furent rapidement au centre de l'attention.

Ils avaient sous les yeux une salle d'interrogatoire standard. Au milieu trônait une table en métal gris. L'inspecteur Darryl Becker était assis d'un côté, face à deux hommes, dont l'un avait l'air de sortir tout droit d'un article de *GQ* sur les avocats les plus élégants d'Amérique. Son voisin n'était autre que Jordan Ballston, chez qui s'était opérée une transformation dévastatrice. Il était en sueur, ses vêtements tout froissés. Il se tenait avachi, bouche ouverte, et regardait fixement la table d'un œil vide.

Becker se tourna prestement vers la caméra.

— Nous allons pouvoir commencer, dit-il. J'espère que vous nous entendez clairement. Confirmez, s'il vous plaît, ajouta-t-il en regardant l'écran face à lui avec insistance.

Gurney entendit Wigg tapoter sur son clavier.

Quelques instants plus tard, Becker sourit et brandit joyeusement le pouce.

Rodriguez, qui venait d'avoir une petite discussion à voix basse avec Kline, s'avança vers le devant de la salle.

— Écoutez, tout le monde, nous sommes réunis ici pour assister à un interrogatoire auquel on nous invite à participer. En raison de la découverte de nouvelles pièces à conviction sur sa propriété…

— Des taches de sang sur son bateau, décelées grâce à un coup de pouce de Gurney, l'interrompit Kline, prenant un malin plaisir à entretenir l'animosité latente.

Rodriguez battit des paupières avant de reprendre :

— En raison de ces nouveaux indices, le prévenu a changé son fusil d'épaule. Dans le but d'éviter une condamnation à mort inévitable dans l'État de Floride, il propose non seulement d'avouer le meurtre de Melanie Strum, mais de nous fournir des détails relatifs à un complot criminel de plus grande envergure – un complot qui pourrait être lié aux disparitions éventuelles d'autres anciennes élèves de Mapleshade. Notez qu'il fait cette déclaration dans le but de sauver sa peau, ce qui pourrait l'inciter à en dire plus qu'il en sait véritablement sur cette soi-disant conspiration.

Comme pour contrecarrer la prudence du capitaine, Hardwick interpella Gurney, assis à l'autre extrémité de la table en demi-lune.

— Félicitations, Sherlock ! Vous devriez songer à une carrière dans la police. On a besoin de cerveaux comme le vôtre.

Une voix jaillie de l'écran au mur attira l'attention de chacun.

CHAPITRE 66

La monstrueuse vérité selon Ballston

— Il est quatorze heures et trois minutes, et nous sommes le 20 septembre. Ici le lieutenant Darryl Becker des services de police de Palm Beach. J'ai auprès de moi, dans la salle d'interrogatoire n° 1, Jordan Ballston et son avocat Stanford Mull. Cette conversation sera enregistrée.

Le regard de Becker passa de la caméra à Ballston.

— Vous êtes Jordan Ballston, demeurant dans South Ocean Boulevard, à Palm Beach ?

— C'est bien ça, répondit Ballston sans lever les yeux.

— Avez-vous consenti, après consultation de votre avocat, à faire une déclaration complète et sincère au sujet du meurtre de Melanie Strum ?

— Jordan, intervint Stanford Mull en posant sa main sur l'avant-bras de Ballston, il faut que…

— Oui, coupa Ballston.

— Vous engagez-vous à répondre sans détour à toutes les questions qui vous seront posées concernant cette affaire ?

— Absolument.

— Veuillez nous expliquer en détail comment vous êtes entré en contact avec Melanie Strum ainsi que les événements qui ont suivi, y compris la manière dont vous l'avez tuée et les motifs de votre acte.

Mull avait l'air affreusement mal à l'aise.

— Pour l'amour du ciel, Jordan…

Ballston leva les yeux pour la première fois.

— Ça suffit, Stan, ça suffit ! J'ai pris ma décision. Vous n'êtes pas là pour me mettre des bâtons dans les roues. Je tiens juste à ce que vous soyez pleinement au courant de tout ce que je dis.

Mull secoua la tête.

Ballston parut soulagé par le silence de son avocat. Il regarda la caméra.

— J'ai combien de spectateurs ?

— Quelle importance ? répondit Becker d'un air écœuré.

— Les trucs les plus dingues finissent sur YouTube.

— Pas ça, je vous le garantis.

— Dommage. (Ballston esquissa un horrible sourire.) Par où dois-je commencer ?

— Par le commencement.

— Vous voulez dire, quand, à l'âge de six ans, j'ai vu mon oncle baiser avec ma mère ?

Becker eut une seconde d'hésitation.

— Si vous partiez de votre rencontre avec Melanie Strum ?

Ballston s'adossa à sa chaise, adressant sa réponse d'un ton presque rêveur à un point situé assez haut sur le mur derrière Becker.

— J'ai acquis Melanie grâce au système Karnala. Un système particulier, impliquant tout un cheminement à travers une série de portails. Chacun de ces portails…

— Une seconde, intervint Becker. Il faut que vous nous expliquiez ça un peu plus clairement. Qu'est-ce que c'est qu'un portail ?

Gurney avait envie de lui dire de se détendre, de laisser Ballston parler en gardant ses questions pour plus tard. Mais, ce faisant, il risquait à ce stade de le faire dérailler complètement.

— Je vous parle de liens, de passerelles. De sites Internet renvoyant à une sélection d'autres sites, de chat-rooms conduisant à d'autres chat-rooms, de manière à identifier des intérêts toujours plus précis, pour aboutir à une correspondance en direct, par mails ou textos, avec le fournisseur.

Compte tenu du thème sous-jacent, le ton professionnel de Ballston paraissait surréaliste.

— Vous leur expliquez quel genre de fille vous voulez, et ils vous la livrent, c'est ça ? demanda Becker.

— Non, rien d'aussi brutal ou de grossier que ça. Comme je vous l'ai dit, Karnala fonctionne sur un mode très particulier. Le prix est élevé, mais la méthode subtile. Une fois que la relation s'est avérée satisfaisante de part et d'autre…

— Satisfaisante ? En quel sens ?

— Dans le sens de la crédibilité. Quand les gens de Karnala sont convaincus du sérieux des intentions du client, et le client persuadé de la légitimité de Karnala…

— *Légitimité ?*

— Pardon ? Oh, je vois votre problème. *Légitimité* signifie, pour moi, être ce que l'on prétend, et non pas l'agent d'une pitoyable opération d'infiltration, par exemple.

Gurney était fasciné par la dynamique de l'interrogatoire. Ballston, qui se mouillait dans un crime pour lequel il pouvait difficilement s'attendre à écoper moins que la peine capitale, semblait tirer un sentiment d'assurance de son récit flegmatique. C'est Becker, théoriquement en charge, qui avait l'air déboussolé.

— D'accord, fit Becker, en imaginant que tout le monde soit satisfait à la fin, que se passe-t-il ensuite ?

— Ensuite, reprit Ballston, marquant une pause pour ménager ses effets et regardant son interlocuteur dans les yeux pour la première fois, ensuite vient la touche d'élégance : les publicités de Karnala dans le *Sunday Times*.

— Pardon ?

— Karnala Fashion. Les vêtements les plus chers de la planète : des modèles uniques, conçus spécialement pour vous, à cent mille dollars pièce minimum. Des publicités ravissantes. Tout comme les modèles, qui ne portent rien à part quelques foulards diaphanes. Très stimulant.

— Quel est l'intérêt de ces pubs ?

— Réfléchissez.

Le ton hautain de Ballston commençait à taper sur les nerfs de Becker.

— Putain, Ballston, je n'ai pas le temps de jouer à ce petit jeu-là !

Ballston poussa un soupir.

— Je pensais que c'était évident, lieutenant. Ce ne sont pas des pubs pour des fringues, mais pour des filles.

— Vous voulez dire que les filles des publicités sont à vendre.

— Exact.

Becker battit des paupières, abasourdi.

— Pour cent mille dollars ?

— Et plus.

— Bon, et après ? Vous envoyez un chèque de cent mille dollars et ils vous expédient la pute la plus chère du monde par Federal Express.

— Pas tout à fait, lieutenant. On ne commande pas une Rolls-Royce à partir d'une publicité dans un magazine.

— Alors… vous faites quoi ? Vous vous rendez dans leur salon d'exposition ?

— On peut dire ça comme ça. C'est plutôt une salle de visionnage. Chaque fille disponible, y compris celle qui apparaît dans la pub, se présente dans une petite vidéo intime.

— Vous voulez parler de films pornographiques individuels ?

— C'est beaucoup mieux que ça. Karnala opère au niveau le plus sélect du marché. Ces filles sont remarquablement intelligentes, d'un grand raffinement, tout comme leurs présentations vidéo. Elles sont présélectionnées avec soin afin de correspondre aux besoins émotionnels du client.

Ballston passa langoureusement le bout de sa langue sur sa lèvre supérieure. On aurait dit que Becker allait bondir de sa chaise.

— Ce que vous n'avez pas saisi, à mon avis, lieutenant, c'est que ces filles ont des antécédents sexuels très intéressants, avec des appétits hors du commun. Ce ne sont pas des prostituées, voyez-vous. Elles sont très spéciales.

— C'est ça qui fait qu'elles valent cent mille dollars ?

Ballston soupira avec complaisance.

— Et davantage.

Becker hocha la tête, ébahi. Il avait l'air perdu.

— Cent mille dollars… pour des nymphomanes… sophistiquées ?…

Ballston esquissa un petit sourire.

— Pour des filles qui répondent précisément à nos souhaits. Qui nous vont comme un gant.

— Précisez votre pensée.

— Il y a d'excellents vins qui ne coûtent que cinquante dollars la bouteille, des crus atteignant la perfection à 90 %. Un nombre beaucoup plus restreint, disponibles à cinq cents dollars la bouteille, sont parfaits à 99 %. Pour cet ultime 1 % manquant à la perfection absolue, il vous faudra débourser cinq mille dollars supplémentaires la bouteille. Certaines personnes ne sont pas capables de faire la différence. D'autres, si.

— Bon sang ! Et moi qui croyais, pauvre nigaud quc jc suis, qu'une poule de luxe n'est rien d'autre qu'une poule de luxe.

— En ce qui vous concerne, lieutenant, je suis sûr que c'est vrai.

Becker se raidit sur sa chaise, les traits figés. Gurney avait vu cette expression trop souvent. Ce qui suivait était généralement regrettable, au point de mettre parfois un terme à une carrière. Il espérait que la caméra et la présence de maître Mull seraient des éléments suffisamment dissuasifs.

Ce fut apparemment le cas. Becker se détendit peu à peu, promena son regard autour de lui pendant une longue minute en se gardant bien de poser les yeux sur Ballston.

Gurney se demanda à quoi jouait ce dernier. Cherchait-il à provoquer une réaction explosive en échange d'avantages sur le plan juridique ? À moins que sa condescendance placide visât à faire la preuve de sa supériorité alors que sa vie s'en allait à vau-l'eau ?

Lorsque Becker reprit la parole, sa voix feignait la désinvolture.

— Parlez-moi de cette salle de visionnage, Jordan.

Il avait prononcé le prénom d'une manière qui semblait étrangement insultante.

Si Ballston s'en aperçut, il ne broncha pas.

— Petite, confortable, un joli tapis.

— Où se trouve-t-elle ?

— Je n'en sais rien. On est venu me chercher à l'aéroport de Newark, on m'a mis un bandeau, un de ces masques de sommeil comme on en voit dans les vieux films en noir et blanc. Le chauffeur m'a dit de le conserver jusqu'à ce que nous soyons dans la salle.

— Et vous n'avez pas triché ?

— Karnala n'est pas une organisation qui encourage la tricherie.

Becker hocha la tête, sourit.

— Considéreraient-ils ce que vous êtes en train de nous raconter en ce moment comme une forme de tricherie, à votre avis ?

— J'en ai bien peur.

— Alors, vous regardez ces... vidéos... et vous voyez quelque chose qui vous plaît. Ensuite ?

— Vous acceptez oralement les termes de l'achat, vous remettez le bandeau et on vous reconduit à l'aéroport. Vous transférez le montant par virement sur un compte numéroté dans les îles Cayman et, quelques jours plus tard, la fille de vos rêves sonne à votre porte.

— Et après ?

— Et après il se passe ce qu'on a envie qu'il se passe.

— Et la fille de vos rêves se retrouve morte.

Ballston sourit.

— Évidemment.

— Évidemment ?

— Toute la transaction se fonde là-dessus. Vous ne l'aviez pas compris ?

— Sur le meurtre de la fille ?

— Les filles que fournit Karnala sont très vilaines. Elles ont fait des choses terribles. Qu'elles décrivent en détail dans leur vidéo. Des choses inouïes.

Becker recula un peu sa chaise. À l'évidence, cela le dépassait complètement. Même le visage impassible de Stanford Mull avait pris une certaine rigidité. Leurs réactions parurent requinquer Ballston. Comme si la vie recommençait à affluer en lui. Son regard s'illumina.

— Des choses terribles nécessitant un châtiment tout aussi terrible.

Il y eut une sorte de pause, deux ou trois secondes peut-être, pendant lesquelles on aurait dit que plus personne ne respirait, dans la salle d'interrogatoire de Palm Beach comme dans la salle de vidéoconférence de la Brigade.

Darryl Beckel rompit le charme en posant une question pratique d'un ton neutre.

— Soyons tout à fait clairs. Vous avez tué Melanie Strum ?

— C'est exact.

— Et Karnala vous avait déjà envoyé des filles ?

— En effet.

— Combien en tout ?

— Deux autres, avant Melanie.

— Que saviez-vous d'elles précisément ?

— À propos des particularités fastidieuses de leur existence au quotidien, rien. Concernant leurs passions et leurs transgressions, tout.

— Saviez-vous d'où elles venaient ?

— Non.

— La manière dont Karnala les recrutait ?

— Non.

— Avez-vous jamais tenté de le découvrir ?

— On nous en dissuadait expressément.

Becker s'écarta de la table et étudia le visage de Ballston.

Gurney qui l'observait sur l'écran eut le sentiment qu'il cherchait à gagner du temps, accablé par cette introduction, dégoûté à un point qu'il n'avait pas prévu, cherchant désespérément comment orienter son interrogatoire à partir de là.

Gurney se tourna vers Rodriguez. Le capitaine semblait tout aussi dérouté par les révélations de Ballston, et sa nonchalance.

— S'il vous plaît. (Rodriguez ne parut pas l'entendre.) Je souhaiterais adresser une requête à Palm Beach.

— Quel genre de requête ?

— Je voudrais que Becker demande à Ballston pourquoi il a décapité Melanie.

La répulsion tordit les traits du capitaine.

— De toute évidence, parce que c'est un malade, un sadique, un meurtrier de la pire espèce.

— Je pense qu'il pourrait être utile de lui poser la question.

Rodriguez eut l'air peiné.

— Ça fait partie de son immonde rituel. Qu'est-ce que vous voulez que ce soit d'autre ?

— De même que couper la tête de Jillian faisait partie du rituel de Hector ?

— Où voulez-vous en venir ?

Gurney durcit le ton.

— C'est une question simple, et *il faut la poser.* Nous n'avons plus beaucoup de temps.

Il savait que les affres que Rodriguez connaissait avec sa fille accro au crack compromettaient sa capacité à gérer une affaire qui le touchait de si près, mais ce n'était pas ce qui lui tenait le plus à cœur.

Rodriguez s'empourpra, l'effet étant accentué par le contraste entre son col blanc amidonné et ses cheveux teints en noir. Au bout d'un moment, de guerre lasse, il se tourna vers Wigg.

— Il veut poser une question : « Pourquoi Ballston lui a-t-il coupé la tête ? » Envoyez ça.

Wigg tapa rapidement sur son clavier.

Sur le moniteur, Becker asticotait Ballston pour essayer de savoir où Karnala recrutait les filles. Ballston répéta qu'il n'en avait pas la moindre idée.

Becker envisageait apparemment un autre moyen d'arriver à ses fins quand son attention fut soudain attirée par l'écran de son ordinateur, où la question que Wigg venait de transmettre avait dû s'afficher. Il leva les yeux vers la caméra et esquissa un signe de tête avant de changer de sujet.

— Alors, Jordan, dites-moi… pourquoi avez-vous fait ça ?

— Fait quoi ?

— Tuer Melanie Strum de cette façon ?

— C'est une affaire privée, j'en ai peur.
— Privée. Et puis quoi encore ? Le deal était qu'on posait les questions et que vous y répondiez…
— Eh bien…
Ballston avait perdu de sa bravade.
— Je dirais qu'il s'agit en partie d'une question de préférence personnelle, et…
Pour la première fois depuis le début de l'interrogatoire, il paraissait légèrement anxieux.
— Il faut que je vous demande quelque chose, lieutenant. Faites-vous référence à… tout le processus ou juste à l'ablation de la tête ?
Becker hésita. Le ton banal de la conversation semblait déformer son sens des réalités.
— Disons que, pour le moment, nous nous intéressons principalement à… l'ablation.
— Je vois. Eh bien, il s'agissait, comment dirais-je, d'un échange de bons procédés.
— Je vous demande pardon ?
— Un échange de bons procédés. Un accord à l'amiable.
— Un accord… pour faire quoi ?
Ballston secoua la tête d'un air désespéré, tel un professeur émérite confronté à un élève bouché à l'émeri.
— Je pense vous avoir expliqué l'arrangement de base, et l'expertise de Karnala quant à la dimension psychologique, sa capacité à fournir un produit sans équivalent. Vous l'avez bien compris, lieutenant ?
— Oui, je l'ai parfaitement compris.
— Ils sont la source ultime du produit ultime.
— Ça aussi, j'ai compris.

— Il y avait tout de même une condition au maintien de relations commerciales entre nous, une petite stipulation.

— Que vous coupiez la tête de la victime ?

— Après coup. Un additif en quelque sorte.

— Et l'objet de cet additif était… ?

— Qui sait ? Chacun ses goûts.

— Ses goûts ?

— On m'a laissé entendre que c'était important pour quelqu'un de chez Karnala.

— Seigneur ! Leur avez-vous demandé de plus amples explications à ce sujet ?

— Vraiment, lieutenant, vous ignorez tout de Karnala, n'est-ce pas ?

L'étrange sérénité de Ballston s'accrut en proportion directe avec la consternation de Becker.

CHAPITRE 67

L'amour d'une mère

À la fin de l'interrogatoire de Jordan Ballston – le premier des trois prévus dans le but de revenir, le cas échéant, sur les questions soulevées initialement, de poser celles qu'on avait omises et d'approfondir l'ensemble des relations d'affaires de Ballston avec Karnala –, on interrompit la transmission.

Blatt fut le premier à briser le silence quand le moniteur s'éteignit.

— Quel horrible salopard !

Rodriguez sortit un mouchoir immaculé de sa poche, ôta ses lunettes et commença à les nettoyer distraitement. Gurney ne l'avait jamais vu sans ses verres. Ses yeux paraissaient plus petits, plus fatigués, la peau autour plus ridée.

Kline repoussa sa chaise.

— Bon sang ! Je crois que je n'ai jamais assisté à un interrogatoire pareil. Qu'en pensez-vous, Becca ?

Les sourcils de Holdenfield firent un bond.

— Ça vous ennuierait d'être plus explicite ?

— Vous gobez cette histoire à dormir debout ?

— Si vous me demandez si, à mon sens, il a dit la vérité telle qu'il la voit, la réponse est oui.

— La vérité, un fumier de son espèce s'en moque éperdument, lança Blatt.

Holdenfield lui répondit par un sourire, comme si elle avait affaire à un enfant bien intentionné.

— Une remarque judicieuse, Arlo. Dire la vérité ne doit pas figurer très haut sur la liste des valeurs de M. Ballston. Sauf s'il pense que ça peut lui sauver la vie.

— Je ne lui ferais même pas confiance pour sortir les poubelles, persévéra Blatt.

— Je vais vous faire part de ma réaction, annonça Kline.

Il attendit d'avoir l'attention de tout le monde.

— En supposant que ses déclarations soient exactes, Karnala pourrait bien être l'une des entreprises criminelles les plus corrompues jamais démasquées. Le rôle joué par Ballston, si abominable soit-il, a des chances de n'être que le haut de l'iceberg – un iceberg sorti de l'enfer.

Le rire chevalin émis par Hardwick ne fut que partiellement dissimulé par une toux. Dans un élan théâtral, Kline continua sur sa lancée.

— Karnala fait l'effet d'une vaste opération remarquablement bien organisée et impitoyable. Les autorités de Floride ont mis la main sur un petit appendice : un client. Or nous avons la possibilité de dénoncer et de détruire toute l'entreprise. Notre réussite pourrait faire la différence entre la vie et la mort pour de nombreuses jeunes femmes. À ce propos, Rod, le moment me paraît bien choisi pour faire le point sur nos enquêtes téléphoniques relatives aux anciennes élèves de Mapleshade.

Le capitaine chaussa ses lunettes, les ôta de nouveau. Il semblait que les rebondissements de l'affaire et les échos qu'elle provoquait en lui compromettaient son aptitude à fonctionner.

— Donnez-nous les résultats des entretiens, Bill, dit-il non sans effort.

Anderson avala un morceau de doughnut qu'il fit descendre avec une gorgée de café.

— Sur les cent cinquante-deux noms figurant sur la liste, nous avons joint, ou reçu un appel d'au moins un membre de la famille dans cent douze cas. (Il feuilleta les pages dans son dossier.) Parmi ces cent douze cas, nous avons réparti les réponses en différentes catégories. Par exemple…

Kline semblait sur le point de perdre patience.

— Pourrait-on aller droit au but ? Contentez-vous de nous préciser le nombre de filles que l'on n'a pas pu localiser, en particulier si elles ont eu une dispute à propos de l'achat d'une voiture avant de quitter leur domicile.

Anderson remua à nouveau ses papiers, parcourant une demi-douzaine de feuilles une demi-douzaine de fois avant d'annoncer finalement que vingt et une familles ignoraient où se trouvait leur fille, parmi lesquelles dix-sept avaient eu une querelle au sujet d'une voiture – y compris celles mentionnées par Ashton et Savannah Liston.

— Il semble que la tendance se confirme, dit Kline. (Il reporta son attention sur Hardwick.) Du nouveau quant au lien avec Karnala ?

— Rien de particulier, sauf qu'il n'y a plus aucun doute que les Skard mènent la danse. Interpol pense qu'ils donnent principalement dans l'esclavage sexuel ces temps-ci.

Blatt dressa l'oreille.

— Ça vous ennuierait d'être un peu plus précis sur cette histoire d'esclavage sexuel ?

Étonnamment, Rodriguez intervint d'une voix vibrante de colère.

— Je pense que nous savons tous parfaitement de quoi il retourne. Il s'agit du commerce le plus immonde qui soit. Vendeurs et clients constituent la lie de la terre. Réfléchissez, Arlo. Quand vous aurez envie de gerber, vous saurez que vous avez pigé le truc.

La véhémence de son ton provoqua un silence gêné.

Kline se racla la gorge, les traits plissés par une sorte d'écœurement.

— Quand on me parle de trafic sexuel, j'imagine de jeunes paysannes thaïlandaises envoyées à des Arabes replets. Serait-ce le sort réservé aux filles de Mapleshade ? J'ai du mal à le concevoir. Quelqu'un aurait-il la gentillesse d'éclairer ma lanterne ? Dave, vous avez des commentaires à faire à ce sujet ?

— Aucun sur votre observation relative à la connexion Thaïlande-pays arabes, mais j'ai deux questions à poser. Premièrement, Flores est-il lié aux Skard, selon nous ? Et si tel est le cas, que faut-il en conclure ? Dans la mesure où les activités des Skard sont une affaire familiale, serait-il possible que Flores…

— Soit lui-même un Skard ?

Kline abattit sa main sur la table.

— Bon sang, pourquoi pas ?

Blatt se gratta la tête en une parodie involontaire de l'état de confusion.

— Qu'essayez-vous de dire ? Que Hector Flores serait en fait un des garçons dont la mère s'envoyait en l'air avec tous ces dealers de coke ?

— Waouh ! s'exclama Kline. Cela donnerait un nouveau centre de gravité à toute cette affaire.

— Plutôt deux, fit observer Gurney.

— Deux ?

— L'argent et la pathologie sexuelle. Réfléchissez, s'il s'agissait uniquement d'une entreprise financière, pourquoi cette histoire bizarre autour d'Edward Vallory ?

— Hum ! Bonne question. Becca ?

Rebecca se tourna vers Gurney.

— Insinuez-vous qu'il y a là une contradiction ?

— Pas vraiment. Toute la question est de savoir si c'est la queue qui commande à la tête ou l'inverse.

Elle le considéra avec un intérêt accru.

— Et votre conclusion ?

Il haussa les épaules.

— J'ai appris à ne jamais sous-estimer le pouvoir d'une pathologie.

Elle esquissa un petit sourire d'approbation.

— Le résumé des antécédents fourni par Interpol indiquait que Giotto Skard avait trois fils : Tiziano, Raffaello et Leonardo. Si Hector Flores est l'un d'eux, il s'agit de déterminer lequel.

Kline la regarda intensément.

— Vous avez un point de vue là-dessus ?

— C'est plus une supposition qu'un avis professionnel, mais si nous estimons que la pathologie sexuelle est un mobile important dans cette affaire, je pencherais pour Leonardo.

— Pourquoi ?

— C'est celui que la mère a emmené avec elle lorsque Giotto a fini par la mettre à la porte. Il a passé plus de temps en sa compagnie que les autres.

— Vous voulez dire qu'être proche de sa mère pourrait faire de quelqu'un un fou dangereux ? demanda Blatt.

Holdenfield haussa les épaules.

— Tout dépend de la mère en question. Entre être proche d'un être normal et faire l'objet de sévices prolongés de la part d'une droguée sociopathe et prédatrice sexuelle telle que Tirana Zog, il y a de la marge.

— Je comprends, intervint Kline, mais comment est-ce que les effets démentiels de ce type d'éducation – la folie, la rage, l'instabilité – pourraient coller avec ce qui semble être une entreprise criminelle hautement organisée ?

Holdenfield sourit.

— La folie n'est pas toujours un obstacle à l'accomplissement de nos desseins. Joseph Staline n'est pas le seul schizophrène paranoïaque à avoir réussi à parvenir au sommet. Il y a parfois une synergie délétère entre la pathologie et la poursuite d'objectifs pratiques, surtout dans un domaine d'activité aussi brutal que le commerce du sexe.

Blatt paraissait intrigué.

— Vous êtes en train de nous dire que les cinglés font les meilleurs gangsters ?

— Pas toujours. Mais supposons un instant que notre Hector Flores soit bien Leonardo Skard. Que le fait d'avoir été élevé par une mère dépravée, psychotique, incestueuse l'ait rendu plus qu'un peu maboul. Supposons également que l'organisation Skard, par le biais de Karnala, soit aussi impliquée dans la prostitution de luxe et l'esclavage sexuel que le prétendent les contacts de la Brigade auprès d'Interpol, et que le confirment les aveux de Jordan Ballston.

— Ça fait beaucoup de suppositions, souligna Anderson, tout en essayant d'extirper une miette de doughnut des plis de sa serviette.

— D'excellentes suppositions, à mon avis, remarqua Kline.

— Si ces hypothèses sont exactes, dit Gurney, il semble que Leonardo se soit trouvé le boulot idéal.

— Comment ça, idéal ? s'enquit Blatt.

— Un boulot associant à la perfection les affaires familiales et sa haine personnelle des femmes.

De la perplexité, l'expression de Kline passa à la stupéfaction.

— Celui de recruteur !

— Exactement ! dit Gurney. Imaginez que Skard – alias Flores – soit venu à Mapleshade spécialement pour racoler des jeunes femmes susceptibles de se laisser persuader de satisfaire les goûts sexuels d'hommes riches. Il leur décrivait bien entendu l'arrangement d'une façon qui répondait à leurs propres besoins et fantasmes. Elles ne savaient jamais, jusqu'à ce qu'il soit trop tard, qu'elles allaient être livrées aux mains de sadiques sexuels ayant l'intention de les tuer – des types comme Jordan Ballston.

Blatt écarquillait les yeux.

— Vous parlez de trucs de super malades, là !

— Profit et pathologie vont souvent de pair, enchaîna Gurney. J'ai connu plus d'un tueur à gages qui se voyait comme un homme d'affaires travaillant dans un domaine pour lequel le commun des mortels n'a pas assez d'estomac. Tel que l'embaumement. Ils en parlaient comme s'il s'agissait avant tout d'une source de revenus, et accessoirement seulement de tuer des gens. Naturellement, c'est le contraire qui est vrai. Tuer, c'est tuer. Il s'agit d'une forme de haine froide – une haine que le tueur à gages convertit en business. C'est peut-être ce à quoi nous sommes confrontés en l'occurrence.

Anderson roula sa serviette en boule.

— On devient un peu trop théoriques, non ?

— Je pense que Dave a mis dans le mille, répliqua Holdenfield. Pathologie et raisons pratiques. Leonardo Skard, sous l'identité de Hector Flores, gagne peut-être sa vie en planifiant la torture et la décapitation de femmes qui lui rappellent sa mère.

Rodriguez se leva lentement de sa chaise.

— Je pense que le moment est venu de faire une pause. D'accord ? Dix minutes. Toilettes. Café. Etc.

— Un dernier point, intervint Holdenfield. Après tout ce qu'on a dit sur le fait que Jillian Perry avait été tuée le jour de son mariage, est-il venu à l'esprit de l'un d'entre vous que c'était aussi le jour de la fête des mères ?

CHAPITRE 68

Chemin Buena Vista

Kline, Rodriguez, Anderson, Blatt, Hardwick et Wigg quittèrent la pièce. Gurney était sur le point de les suivre quand il vit Rebecca, toujours assise, en train d'extraire une série de clichés de sa mallette – des photocopies de publicités Karnala – qu'elle étala devant elle. Il fit le tour de la table pour la rejoindre et les examina par-dessus son épaule. Depuis que Ballston avait révélé leur finalité, elles avaient un tout autre impact sur lui. Une vision plus brutale de désordre et de supercherie.

— Je ne comprends pas, dit-il. Mapleshade est censé remédier à des fixations sexuelles morbides. Si ce que je décèle sur les visages de ces jeunes filles reflète les bienfaits de la thérapie, comment étaient-elles auparavant, je vous le demande ?

— Pire.

— Impossible !

— J'ai lu quelques articles publiés par Ashton. Ses objectifs sont modestes. En réalité, minimaux. Ses détracteurs prétendent que son approche frôle l'immoralité. Les thérapeutes religieux ne peuvent pas le sentir. Il estime qu'il faut viser non pas de grandes réorientations, mais les changements même les plus infimes. Un commentaire qu'il a fait lors d'un séminaire est devenu célèbre, pour ne pas dire tristement célèbre. Ashton prend plaisir à choquer ses confrères. Il a déclaré que, s'il pouvait persuader une gamine de dix ans de faire une fellation à son petit copain de douze ans plutôt qu'à son cousin de huit ans, il estimerait que sa thérapie a pleinement réussi. Dans certains cercles, cette attitude est quelque peu controversée.

— Progrès, et non pas perfection, hein ?

— Exactement.

— Tout de même, quand je vois ces expressions…

— Il faut vous rappeler une chose : le taux de réussite n'est pas très élevé dans le domaine. Je suis sûre qu'Ashton lui-même échoue souvent. C'est une réalité. Quand on a affaire à des délinquants sexuels…

Mais Gurney avait cessé de l'écouter.

Bon sang, pourquoi n'avait-il pas remarqué ça plus tôt ?

Holdenfield était en train de le dévisager.

— Qu'est-ce qu'il y a ?

Il ne répondit pas tout de suite. Il y avait certaines implications dont il devait tenir compte, des décisions à prendre quant à ce qu'il pouvait dire et ne pas dire. Des décisions cruciales. Mais prendre une décision, quelle qu'elle soit, dépassait ses capacités à ce stade. Il venait de se rendre compte avec stupeur que *la chambre sur la photo était la pièce où il était entré pour se cacher des agents d'entretien le soir où il avait récupéré le petit verre à absinthe.* Il ne l'avait entrevue qu'une fraction de seconde quand il avait actionné l'interrupteur, le temps de se repérer. Sur le moment, cette vision lui avait provoqué une étrange sensation de déjà-vu – pour la bonne raison que la pièce en question figurait sur la photo de Jillian accrochée au mur d'Ashton, même si, ce soir-là, dans l'immeuble en grès brun, il n'avait pas fait le rapprochement.

— Qu'est-ce qu'il y a ? répéta Holdenfield.

— C'est difficile à expliquer, répondit-il d'une voix crispée, ce qui était en grande partie vrai.

Il n'arrivait pas à détacher son regard de la photo. La fille était accroupie sur le lit défait, en un mélange d'épuisement et de désir sexuel insatiable – aguicheuse, menaçante. Le souvenir d'une retraite qu'il avait faite lorsqu'il était en première à St. Genesius lui revint à l'esprit : l'image d'un prêtre aux yeux hagards divaguant à propos des feux de l'enfer. *Un feu qui brûle pour l'éternité, qui dévore vos chairs hurlantes comme une bête dont l'appétit grandit à chaque bouchée.*

Hardwick fut le premier à regagner la salle de conférences. Il jeta un coup d'œil à Gurney, à la photo publicitaire, à Holdenfield et parut percevoir la tension dans l'air. Wigg arriva ensuite, reprenant son poste devant son ordinateur, suivie par un Anderson à la mine sombre et un Blatt nerveux. Kline entra à son tour, son portable collé à l'oreille, Rodriguez sur ses talons. Hardwick s'assit en face de Gurney, le dévisageant d'un drôle d'air.

— Bon, fit Kline sur le ton d'un homme investi d'une importante mission. Revenons à nos moutons. Pour embrayer sur la question de la véritable identité de Hector Flores, Rod, il était prévu d'interroger à nouveau les voisins d'Ashton pour s'assurer qu'aucun détail concernant Flores ne nous avait échappé la première fois, non ? Où en sommes-nous ?

L'espace d'un instant, Rodriguez donna l'impression qu'il allait condamner violemment cette initiative comme étant une perte de temps. En définitive, il se tourna vers Anderson.

— Du nouveau à ce sujet ?

Anderson croisa les bras sur sa poitrine.

— Rien de significatif.

Kline décocha à Gurney un regard de défi – l'idée d'un second interrogatoire venant de lui.

Gurney s'arracha à ses pensées pour en revenir à la discussion.

— Vous a-t-il été possible de faire le tri entre les témoignages oculaires, peu nombreux, et les innombrables rumeurs ? demanda-t-il à Anderson.

— C'est fait.

— Et alors ?

— On a un problème avec les données provenant des témoins directs.

— À savoir ? intervint Kline.

— La plupart d'entre eux sont morts.

Kline battit des paupières.

— Redites-moi ça.

— La plupart des témoins oculaires sont morts.

— Bon sang, j'avais compris ! Précisez.

— Ce que je veux dire… Qui a vraiment parlé à Hector Flores ou Leonardo Skard, quel que soit le nom qu'on lui attribue maintenant ? Qui a été en contact direct avec lui ? Jillian Perry est morte. Kiki Muller est morte. Quant aux filles que Savannah Liston a vues en train de bavarder avec lui quand il s'occupait des parterres de fleurs d'Ashton à Mapleshade, elles ont toutes disparu, et elles ont probablement rendu l'âme si elles se sont retrouvées entre les mains de lascars comme Ballston.

Kline avait l'air sceptique.

— Je croyais que les gens l'avaient vu en ville et dans la voiture d'Ashton.

— Ils ont vu un type affublé d'un chapeau de cow-boy et de lunettes de soleil, répondit Anderson. Personne ne peut nous fournir une description physique digne de ce nom. On a tout un tas d'anecdotes pittoresques, mais ça s'arrête à peu près là. On a l'impression que tout le monde nous raconte des histoires colportées par d'autres.

Kline opina.

— Ça colle parfaitement avec la réputation de Skard.

Anderson lui jeta un regard en coulisse.

— Les Skard sont, paraît-il, sans scrupules quand il s'agit d'éliminer les témoins. Il semble que toute personne en mesure de pointer le doigt sur un des fistons se retrouve sur le carreau. Qu'en pensez-vous, Dave ?

— Je suis désolé. Pardon ?

Kline le regarda bizarrement.

— Je vous demande si le fait que toutes les personnes susceptibles d'identifier Flores aient été éliminées vous conforte dans l'idée qu'il pourrait être un des fils Skard.

— Pour être franc, Sheridan, je ne sais plus trop ce que je pense à ce stade. Je n'arrête pas de m'interroger sur le bien-fondé des idées qui me viennent sur cette affaire. Je redoute de passer à côté de quelque chose d'essentiel, susceptible de tout expliquer. Je me suis occupé d'un paquet d'homicides au fil des années, mais jamais je n'en ai rencontré un qui me paraisse aussi tordu. J'ai la sensation qu'il y a là un truc énorme que nous n'arrivons pas à voir.

Kline s'adossa à sa chaise d'un air pensif.

— Même si ce n'est pas le problème, il y a une question qui me turlupine à propos des élèves disparues. Je comprends l'histoire de la voiture, que ces filles sont toutes adultes sur le plan légal, qu'elles ont dit à leurs parents de ne pas essayer de les retrouver, mais… vous ne trouvez pas curieux qu'aucun parent n'ait averti la police ?

— J'ai bien peur qu'il y ait une réponse aussi simple que déprimante à votre question, répondit Holdenfield après un silence prolongé, en détachant ses mots.

Le ton étonnamment modéré de sa voix attira l'attention de tout le monde.

— Dès lors que le départ de leur fille avait une explication plausible et qu'elle leur avait demandé de couper toute relation, je suspecte que ces parents se réjouissaient en secret de la situation. La plupart des parents d'enfants perturbés et agressifs éprouvent une crainte terrible qu'ils ont honte d'admettre : celle de se retrouver à jamais avec leur petit monstre sur les bras. Quand ce dernier finit par prendre la poudre d'escampette pour une raison ou pour une autre, je présume qu'ils en éprouvent du soulagement.

Rodriguez n'avait pas l'air dans son assiette. Livide, il se leva discrètement et se dirigea vers la porte. Gurney en déduisit que Rebecca avait touché le nerf sensible, un nerf mis à nu, excité, harcelé dès l'instant où l'affaire avait cessé d'être une chasse à l'homme en quête d'un jardinier mexicain pour devenir une enquête portant sur des relations familiales dysfonctionnelles et des jeunes femmes détraquées. Ce nerf était tellement à vif depuis une semaine qu'il n'y avait rien d'étonnant à ce qu'un homme à la souplesse déjà limitée fût en passe de perdre la boule.

La porte s'ouvrit avant que le capitaine l'atteigne. Gerson entra, l'air affolé, lui barrant le passage.

— Excusez-moi, chef. Un appel important.

— Pas maintenant, marmonna-t-il. Anderson peut-être… ou quelqu'un…

— C'est urgent, chef. Un nouvel homicide lié à Mapleshade.

Rodriguez la dévisagea.

— Quoi ?

— Un homicide…

— Qui ça ?

— Une dénommée Savannah Liston.

Il lui fallut apparemment plusieurs secondes pour saisir – comme s'il écoutait une traduction.

— D'accord, dit-il finalement avant de sortir de la pièce dans le sillage de la jeune femme.

Quand il revint, cinq minutes plus tard, les vagues spéculations qui avaient flotté autour de la table en son absence cédèrent le pas à une attention avide.

— Bon, tout le monde est là. Je ne répéterai pas, annonça-t-il, aussi je vous suggère de prendre des notes.

Anderson et Blatt sortirent des petits carnets identiques et des stylos. Les doigts de Wigg étaient suspendus au-dessus de son clavier.

— C'était Burt Luntz, le chef de la police de Tambury. Il appelait d'un pavillon loué par Savannah Liston, une employée de Mapleshade.

Il y avait de la vigueur et de la détermination dans la voix du capitaine, comme si la tâche consistant à transmettre l'information l'avait ramené sur un terrain solide, temporairement du moins.

— À cinq heures du matin approximativement, Luntz a reçu un coup de téléphone chez lui. Avec un accent qui lui a semblé espagnol, son interlocuteur lui a juste dit : « 78 chemin Buena Vista, pour toutes les raisons que j'ai écrites. » Quand Luntz lui a demandé son nom, il s'est borné à répondre : « Edward Vallory m'appelle le Jardinier espagnol. » Après quoi il a raccroché.

Anderson consulta sa montre en fronçant les sourcils.

— Ça s'est passé à cinq heures du matin, soit il y a dix heures, et on en entend parler seulement maintenant ?

— L'appel en question n'a pas mis la puce à l'oreille de Luntz, malheureusement. Il a cru que c'était une erreur, que le type était ivre, voire les deux. Il n'est pas au courant de notre enquête dans les détails, si bien que l'allusion à Edward Vallory n'évoquait rien pour lui. Et puis, il y a une demi-heure environ, il a reçu un coup de fil du Dr Lazarus, de Mapleshade, l'informant qu'une de ses employées, d'ordinaire consciencieuse, n'était pas venue travailler ce matin et qu'elle ne répondait pas au téléphone. Compte tenu des événements abracadabrants qui se passaient en ce moment, était-il possible d'envoyer une voiture de patrouille chez elle pour s'assurer que tout allait bien ? Lazarus lui a indiqué l'adresse : 78 chemin Buena Vista. Ça disait quelque chose à Luntz. Du coup, il a fait le déplacement lui-même.

Kline était penché en avant sur sa chaise, tel un sprinter attendant le départ.

— Et il a trouvé Savannah Liston morte ?

— Il a trouvé la porte de derrière ouverte, et Liston à la table de la cuisine. Même disposition que pour Jillian Perry.

— Exactement la même ? demanda Gurney.

— Apparemment.

— Où est Luntz à l'heure qu'il est ?

— Dans la cuisine en question. Des policiers de Tambury sont en route pour établir un périmètre de sécurité autour de la zone et protéger la scène de crime. Il a déjà fait un tour rapide de la maison afin de s'assurer qu'il n'y avait personne d'autre. Sans rien toucher.

— A-t-il dit s'il avait remarqué quelque chose de bizarre ? interrogea Gurney.

— Juste une chose. Une paire de bottes près de la porte. Du genre de celles qu'on enfile par-dessus des chaussures. Ça ne vous rappelle pas des souvenirs ?

— Encore ces foutues bottes. Elles doivent avoir une signification.

Le ton de Gurney retint l'attention de Rodriguez.

— Capitaine, je sais qu'il ne m'appartient pas de… d'influencer l'attribution de vos ressources, mais… puis-je vous faire une suggestion ?

— Allez-y.

— Je vous conseillerais d'envoyer ces bottes à vos techniciens sur-le-champ en les obligeant à travailler jour et nuit si nécessaire afin de procéder à tous les tests de reconnaissance chimique possibles.

— Pour chercher quoi ?

— Je n'en sais rien.

Rodriguez fit la moue. Gurney s'attendait à pire.

— Faute d'éléments plus précis sur lesquels se baser, ça pourrait être un sacré coup d'épée dans l'eau, Gurney.

— Ces bottes ont fait leur apparition à deux reprises. Avant qu'elles ressurgissent, j'aimerais savoir pourquoi.

CHAPITRE 69

Impasses

Anderson, Hardwick et Blatt furent dépêchés sur la scène de crime de Buena Vista, ainsi que des techniciens chargés de la collecte d'indices, choisis par le sergent Wigg, et une équipe cynophile. Le bureau du médecin légiste fut informé de la situation. Gurney demanda s'il pouvait accompagner les membres de la BC sur les lieux. Comme de bien entendu, Rodriguez s'y opposa. Toutefois, il pria Wigg de coordonner et diligenter le travail du labo sur les bottes. Kline parla de se mettre d'accord sur la stratégie la moins dommageable possible en prévision de la conférence de presse ; le capitaine et lui allèrent en discuter en privé, laissant Gurney et Holdenfield seuls dans la salle de conférences.

— Alors ? dit-elle.

C'était à la fois une question et un commentaire amusé.

— Alors ? répéta-t-il.

Elle haussa les épaules, jeta un coup d'œil à la mallette dans laquelle elle avait rangé les copies des publicités Karnala.

Il supposa qu'elle voulait en savoir davantage sur sa réaction embarrassée un peu plus tôt. Il lui avait déjà précisé que c'était difficile à expliquer. Il n'était toujours pas prêt à en parler, n'ayant pas encore déterminé l'incidence de révélations complètes ni les options à sa disposition pour limiter les dégâts.

— C'est une longue histoire, dit-il.

— J'adorerais l'entendre.

— J'adorerais vous en faire part, mais… c'est compliqué. (Le premier élément était plus vrai que le second.) Une autre fois peut-être.

— D'accord, répondit-elle en lui rendant son sourire. Une autre fois.

Faute d'un accès direct aux techniciens de laboratoire et d'une raison impérieuse pour s'attarder dans les bureaux de la police de l'État, Gurney rentra à Walnut Crossing, la tête farcie des épisodes ahurissants de la journée. La confession surréaliste de Ballston, cette voix affectée émanant d'un esprit sorti tout droit de l'enfer, décrivant comme un *échange de bons procédés* son adhésion à la demande de décapitation de Karnala, la décapitation de Savannah Liston faisant écho à la poupée sans tête découverte sur le lit, à l'image de la jeune mariée décapitée dans le pavillon. Et les bottes en caoutchouc. Une fois de plus, les bottes. Croyait-il vraiment que les tests du labo déboucheraient sur une révélation ? Après cette rude journée, il était trop fatigué pour savoir ce qu'il pensait vraiment.

L'appel qu'il reçut de Sheridan Kline alors qu'il finissait un reste de spaghettis lui fournit de nouvelles données sans qu'il ait l'impression d'une avancée pour autant. Après avoir répété toutes les informations venant de Luntz que Rodriguez leur avait déjà communiquées, Kline lui annonça que les chiens avaient découvert une machette maculée de sang dans les bois derrière le bungalow, et que le médecin légiste situait l'heure du décès dans un créneau de trois heures aux alentours du coup de fil sibyllin que Luntz avait reçu avant l'aube.

De nombreuses fois au cours de sa carrière, Gurney avait eu l'impression d'être manipulé. À certaines occasions, comme dans la récente affaire Mellery, il avait cru que la partie adverse finirait par avoir raison de lui, mais jamais il ne s'était senti dominé à ce point. Il avait bien une idée de ce qui était en train de se passer et des individus qui tiraient les ficelles – l'organisation Skard, avec « Hector Flores » recrutant de « vilaines filles » pour satisfaire les plaisirs meurtriers des types les plus abjects de la planète –, mais cela se limitait à une théorie. Même si elle était valide, elle n'expliquait en rien les mécanismes alambiqués des meurtres eux-mêmes. Ni l'emplacement impossible de la machette derrière le pavillon d'Ashton. Ni le rôle des bottes. Ni le choix des victimes.

Pourquoi avait-il fallu que Jillian Perry, Kiki Muller et Savannah Liston meurent ?

Pire encore, sans savoir pourquoi ces trois femmes avaient été tuées, comment protéger les autres ?

Épuisé à force d'explorer les mêmes culs-de-sac encore et encore, il s'endormit aux alentours de minuit.

Lorsqu'il se réveilla, sept heures plus tard, le vent qui soufflait en rafales projetait des ondes de pluie grise contre les fenêtres de la chambre. La plus proche du lit – la seule de la maison qu'il n'avait pas hermétiquement fermée – était ouverte de quelques centimètres en haut, pas suffisamment pour laisser entrer la pluie mais plus qu'assez pour que s'infiltre un courant d'air humide rendant ses draps et son oreiller moites.

L'atmosphère lugubre, l'absence de lumière et de couleurs au-dehors lui donnèrent envie de rester au lit, mais, conscient que ce serait une erreur psychologique, il se força à se lever et gagna la salle de bains. Il avait froid aux pieds. Il fit couler l'eau de la douche.

La magie de l'eau, pensa-t-il une fois de plus.

Purificatrice, restauratrice, simplificatrice. Sous les aiguilles du jet brûlant, les muscles de sa nuque et de ses épaules se détendirent. Ses pensées tarabiscotées commencèrent à se dissiper sous le flot apaisant. Tel le déferlement des vagues glissant sur le sable en sifflant… ou un opiacé inoffensif… le torrent sur sa peau rendait l'existence simple et douce.

CHAPITRE 70

Bien en vue

Après un petit déjeuner frugal composé de deux œufs et de toasts sans beurre, Gurney décida de se replonger dans les prémisses de l'affaire, si fastidieux que ce soit.

Il étala les différentes parties du dossier sur la table de la salle à manger et, non sans une pointe de contrariété, prit le document sur lequel il avait eu le plus de mal à se concentrer la première fois qu'il avait passé l'ensemble en revue. Un listing imprimé de cinquante-sept pages relatif aux centaines de sites que Jillian avait visités sur Internet et aux recherches qu'elle avait effectuées via les navigateurs de son ordinateur ou de son portable au cours des six derniers mois de sa vie – ayant trait pour la plupart à de luxueux lieux de villégiature, des hôtels, des voitures et des bijoux ultra-onéreux.

Ces données informatiques personnelles avaient bien été récupérées par la Brigade, mais on n'avait pas pris la peine de les analyser. Gurney suspectait que lorsque Blatt avait supplanté Hardwick, elles avaient été mises aux oubliettes. La seule indication que quiconque y ait jeté un coup d'œil était un commentaire écrit à la main sur un Post-it collé en première page : *« Complète perte de temps et de ressources. »*

Paradoxalement, l'idée que cette remarque émanait du capitaine l'incita à redoubler d'attention en lisant ligne par ligne les cinquante-sept pages. Faute de quoi, il serait peut-être passé à côté d'un petit mot de cinq lettres au beau milieu de la page 37.

Skard.

Il réapparaissait à deux reprises sur la page suivante, deux fois encore un peu plus loin.

Cette trouvaille le poussa à poursuivre sa lecture, après quoi il relut le document du début à la fin et fit une autre découverte.

Les marques de voiture éparpillées parmi les mots-clés – marques qui, dans un premier temps, s'étaient amalgamées dans son esprit avec les noms des stations balnéaires, des boutiques, des joailliers pour former une image générale de confort matériel – constituaient désormais une trame à part.

Il s'était rendu compte que c'étaient précisément les modèles à l'origine des disputes des jeunes filles disparues avec leurs parents.

Pouvait-il s'agir d'une coïncidence ?

Que cherchait Jillian ?

Qu'avait-elle eu besoin de savoir à propos de ces véhicules. Et pourquoi ?

Plus important encore : pourquoi s'intéressait-elle à la famille Skard ?

Comment en était-elle arrivée à connaître leur existence ?

Et quel type de relation entretenait-elle avec l'homme qu'elle avait connu sous le nom de Hector Flores ?

Une relation d'affaires ? De plaisir ? Ou quelque chose de nettement plus sordide ?

En étudiant de plus près les adresses Web liées à ces voitures, Gurney s'aperçut qu'il s'agissait de sites publicitaires de marques déposées, mis en ligne de manière à fournir des informations sur les modèles, leurs caractéristiques et leurs prix.

Le mot-clé « Skard » le mena à un site offrant des renseignements à propos d'une petite ville de Norvège, ainsi qu'à d'autres portails sans aucun rapport avec la famille de criminels basée en Sardaigne. Ce qui signifiait que Jillian connaissait déjà, par un autre biais, l'existence de cette famille, ou tout au moins le nom. Ses recherches sur Internet avaient pour but de lui en apprendre davantage.

Gurney retourna à la liste et nota les dates des recherches effectuées, relatives aux véhicules et aux Skard. Il découvrit qu'elle avait visité les sites automobiles des mois avant de s'intéresser au nom de Skard. De fait, cette prospection-là datait de plus de six mois. Il se demanda depuis combien de temps elle collectait ce genre de données. Il nota qu'il lui faudrait suggérer à la Brigade d'obtenir un mandat de perquisition informatique plus étendu, de façon à remonter au moins deux ans en arrière dans les relevés de Jillian.

Gurney regarda fixement le paysage détrempé. Un scénario fascinant, bien que hautement hypothétique, commençait à se profiler – un scénario dans lequel Jillian avait peut-être joué un rôle nettement plus actif…

Un grondement sourd provenant de la route derrière la grange interrompit le cours de ses pensées. Il s'approcha de la fenêtre et remarqua que la voiture de police avait disparu. En jetant un coup d'œil à la pendule, il se rendit compte que la protection de quarante-huit heures promise avait pris fin. Soudain, un autre véhicule à l'origine de ce rugissement de moteur, nettement plus sonore maintenant, apparut à l'embranchement entre la route et le chemin de terre de sa propriété.

C'était une Pontiac GTO rouge, un classique des années soixante-dix, et Gurney ne connaissait qu'une personne à en posséder une : Jack Hardwick. Le fait qu'il fût au volant de la GTO plutôt que d'une Crown Victoria noire signifiait qu'il était de repos.

Gurney gagna la porte latérale et attendit. Hardwick sortit de la voiture, vêtu d'un vieux jean et d'un tee-shirt blanc sous une veste de motard élimée – un dur à cuir rétro émergeant d'une machine à remonter le temps.

— Pour une surprise…

— Je me suis dit que j'allais faire un saut, histoire de m'assurer que tu n'avais pas reçu d'autres poupées en cadeau.

— C'est gentil à toi. Entre donc.

Une fois à l'intérieur, Hardwick ne dit pas un mot, se bornant à promener son regard dans la pièce.

— Tu as fait un long trajet sous la pluie, commenta Gurney.

— Ça fait une heure qu'il ne pleut plus.

— Sans blague. Je ne m'en suis même pas aperçu.

— On dirait que tu es sur une autre planète.

— Si tu le dis, répondit Gurney d'un ton plus abrupt qu'il en avait eu l'intention.

Hardwick ne réagit pas.

— Ce poêle à bois vous fait économiser de l'argent ?

— Comment ?

— Ce poêle, il réduit votre consommation de mazout ?

— Comment veux-tu que je le sache ? Qu'est-ce que tu viens faire ici, Jack ?

— On n'a pas le droit de passer voir un copain pour tailler une bavette ?

— Nous ne sommes ni l'un ni l'autre du genre à passer à l'improviste. Ni à avoir envie de tailler une bavette. Alors, qu'est-ce que tu fais là ?

— Tu tiens à aller droit au but. D'accord, je peux comprendre. Pas de perte de temps. Que dirais-tu de m'offrir un petit café et de me proposer de m'asseoir ?

— D'accord, répondit Gurney. Je te fais un café. Assieds-toi où tu veux.

Hardwick se dirigea d'un pas tranquille vers l'autre extrémité de la pièce et s'absorba dans l'examen de la vieille cheminée. Gurney brancha la cafetière.

Quelques minutes plus tard, ils étaient assis face à face dans les fauteuils jumeaux près de l'âtre.

— Pas mal, commenta Hardwick après avoir bu une gorgée de café.

— Il est même assez bon. Qu'est-ce que tu veux à la fin, Jack ?

Hardwick avala une nouvelle gorgée avant de répondre.

— Je me suis dit qu'on pourrait peut-être échanger quelques infos.

— Je doute d'avoir quoi que ce soit d'intéressant à échanger.

— Oh que si ! Ça ne fait aucun doute. Alors, qu'en penses-tu ? Je te raconte des trucs, tu me racontes des trucs.

Gurney s'étonna de sentir la colère monter en lui.

— D'accord, Jack. Pourquoi pas, après tout ? Toi d'abord.

— J'ai rappelé mon copain d'Interpol. Pour le cuisiner un peu sur cette histoire d'« Antre de Sandy ». Tu ne devineras jamais ? Ça s'appelait aussi l'« Antre d'Alessandro ». Parfois l'un, parfois l'autre. Ça t'en fiche un sacré coup, hein ?

— Pourquoi est-ce que ça me ficherait un coup ?

— La dernière fois qu'on en a discuté, tu semblais assez sûr qu'il s'agissait d'une coïncidence. Tu n'en es plus aussi convaincu ?

— Je suppose que non. Il ne doit pas y avoir tant d'Alessandro que ça dans le secteur de la photo de charme.

— D'accord. Bon, alors comme ça, tu as récupéré le petit verre à absinthe chez Saul Steck, qui se trouve travailler sous le nom d'Alessandro pour Karnala Fashion, prenant des photos de filles de Mapleshade qui disparaissent peu après. Dis-moi, champion, qu'est-ce que tu mijotes ? Et pendant que tu éclaires ma lanterne sur ce point, si tu en profitais par la même occasion pour m'expliquer la tronche que tu faisais hier quand tu étais en train de mater cette publicité de Karnala pardessus l'épaule de Holdenfield.

Gurney se carra dans son fauteuil, ferma les yeux et porta lentement sa tasse à ses lèvres. Il but quelques gorgées en prenant tout son temps avant de rouvrir les yeux. La tasse toujours devant les lèvres, il tourna son regard vers Hardwick, dans la même position que lui, tasse levée, en train de l'observer. Ils échangèrent de petits sourires ironiques puis posèrent leur tasse sur l'accoudoir de leur fauteuil.

— Eh bien, commença Gurney, en dernier ressort il arrive que même les vauriens soient forcés de se rabattre sur l'honnêteté comme unique moyen de s'en sortir.

Écartant résolument de son esprit les conséquences possibles, il entreprit de raconter toute l'histoire à Hardwick : la galerie de Sonya et ses portraits à partir de photos d'identité judiciaire ; Jykynstyl, son amnésie, y compris les textos reçus par la suite et son identification tardive de la chambre figurant dans les publicités de Karnala. À la fin, il s'aperçut que son café avait refroidi, ce qui ne l'empêcha pas de le boire.

— Putain ! s'exclama Hardwick. Tu te rends compte de ce que tu viens de me faire là ?

— Ce que je viens de te faire ?

— En me rapportant toutes ces conneries, tu m'as mis dans le bain !

Gurney ressentait un immense soulagement, mais il songea que ce ne serait peut-être pas une bonne idée de l'avouer.

— Que devrions-nous faire, à ton avis ? dit-il à la place.

— À *mon* avis ? C'est toi le foutu génie qui a dissimulé des indices importants dans le cadre d'une enquête criminelle, ce qui est un délit en soi. En me racontant tout ça, tu m'as rendu complice de ce bordel, ce qui est aussi un délit en soi. Sauf, bien sûr, si je vais de ce pas voir Rodriguez pour qu'il te cloue au pilori. Putain, Gurney ! Et tu me demandes ce qu'on devrait faire ? Et ne crois pas que je n'ai pas remarqué le « nous » que tu as glissé insidieusement dans la conversation. C'est toi le génie de mes deux qui a provoqué tout ce foutoir. Qu'est-ce qu'on doit faire, d'après toi ?

Plus Hardwick s'énervait, plus le soulagement de Gurney allait croissant. Cela sous-entendait, paradoxalement, que Jack s'engageait à garder ses confidences pour lui.

— Si nous élucidons cette affaire, répondit calmement Gurney, le « foutoir » se réglera de lui-même.

— Ben voyons ! Comment n'y ai-je pas pensé ? Élucider l'affaire. Quelle riche idée !

— Allons au moins jusqu'au bout du raisonnement, Jack. Histoire de voir ce sur quoi nous sommes d'accord ou pas d'accord et de faire le tour des différentes possibilités. Nous sommes peut-être plus proches de la solution que nous le pensons.

À peine eut-il fini sa phrase qu'il se rendit compte qu'il n'y croyait absolument pas. Toutefois, en faisant marche arrière à ce stade, il donnerait l'impression de perdre la tête. Ce qui n'était pas nécessairement faux.

Hardwick lui décocha un regard soupçonneux.

— Vas-y, Sherlock. Accouche. Je suis tout ouïe. J'espère seulement que la drogue qu'ils t'ont refilée ne t'a pas grillé les neurones.

Gurney aurait préféré qu'il s'abstienne de ce commentaire. Il alla chercher une autre tasse de café et se réinstalla dans son fauteuil

— OK, voilà comme je vois les choses. Ça ressemble un peu à un H.

— Qu'est-ce qui ressemble à un H ?

— La structure de notre énigme. J'ai tendance à voir les choses de manière géométrique. L'une des verticales du H correspond à l'entreprise familiale Skard – en gros, la vente à l'échelle internationale de diverses formes de gratification sexuelle onéreuses et illicites. Selon tes copains d'Interpol, les Skard sont une famille de criminels d'une brutalité et d'une cupidité sans nom. Par le biais de Karnala, à en croire Jordan Ballston, ils opéreraient aux niveaux les plus sordides et les plus meurtriers du commerce du sexe SM – en vendant des jeunes filles triées sur le volet à de riches psychopathes.

Hardwick acquiesça d'un signe de tête.

— L'autre verticale du H, poursuivit Gurney, c'est l'école de Mapleshade. Tu sais déjà presque tout à ce sujet, mais permets-moi d'y revenir brièvement. Mapleshade soigne des jeunes filles souffrant de graves troubles sexuels, d'obsessions à l'origine d'un comportement de prédateur impitoyable. Ces dernières années, ils se sont axés sur ce type de clientèle et sont désormais connus dans leur domaine – grâce à la renommée de Scott Ashton. C'est une vraie star dans sa branche de la psychopathologie. Imagine que les Skard aient appris l'existence de Mapleshade et compris qu'il y avait là un potentiel.

— Un potentiel pour eux ?

— C'est ça. Mapleshade représentait une population concentrée de victimes extrêmement sexualisées et d'auteurs de sévices sexuels. Aux yeux des Skard, cela devait faire l'effet – passe-moi l'expression – d'un marché de viande de luxe par excellence.

Les yeux bleu pâle de Hardwick semblaient chercher des failles dans la logique de Gurney.

— Je vois, dit-il au bout de quelques secondes. Et la barre du H, c'est quoi ?

— Le lien reliant les Skard à Mapleshade est l'homme qui se fait appeler Hector Flores. Il semble que, pour accéder à l'école, il se soit rendu utile à Ashton afin de gagner sa confiance, lui proposant notamment de faire des petits boulots dans le parc.

— Mais pas une seule fille n'a disparu tant qu'elle était encore élève, rappelle-toi.

— Cela aurait éveillé aussitôt l'attention. Il y a une grande différence entre la disparition d'une « enfant » dans un pensionnat et celle d'une « adulte » choisissant en toute connaissance de cause de quitter le domicile familial. Je présume que Hector abordait des filles sur le point de terminer leurs études, qu'il les jaugeait en procédant avec prudence, réservant ses propositions explicites à celles dont il était sûr qu'elles accepteraient. Après quoi il leur donnait des instructions pour partir de chez elles sans éveiller les soupçons, leur fournissant peut-être même un moyen de locomotion. À moins que quelqu'un d'autre au sein de l'organisation s'en soit chargé, la même personne, si ça se trouve, qui enregistrait les vidéos des jeunes femmes en train de parler de leurs obsessions sexuelles.

— Tu veux dire, ton pote, Saul Steck, alias Alessandro, alias Jay Jykynstyl.

— Tout à fait possible.

— Comment Flores leur aurait-il fait admettre la nécessité d'une dispute à propos d'une voiture ?

— Il leur disait peut-être que c'était une précaution indispensable pour éviter qu'on lance un avis de recherche, de peur qu'on les retrouve avec leur nouveau bienfaiteur, ce qui embarrasserait tout le monde et annulerait la transaction.

Hardwick opina.

— Flores fait donc son numéro d'arnaqueur auprès de ces nanas folles dingues comme s'il était à la tête d'une agence d'escortes. Scellant ainsi des pactes démoniaques. Évidemment, dès que la fille a mis le pied dans la maison du gentleman – sans avoir laissé la moindre info sur sa destination –, elle découvre que l'arrangement ne correspond pas vraiment à ce qu'elle avait imaginé. Mais il est trop tard pour reculer. Le fumier qui l'a achetée n'a pas la moindre intention de la laisser revoir la lumière du jour. Ce qui convient très bien aux Skard. À la perfection même, si l'on en croit l'histoire de Ballston à propos de la cerise sur le gâteau, le fameux « accord à l'amiable » couronnant le tout par une décapitation de bon ton.

— Ça résume à peu près la situation, enchaîna Gurney. La théorie étant que Hector Flores, ou Leonardo Skard, si telle est sa véritable identité, était le principal médiateur d'une sorte de service criminel de rencontre au bénéfice de dangereux obsédés sexuels – certains plus dangereux que d'autres. Bien sûr, cela reste une théorie.

— Pas mauvaise, répondit Hardwick, mais tout ça ne nous dit pas pourquoi Jillian Perry s'est fait trucider le jour de ses noces.

— Elle s'est impliquée avec Hector vraisemblablement. À un moment ou à un autre, elle aura appris qui il était en réalité – elle savait peut-être même que son vrai nom était Skard.

— Impliquée comment ? Pourquoi ?

— Hector avait peut-être besoin d'une assistante. Il se peut qu'elle ait été la première à tomber dans le piège quand il a débarqué à Mapleshade il y a trois ans, à l'époque où elle suivait encore ses études. Peut-être qu'il lui a fait des promesses. Peut-être qu'elle était sa taupe, l'aidant à sélectionner les meilleures candidates parmi les élèves. Et peut-être qu'à un moment donné, il a estimé qu'elle avait fait son temps, à moins qu'elle ait été assez folle pour essayer de le faire chanter une fois qu'elle a su qui il était. Sa mère m'a dit qu'elle adorait prendre des risques. Quels pires risques peut-on imaginer que de menacer un membre de la famille Skard ?

Hardwick avait l'air dubitatif.

— Et il lui aurait coupé la tête le jour de son mariage ?

— Ou de la fête des mères, comme l'a souligné Becca.

— *Becca ?*

Hardwick haussa un sourcil lascif.

— Ne fais pas le con !

— Et Savannah Liston dans tout ça ? Encore une taupe de Flores qui aurait fait son temps ?

— C'est une hypothèse envisageable.

— N'est-ce pas elle qui t'a parlé de deux filles qu'elle n'arrivait pas à joindre ? Si elle travaillait pour Flores, pourquoi t'aurait-elle raconté ça ?

— Elle a peut-être agi sur son ordre. Peut-être qu'il cherchait à me convaincre que je pouvais me fier à elle, lui faire des confidences. Il se sera rendu compte que l'enquête progressait vite et qu'on en viendrait inéluctablement à interroger les anciennes élèves de Mapleshade. Que ce n'était plus qu'une question de temps avant qu'on s'aperçoive que la plupart de ces jeunes filles étaient injoignables. Il aura autorisé Savannah à me fournir cette information quelques jours avant qu'on découvre le pot aux roses, afin de donner l'impression qu'elle faisait partie des gentils.

— Tu crois qu'elle savait… que Jillian et elle savaient toutes les deux ?…

— Ce qu'il advenait des filles qu'elles aidaient Flores à recruter ? J'en doute. Elles ont probablement gobé les boniments de Hector – à savoir qu'il s'agissait simplement de présenter des filles aux goûts particuliers à des hommes aux goûts non moins particuliers, en empochant une jolie commission au passage. Je n'ai aucune certitude, bien sûr. Toute cette affaire n'est peut-être qu'une énorme trappe pour l'enfer. Il se pourrait que je sois à côté de la plaque.

— Putain, Gurney ! Ta confiance dans tes propres théories est des plus encourageante ! Quelles mesures faut-il prendre à ce stade, d'après toi ?

La sonnerie de son portable épargna à Gurney de ne pouvoir donner aucune réponse sur-le-champ.

C'était Robin Wigg, qui démarra au quart de tour, sans préambule comme d'habitude.

— J'ai les résultats préliminaires des tests du labo sur les bottes trouvées chez Liston. Le capitaine Rodriguez m'a autorisée à vous les communiquer puisque c'est vous qui les avez demandés. Je ne vous dérange pas ?

— Pas du tout. Qu'est-ce que ça donne ?

— Ce à quoi on pouvait s'attendre, en gros, à part un truc peu banal. Vous voulez que je commence par là ?

Il y avait quelque chose dans la voix de contralto, posée, de Wigg que Gurney avait toujours apprécié. Quoi qu'elle dise, son ton laissait entendre que l'ordre avait des chances de l'emporter sur le chaos.

— S'il vous plaît. C'est dans les surprises que réside bien souvent la solution.

— Je suis d'accord. La surprise, c'est la présence sur ces bottes d'une phéromone particulière : du p-hydroxybenzoate de méthyle. Vous vous y connaissez dans ce domaine ?

— Je séchais les cours de chimie au lycée. Vous feriez mieux de commencer au début.

— C'est assez simple, en fait. Les phéromones sont des sécrétions glandulaires permettant aux animaux de se transmettre des messages. Des phéromones spécifiques émises par un spécimen peuvent tour à tour attirer, avertir, apaiser ou exciter un autre individu. Le p-hydroxybenzoate de méthyle est une phéromone canine puissamment attractive, et on en a trouvé en grandes quantités sur ces bottes.

— Quel effet est-ce que cela pourrait produire ?...

— N'importe quel chien, en particulier un chien renifleur, suivrait facilement et avec empressement une piste laissée par une personne portant des bottes pareilles.

— Comment peut-on mettre la main sur ce truc ?

— Certaines phéromones canines sont disponibles dans le commerce. On en fait usage dans les refuges pour animaux abandonnés et dans les programmes de modification comportementale chez le chien. On peut s'en procurer aussi par un contact direct avec une chienne en chaleur.

— Intéressant. Cette substance chimique aurait-elle pu se retrouver fortuitement sur ces bottes ?

— Dans de telles proportions ? À part si une usine de mise en bouteille de phéromones a explosé, non.

— Très intéressant. Merci, sergent. Je vais vous passer Jack Hardwick. Je vous serais reconnaissant de lui répéter ce que vous venez de me dire – au cas où il aurait des questions auxquelles je n'aurais pas pensé.

Harwick avait effectivement une question à poser.

— Quand vous parlez d'une phéromone attractive secrétée par une chienne en chaleur, vous voulez dire une odeur sexuelle femelle qui va attirer tous les chiens mâles ?

Il écouta sa brève réponse, raccrocha et rendit son portable à Gurney, la mine réjouie.

— Incroyable ! L'odeur irrésistible d'une chienne en chaleur. Qu'est-ce que tu penses de ça, Sherlock ?

— Flores voulait s'assurer que le chien renifleur suivrait cette piste comme une flèche, ça me paraît évident. Il a peut-être même fait des recherches sur Internet et découvert que les chiens de la police sont tous des mâles.

— Et qu'il voulait que nous trouvions la machette.

— Et qu'il tenait à ce qu'on la trouve rapidement. Les deux fois.

— Bon alors, reprenons le scénario ? Il leur coupe la tête, enfile ses bottes trafiquées, fonce dans les bois, plante sa machette, revient sur la scène de crime, ôte ses bottes, et après… quoi ?

— Dans le cas de Savannah, il s'en va à pied, ou en voiture, peu importe, répondit Gurney. Mais pour Jillian, je ne comprends toujours pas.

— À cause de la vidéo ?

— Et où a-t-il bien pu aller après être revenu au pavillon ?

— Il faudrait déjà qu'on sache pourquoi il est revenu ?

Gurney sourit.

— Ça, c'est une partie de l'énigme pour laquelle nous avions une explication. Il voulait déposer ses bottes bien en vue afin que le chien renifleur, excité par l'odeur, la suive au plus vite jusqu'à l'arme du crime. Il voulait absolument qu'on la trouve.

— Ce qui nous ramène au grand *pourquoi* ?

— Et aussi, à la machette elle-même. Je te le dis, Jack, si on réussit à savoir comment elle a atterri là sans que personne soit surpris par les caméras, tout le reste se mettra en place.

— Tu en es persuadé ?

— Pas toi ?

Hardwick haussa les épaules.

— Certains disent : pistez l'argent. Toi, en revanche, tu as l'œil pour les « contradictions ». En d'autres termes, tu suggères de s'attaquer à l'élément qui ne tient pas debout.

— Tu as d'autres idées ?

— Moi, je trouve qu'on devrait s'intéresser au sexe. Tout dans cette affaire loufoque se rapporte au cul, d'une manière ou d'une autre. Edward Vallory. Tirana Zog. Jordan Ballston. Saul Steck. L'organisation criminelle chapeautée par les Skard. La spécialité psychiatrique de Scott Ashton. Ces photos qui te foutent les jetons. Même cette malheureuse piste menant à la machette s'avère être liée au sexe – l'irrésistible pouvoir sexuel d'une chienne en chaleur. Tu veux que je te dise ce que je pense, monsieur l'as des détectives ? Je pense qu'il est temps que toi et moi allions explorer l'épicentre de ce séisme sexuel : Mapleshade.

CHAPITRE 71

Pour toutes les raisons que j'ai écrites

Les détails de la solution finale ne le satisfaisaient pas à cause de leur écart grossier par rapport à l'élégante simplicité d'une lame aiguisée comme un rasoir, une lame à la fonction bien précise. Mais il ne voyait pas de méthode plus nette pour parvenir au bout du chemin. Il était consterné par toute cette imprécision, le renoncement aux distinctions subtiles qui étaient pourtant son point fort, mais il en était arrivé à considérer cela comme inévitable. Les victimes collatérales seraient un mal nécessaire. Il se consolait au mieux en se rappelant que l'action qu'il prévoyait d'entreprendre était la définition même – l'âme et le cœur – d'un combat mené pour une juste cause. Ce qu'il s'apprêtait à faire était assurément indispensable, et quand une tâche est indispensable, alors les éventuelles conséquences se justifient. La mort d'enfants innocents pouvait être jugée regrettable, mais allez savoir s'ils étaient vraiment innocents. Personne à Mapleshade n'était véritablement innocent. On pouvait même prétexter que ce n'étaient pas des enfants. Ce n'étaient pas vraiment des adultes sur le plan légal, mais ce n'étaient pas vraiment des enfants non plus. Pas dans le sens normal du terme.

Le jour était donc arrivé. L'événement allait se produire. S'il ne saisissait pas l'occasion, elle risquait de ne pas se représenter. Discipline et objectivité devaient être ses mots d'ordre. Ce n'était pas le moment de flancher. Il fallait qu'il se cramponne à la réalité de la chose.

Une réalité qu'Edward Vallory avait vue avec une parfaite clarté.

Le héros du Jardinier espagnol *ne flanchait pas.*

Son tour était venu d'en finir avec ces putes, ces menteuses, ces créatures du diable.

« C'est un joli morceau. » Une formule révélatrice. Songez à la question qu'elle soulève. Un morceau de quoi ?

La voix du serpent. Une bouche visqueuse. De la sueur sur les lèvres.

« Sur les têtes de ces serpents, j'abattrai mon épée de feu, et pas une seule ne se dérobera.

« Dans la bave de leurs cœurs, je planterai ma lame de feu, et aucun ne continuera à battre.

« Ainsi l'ignoble progéniture d'Ève sera-t-elle éradiquée, et leurs abominations toucheront-elles à leur fin.

« Pour toutes les raisons que j'ai écrites. »

CHAPITRE 72

Une couche supplémentaire

— Et ce truc zen que tu évoques à tout bout de champ : ce ne sont pas les bonnes réponses qui aident à régler le problème mais les mauvaises questions ?

Gurney et Hardwick roulaient dans les collines du nord des Catskill en direction de Tambury. Hardwick était resté silencieux un bon moment mais, là, il sentait qu'il allait vider son sac.

— On a peut-être tort de chercher à comprendre comment Hector a porté l'arme du crime du pavillon jusqu'au bois puisque, d'après la vidéo, ce n'est pas ce qu'il a fait. C'est peut-être un fait qu'on devrait intégrer.

Gurney sentit les poils se hérisser sur sa nuque.

— Quelle est la bonne question qu'il faut se poser à ton avis ? demanda Hardwick.

— Et si on se demandait comment cette machette s'est retrouvée là ?

— D'accord. Mais je ne vois pas…

— Et comment il a pu y avoir du sang dessus ?

— Pardon ?

Hardwick marqua une pause pour se moucher avec son ardeur habituelle. Il ne reprit la parole qu'après avoir remis son mouchoir dans sa poche.

— Nous supposons qu'il s'agit de l'arme du crime parce qu'il y a le sang de Jillian dessus. Est-ce la bonne hypothèse ? N'y aurait-il pas un autre moyen…

— Nous avons déjà examiné cette piste, sans que ça nous mène nulle part.

Hardwick haussa les épaules, à l'évidence peu convaincu.

Gurney lui jeta un coup d'œil.

— Comment y aurait-il pu y avoir son sang dessus autrement ? Et si la machette ne venait pas du pavillon, d'où aurait-elle pu provenir ?

— Et quand serait-elle arrivée là ?

— *Quand ?*

Hardwick renifla, ressortit son mouchoir, se tamponna les narines.

— Tu es sûr de cette vidéo ?

— J'ai parlé aux gens de l'agence de production, aux types du labo qui l'ont analysée. Ils m'ont affirmé qu'elle était fiable.

— Alors, la machette n'a pas pu sortir du pavillon entre l'heure du crime et celle où on l'a trouvée. Ce n'était donc pas l'arme du crime. Et ce sang a dû se retrouver dessus d'une autre manière.

Gurney sentait presque physiquement ses pensées se réorganiser dans sa tête. Hardwick avait raison, il le savait.

— Si le meurtrier s'est donné la peine d'y mettre le sang de la victime, dit-il, se parlant à moitié à lui-même, cela remet tout en question. Quand, comment, mais surtout, pourquoi ?

Effectivement, pourquoi le tueur aurait-il élaboré une mise en scène aussi complexe ? En théorie, l'objectif d'un plan préétabli découle d'une action dont le résultat correspond à un objectif. Alors, dans quel but cette machette couverte du sang de Jillian se trouvait-elle à cet endroit ?

Gurney répondit à haute voix à sa propre question.

— Pour commencer, on n'a eu aucun mal à la trouver, et tout le monde en a conclu sans hésiter qu'il s'agissait de l'arme du crime. Du coup, personne n'a cherché s'il pouvait y avoir une autre arme ailleurs. La piste olfactive reliant le pavillon à la machette paraissait concluante et semblait prouver que Flores s'était enfui dans cette direction. La disparition de Kiki Muller nous a confortés dans l'idée que Flores avait quitté les lieux, en sa compagnie vraisemblablement.

— Et maintenant ?... demanda Hardwick.

— Nous n'avons plus aucune raison de croire à ce scénario, qui a été conçu par Flores et gobé par la Brigade.

Il s'interrompit et s'exclama :

— Et si... Et si...

— Qu'y a-t-il ?

— Si Flores a tué Kiki et l'a enterrée dans son propre jardin...

— C'est pour faire croire qu'elle avait pris la fuite avec lui ?

— Le meurtre de Kiki n'aurait été qu'une exécution de sang-froid adaptée à la situation.

Hardwick semblait perplexe.

— Si c'est aussi pragmatique, pourquoi recourir à une méthode aussi scabreuse ?

— Il s'agit peut-être d'une illustration supplémentaire de la double motivation du meurtrier : l'intérêt pratique allié à une pathologie débridée.

— Sans parler de son talent pour raconter des conneries de façon à ce que les gens du voisinage les colportent.

— Quel genre de conneries ?

Hardwick s'anima.

— Réfléchis. Depuis le début, cette affaire abonde en détails plus juteux les uns que les autres. Tu te souviens de la vieille voisine, Miriam, Marian, je ne sais plus, et de son airedale ?

— Marian Eliot.

— C'est ça. Marian Eliot avec toutes ses sornettes à propos de Hector. Hector, la star de Cendrillon, la vedette de Frankenstein. Si tu as lu les témoignages recueillis dans le quartier, tu as dû voir aussi l'histoire de Hector l'amant latino, celle de Hector le pédé jaloux. Tu en as même ajouté une de ton cru : Hector le redresseur de torts.

— Qu'essaies-tu de me dire ?

— Rien. Je te pose une question.

— Quelle question ?

— D'où sortent toutes ces inventions, certes fascinantes, mais…

— Mais quoi ?

— Qui ne reposent sur aucune preuve solide.

Hardwick se tut, mais Gurney sentit qu'il n'en avait pas fini.

— Et alors ?…

Hardwick secoua la tête, comme s'il hésitait à en dire davantage, puis se ravisa.

— J'ai longtemps cru que ma première femme était une sainte.

Il sombra dans le silence pendant une ou deux minutes tout en regardant défiler les champs détrempés, parsemés de vieilles fermes.

— On se raconte des salades, reprit-il. On passe à côté des évidences. Tout le problème est là. Notre cerveau fonctionne ainsi. On a un goût trop prononcé pour les fables. On éprouve le besoin d'y croire. Et tu sais quoi ? Ce besoin peut t'entraîner au fond du gouffre.

CHAPITRE 73

La porte du paradis

À la sortie de Higgles Road, le GPS de Gurney indiquait qu'ils seraient à Mapleshade dans quatorze minutes. Ils avaient pris sa sage Subaru Outback verte, plus appropriée que la GTO rouge vif de Hardwick avec son pot d'échappement tonitruant et ses allures de *hot rod*. La brume s'était changée en une petite pluie fine, et Gurney accéléra la cadence des essuie-glaces. L'un d'eux grinçait de manière agaçante depuis quelques semaines. Il aurait dû changer le balai.

— Comment tu le vois, toi, ce Hector Flores ? demanda Hardwick.

— Son visage, tu veux dire ?

— Sa personne. Que l'imagines-tu en train de faire ?

— Je le vois debout, nu, en une posture de yogi, dans le kiosque de Scott Ashton.

— C'est exactement ce que je voulais dire. Tu as lu ça dans le résumé des interrogatoires, et cela t'apparaît aussi clairement que si tu avais assisté à la scène. J'ai raison ?

Gurney haussa les épaules.

— On fait ça sans arrêt. En plus de relier les pointillés, notre esprit en crée là où il n'y en a pas. Comme tu l'as dit toi-même, Jack, nous sommes fascinés par les histoires d'amour… la cohérence.

Quelques secondes plus tard, une idée apparemment sans rapport lui traversa l'esprit.

— Le sang était encore frais ?

Hardwick battit des paupières.

— Quel sang ?

— Le sang sur la machette. Qui, comme tu me l'as fait observer il y a un instant, ne pouvait venir directement de la scène de crime puisque la machette n'était *pas* l'arme du crime.

— Bien sûr qu'il était encore frais. Enfin… il en avait l'air. Laisse-moi réfléchir. D'après ce que j'ai vu, il l'était, mais il y avait de la terre et des feuilles collées dessus.

— Voilà ! s'exclama Gurney. Ça pourrait expliquer…

— Expliquer quoi ?

— Pourquoi Flores l'avait enterrée partiellement. La lame, j'entends. Sous une couche de feuilles et de terre humides.

— Pour que le sang ne soit pas sec ?

— Ou ne s'oxyde pas d'une manière notablement différente de celui qui entoure le cadavre dans le pavillon. Ce que j'essaie de t'expliquer, c'est que, si le sang sur la machette n'avait pas la même couleur que celui qui maculait la robe de mariée de Jillian, les techniciens et toi l'auriez remarqué. Si le sang sur la machette avait été plus ancien que celui retrouvé sur la victime… l'oxydation aurait été visible.

— Vous en auriez déduit qu'il ne s'agissait pas de l'arme du crime.

— D'accord. Et la terre humide sur la lame aurait ralenti le séchage du sang, occulté toute oxydation et tout contraste appréciable par rapport à la couleur du sang trouvé à l'intérieur du pavillon.

— Ce que le labo n'aurait pas repéré non plus, souligna Hardwick.

— Impossible. L'analyse du sang n'a eu lieu que le lendemain, et, à ce stade, un décalage d'une heure ou deux dans le temps d'origine des deux échantillons devenait indétectable – sauf à effectuer un test spécifique. Or, à moins que le médecin légiste ou toi l'ait signalé, ils n'ont eu aucune raison de le faire.

Perdu dans ses pensées, Hardwick hochait lentement la tête.

— Toutes nos hypothèses s'écroulent, mais ça nous mène où ?

— Ah ! s'exclama Gurney. Bonne question. Une raison de plus pour penser que tous nos postulats dans cette affaire sont erronés.

La voix péremptoire du GPS lui ordonna de continuer tout droit sur six cents mètres puis de prendre à gauche.

À l'entrée du chemin, pour toute indication, une simple pancarte noir et blanc, suspendue à un poteau noir : VOIE PRIVÉE. L'allée étroite, pavée de pierres lisses, s'enfonçait dans un boqueteau de pins dont les branches s'inclinaient de part et d'autre, donnant l'impression d'un tunnel horticole sculpté. Huit cents mètres plus loin, au bout de cette charmille de feuillage persistant, ils franchirent un portail s'ouvrant dans une haute clôture en grillage avant de s'arrêter devant une barrière qui leur bloquait le chemin, à côté d'une jolie guérite en cèdre. Sur le mur face à Gurney, un élégant écriteau bleu et or indiquait : MAPLESHADE RESIDENCE ACADEMY. VISITES SUR RENDEZ-VOUS SEULEMENT. Un homme corpulent, aux cheveux gris clairsemés, sortit de l'abri. Il portait un pantalon noir et une chemise grise qui faisaient l'effet d'un uniforme informel, et il avait le regard neutre, scrutateur, d'un flic à la retraite.

— Puis-je vous aider ? demanda-t-il avec un sourire poli.

— Dave Gurney et le chef enquêteur Jack Hardwick, des services de police de l'État de New York. Nous sommes venus voir le Dr Ashton.

Hardwick sortit son portefeuille et tendit son insigne de la Brigade en direction de la fenêtre de Gurney.

Le garde l'examina avec attention et fit la moue.

— D'accord. Un instant, j'appelle le Dr Ashton.

Sans quitter ses visiteurs des yeux, il tapa un code sur son portable et dit :

— Un certain inspecteur Hardwick et M. Gurney souhaiteraient vous voir, monsieur. (Une pause.) Oui, monsieur. Ils sont là.

L'homme leur lança un coup d'œil nerveux avant d'ajouter :

— Non, monsieur. Il n'y a personne d'autre avec eux… Oui, bien sûr.

Il tendit son téléphone à Gurney qui le porta à son oreille.

— Je suis occupé, j'en ai peur, dit Ashton. Je ne suis pas sûr de pouvoir vous…

— Nous avons quelques questions à vous poser, docteur, et peut-être un membre de votre personnel pourra-t-il nous faire visiter votre établissement ensuite ? Nous aimerions juste nous faire une idée des lieux.

Ashton poussa un soupir.

— Entendu. Je vous accorde quelques minutes. Quelqu'un va venir vous chercher. Repassez-moi le gardien, s'il vous plaît.

Après avoir reçu le feu vert de son patron, l'homme désigna une petite aire de stationnement tapissée de gravier sur le côté de la chaussée, juste après la guérite.

— Garez-vous là. Les véhicules ne sont pas autorisés au-delà. Attendez qu'on vienne vous chercher.

L'instant d'après, la barrière se leva et Gurney roula jusqu'au parking. De là, une portion plus importante de la clôture était visible. Il constata non sans étonnement qu'en dehors de la guérite et de l'entrée, elle était surmontée de rouleaux de fils barbelés.

Un détail qui n'avait pas échappé à Hardwick non plus.

— C'est pour empêcher les filles de faire le mur ou les garçons du coin d'entrer, à ton avis ?

— Je n'avais pas pensé aux garçons, répondit Gurney, mais tu as peut-être raison. Un internat rempli de jeunes filles obnubilées par le sexe, même si leurs obsessions sont diaboliques, pourrait attirer du monde.

— *Surtout* si elles sont diaboliques, tu veux dire. Plus c'est chaud, mieux c'est, remarqua Hardwick en sortant de la voiture. Allons discuter avec le type de la barrière.

Toujours planté devant sa guérite, l'homme leur décocha un regard intrigué – plus aimable maintenant qu'on les avait autorisés à entrer.

— C'est au sujet de cette Liston qui bossait ici ?

— Vous la connaissiez ? demanda Hardwick.

— Pas vraiment, mais je sais qui c'est. Elle travaillait pour le docteur.

— Et lui, vous le connaissez bien ?

— Là encore, je le vois plus souvent qu'on se parle. Il est un peu… comment dire ? Réservé ?

— Distant ?

— Oui, je dirais qu'il est distant.

— Ce n'est pas à lui que vous rendez des comptes alors ?

— Non. Ashton n'a guère de contacts avec qui que ce soit. Il est un peu trop… important, si vous voyez ce que je veux dire. La plupart des employés sont sous les ordres directs du Dr Lazarus.

Gurney décela une répugnance mal dissimulée dans la voix du gardien. Il attendit que Hardwick enchaîne. Comme ce dernier ne se décidait pas, il demanda :

— Quel genre d'homme est ce Lazarus ?

L'homme hésita, cherchant, semble-t-il, une manière de répondre sans que ça lui cause du tort.

— Je me suis laissé dire qu'il n'était pas du genre affable, ajouta Gurney, se souvenant de la description peu flatteuse qu'en avait fait Simon Kale.

Ce léger encouragement fut suffisant pour fissurer la façade de son interlocuteur.

— Affable ! Seigneur, ça sûrement pas ! Je veux dire, il est réglo, mais…

— Pas très aimable ? suggéra Gurney.

— C'est juste que, je ne sais pas, on a l'impression qu'il est dans son monde à lui. Parfois, quand on lui parle, on dirait qu'il est ailleurs à quatre-vingt-dix pour cent. Je me rappelle un jour…

Il s'interrompit en entendant le crissement de pneus sur le gravier.

Ils se tournèrent tous les trois vers la petite aire de stationnement – et le minivan bleu marine en train de se ranger à côté de la Subaru.

— Le voilà en personne, marmonna le gardien dans sa barbe.

L'homme qui sortit de la fourgonnette était sans âge, mais loin d'être jeune, avec des traits réguliers qui lui donnaient une physionomie plus artificielle qu'avenante. Ses cheveux étaient d'un noir que seule une teinture permet d'obtenir ; le contraste avec son teint clair était saisissant. Il pointa l'index vers l'arrière du minivan.

— Montez, s'il vous plaît, messieurs, dit-il.

Il se remit au volant et attendit. Son ébauche de sourire, si c'en était un, s'apparentait à l'expression d'un homme qui doit affronter brusquement la lumière du jour.

Gurney et Hardwick s'exécutèrent.

Lazarus conduisait lentement, les yeux rivés sur la chaussée devant lui. Au bout de quelques centaines de mètres, il décrivit une courbe, et les bois de pins sombres cédèrent la place à une vaste pelouse entourée d'érables largement espacés. Le sentier se changea en une allée classique, toute droite, au bout de laquelle se dressait une bâtisse néogothique, flanquée de plusieurs dépendances de même style architectural. Devant, l'allée se scindait en deux. Lazarus prit à droite, ce qui les mena derrière le bâtiment, le long de massifs ornementaux. Là, les deux embranchements se rejoignaient en une seconde allée conduisant, curieusement, à une grande chapelle en granit sombre. Par un temps plus ensoleillé, ses vitraux étroits auraient pu donner l'impression de crayons rouges de trois mètres de haut, mais, à cet instant, ils faisaient plutôt l'effet d'entailles sanglantes dans la pierre.

— L'école a sa propre église ? s'étonna Hardwick.

— Non. Ce n'est plus une église, répondit Lazarus. Elle a été sécularisée il y a longtemps. Dommage, en un sens, ajouta-t-il avec une pointe de cette froideur à laquelle le gardien avait fait allusion.

— Pourquoi dites-vous ça ? demanda Hardwick.

Lazarus prit son temps pour répondre.

— Les églises sont une affaire de bien et de mal. De culpabilité et de châtiment. (Il haussa les épaules en se rangeant devant la chapelle avant d'éteindre le moteur.) Église ou pas, nous payons tous pour nos péchés, d'une manière ou d'une autre, n'est-ce pas ?

— Où se trouve tout le monde ? demanda Hardwick.

— À l'intérieur.

Gurney leva les yeux sur l'imposant édifice dont la façade en pierre avait la couleur des ombres.

— Le Dr Ashton est là-dedans ? interrogea-t-il en indiquant la porte voûtée de la chapelle.

— Je vais vous conduire auprès de lui, répondit Lazarus en sortant du minivan.

Ils grimpèrent à sa suite quelques marches en granit, franchirent le porche s'ouvrant sur un vaste vestibule à peine éclairé, où flottaient des odeurs qui rappelèrent à Gurney la paroisse de son enfance dans le Bronx : un mélange de maçonnerie, de vieux bois, de suie ancienne de mèches de bougie consumées. Ces effluves eurent un effet troublant sur lui, au point qu'il éprouva le besoin de chuchoter et de marcher sur la pointe des pieds. Des clameurs étouffées leur parvenaient de derrière une lourde porte en bois à deux battants, donnant selon toute vraisemblance sur la chapelle.

Au-dessus de la porte, gravé en lettres profondes dans un large linteau en bois, on pouvait lire : PORTE DU PARADIS.

Gurney pointa le doigt.

— Le docteur est là ?

— Non. Ce sont les filles. En train de se calmer. Elles étaient un peu agitées aujourd'hui, ébranlées par la nouvelle concernant cette Liston. Le Dr Ashton est dans la salle d'orgue.

— La salle d'orgue ?

— C'est ainsi qu'on l'appelait avant. Elle a été reconvertie, bien sûr. En bureau. (Il pointa l'index vers un passage étroit au fond du vestibule, conduisant au pied d'un escalier obscur.) La porte en haut de ces marches.

Gurney sentit un frisson le parcourir. À cause de la température naturelle du granit, ou peut-être de la lueur qu'il avait aperçue dans le regard de Lazarus, sans nul doute fixé sur eux tandis qu'ils montaient l'escalier en pierre dans la pénombre.

CHAPITRE 74

Au-delà de la raison

En haut de l'escalier étroit, un petit palier baignait dans une lumière étrange filtrant d'un vitrail écarlate. Gurney frappa à l'unique porte face à lui. Comme celles qui donnaient accès au vestibule, elle était lourde, sinistre, peu engageante.

— Entrez.

La voix mélodieuse d'Ashton semblait tendue.

En dépit de son poids et des grincements auxquels Gurney s'attendait, à tort, la porte s'ouvrit facilement, sans bruit, sur une pièce aux proportions agréables qui aurait pu être le bureau privé d'un évêque. Des rayonnages en châtaignier tapissaient deux des murs sans fenêtres. Il y avait une petite cheminée en pierre noire de suie, garnie de vieux chenaux en cuivre. Un tapis persan ancien recouvrait le sol, à l'exception d'une bande de cinquante centimètres de parquet impeccablement ciré tout autour. Quelques grosses lampes, posées ici et là sur des tables, jetaient des reflets ambrés sur les tons de bois sombres de la pièce.

Les sourcils froncés, Scott Ashton était assis à un bureau en chêne noir ouvragé, orienté à quatre-vingt-dix degrés par rapport à la porte. Derrière lui, sur une console également en chêne aux pieds sculptés en forme de tête de lion, trônait la principale concession de la pièce au XXIe siècle : un grand écran plat d'ordinateur. D'un geste, Ashton désigna à ses visiteurs la paire de chaises en velours rouge à haut dossier en face de lui – de celles qu'on pourrait trouver dans la sacristie d'une cathédrale.

— C'est de pire en pire, dit-il.

Supposant qu'il faisait référence au meurtre de Savannah Liston, survenu la veille au soir, Gurney fut sur le point d'acquiescer en exprimant quelques vagues paroles de condoléances.

— En toute franchise, ajouta Ashton en se détournant, je trouve cette histoire de crime organisé presque incompréhensible.

La vue de son oreillette Bluetooth, outre l'étrangeté de ses propos, indiqua à Gurney qu'il était en fait en pleine conversation téléphonique.

— Oui, je comprends… je comprends… Je note juste que chaque avancée rend cette affaire plus bizarre encore… Oui, lieutenant. Demain matin… Oui, oui, j'ai saisi. Merci de m'avoir informé.

Ashton se tourna vers ses visiteurs, mais, pendant un instant, il parut absorbé par l'échange qui venait de s'achever.

— Du nouveau ? demanda Gurney.

— Vous êtes au courant de cette… théorie du complot criminel ? Cette vaste conspiration qui impliquerait des gangsters sardes ?

Un mélange d'anxiété et de scepticisme crispait ses traits.

— J'en ai entendu parler, répondit Gurney.

— Y a-t-il une chance qu'elle soit fondée, à votre avis ?

— Une chance, oui.

Ashton secoua la tête en fixant son bureau d'un air perplexe avant de lever les yeux sur les deux policiers.

— Puis-je vous demander le motif de votre visite ?

— L'intuition, répondit Hardwick.

— L'intuition ? Que voulez-vous dire ?

— Dans chaque affaire, il arrive un stade où tout converge. L'endroit lui-même devient alors la clé de l'énigme. Il pourrait nous être très utile de faire le tour des installations pour voir ce qu'il est possible de glaner.

— Je ne suis pas sûr que je…

— Tout ce qui s'est passé semble avoir un lien avec Mapleshade. Êtes-vous d'accord avec ça ?

— Je suppose. Peut-être. Je n'en sais rien.

— Vous voulez dire que vous n'y avez pas songé ? répliqua Hardwick d'un ton tranchant.

— Bien sûr que si. (Ashton semblait confus.) C'est juste que… je n'arrive pas à voir les choses clairement. Je suis peut-être trop proche de tout ça.

— Le nom de Skard vous dit quelque chose ? intervint Gurney.

— L'inspecteur que j'avais au téléphone vient de me poser la même question. Il a évoqué je ne sais quel abominable gang sarde. La réponse est non.

— Vous êtes sûr que Jillian n'en a jamais parlé ?

— Jillian ? Non. Pourquoi y aurait-elle fait allusion ?

Gurney eut un haussement d'épaules.

— Skard était peut-être le vrai nom de Hector Flores.

— Skard ? Comment Jillian l'aurait-elle appris ?

— Je l'ignore, mais il semblerait qu'elle ait fait des recherches sur Internet pour en savoir plus long à ce sujet.

Ashton secoua à nouveau la tête, mais on aurait plutôt dit une sorte de frémissement.

— Jusqu'à quel degré de sordide allons-nous sombrer avant que tout cela cesse ?

C'était plus une plainte qu'une question.

— Vous disiez quelque chose tout à l'heure au téléphone à propos de demain matin ?

— Comment ? Ah, oui. Encore un rebondissement inattendu. Votre lieutenant estime que cette histoire de conspiration rend la situation encore plus urgente. Il a donc avancé l'interrogatoire de nos élèves à demain matin.

— À ce propos, où sont-elles ?

— Pardon ?

— Vos élèves. Où sont-elles ?

— Oh ! Pardonnez ma distraction, mais c'est lié justement. Elles sont en bas, dans la chapelle. Un environnement calme. La journée a été mouvementée. Officiellement, nos pensionnaires n'ont aucun contact avec le monde extérieur. Pas de TV, ni de radio, d'ordinateurs, d'iPod ou de portables, rien. Mais il se produit toujours des fuites. Quelqu'un se débrouille pour introduire un de ces appareils en catimini. Elles sont au courant du décès de Savannah, bien évidemment, et enfin, vous imaginez… Aussi avons-nous « bouclé » l'établissement, comme on dirait dans une institution plus austère. Nous n'appelons pas ça comme ça. Ici, tout est conçu pour adoucir les mœurs…

— Sauf les barbelés, coupa Hardwick.

— La clôture a pour but d'empêcher les problèmes d'entrer, pas les gens de sortir.

— On se posait la question.

— Je peux vous assurer que c'est une affaire de sécurité et non de captivité.

— Alors, elles sont en bas dans la chapelle ?

— C'est cela. Comme je vous l'ai dit, elles trouvent cet environnement rassurant.

— Je ne les aurais pas cru du genre dévotes, nota Gurney.

— Dévotes ? (Ashton sourit tristement.) Pas vraiment, non. C'est juste qu'il y a quelque chose dans ces églises en pierre, les fenêtres gothiques, l'éclairage feutré, qui apaise l'âme sans que cela ait rien à voir avec la théologie.

— Vos élèves n'ont pas l'impression d'être punies ? demanda Hardwick. Celles qui n'ont pas fait de bêtises, j'entends.

— Les plus perturbées se calment, leur état s'améliore. Quant à celles qui ne posaient pas de problèmes au départ, on leur fait comprendre qu'elles sont la principale source de paix pour leurs camarades. En gros, les agitées n'ont pas l'impression d'être mises à l'écart et les dociles se sentent estimées.

Gurney sourit.

— Vous avez dû longuement réfléchir pour mettre au point cet aspect du traitement.

— Cela fait partie de mon travail.

— Vous leur offrez un cadre pour comprendre ce qui se passe ?

— On peut dire ça comme ça.

— À l'instar d'un magicien. Ou d'un politicien, souligna Gurney.

— Ou encore de n'importe quel prédicateur, enseignant ou médecin compétent, compléta Asthon d'une voix douce.

— Incidemment, reprit Gurney, décidant de tester l'effet d'un virage en épingle à cheveux dans la conversation, Jillian s'est-elle blessée d'une manière ou d'une autre dans les jours qui ont précédé ses noces – quelque chose qui aurait provoqué un saignement ?

— Un saignement ? Pas que je sache. Pourquoi me demandez-vous ça ?

— On s'interroge sur la manière dont le sang s'est retrouvé sur la machette.

— Vous vous interrogez ? Comment est-ce possible ? Que voulez-vous dire ?

— Il se pourrait que cette machette ne soit pas l'arme du crime.

— Je ne comprends pas.

— Elle a peut-être été déposée dans les bois préalablement au meurtre de votre femme et non après.

— Mais… on m'a dit… son sang…

— Nous avons peut-être tiré des conclusions un peu trop hâtives. Je m'explique : si la machette a été placée dans les bois avant le meurtre, alors on avait dû prélever du sang de Jillian avant le meurtre. Ma question est donc : avez-vous la moindre idée de la manière dont cela aurait pu avoir lieu ?

Ashton avait l'air abasourdi. Il parut sur le point de dire quelque chose, se ravisa, finit par se décider.

— Eh bien… oui, j'ai une idée… en principe tout au moins. Comme vous le savez sans doute, Jillian était soignée pour un trouble bipolaire. Elle prenait des médicaments qui nécessitaient des analyses de sang périodiques afin de s'assurer qu'on ne dépassait pas les doses thérapeutiques. On lui faisait un prélèvement une fois par mois.

— Qui s'en chargeait ?

— Une infirmière de la région. Je crois qu'elle travaillait pour un laboratoire d'analyses médicales de Cooperstown.

— Que faisait-elle de l'échantillon de sang ?

— Elle le portait au laboratoire, qui réalisait une analyse du taux de lithium. Ils nous fournissaient un rapport.

— Elle le portait directement ?

— J'imagine qu'elle effectuait un certain nombre d'arrêts chez des clients dont elle avait la liste et qu'en fin de journée, elle déposait tous ses échantillons au laboratoire.

— Avez-vous son nom et celui du laboratoire ?

— Certainement. Je vérifie – je devrais dire *vérifiais* – le rapport que le laboratoire nous faisait parvenir chaque mois.

— Auriez-vous un document indiquant la date du dernier prélèvement ?

— Aucun document précis, mais cela se passait toujours le deuxième vendredi du mois.

Gurney réfléchit un instant.

— Autrement dit deux jours avant que Jillian ait été assassinée.

— Vous pensez que Flores est intervenu à un moment donné dans le processus et qu'il a mis la main sur un échantillon de sang ? Mais pourquoi ? J'ai peur de ne pas bien comprendre ce que vous dites à propos de la machette. À quoi cela aurait-il servi ?

— Je ne suis pas sûr, docteur, mais j'ai le sentiment que la réponse à cette question est le chaînon manquant qui est au cœur de cette affaire.

Ashton leva les sourcils d'un air plus déconcerté que sceptique. Son regard semblait errer sur un paysage intérieur chaotique. Il ferma les yeux et se laissa aller en arrière dans son fauteuil, les mains agrippées aux accoudoirs lourdement sculptés, respirant profondément comme s'il se livrait à un exercice pour recouvrer son calme. Quand il rouvrit les yeux, il n'avait pas l'air d'aller mieux.

— Quel cauchemar ! murmura-t-il.

Il se racla la gorge, mais cela s'apparentait davantage à un geignement qu'à une toux.

— Dites-moi une chose, messieurs. Vous est-il déjà arrivé d'avoir le sentiment d'être un raté intégral ? C'est l'impression que j'ai en ce moment. Chaque nouvelle horreur… chaque décès… chaque découverte à propos de Flores, Skard ou je ne sais qui… chaque révélation bizarre sur ce qui s'est vraiment passé ici à l'école – autant de signes de mon échec complet. Quel triple idiot j'ai été !

Il secoua la tête, ou plutôt il la remua d'avant en arrière, au ralenti, comme s'il était pris dans un courant sous-marin oscillatoire.

— De quel orgueil absurde, fatal, j'ai fait preuve en imaginant que je pouvais venir à bout d'un fléau d'une puissance primitive aussi phénoménale.

— Un fléau ?

— Ce n'est pas le terme qu'emploient d'ordinaire mes collègues pour qualifier l'inceste et les ravages qu'il provoque, mais je le trouve tout à fait approprié. À force de travailler dans ce domaine, j'en suis arrivé à la conclusion que, de tous les crimes que commettent les êtres humains, le plus destructeur est de loin l'abus sexuel d'un enfant par un adulte – un parent en particulier.

— Pourquoi dites-vous ça ?

— Pourquoi ? C'est simple. Les deux principaux modes de relations humaines sont l'accouplement et l'éducation. L'inceste anéantit les schémas spécifiques de ces deux types de rapports en les amalgamant brutalement, et du même coup en les corrompant l'un et l'autre. Les structures neurales qui étayent les comportements liés à chacun de ces modes relationnels et qui les maintiennent séparés subissent alors des dommages traumatiques. Vous comprenez ?

— Je crois que oui, répondit Gurney.

— Ça me dépasse un peu, avoua Hardwick, qui avait écouté en silence l'échange entre les deux hommes.

Ashton lui décocha un regard incrédule.

— Dans ce cas, pour qu'une thérapie soit efficace, il faut qu'elle restaure les barrières entre le répertoire de réactions parent-enfant et celui de l'accouplement. Le drame, c'est qu'aucune thérapie ne peut opposer une force – en termes d'impact pur – équivalente à la violation qu'elle vise à réparer. Cela reviendrait à reconstruire un mur défoncé par un bulldozer avec une cuiller à café.

— Mais… vous y avez consacré toute votre carrière ? s'étonna Gurney.

— Oui. Et maintenant il est parfaitement clair que j'ai échoué. Sur toute la ligne.

— Vous n'en savez rien.

— Vous voulez dire que les diplômées de mon établissement n'ont pas *toutes* choisi de se volatiliser dans un monde interlope de perversité sexuelle ? Qu'elles n'ont pas *toutes* été tuées pour le plaisir ? Ni *toutes* eu des enfants qu'elles ont violés ? Que certaines ne sont pas sorties d'ici aussi dérangées qu'à leur arrivée ? Comment pourrais-je le savoir ? La seule chose dont je suis sûr à ce stade, c'est que sous ma direction, guidé par mes intuitions et mes choix, Mapleshade est devenu le terrain de chasse d'un monstre, un pôle d'attraction pour l'horreur, le crime. Sous mon autorité, l'établissement a été entièrement anéanti. Ça, je le sais.

— Bon… et maintenant ? demanda sèchement Hardwick.

— Et maintenant ? Ah ! La voix d'un esprit pratique.

Ashton ferma les yeux et garda le silence une bonne minute. Lorsqu'il reprit la parole, ce fut sur un ton d'un prosaïsme forcé.

— Et maintenant ? La prochaine étape ? Pour moi, elle consiste à descendre dans la chapelle, à me montrer, à faire mon possible pour leur calmer les nerfs. Pour vous… je n'en ai pas la moindre idée. Vous m'avez dit que c'était l'intuition qui vous avait poussés à venir. Vous feriez mieux de demander à votre intuition ce qu'il faut faire ensuite.

Il se leva et sortit du tiroir de sa table ce qui ressemblait à une télécommande de porte de garage.

— L'éclairage et les serrures du rez-de-chaussée fonctionnent électroniquement, expliqua-t-il.

Parvenu à la porte, il revint sur ses pas pour allumer le grand écran derrière son bureau. Une image apparut :

celle de l'intérieur de la chapelle avec son sol dallé, ses hauts murs de pierre dont l'austérité terne était atténuée ici et là par des tentures bordeaux et des tapisseries indéchiffrables. Les bancs en bois foncé n'étaient pas alignés en rangs comme dans les églises, mais formaient une demi-douzaine de triangles, chacun composé de trois bancs, pour faciliter la discussion de toute évidence. Toutes les places étaient occupées par des adolescentes. Les haut-parleurs du moniteur transmettaient le brouhaha de leurs conversations.

— Il y a une caméra haute définition et un micro en bas, reliés à cet ordinateur, ajouta Ashton. Regardez, écoutez, et vous pourrez vous faire une idée de la situation.

Sur ce, il tourna les talons et quitta la pièce.

CHAPITRE 75

N'ouvre pas les yeux

Sur l'écran, ils virent Scott Ashton entrer au fond de la chapelle. La télécommande à la main, il referma la porte derrière lui, produisant un bruit sourd. Les filles occupaient la majorité des bancs – certaines assises normalement, d'autres de côté ou en position du lotus, d'autres encore à genoux. Si quelques-unes semblaient perdues dans leurs pensées, la plupart discutaient entre elles même si elles n'étaient pas toujours audibles.

Gurney s'étonna de leur apparence banale. De prime abord, on aurait dit des adolescentes égocentriques comme tant d'autres et non pas les pensionnaires d'une institution cernée de barbelés. À distance, rien ne laissait soupçonner le comportement malveillant qui les avait conduites là. Gurney supposa que c'était uniquement face à face, dès lors qu'on avait une vision plus nette de leurs expressions, qu'il devenait clair que ces créatures étaient plus que normalement égocentriques, téméraires, cruelles et régies par le sexe. En définitive, comme dans le cas des photos d'identité judiciaire, c'est dans le regard que se discernait la marque du danger, l'extrême froideur.

Il remarqua alors que les élèves n'étaient pas seules. Dans chaque triangle, il y avait un ou deux adultes – probablement des enseignants, ou des conseillers, quel que soit le terme utilisé par l'établissement pour désigner ces pourvoyeurs d'indications et de thérapie. Dans un coin au fond de la pièce, presque invisible dans l'ombre, se tenait le Dr Lazarus, les bras croisés, une expression impénétrable figeant ses traits.

Quelques instants après l'arrivée d'Ashton, les filles commencèrent à remarquer sa présence, et le brouhaha s'apaisa. L'une des plus âgées, et des plus jolies, le rejoignit au bout de l'allée centrale. Grande, blonde. Des yeux en amande.

Gurney se tourna vers Hardwick, penché en avant sur sa chaise, les yeux rivés sur l'écran.

— D'après toi, il lui a fait signe d'approcher ?

— Il a peut-être esquissé un petit geste dans sa direction. Pourquoi ?

— Je me posais juste la question.

Sur l'écran haute définition, les profils du médecin et de la grande blonde étaient d'une netteté telle qu'on pouvait distinguer les mouvements de leurs lèvres, mais leurs voix, mêlées à celles du groupe d'élèves tout proche, demeuraient indistinctes.

Gurney se rapprocha de l'écran.

— As-tu la moindre idée de ce qu'ils se racontent ?

Hardwick fixa intensément les visages, inclinant la tête sur le côté comme si cela pouvait améliorer sa perception des sons.

La fille dit quelque chose, sourit, Ashton lui répondit, esquissa un geste. Puis il descendit l'allée d'un pas déterminé et monta sur une estrade, sans doute occupée par l'autel à l'époque où le bâtiment avait un usage liturgique. Il fit face à l'assemblée, tournant le dos à la caméra. Les murmures s'apaisèrent, et ce fut bientôt le silence.

Gurney regarda Hardwick d'un air interrogateur.

— Tu as compris quelque chose ?

Hardwick secoua la tête.

— Il aurait pu lui dire absolument n'importe quoi. Ses paroles se noient dans le fond sonore. Quelqu'un qui saurait lire sur les lèvres y arriverait peut-être. Pas moi.

Ashton entama son discours avec une autorité naturelle, de sa voix veloutée de baryton – plus profonde que d'ordinaire dans la nef gothique où elle résonnait.

— Mesdemoiselles, dit-il, modulant ce mot avec une distinction presque déférente, des choses terribles ont eu lieu, des choses effrayantes, et tout le monde est bouleversé. En colère, terrifié, désorienté, peiné. Certaines d'entre vous ont du mal à dormir. Elles sont anxieuses, font des cauchemars. Le pire est sans doute de ne pas comprendre ce qui se passe réellement. Nous voulons savoir ce à quoi nous sommes confrontés, et personne ne nous le dit.

Ashton respirait l'angoisse des états mentaux auxquels il faisait référence. Il était devenu l'image même de l'émotion, de la sollicitude. Dans le même temps, peut-être grâce au riche timbre de sa voix proche du violoncelle, il parvenait à communiquer un profond réconfort, à un niveau presque inconscient.

— La vache ! s'exclama Hardwick, comme admirant le tour de main d'un habile pickpocket, il se débrouille comme un chef.

— C'est un pro, reconnut Gurney. Aucun doute là-dessus.

— Pas autant que toi, l'as des détectives.

Gurney fit une moue de perplexité.

— Je parie qu'il pourrait apprendre un ou deux trucs en assistant à tes conférences.

— Que sais-tu au sujet de mes conf…

Hardwick désigna l'écran.

— Chuuuut ! Il ne faut pas qu'on rate ça.

Les paroles d'Ashton coulaient telle de l'eau claire sur des roches polies.

— Quelques-unes parmi vous m'ont interrogé au sujet de l'avancée de l'enquête. Que sait la police, que fait-elle, est-elle sur le point d'attraper le coupable ? Des questions logiques, qui nous hantent tous. Cela nous aiderait, je pense, d'en savoir un peu plus, si chacun d'entre nous avait la possibilité de partager ses inquiétudes, de poser les questions qui nous préoccupent tous, d'obtenir de plus amples explications. C'est la raison pour laquelle j'ai invité les inspecteurs chargés de l'enquête à venir à Mapleshade demain matin – pour nous parler, nous expliquer ce qui se passe, ce qui risque d'arriver ensuite. Ils auront des questions à nous poser, eux aussi. J'imagine que ce sera une conversation très utile pour nous tous.

Hardwick grimaça un sourire.

— Que dis-tu de ça ?

— Je pense que…

— Qu'on ne fait pas plus cauteleux ?

Gurney haussa les épaules.

— Il s'y entend pour embobiner son monde, ça, c'est sûr.

Hardwick pointa le doigt vers l'écran.

Ashton était en train de détacher un portable de sa ceinture. Il y jeta un coup d'œil, fronça les sourcils, enfonça une touche avant de le porter à son oreille. Il prononça quelques mots, mais les filles assises sur les bancs avaient repris leurs bavardages, si bien que ses paroles se perdirent une fois de plus dans le brouhaha.

— Tu piges quelque chose ? demanda Gurney.

Hardwick scruta les lèvres d'Ashton, secoua la tête.

— Pareil que tout à l'heure, quand il parlait à la blonde. Dieu sait ce qu'il a raconté.

La communication terminée, Ashton rangea son portable dans sa poche. Une fille tout au fond de la chapelle levait la main. Ashton ne l'ayant pas vue ou ayant décidé de l'ignorer, elle se dressa et agita le bras latéralement, ce qui finit par attirer l'attention du psychiatre.

— Oui ? Mesdemoiselles… il semblerait que quelqu'un ait une question à poser, ou un commentaire à faire.

La fille – qui se trouvait être la blonde aux yeux en amande à laquelle Hardwick venait de faire allusion – posa sa question.

— J'ai entendu dire que Hector Flores avait été vu aujourd'hui, ici même dans la chapelle. Est-ce que c'est vrai ?

Ashton se troubla, ce qui ne lui ressemblait guère.

— Comment… quoi ? Qui vous a dit ça ?

— Je ne sais pas trop. Des filles en parlaient dans l'escalier du bâtiment principal. J'ignore qui. Je n'ai pas pu les reconnaître de l'endroit où je me trouvais. Mais l'une d'elles a affirmé l'avoir vu. Hector, je veux dire. Si c'est vrai, ça fait peur.

— Si c'était vrai, effectivement, ce serait terrifiant, répondit Ashton. Peut-être la personne qui prétend l'avoir aperçu peut-elle nous en dire un peu plus long.

Nous sommes tous réunis. Ce témoin doit se trouver parmi nous.

Sans un mot, il promena son regard sur l'assistance, laissant passer cinq longues secondes avant d'ajouter avec une indulgence débonnaire :

— Certaines personnes prennent peut-être plaisir à faire circuler des rumeurs effrayantes.

Mais il n'avait pas l'air tout à fait à son aise.

— Y a-t-il d'autres questions ?

Une fille plus jeune leva la main à son tour et demanda :

— Combien de temps encore faut-il qu'on reste ici ?

Ashton la gratifia d'un sourire de père aimant.

— Tant que ce sera utile. Pas une minute de plus. J'ose espérer que, dans chaque groupe, vous échangez vos réflexions, vos craintes, vous parlez de ce que vous éprouvez – notamment au sujet des peurs provoquées naturellement par le décès de Savannah. Je veux que vous exprimiez tout ce qui vous vient à l'esprit, que vous profitiez pleinement de l'aide que nos animateurs peuvent vous fournir, du soutien que vous pouvez vous apporter les unes les autres. Cette méthode fonctionne. Nous le savons tous. Ayez confiance.

Ashton descendit de l'estrade et entreprit de circuler dans la salle, offrant, semble-t-il, un mot d'encouragement ici et là tout en observant les groupes de discussion disséminés sur les bancs. À certains moments, il avait l'air d'écouter attentivement tandis qu'à d'autres, il paraissait absorbé dans ses pensées.

Gurney qui assistait à cette scène fut frappé une fois de plus par son étrangeté. Si sécularisé soit-il, l'édifice n'en gardait pas moins l'aspect, la sonorité, l'atmosphère d'une église. Tout cela allié aux énergies déviantes et débridées des résidentes était pour le moins déroutant.

Aston continuait ses déambulations parmi les élèves et les animateurs, mais Gurney avait cessé de s'intéresser à lui.

Il avait fermé les yeux et posé sa tête contre le dossier en velours de sa chaise. Concentré sur la sensation toute simple de son souffle entrant et sortant de ses narines, il s'efforçait de libérer son esprit de ce qui lui faisait l'effet d'un magma impossible. Il y parvint presque ; un seul petit élément refusait de débarrasser le plancher.

Un seul.

C'était un commentaire émis par Hardwick qui s'était incrusté à la périphérie de sa conscience – lorsqu'il lui avait demandé s'il arrivait à comprendre ce qu'Ashton avait dit à la fille venue le rejoindre au fond de la chapelle.

Hardwick avait répondu que la voix d'Ashton, parmi toutes les autres dans la chapelle, était indistincte, ses propos indéchiffrables.

Il aurait pu lui dire absolument n'importe quoi.

Cette idée l'avait tarabusté.

Il savait maintenant pourquoi.

Elle avait déclenché un souvenir, à un niveau inconscient.

Qui lui revenait clairement en mémoire à cette minute.

Un autre moment. Un autre lieu. Scott Ashton en pleine discussion avec une jeune blonde sur la vaste pelouse manucurée de sa propriété. Une conversation que personne n'aurait pu épier. Dont les mots se perdaient parmi les deux cents autres voix en fond sonore. Au cours de laquelle Scott Ashton aurait pu *dire absolument n'importe quoi* à Jillian Perry.

Il aurait pu dire n'importe quoi. Et ce seul fait pouvait tout changer.

Hardwick l'observait de près.

— Ça va ?

Gurney esquissa un hochement de tête, comme si tout mouvement de plus grande ampleur risquait de disloquer la chaîne de possibilités infiniment délicate qu'il envisageait.

Il aurait pu dire n'importe quoi. Impossible de savoir les propos qu'il avait tenus parce qu'on ne pouvait pas vraiment discerner sa voix. Alors, Dieu sait ce qu'il a pu raconter ?

Imaginons qu'il ait dit : Quoi qu'il arrive, garde le silence.

Imaginons qu'il ait dit : Quoi qu'il arrive, n'ouvre pas la porte.

Ou alors : J'ai une surprise pour toi. Ferme bien les yeux.

Et si c'était précisément ce qu'il avait déclaré : « Ça va être la plus grande surprise de ta vie, n'ouvre pas les yeux ! »

CHAPITRE 76

Une couche supplémentaire

— Que se passe-t-il, bordel ? s'exclama Hardwick.

Gurney se contenta de secouer la tête, absorbé par son raisonnement qui le mettait dans un état d'excitation presque animale au point qu'il ne tenait plus en place. Il se mit à faire les cent pas, lentement d'abord, sur le tapis devant le bureau d'Ashton. La grosse lampe en porcelaine dans l'angle le plus proche jetait un doux halo sur le dessin finement tissé, représentant un jardin.

S'il avait raison – et c'était tout au moins possible –, que fallait-il en conclure ?

Sur l'écran, Ashton se tenait près d'une des tentures rouge sombre qui couvraient en partie les murs de la chapelle, son regard planant avec bienveillance sur l'assistance.

— Qu'est-ce qu'il y a à la fin ? insista Hardwick. À quoi penses-tu, bon sang de bonsoir ?

Gurney s'immobilisa, le temps de baisser un peu le son du moniteur afin de mieux se concentrer sur le cheminement de ses pensées.

— Cette remarque que tu as faite tout à l'heure. Qu'Ashton aurait pu dire *n'importe quoi* ?

— Oui ? Et alors ?

— Il se pourrait que tu aies tordu le cou à un des postulats-clés sur lesquels nous nous sommes basés depuis le début concernant le meurtre de Jillian.

— Lequel ?

— Le plus énorme. L'idée que nous savons pourquoi elle s'est rendue dans le pavillon. En réalité, nous savons pourquoi elle *a dit* y être allée. Sur la vidéo, elle expliquait à Ashton qu'elle voulait persuader Flores de venir au toast des mariés. Et Ashton l'a houspillée. En lui suggérant de ne pas se préoccuper de Flores. Ce qui ne l'a pas empêchée de s'y rendre.

Les yeux de Gurney étincelaient.

— Imagine que cet échange n'ait jamais eu lieu.

— Mais on en a la preuve par l'image.

Hardwick semblait aussi agacé par son exaltation que troublé par les propos qu'il tenait.

Gurney poursuivit en articulant avec soin, comme si chaque mot comptait.

— Seulement, cette conversation ne figure pas *vraiment* dans la vidéo de la réception.

— Bien sûr que si.

— Non. Ce que nous montrent les images, c'est la rencontre entre Scott Ashton et Jillian Perry sur la pelouse, en arrière-plan – trop loin pour que la caméra ait pu capter leurs voix. La « conversation » dont tu te souviens – et dont tous ceux qui ont visionné la vidéo se souviennent – est la *description* de cet échange rapporté à Burt Luntz et à sa femme après coup. Dans les faits, nous n'avons aucun moyen de savoir ce que Jillian lui a dit à ce moment-là, et vice versa. Jusqu'à présent, nous n'avions pas de raison d'en douter. Tout ce dont nous sommes sûrs, c'est ce qu'Ashton *a prétendu* qu'ils se sont dit. Mais comme tu l'as souligné il y a une minute à propos de son entretien inaudible avec cette blonde dans la chapelle, *il aurait pu dire n'importe quoi.*

— D'accord, fit Hardwick d'un ton hésitant. Ashton aurait pu dire n'importe quoi. J'ai compris. Mais qu'a-t-il dit en fait, selon toi ? Qu'est-ce que ça change ? Pourquoi aurait-il menti à propos du motif qui a incité Jillian à se rendre au pavillon ?

— Au moins une raison horrible me vient à l'esprit. Ce que j'essaie de te faire comprendre, c'est qu'une fois de plus, nous pensions savoir ce que nous ne savions pas. La seule chose dont nous sommes sûrs, c'est qu'ils se sont parlé et qu'elle est entrée dans le pavillon.

Hardwick se mit à pianoter avec impatience sur l'accoudoir de sa chaise.

— On en sait bien plus que ça. Je me rappelle aussi quelqu'un allant la chercher, non ? Frappant à la porte ? Une des serveuses. Jillian n'était-elle pas déjà morte – dans l'impossibilité d'ouvrir, en tout cas ? Je n'aboutis pas au même foutu résultat que toi avec ça.

— Recommençons au début. Si l'on considère uniquement les infos visuelles en faisant abstraction du récit qui nous est relaté, est-il possible d'imaginer une autre version plausible, compatible avec ce qu'on voit se dérouler sur l'écran ?

— Quoi par exemple ?

— Sur les images, on a l'impression que Jillian attire l'attention d'Ashton avant d'indiquer sa montre. Supposons qu'il lui ait demandé de lui rappeler le moment où le toast devait avoir lieu. Et qu'il lui ait dit, lorsqu'il s'est approché d'elle, qu'il avait une grande surprise pour elle. Qu'il voulait qu'elle aille dans le pavillon car c'était là qu'il la lui dévoilerait, juste avant le vin d'honneur. Elle devait entrer, refermer la porte et rester bien tranquille. Peu importe qui venait frapper, elle ne devait ni ouvrir ni piper mot. Tout cela faisait partie de la surprise. Elle comprendrait plus tard.

Hardwick était tout ouïe à présent.

— Tu veux dire qu'elle était peut-être encore en vie quand la serveuse est venue toquer à la porte ?

— Et ensuite, quand Ashton lui-même est entré avec sa propre clé, imagine qu'il ait dit quelque chose comme : « N'ouvre pas les yeux. N'ouvre pas les yeux. Tu vas avoir la plus grande surprise de ta vie. »

— Et après ?

Gurney marqua un temps d'arrêt.

— Tu te souviens de Jason Strunk ?

Hardwick fronça les sourcils.

— Le meurtrier en série ? Quel rapport ?

— Tu te rappelles comment il tuait ses victimes ?

— N'est-ce pas lui qui les découpait en petits morceaux qu'il envoyait ensuite par la poste aux flics du coin ?

— Exact. Mais c'est à l'arme qu'il utilisait que je pensais.

— Un fendoir à viande, non ? Un truc japonais, affûté comme un rasoir.

— Qu'il transportait dans un simple étui en plastique dissimulé sous sa veste.

— OK… Où veux-tu en venir ? Oh, non, je n'y crois pas ! Ne me dis pas que… que Scott Ashton est allé au pavillon, qu'il a dit à sa toute nouvelle femme de fermer les yeux et qu'il lui a coupé la tête ?

— Sur la base des indices visuels dont nous disposons, c'est tout aussi concevable que sa propre version des faits.

— Bon sang ! Des tas de choses sont *possibles*, mais… (Hardwick secoua la tête.) Et après lui avoir tranché la tête, il l'aurait posée proprement sur la table avant de se mettre à hurler comme un malade tout en rangeant le fendoir ensanglanté dans son étui doublé de plastique. Puis il serait sorti du pavillon en titubant et se serait effondré ?

— Exactement, confirma Gurney. Cet ultime épisode est enregistré dans la vidéo – on l'entend hurler à pleins poumons, on le voit surgir en chancelant et s'affaler dans le parterre de fleurs. Tout le monde converge vers lui, va jeter un coup d'œil dans le pavillon et en arrive à la conclusion évidente au vu des circonstances. Précisément celle à laquelle Ashton voulait qu'ils en arrivent. De ce fait, il n'y avait aucune raison pour qu'on le fouille. S'il avait un fendoir ou une arme similaire dissimulée sous sa veste, personne n'aurait pu le savoir. Et à partir du moment où les chiens ont trouvé la machette ensanglantée dans le bosquet, tout semblait parfaitement clair. L'histoire de Hector Flores était gravée dans le marbre, attendant seulement que Rod Rodriguez y appose son sceau.

— La machette… avec le sang de Jillian dessus… comment ?…

— Ce sang aurait très bien pu provenir de l'échantillon prélevé pour l'analyse deux jours plus tôt. Ashton aura annulé le rendez-vous régulier et fait la prise de sang lui-même. Ou il l'aura obtenu par un autre biais en usant d'un stratagème quelconque – comme nous l'avions imaginé concernant Flores. Il aura déposé la machette dans les bois le matin même, avant la réception. L'aura, maculée de sang, portée dans le fourré en sortant par la fenêtre de derrière du pavillon, laissant une ou deux gouttes sur le rebord au passage ainsi que cette piste olfactive que les chiens ont suivie, en aspergeant ses bottes de phéromones. Il sera revenu sur ses pas à travers le pavillon. Les caméras ne tournaient pas à ce stade, ce qui expliquerait que la machette se soit retrouvée à l'endroit où on l'a récupérée sans qu'on ait la moindre image de quelqu'un passant devant ce fichu arbre.

— Attends une seconde. Tu oublies quelque chose. Comment aurait-il pu lui trancher le cou – et les carotides – avec son fendoir sans s'asperger de sang ? J'ai lu ce truc dans le rapport du médecin légiste à propos du sang qui a coulé du côté le plus éloigné du corps, et j'ai dans l'idée que le meurtrier a pu se servir de la tête pour détourner le flot, mais il y aurait quand même eu des éclaboussures, non ?

— Il y en a peut-être eu.

— Et personne ne l'aurait remarqué ?

— Réfléchis, Jack. Pense à la scène sur la vidéo. Ashton porte un costume foncé. Il tombe dans un parterre boueux. Parmi des rosiers. Hérissés d'épines. Il est couvert de terre. D'après mes souvenirs, des convives obligeants l'ont accompagné à la maison. Je te parie ma pension qu'il est allé à la salle de bains où il a eu tout loisir de se débarrasser du fendoir, et peut-être même d'enfiler un costume identique sur lequel il y avait déjà quelques taches de boue. De sorte que, lorsqu'il réapparaît, il est toujours couvert de terre, mais sans aucune trace du sang de la victime.

— Putain ! murmura Hardwick d'un air songeur. Tu crois vraiment tout ce que tu dis là ?

— En toute franchise, Jack, je n'ai aucune raison de croire à quoi que ce soit dans tout ça. Mais ça me semble plausible.

— Ça pose quand même un certain nombre de problèmes, tu ne crois pas ?

— Tels que la crédibilité d'un psychiatre célèbre qui aurait assassiné de sang-froid ?

— À vrai dire, c'est la partie que je préfère.

Gurney sourit pour la première fois de la journée.

— Quoi d'autre ?

— Si Flores ne se trouvait pas dans le pavillon au moment où Jillian a été tuée, où était-il passé ?

— Il était peut-être déjà mort, répondit Gurney. Peut-être qu'Ashton l'a tué pour donner l'impression qu'il était coupable et qu'il avait pris la fuite. À moins que ce scénario que je viens de concocter soit aussi fantaisiste que toutes les autres théories dans cette affaire.

— Ce type est donc un criminel de première classe, ou l'innocente victime d'un tel individu. (Hardwick jeta un coup d'œil à l'écran derrière le bureau d'Ashton.) Pour un homme dont l'univers est soi-disant en train de s'effondrer, je le trouve drôlement calme. Où sont passés son désespoir, son impuissance ?

— Évaporés, semble-t-il.

— Je ne comprends pas.

— La résilience émotionnelle ? Une façade ?

Hardwick semblait de plus en plus déconcerté.

— Pourquoi tenait-il à ce que nous assistions à ce spectacle ?

Ashton déambulait à pas lents dans la chapelle, d'une démarche presque impérieuse. Un gourou au milieu de ses disciples. Possessif. Sûr de lui. Imperturbable. Respirant davantage à chaque minute qui passait la satisfaction, le plaisir. Un homme de pouvoir, respecté. Un cardinal de la Renaissance. Un président américain. Une rock star.

— Scott Ashton me fait l'effet d'une pierre précieuse à multiples facettes, commenta Gurney, fasciné.

— Ou d'un fumier d'assassin, rétorqua Hardwick.

— Il faut décider entre les deux.

— Comment ?

— En réduisant l'équation à l'essentiel.

— À savoir ?

— Suppose qu'il ait effectivement tué Jillian.

— Et que Hector n'était pas dans le coup ?

— C'est ça. Que faudrait-il en déduire ?

— Qu'Ashton est un sacré bon menteur ?

— Alors peut-être nous a-t-il raconté des tas d'autres bobards, sans qu'on s'en rende compte.

— À propos de Hector Flores ?

— C'est ça, répéta Gurney en fronçant les sourcils, pensif. À propos… de Hector… Flores.

— Qu'est-ce qu'il y a ?

— Je… réfléchis.

— À quoi ?

— Serait-il… possible que…

— Quoi ?

— Une seconde. Je veux juste…

Pris par le flot de ses réflexions qui s'enchaînaient à toute allure, Gurney laissa sa phrase en suspens.

— Quoi ?

— Je suis en train de réduire… l'équation à sa plus simple…

— Nom de Dieu, arrête de t'interrompre au milieu d'une phrase ! Crache le morceau.

Sapristi ! Se pouvait-il que ce soit aussi simple ?

Peut-être, au fond ! Pourquoi pas ? C'était peut-être parfaitement, ridiculement simple !

Pourquoi n'y avait-il pas pensé plus tôt ?

Il éclata de rire.

— Pour l'amour du ciel, Gurney…

Il n'y avait pas pensé plus tôt parce qu'il avait cherché le chaînon manquant. Sur lequel il n'arrivait pas à mettre la main. Et pour cause ! Il n'existait pas. Il n'avait jamais MANQUÉ. Au contraire, il y en avait un EN PLUS. Qui ne cessait d'occulter tout le reste. D'occulter la vérité, depuis le début. Un élément conçu spécialement pour masquer la vérité.

Hardwick rongeait son frein en le fusillant du regard.

Gurney se tourna vers lui et le gratifia d'un sourire de dément.

— Tu sais pourquoi personne n'arrivait à trouver Flores après le meurtre ?

— Parce qu'il était mort ?

— Je ne pense pas. Il y a trois explications possibles. Un : il s'était enfui comme tout le monde l'a pensé. Deux : il était mort, assassiné par le vrai meurtrier de Jillian Perry. Trois : il n'a jamais existé.

— Qu'est-ce que tu racontes, bordel ?

— Il est possible que Hector Flores n'ait jamais vu le jour, qu'un tel individu n'ait jamais vécu, que ce soit un mythe créé de toutes pièces par Scott Ashton.

— Mais toutes ces histoires…

— Elles émanaient peut-être d'Ashton lui-même.

— Quoi ?!

— Pourquoi pas ? Les rumeurs sont lancées, elles se propagent, elles finissent par exister par elles-mêmes, comme tu l'as souligné maintes fois. Pourquoi n'auraient-elles pas toutes eu la même source ?

— Mais des gens ont vu Flores dans la voiture d'Ashton.

— Ils ont vu un journalier mexicain avec un chapeau de cow-boy et des lunettes de soleil. Ça aurait très bien pu être quelqu'un qu'Ashton avait embauché ce jour-là.

— Je ne comprends pas comment…

— Tu ne vois donc pas ? Ashton a peut-être inventé toutes ces légendes lui-même. Idéal pour alimenter les commérages. Le nouveau jardinier si singulier. Ce Mexicain merveilleusement zélé. L'homme au potentiel extraordinaire qui apprenait tout incroyablement vite. L'homme Cendrillon. Le protégé. Le secrétaire particulier en qui il mettait toute sa confiance. Le petit génie qui avait commencé à manifester quelques excentricités. Qui se tenait debout sur un pied, nu comme un ver, dans le kiosque. Tant d'anecdotes fascinantes, si pittoresques, choquantes, croustillantes, si faciles à divulguer. Quoi de mieux pour entretenir les ragots ? Bon sang, tu ne vois donc pas ? Il a fait gober à ses voisins une saga passionnante, et ils sont tous tombés dans le panneau, se racontant les épisodes, les enjolivant, les répandant un peu partout. Il a créé ce Hector Flores à partir de rien et en a fait une légende, pas à pas. Une légende dont tout Tambury n'arrêtait pas de parler. Le héros est devenu plus vrai que nature.

— Et la balle qui a fracassé la tasse de thé ?

— Rien de plus simple. Ashton a très bien pu tirer lui-même puis cacher l'arme et déclarer le vol. Il était tout à fait plausible qu'un Mexicain fou, ingrat, ait dérobé le précieux fusil du docteur.

— Une seconde. Sur la vidéo, au tout début, avant que la réception commence, on voit Ashton aller au pavillon pour parler avec Flores. Quand il frappe à la porte, on entend distinctement « Esta abierta », prononcé à voix basse. Si Hector Flores n'était pas à l'intérieur, qui a dit ça ?

— Ashton aurait pu le faire lui-même, d'une voix étouffée. Il tournait le dos à la caméra.

— Et les filles avec qui Hector a discuté à Mapleshade ?

— Avec lesquelles il est *censé* avoir discuté. Elles sont toutes mortes ou portées disparues, de façon opportune. Comment sait-on qu'il a eu une conversation avec ne serait-ce que l'une d'entre elles ? Personne n'est là pour confirmer qu'il leur a parlé face à face. Tu ne trouves pas ça étrange ?

Les deux hommes échangèrent un regard avant de se tourner vers l'écran. Ils virent Ashton dire quelques mots à deux jeunes filles en pointant le doigt vers différentes zones de la chapelle, comme s'il leur donnait des instructions. Il paraissait aussi calme et déterminé qu'un général vainqueur le jour de la capitulation de l'ennemi.

Hardwick secoua la tête.

— Tu penses qu'Ashton a concocté ce plan incroyablement complexe – qu'il a inventé ce personnage mythique et réussi à alimenter cette fiction pendant trois ans – rien que pour avoir quelqu'un sous la main à qui faire endosser le crime si un jour il décidait de se marier et d'assassiner sa femme ? Ça semble un peu grotesque, non ?

— Formulé ainsi, ça semble même totalement ridicule. Mais imagine qu'il ait eu une autre raison d'inventer Hector ?

— Quelle raison ?

— Je ne sais pas. Une raison plus impérieuse. Plus pratique.

— Ça me paraît tiré par les cheveux. Et les Skard dans tout ça ? Notre hypothèse était qu'un des frères, vraisemblablement Leonardo, se faisait passer pour Hector dans le but de convaincre d'ex-élèves impénitentes de Mapleshade de quitter leur domicile une fois leur diplôme en poche pour gagner un fric fou en prenant leur pied ? Si ce Hector n'existe pas, qu'advient-il de toute cette histoire d'esclavage sexuel ?

— Je n'en sais rien.

C'était une question essentielle, pensa Gurney. Toutes leurs théories fondées sur l'idée que Leonardo Skard avait agi sous l'identité de Hector Flores s'écroulaient dès lors que le dénommé Hector Flores n'avait jamais existé.

CHAPITRE 77

Dernier épisode

— Au fait, dit Gurney, as-tu ton arme sur toi ?

— Toujours, répondit Hardwick. Ma cheville se sentirait toute nue sans son petit étui. À mon humble avis, les balles sont parfois aussi efficaces que la matière grise pour résoudre les problèmes. Pourquoi me demandes-tu ça ? Tu as l'intention de prendre des mesures draconiennes ?

— Pas encore. Il faut qu'on sache un peu plus clairement de quoi il retourne.

— Tu avais l'air drôlement sûr de toi il y a un instant.

Gurney fit la grimace.

— La seule chose dont je suis *sûr*, c'est que ma version du meurtre Perry est *possible*. Pas impossible, en tout cas. Scott Ashton aurait pu tuer Jillian Perry. Il *aurait pu*. Mais j'ai besoin de creuser encore, d'exhumer d'autres faits. Pour le moment, on a zéro preuve et zéro mobile. Nous n'avons rien, à part mes spéculations qui suivent un fil logique.

— Et si…

Hardwick fut interrompu par le fracas de la lourde porte de la chapelle s'ouvrant et se refermant, suivi d'un *clic* métallique sonore. D'instinct, ils se penchèrent tous les deux vers les marches obscures au-delà du seuil du bureau et tendirent l'oreille, à l'affût de bruits de pas.

Une minute plus tard, Scott Ashton apparaissait en haut de l'escalier et pénétrait dans la pièce, se déplaçant avec cette même énergie, cette assurance qui les avaient frappés lorsqu'il l'avait observé sur l'écran. Il se laissa tomber dans le somptueux fauteuil derrière son bureau, ôta son oreillette Bluetooth qu'il déposa dans le tiroir du haut. Il joignit les mains sur le plateau massif, entrelaçant lentement ses doigts – sauf les pouces qu'il tint parallèles comme pour faciliter une comparaison attentive. Exercice qui semblait le fasciner. Après avoir souri un moment à ses propres pensées, il écarta les mains en tournant les paumes vers le haut, les doigts déployés en une position étrangement nonchalante.

Puis il enfonça la main dans la poche de sa veste et en sortit un pistolet de petit calibre. Un geste désinvolte – si semblable à celui qu'on fait pour prendre un paquet de cigarettes que, l'espace d'une seconde, Gurney crut que c'est ce qu'il avait fait.

En un mouvement presque indolent, Ashton pointa le petit semi-automatique, un Beretta calibre .25, quelque part entre ses deux visiteurs, bien que son regard fût fixé sur Hardwick.

— Faites-moi plaisir. Posez vos mains sur les accoudoirs. Tout de suite. Merci. Maintenant, restez assis comme vous l'êtes et décollez lentement les pieds du sol. Merci. J'apprécie votre coopération. Levez-les un peu plus haut. Merci. À présent, tendez les jambes vers mon bureau, je vous prie. Encore, encore, jusqu'à ce que vous puissiez poser les pieds sur la table. Merci. C'est très bien, vous coopérez.

Hardwick suivit toutes ces instructions avec le sérieux décontracté de quelqu'un écoutant son professeur de yoga. Une fois qu'il eut posé les pieds sur la table, Ashton se pencha vers lui, glissa la main sous le bas de la jambe droite de pantalon et sortit un Kel-Tec P-32 de son étui. Il l'examina, le soupesa avant de le ranger dans le tiroir du bureau.

Il se rassit en souriant.

— Ah ! C'est beaucoup mieux. Trop de gens armés dans une pièce est une tragédie en puissance. Je vous en prie, inspecteur, n'hésitez pas à reposer les pieds par terre. Nous pouvons tous nous détendre maintenant que les choses sont claires.

Ashton les regarda l'un après l'autre d'un air à la fois négligent et amusé.

— Cette journée est en train de prendre une tournure fascinante, je dois dire. Tant de... rebondissements. Et vous, inspecteur Gurney, vous avez vraiment fait fonctionner votre petit cerveau à plein régime. (Un sarcasme mielleux faisait ronronner sa voix.) Une intrigue pour le moins scabreuse que vous nous avez contée là. On croirait le scénario d'un film. Le célèbre psychiatre Scott Ashton assassine sa femme en présence de deux cents invités à leur mariage. Il a suffi qu'il lui dise : « N'ouvre pas les yeux. » Hector Flores n'a jamais existé. La machette cnsanglantée était une ruse subtile. Il avait un fendoir dans la poche. Un plongeon prétendument accidentel dans les rosiers. Un changement rapide de costume dans la salle de bains. J'en passe et des meilleures. Une ingénieuse conspiration est mise au jour. Un meurtre sensationnel est élucidé. Des marchands de perversion sont démasqués. Aux morts justice sera faite. Et les vivants vivront pour toujours en paix. C'est à peu près ça, non ?

S'il espérait une réaction de surprise ou de peur, il en fut pour ses frais. L'une des forces de Gurney lorsqu'il était pris de court était précisément de rester de marbre en s'exprimant sur un ton légèrement décalé qui aurait été plus approprié dans des circonstances moins périlleuses.

— Cela résume à peu près la situation, répondit-il simplement, sans paraître surpris qu'Ashton ait pu épier leur échange depuis le rez-de-chaussée, probablement grâce à son oreillette reliée à un micro caché.

C'était même une certitude. Il se maudit en silence de ne pas avoir remarqué qu'un peu plus tôt dans la chapelle, Ashton avait parlé dans un portable qu'il tenait à la main – preuve que l'oreillette en place avait un autre usage. Il était furieux qu'un indice aussi évident lui ait échappé, mais il n'était pas près de le montrer.

Il n'arrivait pas à évaluer l'impact de son détachement apparent. Il espérait qu'il avait eu l'effet escompté. Tout doute qu'il réussirait à semer dans l'esprit d'Ashton tournerait à son avantage.

À présent, le psychiatre regardait Hardwick, qui ne quittait pas le pistolet des yeux. Ashton secoua la tête comme s'il réprimandait un petit enfant désobéissant.

— Comme on dit au cinéma, inspecteur, n'y pensez même pas. Vous aurez trois balles dans la poitrine avant de vous être levé de votre chaise.

Il s'adressa ensuite à Gurney sur le même ton.

— Quant à vous, inspecteur, vous êtes comme une mouche qui s'est introduite dans la maison. Vous volez partout en bourdonnant, vous vous baladez au plafond. Bzzzz. Vous guettez. Bzzzz. Mais vous ne comprenez rien à ce que vous voyez. Bzzzz. Et un petit coup de tapette ! Tous ces vrombissements pour rien. Parce que en aucun cas vous ne pouvez saisir ce qui se passe. Comment voulez-vous ? Vous n'êtes qu'une mouche.

Il se mit à rire. Sans bruit.

Gurney savait qu'il devait gagner du temps, faire durer les choses au maximum. Si Ashton était l'assassin qu'il semblait être, le jeu mental adéquat serait celui qu'il appliquait toujours en pareilles circonstances : une joute oratoire afin de déterminer qui finirait par l'emporter sur le plan émotionnel. Pratiquement, il s'agissait d'embarquer son adversaire dans ce jeu en le faisant traîner en longueur jusqu'à ce que l'occasion de porter le coup de grâce se présente. Il s'adossa à sa chaise et sourit.

— La mouche a fait mouche, en l'occurrence, Ashton, hein ? Dans le cas contraire, vous n'auriez pas cette arme à la main.

Ashton cessa de rire.

— *Elle a fait mouche ?* Le petit génie de la déduction s'attribue le mérite d'avoir fait mouche ? Qui vous a fourni tous ces petits détails ? Le fait que certaines de nos anciennes élèves aient disparu, les disputes à propos des voitures, les jeunes créatures en question apparaissant toutes dans des publicités pour Karnala ? Si je n'avais pas cédé à la tentation de vous orienter sur la bonne voie – histoire de pimenter la partie –, vous n'auriez pas été plus loin que vos crétins de collègues.

Ce fut au tour de Gurney d'éclater de rire.

— Ça n'avait rien à voir avec l'idée de pimenter la partie. Vous saviez pertinemment que nous avions l'intention d'interroger vos anciennes élèves et qu'à un moment ou à un autre, nous aurions eu leurs adresses. Vous ne nous avez fourni aucun indice que nous n'aurions déniché par nous-mêmes d'ici un ou deux jours. C'était une minable tentative pour acheter notre confiance en échange d'informations que vous ne pouviez en aucun cas continuer à nous cacher.

Le visage d'Ashton exprima une sérénité hiératique, et donc feinte – Gurney était persuadé qu'il avait mis dans le mille. Mais lorsqu'il s'agissait de gérer ce genre de confrontation, il leur arrivait d'avoir *trop* raison, de frapper trop près du centre de la cible.

Quand Ashton reprit la parole, il eut la désagréable sensation que tel était le cas.

— Nous avons perdu assez de temps comme ça. Je voudrais vous montrer quelque chose afin que vous voyiez comment l'histoire se termine.

Ashton se leva et, de sa main libre, tira le lourd fauteuil jusqu'à un endroit voisin de la porte restée ouverte, de manière à former un triangle entre l'écran plat sur la console derrière le bureau et les deux sièges en face, occupés par Gurney et Hardwick – tournant ainsi le dos au seuil tout en ayant l'œil à la fois sur l'écran et sur eux.

— Ce n'est pas moi qu'il faut regarder, dit-il en désignant l'ordinateur, mais l'écran. C'est de la téléréalité. *Mapleshade : dernier épisode*. Ce n'est pas la fin que j'avais prévu d'écrire, mais avec la téléréalité, il faut savoir être souple. Bon. Nous sommes tous bien installés. La caméra tourne, l'action a démarré, mais je pense qu'on pourrait améliorer un peu l'éclairage en bas.

Il sortit la petite télécommande de sa poche et appuya sur une touche.

La nef s'éclaira peu à peu à mesure que des rangées d'appliques s'allumaient le long des murs. Il y eut une brève pause dans le bourdonnement des conversations quand les filles réunies en groupes de discussion portèrent leur regard sur les lampes autour d'elle.

— Voilà qui est mieux, dit Ashton en souriant à l'écran d'un air satisfait. Compte tenu de votre contribution à l'affaire, inspecteur, je veux m'assurer que vous voyez tout clairement.

Quelle contribution ? eut envie de demander Gurney. À la place, il posa sa main sur la bouche pour étouffer un bâillement avant de jeter un coup d'œil à sa montre.

Ashton lui décocha un long regard glacial.

— Vous n'allez plus vous ennuyer longtemps. (Une foison de tics infimes sillonna son visage.) Vous êtes un homme cultivé, inspecteur. Dites-moi une chose : savez-vous ce que signifie l'expression médiévale « juste réparation » ?

Bizarrement, Gurney le savait. Un souvenir d'un cours de philosophie au lycée. On désignait par ce terme un châtiment en totale adéquation avec l'offense. Une punition parfaitement adaptée.

— Oui, répondit-il, faisant naître une lueur de surprise dans le regard d'Ashton.

À cet instant, à la lisière de son champ de vision, il détecta quelque chose d'autre – une ombre se déplaçait rapidement. À moins que ce ne fût la bordure d'un tissu sombre, une manche peut-être ? Quoi qu'il en soit, elle disparut dans le renfoncement du palier, à côté du seuil, où on devait avoir à peine la place de se tenir debout.

— Dans ce cas, vous serez probablement en mesure d'apprécier les ravages que votre ignorance a provoqués.

— Racontez-moi ça, répondit Gurney avec un air faussement intéressé qui, espérait-il, dissimulerait mieux qu'un faux bâillement la terreur qui commençait à l'envahir.

— Vous avez une disposition d'esprit exceptionnelle, inspecteur. Un cerveau des plus efficace, remarquable calculateur de vecteurs et de probabilités.

Cette interprétation était aux antipodes de celle que Gurney aurait faite à cet instant. Parcouru de frissons nauséeux, il se demanda si Ashton avait perçu son état mental avec une acuité telle que cette remarque se voulait une plaisanterie.

De son point de vue, le cerveau à l'origine de ses grands succès professionnels était en train de déraper dans tous les sens en essayant d'emboîter simultanément un nombre incalculable d'éléments : le Hector irréel. Le Jykynstyl irréel. La Jillian Perry décapitée. La Kiki Muller décapitée. La Melanie Strum décapitée. La Savannah Liston décapitée. La poupée décapitée dans la pièce à couture de Madeleine.

Où se trouvait le centre de gravité dans tout ça – l'endroit où les lignes de force convergeaient ? Ici, à Mapleshade ? Dans l'immeuble en grès brun tenu par les « filles » de Steck ? Ou encore dans quelque obscur café sarde où Giotto Skard sirotait peut-être à cette heure un espresso amer – rôdant telle une araignée ratatinée au centre de la toile où tous les fils de ses entreprises aboutissaient ?

Les questions sans réponse s'accumulaient à une vitesse grand V.

Une autre, très personnelle, le taraudait : pourquoi n'avait-il pas envisagé la possibilité que le bureau d'Ashton puisse être équipé de micros ?

Il avait toujours considéré la notion d'« attitude suicidaire » comme un paradigme facile, et galvaudé. À cet instant pourtant, il ne put s'empêcher de se demander si ce n'était pas la meilleure explication à donner à son comportement.

À moins que son disque dur mental déborde tout bonnement de détails indigestes ?

De détails indigestes, de théories foireuses, de meurtres.

Quand tout le reste a échoué, retour au présent.

Le conseil invariable de Madeleine : *Sois ici, dans le présent. Attentif.*

Le Saint-Graal de la conscience.

Ashton était au beau milieu d'un discours :

— … la maladresse tragi-comique du système pénal – qui n'est ni équitable ni systématique, mais incontestablement criminel. S'agissant des délinquants sexuels, ce système est bêtement politique, et d'une ineptie grotesque. Parmi tous les coupables qu'il attrape, il n'en aide aucun et aggrave le cas de la grande majorité. Il libère tous ceux qui sont suffisamment intelligents pour rouler dans la farine les prétendus professionnels chargés de les évaluer. Il divulgue des listes de délinquants sexuels incomplètes et inutiles. Sous couvert de cette arnaque d'ordre publicitaire, *il lâche dans la nature des serpents qui dévorent nos enfants*.

Ashton jeta un regard incendiaire à Gurney, puis à Hardwick, et de nouveau à Gurney.

— Tel est le pitoyable dispositif que vos subtiles élucubrations mentales, votre logique, vos capacités d'investigation, votre intelligence servent en définitive.

Curieux, pensa Gurney. Une élégante diatribe délivrée avec l'éloquence d'un laïus bien rodé, peut-être lors de conférences en présence de ses pairs, mais animée néanmoins d'une rage palpable, loin d'être artificielle. En plongeant son regard dans celui d'Ashton, il reconnut cette fureur pour l'avoir déjà vue. Dans les yeux de victimes de sévices sexuels, et avec une intensité mémorable, dans ceux d'une femme de cinquante ans avouant le meurtre à la hache de son beau-père de soixante-quinze ans qui l'avait violée lorsqu'elle en avait cinq.

Pour sa défense, elle avait déclaré au tribunal qu'elle avait voulu s'assurer que sa petite-fille n'aurait rien à craindre de lui, que la petite-fille de personne n'aurait rien à craindre de lui. Son regard brillait d'une rage sauvage. En dépit des efforts de son avocat pour la faire taire, elle avait continué à jurer que le seul désir qui continuait à l'animer était de les tuer tous, ces monstres, ces abuseurs. Les tuer et les découper en morceaux. Alors qu'on l'entraînait hors de la salle, elle avait hurlé qu'elle attendrait aux portes des prisons et tuerait tous les délinquants qu'on libérerait, chacun de ceux qu'on lâcherait dans la nature. Qu'elle emploierait jusqu'à son dernier souffle pour les « tailler en pièces ».

Ce fut alors que Gurney entrevit le lien possible – l'équation simple qui pouvait tout expliquer.

Il prit la parole d'un ton neutre, comme s'ils avaient parlé de ça toute la soirée.

— Il n'y a pas le moindre risque que Tirana soit relâchée dans la nature.

Ashton ne réagit pas tout de suite, à croire qu'il n'avait pas entendu l'intervention de Gurney, et encore moins les accusations de meurtre qu'elle sous-entendait.

Derrière le psychiatre, sur le palier plongé dans l'ombre, Gurney remarqua un autre mouvement – plus aisément identifiable cette fois-ci. Un bras recouvert d'un tissu brun avec, au bout, l'infime reflet de quelque chose de métallique. Mais, comme la fois précédente, la forme se retira dans le recoin obscur.

La tête d'Ashton était inclinée légèrement vers la gauche. Elle pivota alors dans la direction opposée en un geste d'une lenteur inimaginable. Il fit passer son pistolet de sa main droite dans la gauche, qui reposait sur ses genoux. Puis, non sans hésitation, il leva la main droite vers sa tempe, et les bouts de ses doigts effleurèrent son oreille, s'y attardant en une attitude à la fois délicate et déconcertante. On aurait dit un homme en train d'écouter une mélodie lointaine.

Pour finir, il plongea son regard dans celui de Gurney et posa sa main sur l'accoudoir en même temps qu'il levait l'autre, serrant l'arme. Un petit sourire s'épanouit puis se fana sur ses lèvres telle une fleur ridiculement éphémère.

— Vous êtes un homme tellement, tellement intelligent.

Le brouhaha provenant des haut-parleurs s'amplifia, se faisant plus net.

Ashton ne parut pas s'en apercevoir.

— Tellement intelligent, perspicace, et désireux d'impressionner. Impressionner qui, je me le demande.

— Ça sent le brûlé, lança Hardwick d'un ton inquiet.

— Vous n'êtes qu'un enfant, ajouta Ashton, suivant le cours de sa pensée. Un enfant qui aurait appris un tour de cartes et s'ingénie à en faire la démonstration aux mêmes personnes encore et encore pour tenter de susciter la même réaction qu'il a obtenue la première fois.

— Ça sent vraiment le cramé ! insista Hardwick en pointant l'index vers l'écran.

Gurney observait tour à tour le pistolet et le regard trompeusement calme de l'homme qui le braquait sur eux. Quoi qu'il se passe sur l'écran, cela allait devoir attendre. Il voulait qu'Ashton continue à parler.

Un nouveau mouvement sur le palier, puis un petit homme vêtu d'un cardigan marron franchit le seuil sans bruit, à pas lents. Il fallut à Gurney une seconde pour s'apercevoir qu'il s'agissait de Hobart Ashton.

Il garda délibérément les yeux rivés sur l'arme en se demandant dans quelle mesure le père d'Ashton comprenait la situation, si tant est qu'il y comprenne quoi que ce soit. Ce qu'il avait l'intention de faire, s'il prévoyait de faire quelque chose. Comment expliquer cette entrée discrète ? Que savait-il exactement, que soupçonnait-il pour avoir monté les marches aussi silencieusement et s'être caché dans le recoin du palier ? Plus urgent, voyait-il l'arme que brandissait son fils de l'endroit où il se tenait ? Se rendait-il compte de ce que cela signifiait ? Avait-il toute sa tête ? Encore plus crucial peut-être, si le vieil homme devait provoquer, sciemment ou par inadvertance, une diversion momentanée, Gurney pourrait-il s'emparer du pistolet avant qu'Ashton arrive à en faire usage contre lui ?

Ces réflexions désespérées furent interrompues par un cri brutal.

— Putain ! La chapelle est en feu ! s'alarma Hardwick.

Gurney jeta un coup d'œil à l'écran sans perdre de vue Scott Ashton et son père. La transmission vidéo montrait clairement de la fumée s'échappant des appliques sur les murs de la chapelle. La plupart des filles avaient quitté leurs sièges, les autres se bousculaient pour en faire autant et se regrouper dans l'allée centrale ou sur l'estrade la plus proche de la caméra.

Par réflexe, Gurney se leva, imité à la seconde par Hardwick.

— Attention, inspecteur, lança Ashton en braquant le pistolet sur Gurney.

— Déverrouillez les portes, ordonna ce dernier.

— Pas tout de suite.

— Qu'est-ce que vous attendez ?

Une clameur s'échappa du moniteur. Gurney y jeta un autre coup d'œil rapide, juste à temps pour voir une fille actionnant un extincteur qui s'était changé en lance-flammes, projetant un flot de liquide en feu sur toute la longueur d'un banc. Une de ses camarades se précipita au même endroit avec un autre extincteur – pour obtenir un résultat analogue : un flot de liquide qui s'embrasa à la seconde où il entra en contact avec les flammes. Il était évident qu'on avait saboté les extincteurs. Cela rappela à Gurney un incendie criminel qui s'était produit dans le Bronx vingt ans plus tôt. On avait découvert par la suite qu'un des extincteurs d'une petite quincaillerie avait été vidé de son contenu et rempli d'essence gélatineuse – du napalm fait maison.

Dans la chapelle, c'était maintenant la panique.

— Ouvrez ces foutues portes, bordel ! hurla Hardwick à l'adresse d'Ashton.

Le père d'Ashton plongea alors la main dans la poche de son cardigan et en sortit un objet qui luisait. Quand il déplia la petite lame, Gurney comprit ce que c'était : un simple canif, de ceux dont les scouts se servent pour tailler des bouts de bois. Il le tint contre son flanc et resta planté là, impassible, les yeux rivés sur le dossier de son fils.

Le regard de Scott Ashton était fixé sur Gurney.

— Ce n'est pas le grand final que j'aurais souhaité, mais c'est celui que votre brillante intervention requiert. Il va falloir que je m'en contente.

— Bon sang ! Laissez-les sortir ! Espèce de cinglé !

— J'ai fait de mon mieux, poursuivit calmement Ashton. J'avais de l'espoir. Chaque année, on en sauvait quelques-unes, mais, au bout d'un moment, j'ai dû admettre que c'était une petite minorité. En règle générale, elles repartaient aussi pernicieuses que le jour de leur arrivée, pour aller contaminer le monde et détruire d'autres êtres.

— Vous n'y pouviez rien, dit Gurney.

— Je ne le pensais pas non plus… jusqu'au jour où ma Mission, ma Méthode m'ont été révélées. Si quelqu'un décidait de mener une existence nuisible, je pouvais au moins limiter le temps où les autres étaient exposés à lui, sa période de toxicité.

Les hurlements émanant des haut-parleurs devenaient de plus en plus chaotiques. Hardwick fit mine de se précipiter sur Ashton. Gurney tendit la main pour le retenir alors que le psychiatre levait tranquillement son arme, visant la poitrine de Hardwick.

— Pour l'amour du ciel, Jack, lança Gurney, évite de provoquer un affrontement par balles quand nous n'avons pas d'arme à notre disposition.

Hardwick se figea, les muscles de la mâchoire crispés.

Gurney gratifia Ashton d'un sourire empreint d'admiration.

— D'où « l'accord à l'amiable » ? dit-il.

— Ah ! Je vois que M. Ballston vous a fait des confidences.

— Au sujet de Karnala, oui. J'aimerais bien en savoir un peu plus d'ailleurs.

— Vous en savez déjà pas mal.

— Racontez-moi le reste.

— C'est une histoire toute simple, inspecteur. Je viens d'une famille dysfonctionnelle.

Il eut un affreux rictus, parvenant à communiquer tous les cauchemars cachés derrière ce pseudo-terme psychologique des plus galvaudé. Des tics agitaient ses lèvres comme s'il avait des insectes sous la peau.

— On a fini par m'en éloigner, me placer en adoption, m'offrir des études. J'étais attiré par un certain type de cas cliniques, mais, dans l'ensemble, j'allais d'échec en échec. Mes patients continuaient à violer des enfants. Je ne savais plus quoi faire – jusqu'au jour où j'ai pris conscience que mes relations familiales m'offraient le moyen de livrer les filles les plus abominables du monde en pâture aux hommes les plus abjects qui soient.

Il sourit.

— Juste réparation. La solution parfaite.

Le sourire s'effaça.

— Futée comme elle l'était, Jillian a découvert juste un peu plus qu'elle n'aurait dû, en surprenant une conversation téléphonique qu'elle n'aurait pas dû entendre. Hélas, elle a continué à fureter, si bien qu'elle a fini par mettre tout le processus en danger. Bien évidemment, elle n'a jamais compris la manœuvre dans son ensemble, mais elle a cru pouvoir tirer profit du peu qu'elle savait. Elle a commencé par exiger le mariage. Je me doutais qu'elle ne s'arrêterait pas en si bon chemin. J'ai réglé le problème d'une manière qui m'a semblé satisfaisante. *Justement* satisfaisante. Pendant quelque temps, tout est allé comme sur des roulettes. Et puis vous vous êtes pointé.

Ashton dirigea son pistolet vers le visage de Gurney.

Sur l'écran, deux bancs étaient en feu ; des flammes s'élevaient de la moitié des appliques ; une partie des tentures commençait à fumer. La plupart des filles étaient couchées par terre, certaines se couvrant le visage, d'autres essayant de respirer à travers des pans de leurs vêtements, certaines pleurant, d'autres toussant, quelques-unes vomissant.

Hardwick semblait sur le point d'exploser.

— Et puis vous êtes arrivé, reprit Ashton. David Gurney et son esprit brillant. Voilà le résultat. (Il montra l'écran avec son arme.) Comment se fait-il que cet esprit brillant ne vous ait pas prédit que ça finirait comme ça ? Comment pouvait-il en être autrement ?

Pensiez-vous vraiment que j'allais les laisser partir ? Notre David Gurney soi-disant si malin est-il stupide à ce point ?

Hobart Ashton fit quelques petits pas vers le dossier du fauteuil.

— C'est ça votre solution, Ashton ? hurla Hardwick. C'est ça, enfoiré ? Faire brûler vives cent vingt filles ? C'est ça votre putain de solution ?

— Oh, mais oui ! Oui, oui, oui ! Vous vous imaginiez vraiment qu'une fois acculé, j'allais les laisser filer ?

Ashton avait haussé le ton, sa voix incontrôlée fusant vers Gurney et Hardwick tel un boulet animé de sa propre énergie.

— Vous pensiez que j'allais lâcher ce nid de vipères sur tous les mioches de la planète ? Ces créatures nocives, visqueuses, vénéneuses ? Démentes, pourries, suçant le sang des autres ! Ces hydres…

Cela se produisit si vite que Gurney crut avoir rêvé. L'apparition soudaine d'un bras derrière le dossier, un mouvement courbe, rapide, et ce fut tout. Les divagations d'Ashton s'interrompirent au milieu d'une phrase. Puis le vieil homme contourna prestement le siège et saisit le canon du pistolet qu'il arracha à son fils. On entendit le craquement sinistre d'un petit os. La tête d'Ashton s'abattit sur sa poitrine, et son corps commença à glisser vers l'avant en se recroquevillant pour basculer finalement à terre en position fœtale. C'est alors qu'un flot de sang commença à s'accumuler autour de sa gorge, une mise à mort qui en rappelait d'autres.

Hardwick serra les dents.

Le petit homme au cardigan brun essuya son canif sur le dossier, replia habilement la lame d'une main et le rangea dans sa poche.

Puis il baissa les yeux sur son fils et, en guise de bénédiction à son âme trépassée, il murmura : « Tu es une vraie merde. »

CHAPITRE 78

Tout ce qui lui restait

La répugnance qu'éprouvait Gurney, à l'époque où il était un jeune bleu, pour la violence et le sang – en particulier quand le sang provenait d'une blessure mortelle –, il avait appris à la réprimer et à la cacher au cours des vingt années passées au sein de la Brigade des homicides. Quand la situation l'exigeait, il était capable de dissimuler assez efficacement ce qu'il ressentait – ou tout au moins de déguiser son horreur en simple dégoût. Ce qu'il fit à cet instant.

— Quel gâchis ! commenta-t-il, comme s'il faisait allusion à une fiente d'oiseau sur un pare-brise en contemplant le sang qui s'étendait lentement en une forme ovale qu'absorbaient les délicates arabesques du tapis persan.

Hardwick cilla. Il regarda d'abord Gurney, puis le corps inerte et la scène chaotique à l'écran. Pour finir, il posa un regard plein d'incompréhension sur le père d'Ashton.

— Les portes. Pourquoi n'ouvrez-vous pas ces putains de portes ?

Gurney et le vieil homme se dévisageaient avec une absence d'inquiétude pour le moins sinistre. Dans des situations difficiles par le passé, son aptitude à donner une impression de calme absolu avait souvent servi Gurney, lui donnant l'avantage. Ce qui ne semblait pas être le cas cette fois. Hobart Ashton offrait l'image même d'une assurance tranquille, brutale. À croire que le meurtre de son fils lui avait procuré une paix profonde, une force – comme si un déséquilibre avait finalement été corrigé.

Avec ce genre d'homme, on ne risquait pas de gagner le concours de celui qui fixerait l'autre le plus longtemps. Gurney décida de placer la barre plus haut et de modifier les règles du jeu. Il devait agir vite s'il voulait que tout le monde sorte vivant du bâtiment. Le moment était venu de frapper fort.

— Ça me rappelle Tel-Aviv, dit-il en désignant l'écran.

Le petit homme battit des paupières, et un léger sourire étira ses lèvres.

Gurney comprit que sa remarque avait fait de l'effet. Mais lequel ?

Hardwick les dévisageait, effaré, écumant de rage.

Gurney continua à se concentrer sur le vieillard, pistolet au poing.

— Dommage que vous ne soyez pas venu un peu plus tôt.

— Quoi ?

— Dommage que vous ne soyez pas venu plus tôt. Il y a cinq mois au lieu de trois.

Hobart Ashton paraissait sincèrement intrigué.

— Qu'est-ce que ça peut vous faire ?

— Vous auriez pu empêcher toute cette folie avec Jillian.

— Ah, fit-il en hochant lentement la tête, presque avec gratitude.

— Évidemment, si vous étiez intervenu encore plus tôt, quand vous auriez dû, la situation serait différente maintenant. Ce serait mieux, je pense, pas vous ?

Le vieil homme continua à opiner, évasivement, sans raison apparente. Puis il se renfrogna.

— Je ne vois pas de quoi vous parlez.

Gurney eut soudain la terrible sensation qu'il avait fait fausse route. Mais pas moyen de reculer, plus assez de temps pour réfléchir à deux fois. Aussi fonça-t-il droit devant avec détermination.

— Vous auriez sans doute mieux fait de le tuer il y a longtemps, de l'étouffer dans son berceau, avant que Tirana jette son dévolu sur lui. Il était cinglé depuis le début, le petit salopard, comme sa mère, et non pas un brillant homme d'affaires comme vous.

Gurney scruta le visage de Hobart Ashton en quête de la plus infime réaction, mais son expression n'était pas plus communicative – ou humaine – que l'arme qu'il tenait à la main. Une fois de plus, il dut aller de l'avant.

— C'est pour ça que vous avez débarqué ici après le drame qui a coûté la vie à Jillian, n'est-ce pas ? Que Leonardo la tue, c'était une chose, ça aurait pu être bon pour les affaires, mais qu'il lui coupe la tête à son mariage, ça… c'était aller trop loin. Vous êtes venu surveiller la situation, je parie. Vous assurer que les choses étaient gérées d'une façon plus professionnelle. Vous redoutiez que ce dingo fiche tout en l'air. Mais Leonardo avait quelques points forts, reconnaissez-le. Il était intelligent, inventif. Pas vrai ?

Toujours aucune réaction dans ce regard sans vie.

Gurney continua :

— Il faut avouer que l'idée de Hector n'était pas mauvaise. Inventer le parfait bouc émissaire, au cas où quelqu'un s'apercevait que toutes ces anciennes élèves de Mapleshade avaient disparu sans laisser d'adresse. C'est ainsi que le mythique Hector a fait son entrée en scène, juste avant que les filles commencent à se volatiliser. Ce qui prouve que Leonardo était prévoyant, qu'il avait l'esprit d'initiative, qu'il savait planifier. Mais tout cela avait un prix. Il était trop fou, n'est-ce pas ? C'est pour ça que vous avez décidé d'agir. Vous étiez acculé. Gestion de crise. (Gurney secoua la tête en regardant avec consternation l'énorme mare de sang sur le tapis entre eux.) Mais ce n'était pas assez, Giotto, hein ? Et trop tard.

— Comment m'avez-vous appelé ?

Gurney lui rendit son regard de pierre avant de répondre.

— Ne me faites pas perdre mon temps. J'ai un marché à vous proposer. C'est à prendre ou à laisser. Vous avez cinq minutes.

Il crut voir une infime fissure dans la pierre. Un quart de seconde.

— Comment m'avez-vous appelé ?

— C'est fini, Giotto. Mettez-vous bien ça dans le crâne. Les Skard sont foutus. Vous avez pigé ? L'heure tourne. Voilà ce que je vous propose. Donnez-moi les noms et les coordonnées de tous les clients de Karnala, toutes ces ordures à la Jordan Ballston avec qui vous faites du commerce. Je tiens en particulier à avoir les adresses où l'on a des chances de retrouver des filles vivantes. Vous me fournissez tout ça et je garantis que vous vivrez assez longtemps pour passer du temps derrière les barreaux.

Le petit homme éclata de rire. On aurait cru entendre du gravier écrasé sous une couverture.

— Vous êtes drôlement culotté, Gurney. Vous auriez dû vous lancer dans les affaires.

— Je sais. Il ne reste plus que quatre minutes et demie. Le temps file à une vitesse ! Si vous décidez de ne pas me donner ces adresses, je vais vous dire comment ça va se passer : nous avons essayé de vous signifier votre garde à vue dans les règles, mais bêtement, vous tenterez de vous échapper en mettant en danger la vie d'un policier, si bien qu'on sera obligé de vous tirer dessus. Vous recevrez deux balles. La première, une balle à pointe creuse 9 mm, vous explosera les couilles. La seconde vous sectionnera la colonne vertébrale, entre la première et la deuxième vertèbre, d'où une paralysie irréversible. Ces deux blessures feront de vous un soprano en fauteuil roulant derrière les murs d'une prison-hôpital où vous resterez jusqu'à la fin de vos jours. Cela donnera à vos camarades codétenus la possibilité de vous pisser à la figure chaque fois qu'ils en éprouveront le besoin. C'est bon ? Vous avez compris le deal ?

Nouvel éclat de rire. Un rire qui aurait fait du braiment éraillé de Hardwick un son doux.

— Vous savez pourquoi vous êtes encore vivant, Gurney ? Parce que je meurs d'impatience d'entendre ce que vous allez dire ensuite.

Gurney consulta sa montre.

— Plus que trois minutes et vingt secondes.

Plus aucune voix ne provenait des haut-parleurs maintenant. Rien que des gémissements, des toux rauques, un petit cri aigu, des pleurs.

— Mais putain… s'exclama Hardwick. Mais bordel…

Gurney regarda l'écran, écouta la litanie de sons pitoyables, puis, se tournant vers Hardwick, il lança avec une clarté et une lenteur délibérées :

— Au cas où j'oublierais, souviens-toi que la télécommande pour les portes est dans la poche d'Ashton.

Hardwick le regarda d'un drôle d'air, ayant apparemment compris l'implication de ces paroles.

— Il ne reste plus beaucoup de temps, ajouta Gurney à l'adresse de Giotto Skard.

Le vieil homme hennit une fois encore. Impossible de le leurrer. Le marché ne se ferait pas.

Le visage d'une jeune fille apparut sur l'écran, à demi dissimulé sous une cascade de cheveux blonds. Vibrant de peur et de fureur, plus grand que nature, déformé par la proximité de la caméra au point d'être laid.

— Salopard ! hurla-t-elle, la voix brisée. Salopard ! Salopard !

Elle se mit à tousser convulsivement, le souffle court, la respiration sifflante.

Le cadavérique Dr Lazarus surgit de derrière un banc renversé, rampant tel un gros cafard noir sur le sol enfumé.

Giotto avait les yeux rivés sur l'écran. En dépit de son impassibilité, il avait l'air de s'amuser.

Cette petite distraction allait devoir faire l'affaire, songea Gurney. C'était sa dernière chance.

Il ne pouvait accuser personne. Personne ne viendrait le sauver. Il s'était jeté dans la gueule du loup tout seul. Dans l'endroit le plus dangereux qu'il ait connu de toute son existence, à la lisière de l'enfer.

La porte du Paradis.

Il ne lui restait qu'une chose à faire.

Il espérait que ça suffirait.

Dans le cas contraire, il espérait qu'un jour peut-être, Madeleine arriverait à lui pardonner.

CHAPITRE 79

La dernière balle

Il avait dû rater à l'école de police le cours sur comment se faire tirer dessus en trois leçons. Les descriptions fournies par ceux qui avaient traversé cette épreuve avaient permis à Gurney de s'en faire une petite idée. En être témoin avait ajouté une dimension passablement déconcertante à la chose, mais, comme dans la plupart des expériences fortes, l'idée et la réalité résidaient dans deux mondes distincts.

Son plan, conçu en l'espace d'une ou deux secondes, était la simplicité même, comme lorsqu'on décide de sauter par la fenêtre. Il allait se jeter sur le petit homme armé qui se tenait à trois ou quatre mètres de lui près du fauteuil vide d'Ashton, à proximité de la porte ouverte. Il espérait le percuter avec assez de force pour le projeter en arrière vers la porte – l'élan les entraînant tous les deux au-delà de l'étroit palier en bas des marches en pierre. Cela aurait comme résultat, probablement de se faire tirer dessus plus d'une fois.

Alors que Giotto Skard regardait la fille hurler, Gurney s'élança en poussant un rugissement, un bras en travers de sa poitrine pour protéger son cœur, l'autre sur son front. Le calibre .25 n'aurait pas un grand impact, sauf dans ces deux zones, et Gurney était résigné à encaisser les autres tirs, quels qu'ils soient.

C'était de la folie, suicidaire probablement, mais il ne voyait pas d'autre solution.

L'écho assourdissant de la première détonation survint presque immédiatement dans la petite pièce. La balle fracassa son poignet droit, pressé contre sa clavicule côté cœur.

La seconde fut une lance de feu s'enfonçant dans son estomac.

La troisième fut la pire.

Ça n'avait pas d'importance.

Une explosion électrique. Une étincelle verte, aveuglante, comme la désintégration d'une étoile. Un cri. Un cri de terreur, de surprise, se changeant en rage. La lumière est le cri, le cri, la lumière.

Il n'y a rien. Il y a quelque chose. Au premier abord, difficile de faire la différence.

Une vaste étendue blanche. Ça pourrait n'être rien. Ou un plafond.

Quelque part sous la vaste étendue blanche, quelque part au-dessus de lui, un crochet noir. Un petit crochet noir tendu comme un doigt qui fait signe. Un geste d'une grande signification. Trop grande pour des mots. Tout est trop vaste pour les mots maintenant. Il n'arrive pas à penser à des mots. Pas un seul. Il a oublié ce que c'était. Les mots. Des petits objets bosselés. Des insectes en plastique noir. Des motifs. Des fragments de quelque chose. Une soupe aux vermicelles en forme d'alphabet.

Un sac transparent pend au crochet. Gonflé d'un liquide incolore. Un tube translucide descend vers lui. Comme le tube pour le néoprène du modèle réduit d'avion dans le parc de son enfance. Il sent l'odeur du carburant. Il voit un doigt habile, exercé, activer l'hélice d'une chiquenaude pour donner vie au petit moteur qui se met à toussoter. Le volume, la tonalité de ce son s'intensifient, le moteur crie, le cri se change en un hurlement constant. Sur le chemin du retour, dans le sillage de son père – son taciturne de père, – il tombe sur un tas de cailloux. Il s'est écorché le genou, il saigne. Le sang coule sur sa chaussette, le long du tibia. Il ne pleure pas. Son père a l'air content, fier de lui ; plus tard, il raconte son exploit à sa mère. Il a atteint l'âge où on ne pleure plus. Son père le regarde rarement avec fierté. Sa mère dit : « Pour l'amour du ciel, il n'a que quatre ans. Il a le droit de pleurer. » Son père ne dit rien.

Il se voit au volant d'une voiture. Sur une route des Catskill qui lui est familière. Un cervidé traverse la chaussée devant lui, c'est une biche qui passe dans le champ d'en face. Subitement, son petit se décide à la suivre. Le choc de la collision. L'image d'un corps tordu, la mère regardant derrière elle, attendant dans le champ.

Danny dans le caniveau, la BMW rouge fuyant à toute allure. Le pigeon qu'il suivait sur la route s'est envolé. Il n'avait que quatre ans.

La musique de Nino Rota. Poignante, ironique, à vous donner le vertige. Comme un cirque triste. Sonya Reynolds dansant au ralenti. La chute des feuilles d'automne.

Des voix.

— Vous pensez qu'il nous entend ?
— C'est possible. Le scanner cérébral que nous avons fait hier montrait une activité significative au niveau de tous les centres sensoriels.
— Significative, mais…
— Les schémas restent erratiques.
— Ce qui veut dire ?
— Son cerveau présente des signes de fonctionnement normal, mais ça va, ça vient, et il y a des manifestations de commutations sensorielles, qui peuvent être temporaires. Cela s'apparente à certaines expériences avec la drogue, les hallucinogènes. On voit les sons et on entend les couleurs.
— Et le pronostic est…
— Madame Gurney, dans le cas de lésions cérébrales traumatiques…
— Je sais que vous ne savez pas. Mais qu'en pensez-vous ?
— Je ne serais pas étonné qu'il se rétablisse complètement. J'ai vu des cas où une soudaine rémission spontanée…
— Et vous ne seriez pas étonné non plus du contraire ?
— Votre mari a reçu une balle dans la tête. Et il est encore en vie.

— Merci. Je comprends. Il se peut qu'il aille mieux. Ou que ça empire. Vous n'en avez aucune idée en fait, c'est ça ?

— Nous faisons tout ce qui est en notre pouvoir. Une fois que l'œdème se sera résorbé, nous y verrons plus clair.

— Il ne souffre pas, vous êtes sûr ?

— Il ne souffre pas.

Le paradis.

Chaleur et fraîcheur l'enveloppent tels le flux et le reflux d'une vague, une brise estivale changeante.

À présent, la fraîcheur a l'odeur de l'herbe trempée de rosée, la chaleur charrie le subtil parfum de tulipes au soleil.

La fraîcheur est celle du drap, la chaleur celle de voix féminines.

Chaleur et fraîcheur s'allient dans la douce pression de lèvres sur son front. Une douceur, une tendresse merveilleuse.

Jugement.

La cour d'assises du comté de New York. Une salle d'audience miteuse, sinistre, incolore. Le juge, une caricature de la fatigue, du cynisme, d'un début de surdité.

— Inspecteur Gurney, les accusations sont écrasantes. Que plaidez-vous ?

Il ne peut pas parler, ni réagir, pas même bouger.

— Le prévenu est-il présent ?

— Non, répond un chœur de voix à l'unisson.

Un pigeon décolle du sol et disparaît dans l'atmosphère enfumée.

Il veut parler, il essaie, pour prouver qu'il est là, mais il n'arrive pas à prononcer un seul mot ni à remuer, même un doigt. Il lutte pour émettre ne serait-ce qu'une syllabe, ou un cri étranglé arraché à sa gorge.

La pièce est en feu. Le juge, dont la toge fume, annonce d'une voix sifflante :

— L'accusé sera assigné à résidence pour une durée indéterminée à l'endroit où il se trouve, qui diminuera de taille jusqu'à ce que ledit accusé perde l'esprit ou que mort s'ensuive.

Enfer.

Il est dans une pièce sans fenêtre, une chambre exiguë à l'air confiné, avec un lit défait. Il cherche la porte, mais la seule qu'il y a s'ouvre sur un placard, un placard de quelques centimètres d'épaisseur avec au fond un mur en béton. Il a du mal à respirer. Il tape sur les murs, ce ne sont pas des coups, mais des éclairs de feu et de fumée. Et puis, près du lit, il aperçoit une fente dans le mur, à l'intérieur, une paire d'yeux en train de l'observer.

Ensuite, il se retrouve dans l'espace derrière le mur, d'où les yeux l'observaient, mais la fente a disparu. Il fait totalement noir. Il tente de se calmer. De respirer lentement, avec régularité. Il essaie de bouger, mais il n'y a pas assez de place. Il ne peut pas lever les bras, ni plier les genoux. Alors, il bascule de côté et s'effondre à terre, mais le fracas n'est pas un fracas, c'est un cri. Il n'arrive pas à dégager le bras coincé sous lui, ni à se relever. L'endroit est encore plus étroit, rien ne bougera. Une terreur croissante l'empêche presque totalement de respirer. Si seulement il pouvait émettre un son, parler, crier.

Quelque part au loin, les coyotes se mettent à hurler.

La vie.

— Vous êtes sûr qu'il nous entend ?

Sa voix à elle, un pur espoir.

— La seule chose que je peux vous affirmer, c'est que l'image du scanner est compatible avec l'activité neurologique de l'ouïe.

Sa voix à lui, aussi glacée qu'une feuille de papier.

— Se pourrait-il qu'il soit paralysé ?

Sa voix à elle, au bord des ténèbres.

— Le centre moteur n'a pas été affecté directement, d'après ce que nous voyons. Cependant, avec ce genre de lésions…

— Oui, je sais.

— Bon, madame Gurney, je vous laisse avec lui.

— David, souffle-t-elle.

Il ne pouvait toujours pas bouger, mais la panique se dissipait, diluée par le son de cette voix féminine. Le carcan qui l'enserrait, quel qu'il soit, avait cessé de l'écraser.

Il connaissait la voix de cette femme.

Avec cette voix surgit un visage.

Il ouvrit les yeux. Au début, il ne vit rien d'autre que de la lumière.

C'est alors qu'elle lui apparut.

Elle le regardait, souriante.

Il essaya de remuer, en vain.

— Tu es dans le plâtre, dit-elle. Du calme.

Soudain, il se rappela, le bond à travers la pièce pour se jeter sur Giotto Skard, le premier coup de feu assourdissant.

— Jack n'a rien ? demanda-t-il en un chuchotement rauque.

— Tout va bien.

— Et toi, ça va ?

— Oui.

Les larmes brouillèrent sa vue. Le visage devint flou.

Au bout d'un moment, sa mémoire remonta encore un peu le temps.

— Le feu ?…

— Tout le monde s'en est sorti indemne.

— Ah ! Bon. Bien. Jack a trouvé le…

Le mot lui échappait.

— La télécommande, oui. Tu lui as rappelé qu'il devait la prendre dans la poche d'Ashton.

Elle émit un drôle de petit rire. Comme un sanglot.

— Pourquoi ris-tu ?

— Je pensais juste que « prendre dans la poche d'Ashton » aurait pu être tes dernières paroles.

Il s'esclaffa à son tour, mais une douleur dans la poitrine lui arracha aussitôt un cri. Il se remit à rire, poussa un autre cri.

— Arrête, arrête ! Ne me fais pas rire.

Les larmes inondaient ses joues. La douleur était atroce. Il n'avait plus de forces.

Elle se pencha vers lui et lui essuya les yeux avec un mouchoir froissé.

— Et Skard ? demanda-t-il d'une voix à peine audible.

— Giotto ? Tu lui as largement rendu la monnaie de sa pièce.

— Les marches ?

— Oh, oui ! Probablement la première fois de sa vie qu'il était précipité en bas d'un escalier par un homme ayant reçu trois balles.

Tant d'émotions contradictoires transparaissaient dans sa voix, parmi lesquelles il détecta une pointe de fierté candide. Cela le fit sourire. Les larmes ressurgirent.

— Repose-toi à présent. Les gens vont faire la queue pour venir te parler. Hardwick a raconté tout ce qui s'était passé à l'ensemble de la Brigade, tout ce que tu avais réussi à mettre au jour avant qu'on en ait finalement le cœur net. Il leur a dit que tu étais un héros, que tu avais sauvé de nombreuses vies, mais ils sont impatients de l'entendre de ta propre bouche.

Il garda le silence un instant en essayant de revenir en arrière aussi loin que sa mémoire voulait bien le ramener.

— Quand leur as-tu parlé ?

— Il y a tout juste deux semaines.

— Non, je veux dire… à propos de l'affaire Skard, du feu.

— Il y a deux semaines. Le jour où ça s'est passé, quand je suis rentrée du New Jersey.

— Seigneur ! Tu veux dire…

— Tu étais légèrement dans le cirage.

Elle marqua soudain un temps d'arrêt, ses yeux s'emplissant à nouveau de larmes, sa respiration entrecoupée de hoquets tremblotants.

— J'ai failli te perdre, dit-elle, et à cet instant, quelque chose de sauvage, de désespéré passa sur son visage, quelque chose que Gurney n'avait jamais vu auparavant.

CHAPITRE 80

La lumière du monde

— Est-ce qu'il dort ?

— Pas vraiment. Il somnole. Ils l'ont mis sous perfusion de Dilaudid pour atténuer la douleur. Si vous lui parlez, il vous entendra.

C'était vrai. Cette vérité le fit sourire. Mais la drogue ne faisait pas que soulager la douleur. Elle l'oblitérait en une vague de… de quoi ? Une vague de… *contentement*. Ce contentement aussi le fit sourire.

— Je ne veux pas le déranger.

— Parlez. Il vous entendra, et cela ne le dérangera pas.

Il connaissait ces voix. Celles de Val Perry et de Madeleine. Des voix magnifiques.

La belle voix de Val Perry.

— David ? Je suis venue vous remercier.

Un long silence. Le silence d'un bateau à voile traversant l'horizon bleu au loin.

— En fait, c'est tout ce que j'ai à vous dire, je crois bien. Je vous laisse une enveloppe. J'espère que ce sera assez. C'est dix fois le montant sur lequel nous nous étions mis d'accord. Si ça ne suffit pas, faites-le-moi savoir.

Encore un silence. Un petit soupir. Le souffle d'une brise sur un champ de pavots orange.

— Merci.

Il n'arrivait pas à savoir où son corps finissait et où commençait le lit. Il n'était même pas sûr de respirer.

Et puis réveillé, il leva les yeux vers Madeleine.

— C'est Jack, disait-elle. Jack Hardwick, de la Brigade. Veux-tu lui parler ? Ou préfères-tu que je lui demande de repasser demain ?

Il porta son regard derrière elle, vers la silhouette qui se découpait dans l'embrasure de la porte, vit la coupe en brosse, le visage rougeaud, le regard bleu glacé de husky.

— Maintenant, ça va très bien.

Quelque chose lié au besoin de comprendre la situation, avec l'aide de Hardwick, de se concentrer, commença à clarifier le fil de ses pensées.

Madeleine hocha la tête et s'effaça quand Jack s'approcha du lit.

— Je descends boire un mauvais café, annonça-t-elle. Je reviens dans un petit moment.

— Tu te rends compte, fit Hardwick d'une voix rauque après qu'elle eut quitté la pièce, brandissant sa main bandée, une des ces putains de balles m'a atteint après t'être passée à travers le corps.

Gurney regarda la main, trouva que ce n'était pas grand-chose. Il repensa au commentaire de Marian Eliot à propos de Hardwick : *un rhinocéros malin.* Et il se mit à rire. Apparemment, les doses de Dilaudid avaient été suffisamment réduites pour que cet accès d'hilarité lui fasse mal.

— As-tu des nouvelles susceptibles de m'intéresser ?

— Je te trouve dur, Gurney. Très dur. (Hardwick secoua la tête, feignant la consternation.) Es-tu conscient d'avoir brisé l'échine de Giotto Skard ?

— Quand je l'ai poussé en bas de l'escalier, tu veux dire ?

— Tu ne l'as pas poussé. Tu t'es cramponné à lui comme à une putain de luge jusqu'en bas des marches. Résultat : il s'est retrouvé dans un fauteuil roulant, ainsi que tu l'en avais menacé. Faut croire que ça l'a incité à réfléchir aux autres petits désagréments que tu avais mentionnés par la même occasion : le risque que ses codétenus lui pissent de temps à autre à la gueule. En bref, il a passé un marché avec le procureur pour une condamnation à vie sans possibilité de libération conditionnelle, assortie de la garantie d'être séparé du reste de la population carcérale.

— En échange de quoi ?

— Il nous a donné les adresses des clients spéciaux de Karnala. Ceux qui ont des goûts extrêmes.

— Et alors ?

— Certaines filles que nous avons retrouvées à ces adresses étaient… encore vivantes.

— Et c'était ça, le marché ?

— En plus, il devait nous livrer immédiatement le reste de l'organisation.

— Il a trahi ses deux autres fils ?

— Sans hésiter une seconde. Giotto Skard n'est pas un sentimental.

Cet euphémisme fit sourire Gurney.

— J'ai une question à te poser, poursuivit Hardwick. Compte tenu du… pragmatisme avec lequel il gère ses affaires, et le degré de dinguerie de Leonardo, comment se fait-il que Giotto ne se soit pas débarrassé de lui la première fois qu'il a entendu parler des requêtes particulières qu'il incluait dans ses contrats avec ses clients de Karnala ?

— Facile. *On ne tue pas la poule aux œufs d'or.*

— La poule étant Leonardo, alias le Dr Scott Ashton ?

— Ashton était le meilleur dans son domaine… l'atout majeur de Mapleshade. S'il disparaissait, l'école risquait de fermer… Mettant un terme à un approvisionnement régulier en jeunes femmes malades.

Les yeux de Gurney se fermèrent un instant.

— Giotto n'avait… pas envie que ça arrive.

— Dans ce cas, pourquoi le tuer à la fin ?

— Tout s'en allait à vau-l'eau. Partait en fumée, si j'ose dire. Fini les… œufs d'or.

— Ça va, petit crack ? Tu m'as l'air un peu dans le coltard.

— Je ne me suis jamais senti aussi bien. Sans les œufs d'or… la poule folle… devient un fardeau. Une histoire d'équilibre entre les risques et les profits. Dans la chapelle, Giotto a finalement vu Leonardo comme un facteur risque à cent pour cent, sans plus aucune gratification en échange. La balance avait penché… Mieux valait le supprimer.

Hardwick émit un grognement pensif.

— Un fou à l'esprit pratique.

— Oui.

Après un long silence, Gurney demanda :

— Giotto a-t-il dénoncé d'autres gens ?

— Saul Steck. Nous y sommes allés avec des gars du NYPD, et nous l'avons trouvé dans son immeuble de Manhattan. Malheureusement, il s'est tiré une balle dans la tête avant qu'on puisse lui mettre la main dessus. Un truc intéressant à propos de ce type tout de même. Tu te rappelles, je t'ai parlé de son séjour dans un hôpital psy il y a des années, après son arrestation pour divers viols ? Devine qui était le psychiatre consultant du programme de rééducation des délinquants sexuels dans l'hosto ?

— Ashton ?

— En personne. J'imagine qu'il a eu le temps d'apprendre à bien connaître son patient – et décidé qu'il avait suffisamment de potentiel pour faire une exception à la règle d'exclusivité familiale en vigueur chez les Skard. Il avait un sacré don pour évaluer les caractères, quand on y pense. Il était capable de repérer un salopard de psychopathe à des kilomètres.

— As-tu réussi à établir qui étaient les « filles » de Saul ?

— De récentes diplômées de Mapleshade en stage peut-être ? Va savoir ! Elles étaient parties quand on a débarqué sur les lieux, et je doute qu'elles réapparaissent de sitôt.

Gurney y vit une sorte de réconfort, mais, même dans la douce brume créée par le Dilaudid, cela ne le rassura pas complètement.

— Avez-vous découvert des choses intéressantes sur les lieux ? demanda-t-il finalement, après un silence malaisé.

— Intéressantes ? Oh, oui, c'est rien de le dire. Des tas de vidéos passionnantes. Ces jeunes demoiselles décrivant en détail leurs passe-temps favoris. Des trucs de dingue. Carrément sordide.

— Rien d'autre ? demanda Gurney en hochant la tête.

Hardwick leva les épaules en un haussement exagéré.

— C'est possible. Tu sais comment c'est. On fait de son mieux pour ne rien laisser au hasard, mais il y a des choses qui disparaissent quand même. Qui ne sont jamais répertoriées. Qu'on détruit par accident.

Ils demeurèrent un moment silencieux.

Hardwick avait l'air songeur, puis une lueur d'amusement passa dans son regard.

— Tu sais, Gurney, tu es plus disjoncté que tu en as l'air.

— Ne le sommes-nous pas tous ?

— Certainement pas. Prends mon cas, par exemple. Je donne l'impression de foirer complètement, mais à l'intérieur, je suis un roc. Une machine bien réglée, parfaitement équilibrée.

— Bien sûr, tu es parfaitement équilibré…

En temps normal, Gurney aurait achevé sa phrase par une réplique cinglante, mais, le Dilaudid aidant, il n'alla pas au bout de sa pensée.

Ils se regardèrent dans les yeux un instant encore, puis Hardwick fit un pas en direction de la porte.

— À un de ces quatre, OK ?

— D'accord.

Sur le point de quitter la pièce, il se retourna.

— Relax, Sherlock. Tout baigne.

— Merci, Jack.

Un peu après le départ de Hardwick, Madeleine revint dans la chambre avec un petit gobelet de café qu'elle posa sur une table en métal dans le coin en plissant le nez.

Gurney sourit.

— Si infect que ça ?

Elle ne répondit pas. À la place, elle s'approcha du lit, prit ses deux mains et les serra dans les siennes.

Elle resta ainsi près de lui un long moment sans bouger.

Cela aurait pu durer aussi bien une minute qu'une heure. Il n'aurait pas su le dire.

La seule chose dont il était véritablement conscient, c'était de son sourire affectueux, constant, perspicace. Un sourire qui n'appartenait qu'à elle. Qui l'enveloppait, le réchauffait, le ravissait comme rien d'autre n'arrivait à le faire.

Il n'en revenait pas qu'un être aussi clairvoyant, qui avait la lumière du monde dans les yeux, puisse voir en lui quelque chose qui méritait un tel sourire.

Un sourire qui pouvait faire croire à un homme que la vie était douce.

REMERCIEMENTS

Lorsque j'ai achevé mon premier roman, *658*, j'ai eu la chance extraordinaire d'être représenté par un agent hors pair, Molly Friedrich, et par ses remarquables associés, Paul Cirone et Lucy Carson.

Ma chance se confirma lorsque Rick Horgan, merveilleux éditeur chez Crown, se porta acquéreur de ce livre.

Aujourd'hui, je continue à bénéficier des conseils et du soutien de ces êtres honnêtes, intelligents et talentueux. Leur parfaite combinaison de critiques judicieuses et d'encouragements enthousiastes a largement contribué à améliorer à tous égards mon nouveau roman, *N'ouvre pas les yeux*.

Rick, Molly, Paul, Lucy – merci !

John Verdon
dans Le Livre de Poche

658 n° 32162

« Je connais vos secrets. Je sais ce que vous avez fait. Je peux lire dans vos pensées. Vous ne me croyez pas ? Je vais vous le prouver. » Ancien alcoolique reconverti en gourou pour milliardaires dépressifs dans une clinique privée, Mark Mellery reçoit un jour une lettre anonyme lui demandant de se prêter à un petit jeu à première vue inoffensif. Mais l'énigme ne tarde pas à prendre une tournure sanglante et terrifiante… L'enquête est conduite par le légendaire inspecteur David Gurney, jeune retraité du NYPD bientôt rattrapé par le démon de l'investigation, qui se lance aux trousses d'un meurtrier aussi inventif que machiavélique – car le décompte macabre ne fait que commencer…

Du même auteur
aux éditions Grasset :

658, 2011.
Ne réveillez pas le diable qui dort, 2013.

Le Livre de Poche s'engage pour l'environnement en réduisant l'empreinte carbone de ses livres.
Celle de cet exemplaire est de :
650 g éq. CO_2
Rendez-vous sur
www.livredepoche-durable.fr

Composition réalisée par FACOMPO (Lisieux)

Achevé d'imprimer en avril 2013 en France par
CPI BRODARD ET TAUPIN
La Flèche (Sarthe)
N° d'impression : 73006
Dépôt légal 1re publication : mai 2013
LIBRAIRIE GÉNÉRALE FRANÇAISE
31, rue de Fleurus – 75278 Paris Cedex 06

31/6497/7